実力心電図

―「読める」のその先へ―

改訂版

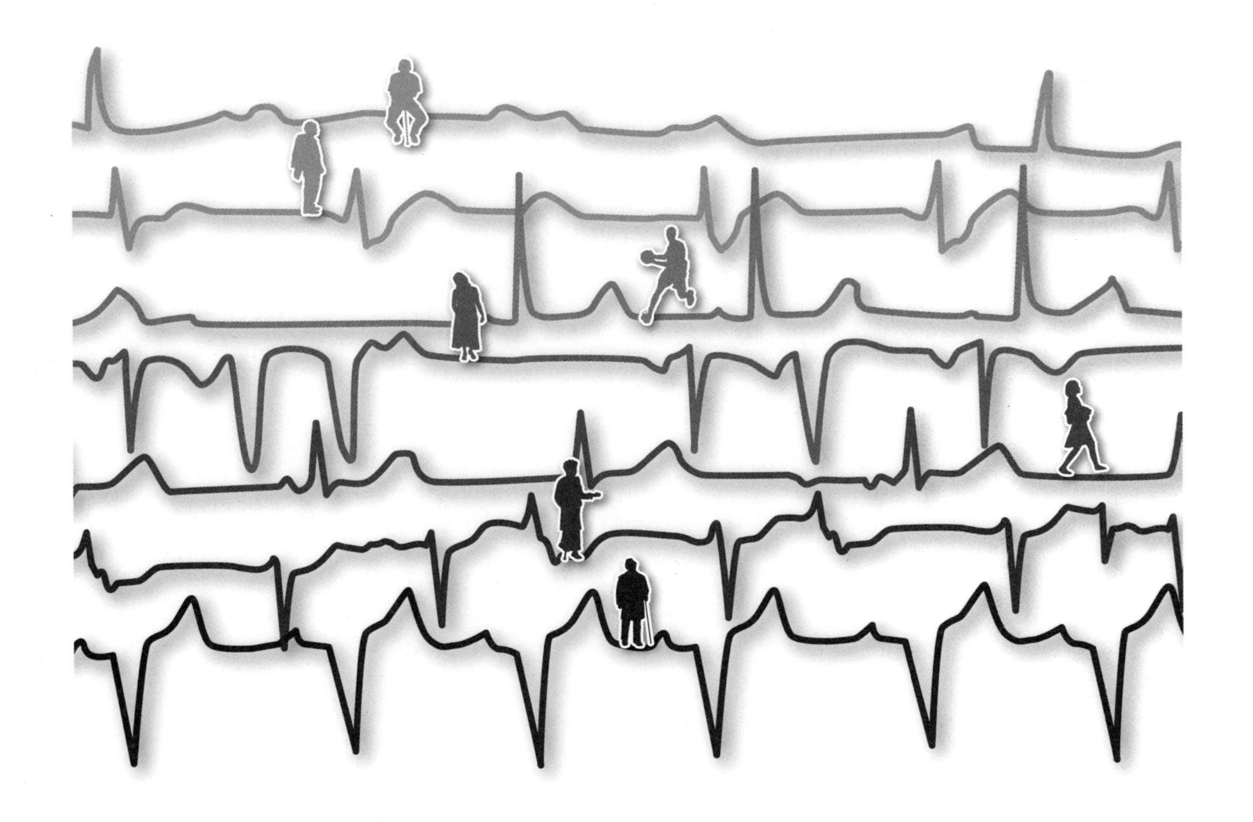

日本不整脈心電学会

『実力心電図―「読める」のその先へ―＜改訂版＞』発行にあたって

『実力心電図―「読める」のその先へ―＜改訂版＞』編集長
北里大学医学部循環器内科学
庭野慎一

日本不整脈心電学会(JHRS)では、専門分野における心電図記録およびその判読の総合的な実力を認定する目的で「JHRS 認定心電図専門士」(旧：認定心電検査技師)制度を運用しています。年 1 回開催される厳正な試験のもと、資格取得者は 2022 年 3 月現在で 1,390 名にも上り、各医療現場でご活躍されています。設立当初は臨床検査技師の方々を対象としておりましたが、2019 年に「JHRS 認定心電図専門士制度」に名称変更するに伴い、看護師や医師の方々も受験可能となりました。JHRS では今後も本資格の価値を高く維持し、社会的貢献を継続する所存です。

当初、『実力心電図―「読める」のその先へ―』は、本資格の公式テキストとして企画されました。しかしながら、心電図に興味のある方々が多い現状に鑑み、公式テキストの範疇を超え、読者対象を拡大した書籍として発行いたしました。その結果、JHRS 認定心電図専門士試験受験者のみならず、心電図検定対策にも活用されるなど、多くの方々にご愛読いただいております。

本書は、循環器疾患における心電図判読の各論の理論にとどまらず、心電図の原理や技術的知識を網羅し、多数のオリジナル心電図波形について各分野の専門の先生方にご解説いただいております。改訂版ではその特徴を維持しつつ、ガイドライン改訂に伴う記述変更、疾患を説明するのに適した心電図への差し替えなどを行い、心電図の教科書としての実力を備えるべく、内容をより充実させました。本書を通して心電図を学び、さらに「その先」を学習し、活躍される方が増えることを願ってやみません。

末筆となりますが、加筆・高閲いただいた先生方、ご協力いただいた日本光電工業株式会社、フクダ電子株式会社の方々に厚く御礼申し上げます。

令和 4 年 4 月吉日

Contents

第1章 心電図判読のための基礎知識

右胸心・心房負荷・心肥大

洞頻脈・洞不整脈・異所性心房調律

その他の病態

脚ブロック

徐脈性不整脈

上室性不整脈

心室性不整脈

先天性心疾患

虚血性心疾患

その他の疾患

－心電図、「読める」のさらにその先へ－

心電図判読のための基礎知識

本章では、心臓の全体像および刺激伝導系・冠動脈の解剖をはじめとして、苦手な方の多い心筋活動電位とイオン電流の関係、刺激伝導系を介した電気的興奮の伝播、心電図判読の基本となる波形の名称や定義など、心電図を正しく判読するために押さえておきたい基礎知識について述べる。

Ⅰ．心電図とは

心臓の電気活動を体表面から記録したものを心電図と呼ぶ。19 世紀前半には心筋が電気を発生することが発見されており、ヒトにおいては、1897 年にオランダの生理学者 Willen Einthoven が現在の四肢誘導に相当する心電図を初めて記録した。その後、1934 年に Frank Norman Wilson により単極胸部誘導が、1942 年に Emanual Goldberger により増高単極肢誘導が加えられ、現在の標準 12 誘導心電図の形が整った。

心電図から読み取れる疾患は、①刺激伝導系の異常が原因となる心疾患、②刺激伝導系以外の異常が原因となる心疾患、③心疾患以外の疾患・病態に大きく分けられる（**表 1**）。

表 1　心電図から読みとれる疾患

刺激伝導系の異常が原因となる心疾患	徐脈性不整脈、頻脈性不整脈、QT 延長症候群、QT 短縮症候群、Brugada 症候群、早期再分極症候群、WPW 症候群
刺激伝導系以外の異常が原因となる心疾患	心房負荷、心室肥大、心筋症、心筋炎、狭心症、心筋虚血（心筋梗塞など）、心膜炎
心疾患以外の疾患・病態	電解質異常（高カリウム・カルシウム・マグネシウム血症、低カリウム・カルシウム・マグネシウム血症）、肺疾患（肺気腫、慢性気管支炎、気管支喘息など）、気胸、中枢神経疾患（くも膜下出血、脳内出血など）、甲状腺機能亢進症、甲状腺機能低下症

Ⅱ．心臓の解剖

本項では、心電図の判読に必要と思われる、心臓の全体像・冠動脈・刺激伝導系を解剖し、各々について解説する。

1．心臓の全体像の解剖

心臓には右房と左房、右室と左室があり、心房は上、心室は下に位置しているのは既知のことと思う（**図 1**）。そのほかに、垂直面と水平面の心臓と心電図の電極との位置関係は、心電図を理解するうえで重要となるため、是非知っておきたい（**図 2**）。例えば、**図 2** からは四肢誘導ではⅡ誘導が心臓の軸に一番近いこと、胸部誘導では心室中隔が V_3 誘導と V_4 誘導の間にあることが見て取れる。また、4 本（左上・右上・左下・右下）ある肺静脈がいずれも左房後壁に開口すること、心室から動脈の間には流出路と呼ばれる伝導の遅い心筋組織が存在することも覚えておく必要がある。

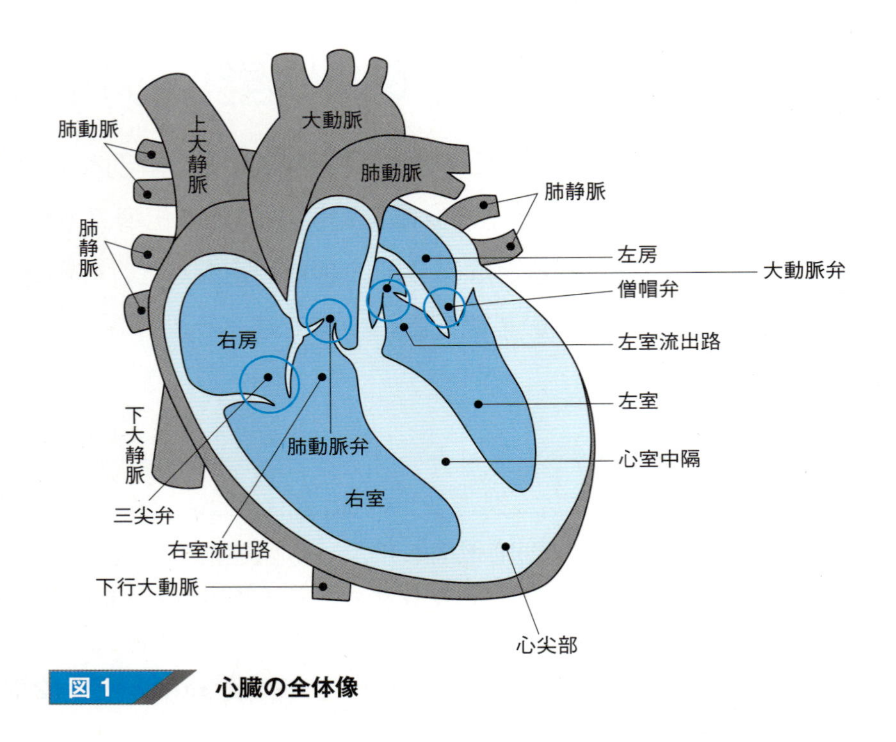

図1 **心臓の全体像**

垂直面(四肢誘導)

水平面(胸部誘導)

図2 **MRI 画像による心臓と心電図の電極との位置関係**

LA：左房、RA：右房、LV：左室、RV：右室

2. 刺激伝導系の解剖

刺激伝導系は、心臓の上方から次の順序で位置している(**図3**)。

① 洞結節 → ② 結節間路 → ③ 房室結節 → ④ His 束 → ⑤ 脚 → ⑥ Purkinje 線維

洞結節は、上大静脈における右房への流入部の前壁側に存在する。心房内の刺激伝導系は結節間路と呼ばれ、前・中・後結節間路がある。前結節間路はすぐに下行枝と Bachman 束に分かれ、Bachman 束は心房上部を通って左房との連絡を担う。洞結節と房室結節の連絡は、前結節間路の下行枝と中・後結節間路によって行われる。下行枝は心房中隔に存在し、中・後結節間路は右房後壁に位置する。

房室結節は、正確には房室接合部にはなく、右房の右下端縁に位置している。これに続くHis束は、房室接合部を貫いて左室側に現れる。ここで右脚と左脚に分かれるが、右脚は再び心室中隔上部を貫いて右室側に現れ、心室中隔右室側を走行する。左脚は速やかに前枝と後枝に分かれ、前枝は左室前壁を左方に走行する。後枝は分枝直後に中隔枝を出し、その後左室後側壁を下方へ走行する。

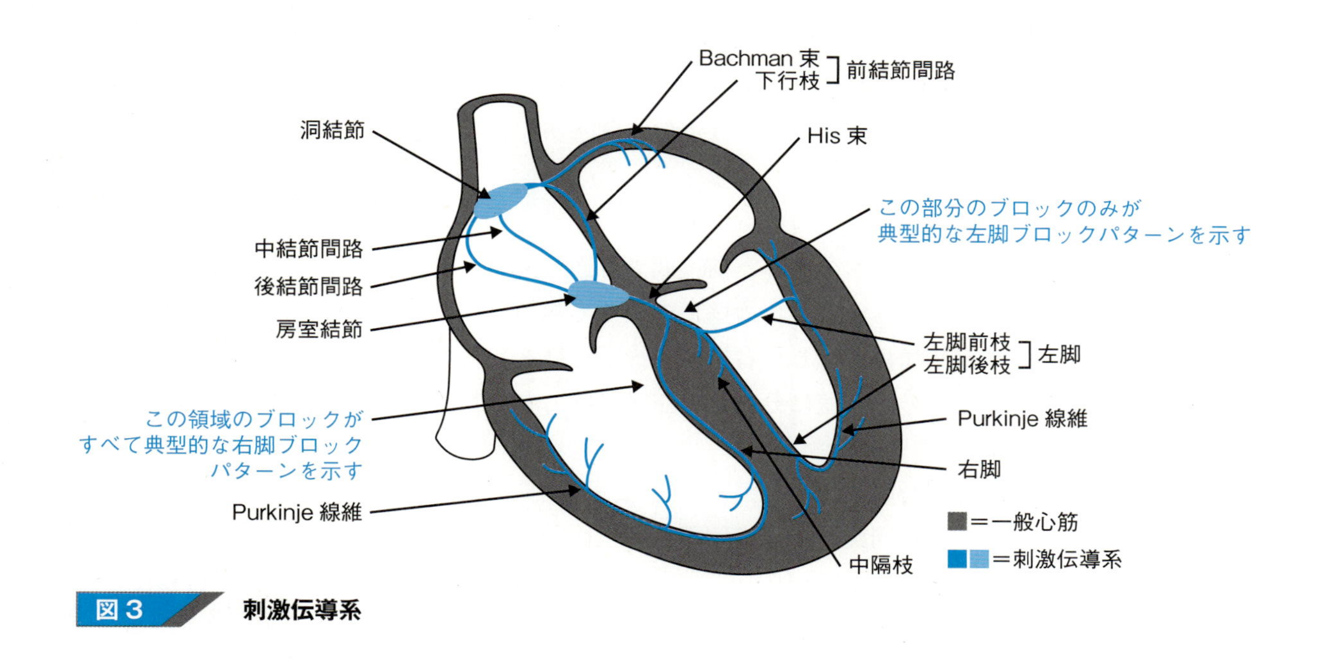

図3 刺激伝導系

体の前面から見たとき、前枝と後枝が**図4**のような位置関係にあるイメージをもつと、前枝ブロックが左軸偏位、後枝ブロックが右軸偏位となることが容易に理解できる(電気軸については、p.23参照)。右脚ブロックの頻度が高い理由として、①右脚は左脚に比べてはるかに細いこと、②右脚は分枝するまで長い距離を走るが、左脚はすぐに前枝と後枝に分枝することがあげられる。

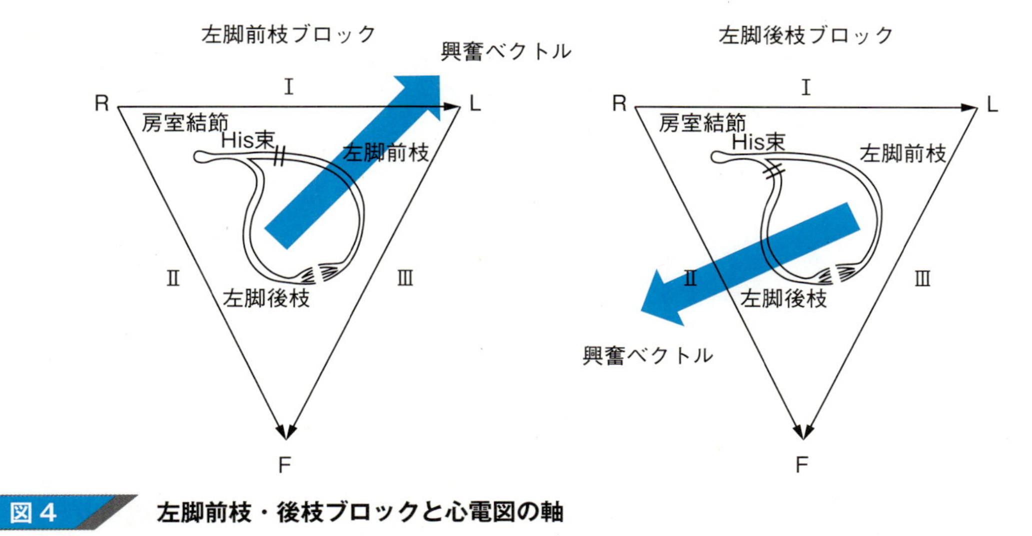

図4 左脚前枝・後枝ブロックと心電図の軸

(古川哲史：目からウロコの心電図 改訂版. p.74, ライフメディコム, 東京, 2015より許諾を得て転載)

3. 冠動脈の解剖（図 5）

冠動脈の解剖は、心電図から心筋梗塞部位や梗塞責任冠動脈を推定するのに重要である。

右冠動脈は、右房と右室の間（右房室間溝）を通り心臓の右辺縁を下行する。右冠動脈の起始部近辺からは洞結節を灌流する洞結節枝が分枝する。途中で右室枝、鋭角枝を分枝し、心臓後下面の右室と左室の境界で後室間溝を走行する後下行枝と房室結節方向に走る房室枝に分かれる。房室枝からは房室結節を灌流する房室結節枝が分枝する。右冠動脈の心筋梗塞で房室ブロックが起こりやすいのは、このためである。右冠動脈の起始部近辺から分枝する洞結節枝より近位で閉塞が起こることはそれほど多くないが、その場合は徐脈・洞停止などの洞機能不全が起こりうる。

左冠動脈は、左室前面の右室と左室の境界、前室間溝を通る短い主幹部より左前下行枝と左回旋枝に分かれる。左前下行枝は分枝後ただちに左室自由壁に向かって対角枝、心室中隔に向かって中隔枝を出し、前室間溝を下行したのち後室間溝に移行し、右冠動脈後下行枝と吻合する。左回旋枝は、左房と左室の境界の左房室間溝を走行して左室の後側壁に分布し、左室後壁で右冠動脈房室枝と吻合する。

右冠動脈は右室、左室下壁、心室中隔の一部、洞結節、房室結節に加えて後乳頭筋を、左前下行枝は左室前壁、心室中隔、心尖部を、左回旋枝は左室側壁、左室後壁に加えて前乳頭筋を灌流する。ただし、右冠動脈と左冠動脈の発達程度には個人差があり、左冠動脈優位の場合は左室下壁も左前下行枝により灌流されることがある。

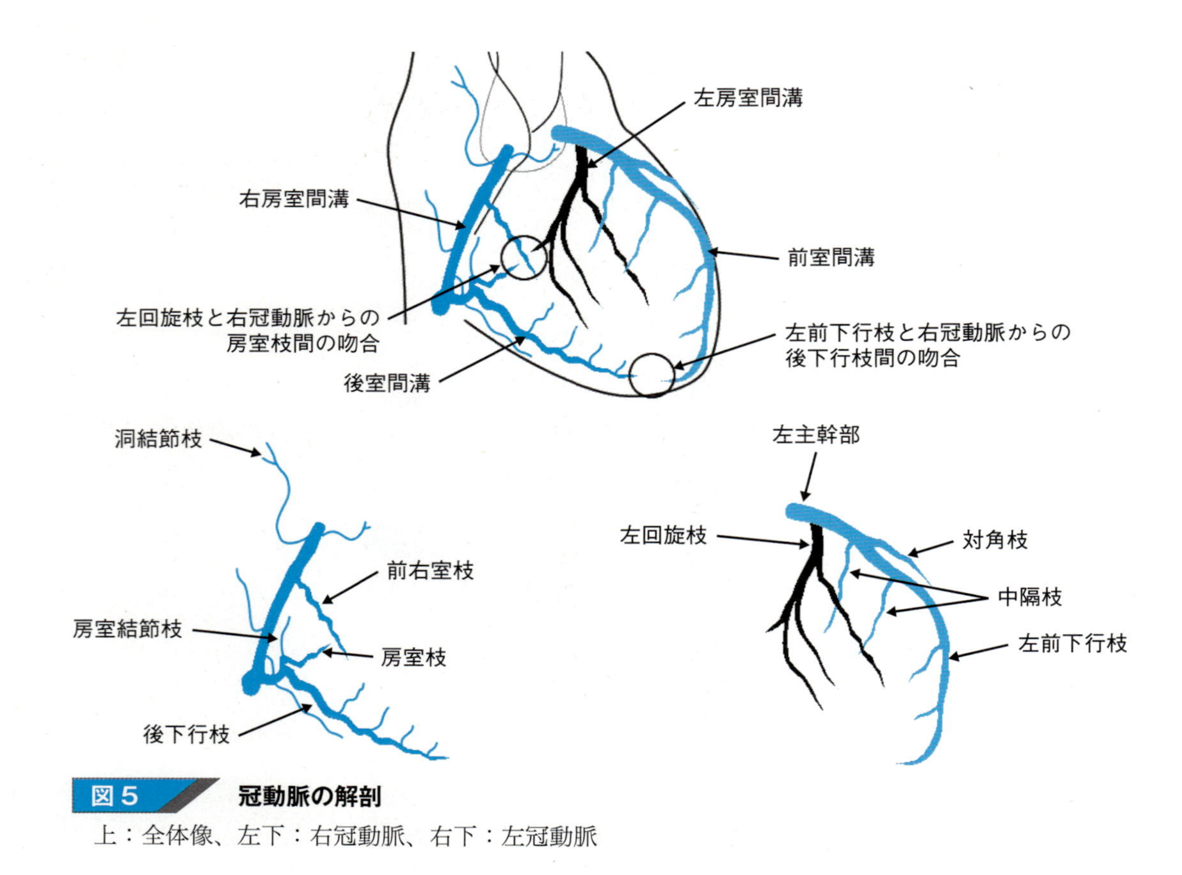

図 5 冠動脈の解剖

上：全体像、左下：右冠動脈、右下：左冠動脈

Point

刺激伝導系

洞結節→結節間路→房室結節→His 束→脚→Purkinje 線維

右冠動脈の主な灌流域

右室、左室下壁、心室中隔の一部、洞結節、房室結節、後乳頭筋

左前下行枝の主な灌流域

左室前壁、心室中隔、心尖部

左回旋枝の主な灌流域

左室側壁、左室後壁、前乳頭筋

Ⅲ．心筋活動電位

心筋細胞の細胞膜は静止時には電気的に内側がマイナス、外側がプラスに分かれている。プラス極とマイナス極が分かれていることから、これを分極(polarization)と呼ぶ。心筋細胞は細胞内が一過性にプラスとなり〔これを分極を脱することから脱分極(depolarization)と呼ぶ〕、再びマイナスに戻る〔これを再び分極することから、再分極(repolarization)と呼ぶ〕という電気現象を繰り返している(**図 6**)。細胞膜の内側の電位を膜電位と呼び、一過性の脱分極-再分極サイクルによる膜電位の変化を活動電位(action potential)と呼ぶ。これが心筋細胞の電気興奮を反映する。活動電位の形状およびこれを形成するイオン電流は、洞結節・房室結節とそれ以外(心房筋・心室筋・His-Purkinje 系)で大きく異なる。

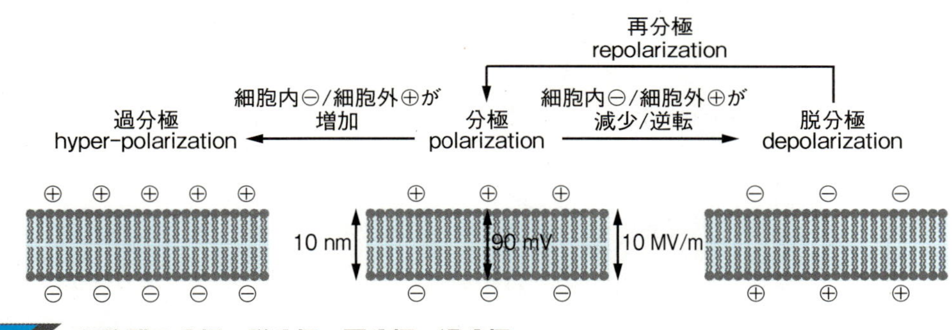

図 6　細胞膜の分極、脱分極、再分極、過分極

(古川哲史：目からウロコの心電図 改訂版. p.3, ライフメディコム, 東京, 2015 より許諾を得て転載)

1. 心室筋における活動電位とイオン電流

洞結節・房室結節以外の活動電位は、5 つの相からなる(**表 2**)。**図 7** に心室筋の活動電位とそれぞれのタイミングで流れるイオン電流を示す。脱分極するところでは内向き電流が関与しており、再分極するところでは外向き電流が関与している。心室筋の活動電位で脱分極するところは第 0 相(活動電位の立ちあがり)と第 2 相(プラトー相)であり、それぞれ電位依存性 Na^+電流、電位依存性 L 型 Ca^{2+}電流が流れる。再分極するところは第 1 相(早期一過性再分極相)と第 3 相(再分極相)であり、それぞれ一過性外向き K^+電流と遅延整流 K^+電流が流れる。第 4 相は膜電位が変化しないことから、電流はほとんど流れていないが、深い膜電位を維持するために内向き整流 K^+チャネルが開口している必要がある。

表2 **心室筋の活動電位相と主なイオン電流**

心室筋 活動電位相	主なイオン電流
第0相	I_{Na}：内向き、電位依存性 Na^+電流
第1相	I_{to}：外向き、一過性外向き K^+電流
第2相	I_{CaL}：内向き、電位依存性 L 型 Ca^{2+}電流
第3相	I_K：外向き、遅延整流 K^+電流（急速活性化 I_{Kr}、緩徐活性化 I_{Ks}の 2 タイプからなる） I_{K1}：外向き、内向き整流 K^+電流
第4相	I_{K1}：外向き、内向き整流 K^+電流 （チャネルは開き深い静止膜電位の維持に寄与するが、K^+の平衡電位に近いので電流はほとんど流れない）

（古川哲史：心筋イオンの動態と心電図波形の成立．内科学 第 11 版（矢﨑義雄総編集），p.379，朝倉書店，東京，2017 より許諾を得て改変し転載）

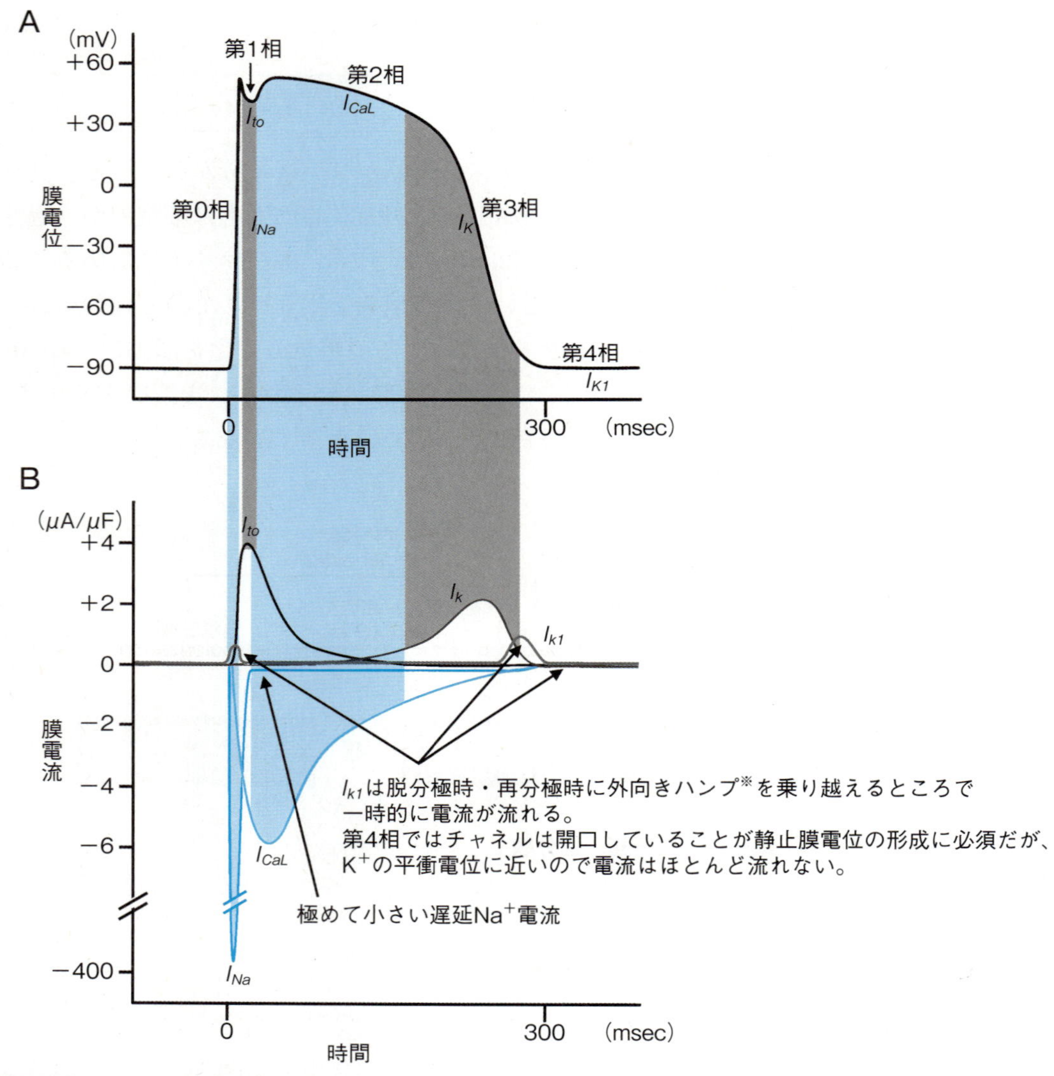

図7 **心室筋の活動電位とイオン電流**

A：活動電位、B：各活動電位の時相で流れるイオン電流．外向き電流は上向き、内向き電流は下向きで示す。
（古川哲史：心筋イオンの動態と心電図波形の成立．内科学 第 11 版（矢﨑義雄総編集），p.379，朝倉書店，東京，2017 より許諾を得て改変し転載）
※外向きハンプについては、同掲書の電子版参照。

2. 洞結節・房室結節における活動電位とイオン電流

洞結節・房室結節の活動電位とこれを形成するイオン電流を示す(**表3**、**図8**)。洞結節・房室結節の活動電位は、第1相・第2相がなく、第0相から直接第3相に移行する。心室筋の活動電位とは、次の3つの点で異なっている。

第4相で緩徐な脱分極が起こる

第4相で緩徐な脱分極が起こることを緩徐拡張期脱分極あるいは第4相脱分極と呼ぶ。過分極活性化陽イオンチャネル(funny チャネル、ペースメーカチャネル)によりもたらされる内向きの過分極活性化陽イオン電流(funny 電流、ペースメーカ電流)、細胞内 Ca^{2+}振動が駆動する Na^{+}/Ca^{2+}交換体(NCX)の順方向回転(3つの Na^{+}を細胞内に、1つの Ca^{2+}を細胞外に運ぶ方向)によりもたらされる脱分極が、緩徐拡張期脱分極の起こる原因である。前者を細胞膜クロック、後者をカルシウムクロックと呼ぶ。

表3 洞結節・房室結節の活動電位相と主なイオン電流

洞結節・房室結節活動電位相	主なイオン電流
第0相	I_{Ca}：内向き、電位依存性L型 Ca^{2+}電流
第3相	I_{K}：外向き、遅延整流 K^{+}電流
第4相	I_{h}(I_{f})：過分極活性化陽イオン電流(funny 電流、ペースメーカ電流)(過分極で内向きに流れる Na^{+}電流が主体) I_{NCX}：Na^{+}/Ca^{2+}交換体の順方向回転に伴う内向き電流

(古川哲史：心筋イオンの動態と心電図波形の成立．内科学 第11版(矢﨑義雄総編集)，p.379，朝倉書店，東京，2017より許諾を得て改変し転載)

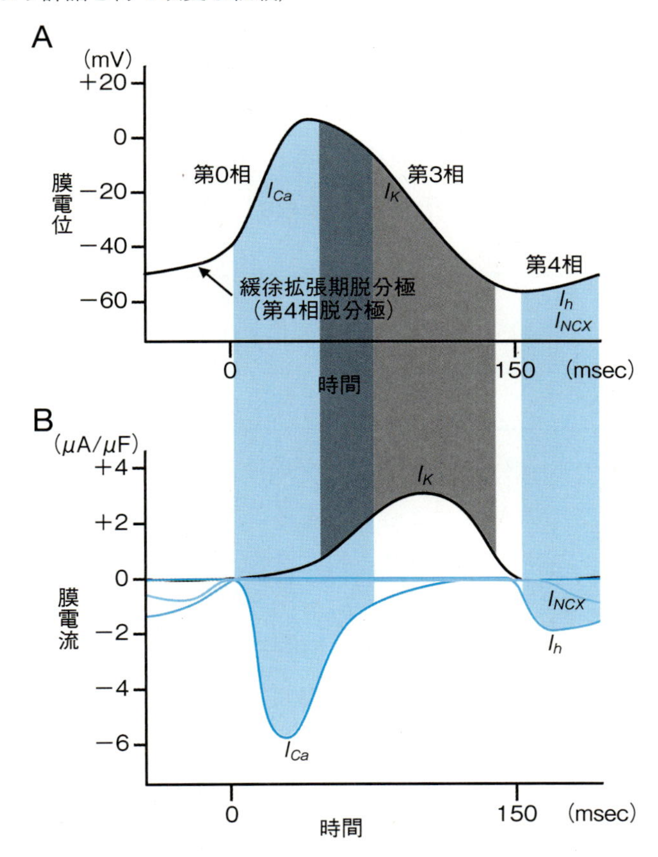

図8 洞結節・房室結節の活動電位とイオン電流

A：活動電位、B：各活動電位の時相で流れるイオン電流。外向き電流は上向き、内向き電流は下向きで示す。
(古川哲史：心筋イオンの動態と心電図波形の成立．内科学第11版(矢﨑義雄総編集)，p.379，朝倉書店，東京，2017より許諾を得て改変し転載)

最大拡張期電位が浅い

最大拡張期電位が浅くなるのは、内向き整流 K^+チャネルがほとんど発現していないためであり、遅延整流 K^+電流が第３相の再分極と静止膜電位の維持の両方を担っている。

第０相の傾きが緩やか

第０相の傾きが緩やかになるのは、洞結節・房室結節の活動電位が電位依存性 Na^+電流ではなく、電位依存性Ｌ型 Ca^{2+}電流によりもたらされるためである。電位依存性Ｌ型 Ca^{2+}電流のほうが電流密度がはるかに小さいため(約 1/100)、脱分極の速度(＝第０相の傾き)も小さい。Ca^{2+}チャネル遮断薬を投与すると、心拍数が遅くなり房室伝導が抑制されるのは、洞結節・房室結節の活動電位が電位依存性Ｌ型 Ca^{2+}電流によりもたらされるためである。

Point

心室筋の主なイオン電流

第０相⇒電位依存性 Na^+電流
第１相⇒一過性外向き K^+電流
第２相⇒電位依存性Ｌ型 Ca^{2+}電流
第３相⇒遅延整流 K^+電流
第４相⇒内向き整流 K^+電流

洞結節・房室結節の主なイオン電流

第０相⇒電位依存性Ｌ型 Ca^{2+}電流
第３相⇒遅延整流 K^+電流
第４相⇒過分極活性化陽イオン電流(funny 電流、ペースメーカ電流)
Na^+/Ca^{2+}交換体の順方向回転に伴う内向き電流

活動電位

洞結節・房室結節は Ca^{2+}活動電位、それ以外は Na^+活動電位

Ⅳ. 興奮と刺激伝導系

心臓は、血液を静脈から受けとり動脈に送り出すポンプの役割を担っている。そのため、心臓の各部位を最適な時間的・空間的タイミングで興奮させる必要がある。ポンプの役割を担うのは心房筋や心室筋などの固有心筋であり、最適なタイミングで興奮させる役割を担っているのが刺激伝導系である。

刺激伝導系には心臓の上方から、洞結節・結節間路・房室結節・心室内伝導路(His 束・脚・Purkinje 線維)があることは前述したとおりである。刺激伝導系は、自ら電気的興奮を起こすことのできる自動能を有することが特徴である。

1. 自動能の速さと伝導速度のヒエラルキー

自動能の速さにはヒエラルキーがあり、心臓の下方に向かうほど遅くなる。つまり、洞結節が最も速く、房室接合部(房室結節・His 束)が中間で、Purkinje 線維が最も遅い。また伝導速度にもヒエラルキーがあり、自動能とは逆に心臓の下方から上方に向かうほど遅くなる。つまり、Purkinje 線維が最も速く、心房

筋、心室筋、洞結節・房室結節の順となる。

2. 心房の興奮の伝播

心臓の興奮は、右房と上大静脈の接合部(右房の上部・左側・後方)にある洞結節から始まる。心房の刺激伝導系は、心室の刺激伝導系と異なり、固有心筋の心房筋と線維性組織で絶縁されていない。右房—左房間、洞結節—房室結節間の興奮伝達は優先的に結節間路を通って行われるが、右房での興奮は上方から下方に向かって波紋状に広がる(図 9-❶)。左房の興奮は心房の上部、後方にある Bachman 束を通って左房の上部、左側、後方に伝わるが、やはり上方から下方に向かって波紋状に広がる(図 9-❷)。心房は心室に血液を送る役割を担うため、房室間孔に向かって上方から下方に興奮が伝播するのは理にかなっている。

3. 心室の興奮の伝播

心室の出口である大動脈、肺動脈は上方に位置する。血液を下方から上方に送るためには、興奮も下方から上方に向かって伝わる必要がある。また、心房に比べて心室は大きいが、これをほぼ同時に興奮させなければならない。そのため、心室は固有心筋(心室筋)と線維性組織で絶縁された His-Purkinje 系と呼ばれる特有の刺激伝導系を有している。心房と心室をつなぐ連絡路は、正常な状態であれば房室結節のみであり、心房で起こった興奮は一度房室結節に入り、His-Purkinje 系を通らないと心室に伝わらない。興奮は His-Purkinje 系により、心臓全体にほぼ同時(0.04 秒以内)に伝わるが、ほぼ同時というものの若干差がある。まずは心室中隔の左室側(図 9-①)、ついで乳頭筋、その後は心室の心尖部(図 9-②)から自由壁(図 9-③)、心基部(図 9-④)と順々に伝わる。心室中隔、乳頭筋に興奮が速く伝わるのは、これらの領域への Purkinje 線維が脚からはやく分枝しているためである。特に乳頭筋は房室弁が反転しないように先に興奮してから心室で収縮が起きるため、血液が心房に逆流しないようになっており、理にかなっている。左室の乳頭筋に Purkinje 線維を出す左脚のブロック、右室の乳頭筋に Purkinje 線維を出す右脚のブロックでは、弁の反転のため、それぞれ機能的僧帽弁・三尖弁閉鎖不全が起こる。また、Purkinje 線維は心内膜面にネットワーク状に広がっているため、興奮はまず心内膜側の心室筋細胞に伝達され、そこから心外膜方向に伝達される。

垂直面(四肢誘導)

水平面(胸部誘導)

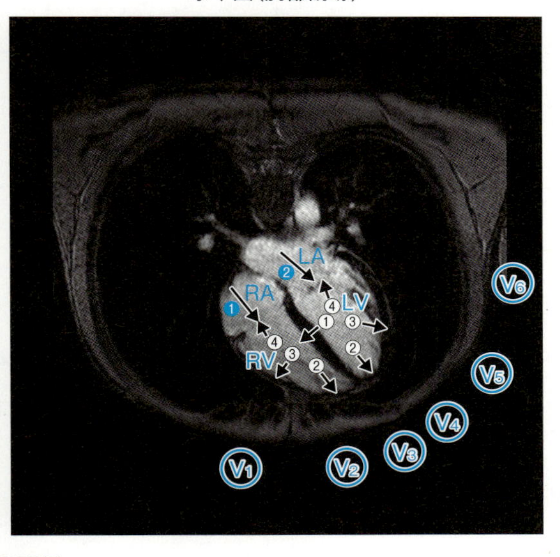

図 9 心臓の興奮伝播方向と心電図の電極の関係

LA：左房、RA：右房、LV：左室、RV：右室

Point

自動能のヒエラルキー

洞結節＞結節間路・房室結節・His 束・脚＞Purkinje 線維

伝導速度のヒエラルキー

His 束・脚・Purkinje 線維＞心房筋（結節間路も含めて）＞心室筋＞洞結節・房室結節

V. 心電図判読の基本

本項では、心電図を記録し正しく判読するために、記録用紙の見方をはじめ、活動電位と心電図波形の関係、波形の計測などについて概説する。

1. 記録用紙・心拍数・電気軸・移行帯

心電図記録を行うための基本となる、記録用紙の見方や心拍数の求め方、電気軸および移行帯の求め方について概説する。

① 記録用紙の見方

心電図の記録用紙は 1 mm ごとに細い線が、5 mm ごとに太い線が引かれており、小さなマスと大きなマス（小さなマスが 5 個集まったもの）がある（図 10）。横軸は時間、縦軸は電位を表している。また、電位増幅は 10 mm/mV に、紙送り速度は 25 mm/秒に標準設定されている。

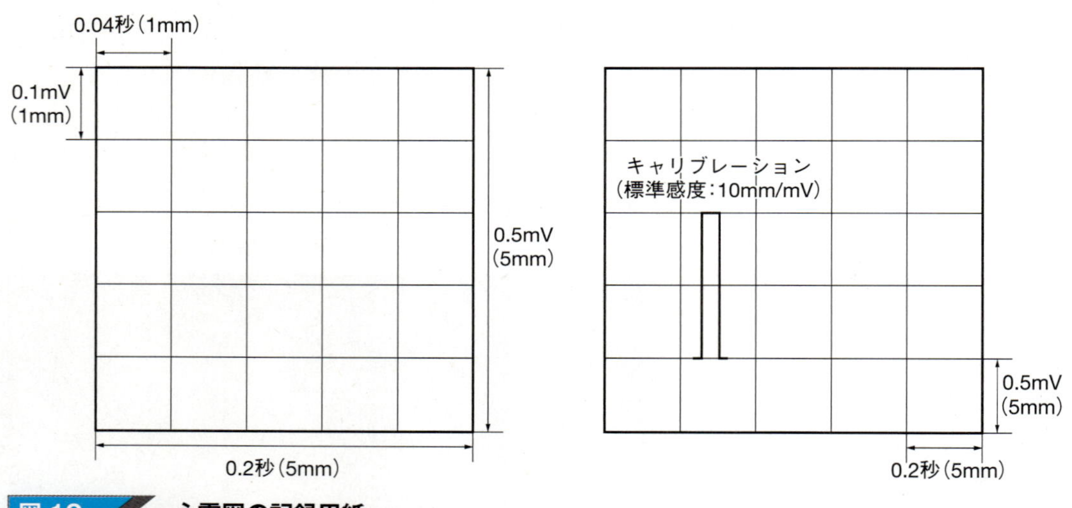

図 10 心電図の記録用紙

正確に診断するために、必ずキャリブレーションを入れて記録する。

横軸：小さなマス＝0.04 秒、大きなマス＝0.2 秒

縦軸：小さなマス＝0.1 mV、大きなマス＝0.5 mV

② 心拍数の求め方

心拍数は次の計算式で求められる。

心拍数＝60÷（RR 間隔）

RR 間隔は、QRS 波と QRS 波の間にある大きなマスの数を N とすると、N×0.2 秒で求められる。小さいマスは 1 マスを 0.2 と数える(大きいマスを 1 とすると 1÷ 5 =0.2)。これを下記の式に当てはめてみると、つまるところ、心拍数は 300 を N で割ると求められる。

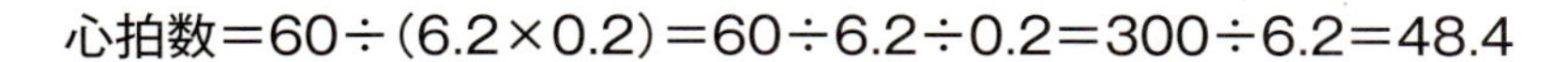

$$心拍数=60÷(N×0.2)=60÷N÷0.2=300÷N$$

例をあげて考えてみる。大きいマス目が 6 個と小さいマス目が 1 個であるため、N=6.2 となる。これを上記の式に当てはめると、心拍数は下記のように求められる(図 11)。

$$心拍数=60÷(6.2×0.2)=60÷6.2÷0.2=300÷6.2=48.4$$

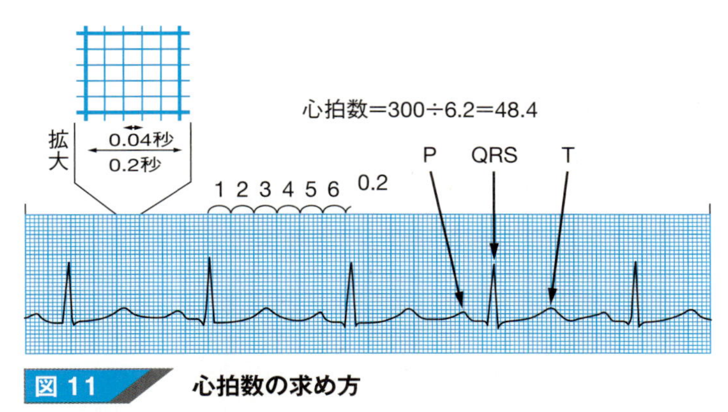

図 11　心拍数の求め方

(古川哲史：目からウロコの心電図 改訂版．p.35，ライフメディコム，東京，2015 より許諾を得て改変し転載)

③ 電気軸の求め方

電気軸とは垂直方向の心臓の軸をいい，肢誘導から求められる。2 つの肢誘導(I 誘導と aVF 誘導，あるいは I 誘導とⅢ誘導を用いることが多い)において，QRS 波の陽性部分から陰性部分の振幅を引き(陽性部分あるいは陰性部分が 2 つある場合は、その合計)、これを当該肢誘導の QRS 波の電気ベクトルとする。図 12 のように、用いた誘導に垂線を引き、両者の交点に原点から引いた矢印が心臓の電気軸に相当する。電気軸は、0° ～+90° が正常値であり、−30° 以下を左軸偏位、+120° 以上を右軸偏位とするのが一般的である。0° ～−30° は肥満などで、+90° ～+120° は痩せなどでしばしば見られるため、境界域とする場合もある(表 4)。−180° と−90° の間は極端な右軸偏位もしくは左軸偏位であり、北西軸と呼ばれる。I ・aVL 誘導に q 波がある場合は極端な左軸であることが多い。北西軸を不定軸と呼ぶ場合もある。

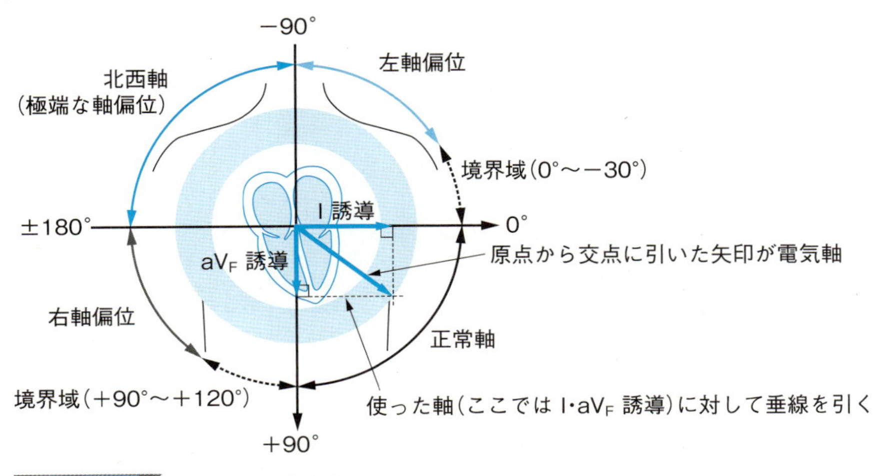

図 12　電気軸の求め方

(古川哲史：目からウロコの心電図 改訂版．p.50，ライフメディコム，東京，2015 より許諾を得て改変し転載)

表 4　電気軸の分類（成人の場合）

Ⅰ誘導	aVF 誘導	軸	診断
陽性	陽性	0°～＋90°	正常
陽性	陰性	0°～－90°	左軸偏位 （0°～－30°は、肥満でしばしば見られるため、境界域とする場合もある）
陰性	陽性	＋90°～＋180°	右軸偏位 （＋90°～＋120°は、痩せでしばしば見られるため、境界域とする場合もある）
陰性	陰性	－90°～－180°	北西軸（極端な軸偏位）

（古川哲史：目からウロコの心電図 改訂版．p.50，ライフメディコム，東京，2015 より許諾を得て改変し転載）

④ 移行帯の求め方

移行帯は水平面の胸部誘導から求める。QRS 波は通常 V_1 誘導が陰性部分＞陽性部分、V_6 誘導は陰性部分＜陽性部分であり、V_1 誘導から V_6 誘導と移動するにつれて陰性部分が小さくなり陽性部分が大きくなる。これが入れ替わるところを移行帯と呼び、通常は V_3 誘導から V_4 誘導にある。移行帯が V_3 誘導より右方誘導の場合を反時計方向回転と呼び，移行帯が V_4 誘導より左方誘導の場合を時計方向回転と呼ぶ。

2. 活動電位と心電図波形

心臓では、心房の脱分極・再分極と心室の脱分極・再分極の 4 つのイベントがある。しかし、心房－心室間の興奮には時間差が生じるため、心房の再分極と心室の脱分極がほぼ同じタイミングで起こることから、心房の再分極は心室の脱分極による大きな波形に隠れてしまう。したがって、心電図は 3 つのイベント、3 つの波形からなる（**図 13**）。

心房の脱分極⇒P 波
心室の脱分極⇒QRS 波
心室の再分極⇒T 波

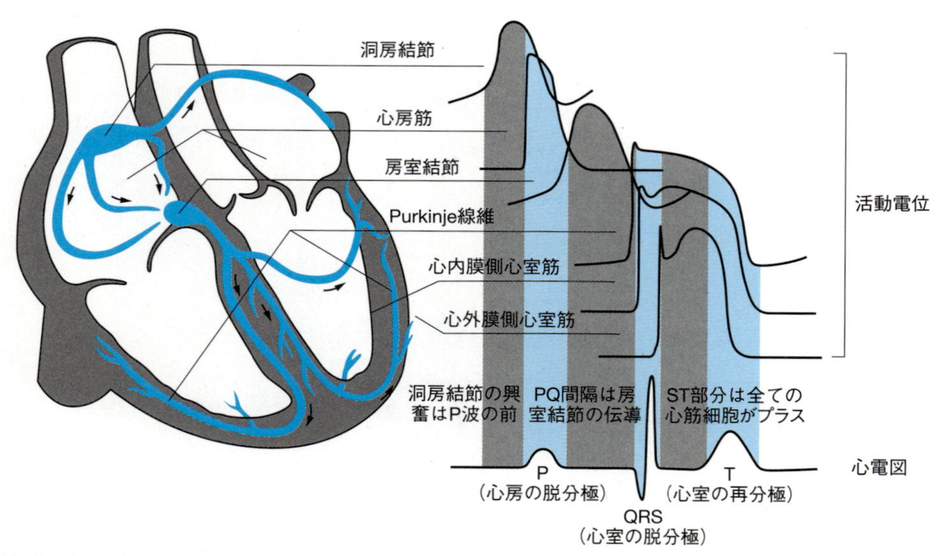

図 13　心臓の各部位の活動電位と心電図波形の関係

（古川哲史：心筋イオンの動態と心電図波形の成立．内科学 第 11 版（矢﨑義雄総編集），p.380，朝倉書店，東京，2017 より許諾を得て改変し転載）

3. 刺激伝導系と心電図波形

すでに刺激伝導系について概説した通り、波形判読には刺激伝導系が有する自動能が深くかかわっている。心電図の基本となるP波・QRS波・T波と刺激伝導系との関連性について示す(**図 14**)。

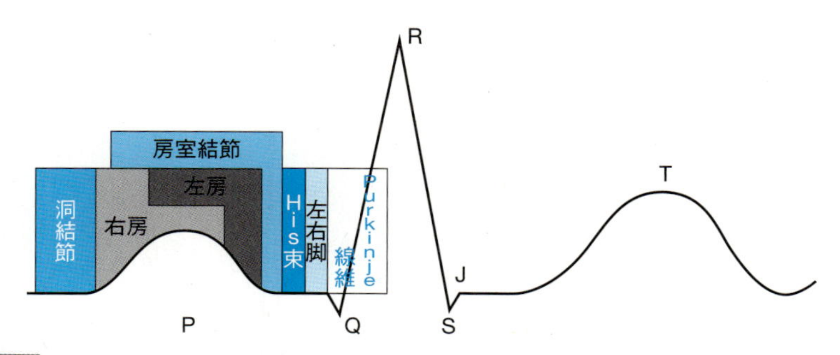

図 14　刺激伝導系を介した電気的興奮の伝達と心電図波形との関連性

(池田隆徳：そうだったのか！絶対読める心電図：目でみてわかる緊急度と判読のポイント．p.42，羊土社，東京，2011より許諾を得て改変し転載)

4. 波形の計測

心電図を判読するには、各波形を計測して基準値を示しているか否かを確認しなければならない。下記に主な波形の名称・定義・基準値についてまとめた(**図 15**)。通常、判読に必要なものは、①P 波の幅、②P 波の振幅、③PQ 間隔(PR 間隔)、④QRS 幅、⑤QT 間隔、⑥RR 間隔、それに電気軸を加えた 7 項目である。

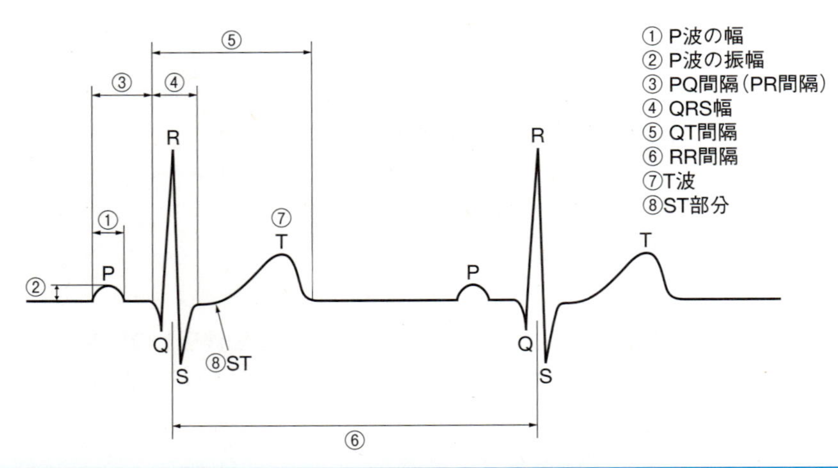

	名称	定義	基準値
①、②	P 波	心房の興奮(脱分極)を示す。右房と左房の脱分極が一つの波となって現れる。P 波の幅は心房の興奮時間、振幅は心房負荷による起電力増大を示す。	幅：0.06〜0.10 秒 振幅：<0.25 mV
③	PQ 間隔 (PR 間隔)	P 波の始点から Q 波の始点までを PQ 間隔と呼び、心房から心室への興奮伝導の時間を示す。なお、QRS 波が陰性(Q 波)から始まる場合を PQ 間隔、陽性(R 波)から始まる場合を PR 間隔と呼ぶ。	0.12〜0.20 秒
④	QRS 波 (QRS 幅)	心室の興奮(脱分極)を示す。最初の陰性波が Q 波、次の陽性波が R 波、その次の陰性波が S 波であり、振幅が大きい場合(>0.5 mV)は大文字、小さい場合は小文字で表す。Q 波の始点から S 波の終点までを QRS 幅と呼び、心室内伝導時間を示す。	幅：0.06〜0.10 秒
⑤	QT 間隔	Q 波の始点から T 波の終点までを QT 間隔と呼び、心室の脱分極から再分極するまでの時間を示す。QT 間隔は心拍数の影響を受けるため、補正を行う。通常、Bazett の式〔$QTc = QT(秒)/\sqrt{RR(秒)}$〕により補正する〔補正 QT 間隔(QTc)〕。	QTc の場合 0.36〜0.44 秒
⑥	RR 間隔	R 波から R 波までを RR 間隔と呼び、心室の興奮から次の心室の興奮までにかかる時間を示す。	0.6〜1.2 秒
⑦	T 波	心室の興奮が冷める過程(再分極)を示す。	
⑧	ST 部分	心室における脱分極から再分極への移行帯を示す。	
	U 波	T 波のあとに稀に見られる波※。	

図 15　波形の名称と定義、基準値

※ T 波の後に U 波が見られることがある。U 波の成り立ちにはいくつかの説があり、有力な説としては Purkinje 線維の再分極を反映するというものがある。しかし、Purkinje 線維は細胞数が少ないため、その電気活動を体表面から記録できることには懐疑的な見方もあり、Purkinje 線維の脱分極を反映する波形が知られていないことは、この考えを支持しているようにも思える。したがって、現時点では U 波の成り立ちの統一した見解はまだないと考えるのが無難であろう。

Point

P 波⇒心房の脱分極、QRS 波⇒心室の脱分極、T 波⇒心室の再分極

基準値

P 波の幅 0.06〜0.10 秒、P 波の振幅 <0.25 mV、PQ 間隔(PR 間隔) 0.12〜0.20 秒、QRS 波の幅 0.06〜0.10 秒、QTc〔$QT(秒)/\sqrt{RR(秒)}$〕0.36〜0.44 秒、RR 間隔 0.6〜1.2 秒、電気軸 0°〜 +90°

5. さまざまな波形

波形は心房の脱分極・再分極と心室の脱分極・再分極により、形状が変化する。**図 16** に形状例を示す。

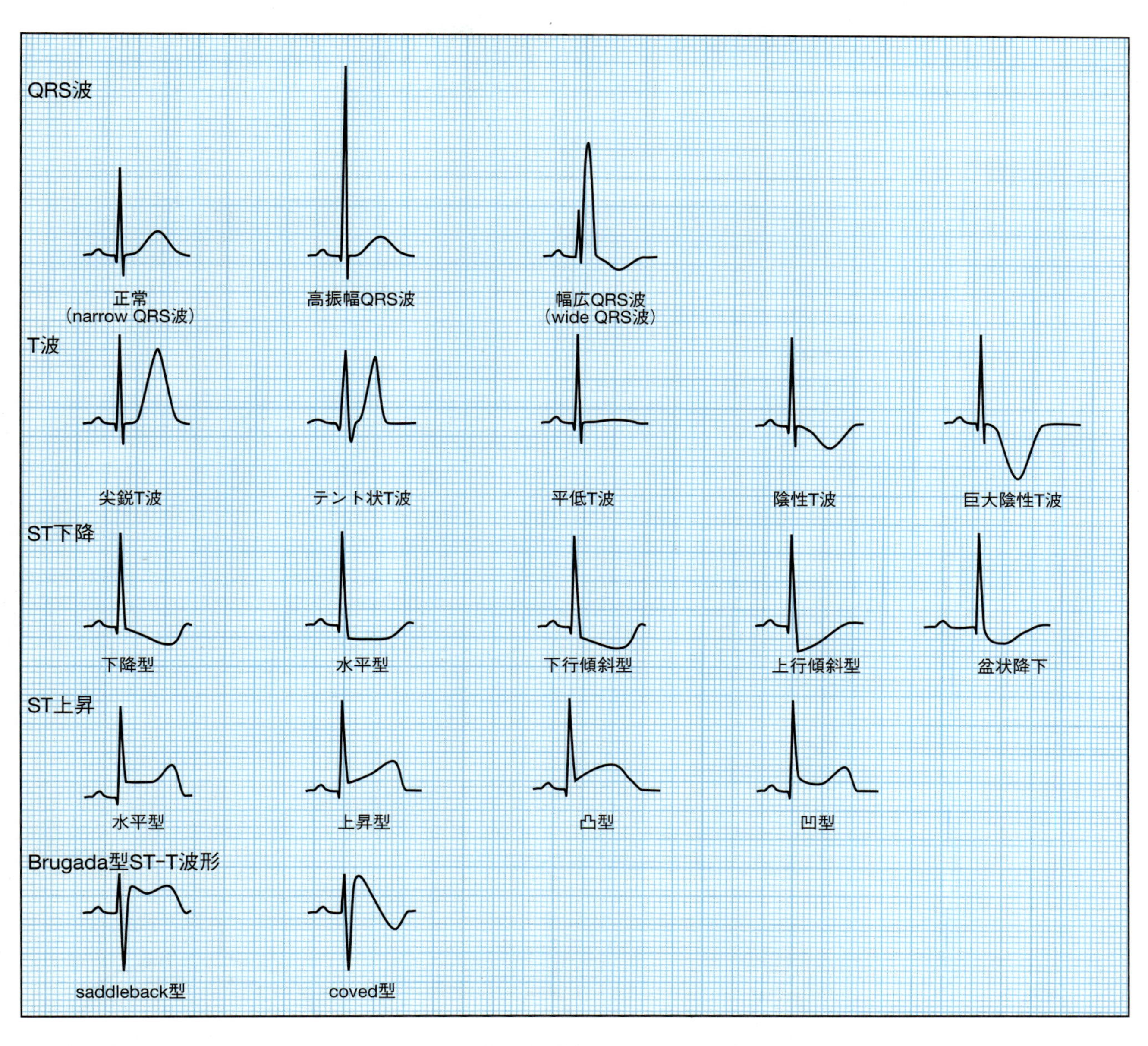

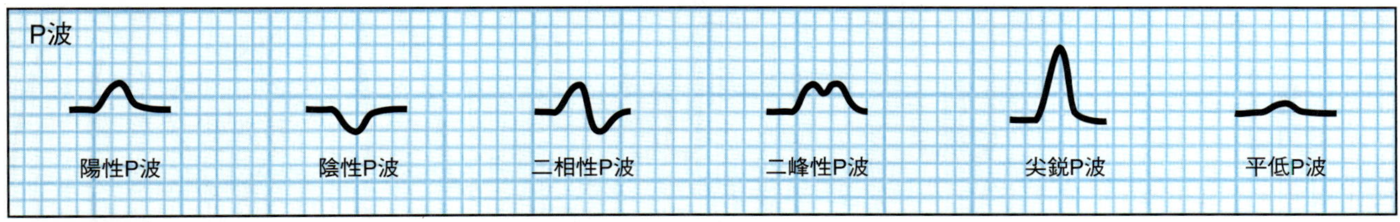

図 16　さまざまな心電図波形の形状例

高カリウム血症に伴う高い T 波を、一般的にテント状 T 波と呼ぶことが多い。テント状 T 波は左右対称性で狭い基部を有する。P 波の減高、消失、PR 時間の延長、QRS 波の減高、サインカーブ状の QRS 波などを伴うことがある。

Ⅵ. 標準 12 誘導心電図の誘導法

標準 12 誘導心電図は四肢誘導（Ⅰ・Ⅱ・Ⅲ・aV_R・aV_L・aV_F）と胸部誘導（V_1・V_2・V_3・V_4・V_5・V_6）から導かれる（**表 5**）。それぞれについて概説する。なお、本項では JIS 規格（JIS T 0601-2-25：2014）にしたがい、Einthoven をアイントーベン、Goldberger をゴールドバーガ、Wilson をウィルソンとした。

表 5　標準 12 誘導心電図の構成

誘導名		誘導名称	電位差	誘導部位・極性	
				正電極（関電極）	負電極（不関電極）
四肢誘導	双極四肢誘導（アイントーベンの四肢誘導）	Ⅰ	Ⅰ＝L－R	左手	右手
		Ⅱ	Ⅱ＝F－R	左足	右手
		Ⅲ	Ⅲ＝F－L	左足	左手
	ゴールドバーガの単極誘導	aV_R	aV_R＝R－(L＋F)/2	※右手	★左手と左足の中間端子
		aV_L	aV_L＝L－(R＋F)/2	※左手	★右手と左足の中間端子
		aV_F	aV_F＝F－(R＋L)/2	※左足	★右手と左手の中間端子
胸部誘導	ウィルソンの胸部単極誘導	V_1 V_2 V_3 V_4 V_5 V_6	V_1＝C_1－CT V_2＝C_2－CT V_3＝C_3－CT V_4＝C_4－CT V_5＝C_5－CT V_6＝C_6－CT	※胸部電極 C_1～C_6	★ ウィルソンの結合端子（中心端子） CT＝(L＋R＋F)/3

※：関電極，★：不関電極.

1．四肢誘導

四肢誘導は、双極四肢誘導（Ⅰ・Ⅱ・Ⅲ）とゴールドバーガの単極誘導（aV_R・aV_L・aV_F）により、心起電力を前額面（横-縦）上で 6 方向から見る誘導である（**図 17**）。

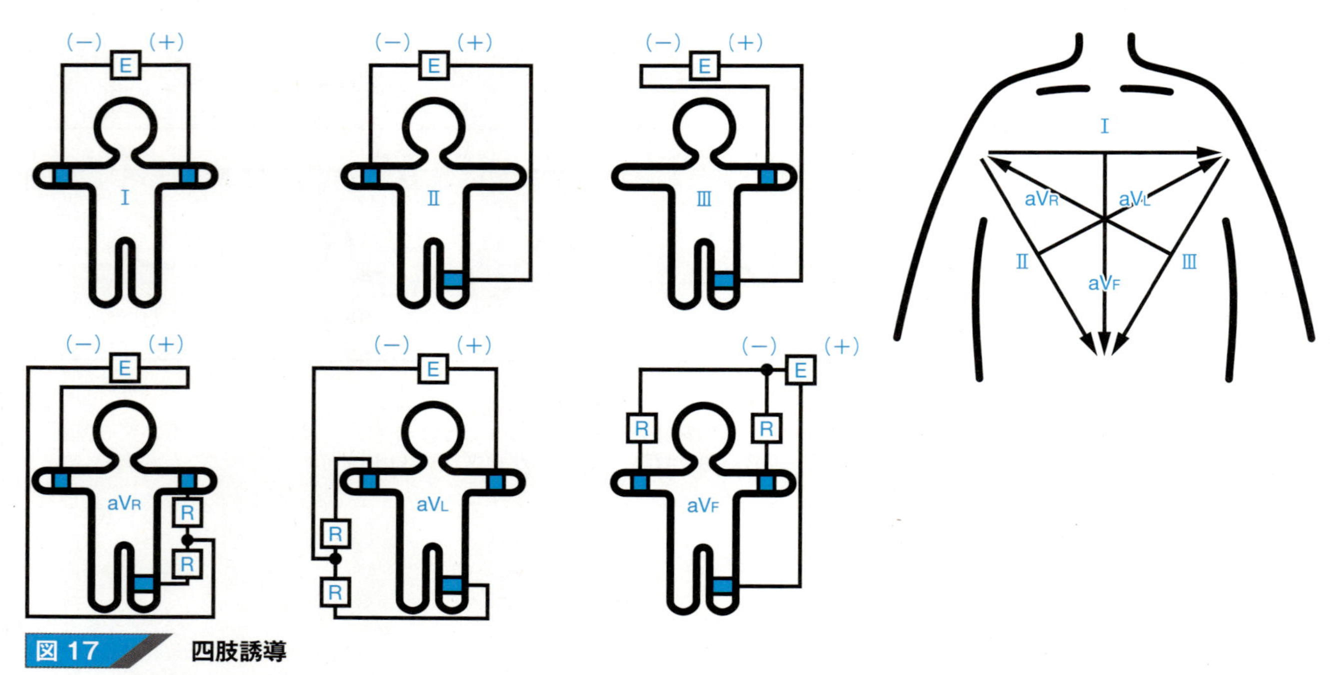

図 17　四肢誘導

左：四肢誘導の記録法、右：前額面から見た四肢誘導

① 双極四肢誘導

心臓の中心(心起電力：E)を中央にした正三角形の頂点を右手・左手・左足と想定し、各頂点の電位差をそれぞれⅠ誘導、Ⅱ誘導、Ⅲ誘導とする方法を双極四肢誘導と呼ぶ(**図 18**)。アイントーベンにより考案された誘導法で、Ⅱ誘導＝Ⅰ誘導＋Ⅲ誘導の関係が成立する。これをアイントーベンの法則という。

Ⅰ誘導では左手の電位が右手より高いとき、Ⅱ誘導では左足の電位が右手より高いときに、Ⅲ誘導では左足の電位が左手より高いときに波形が上向きになる。各誘導の電位差は下記の式より求められる。

第Ⅰ誘導：左手－右手＝L－R
第Ⅱ誘導：左足－右手＝F－R
第Ⅲ誘導：左足－左手＝F－L

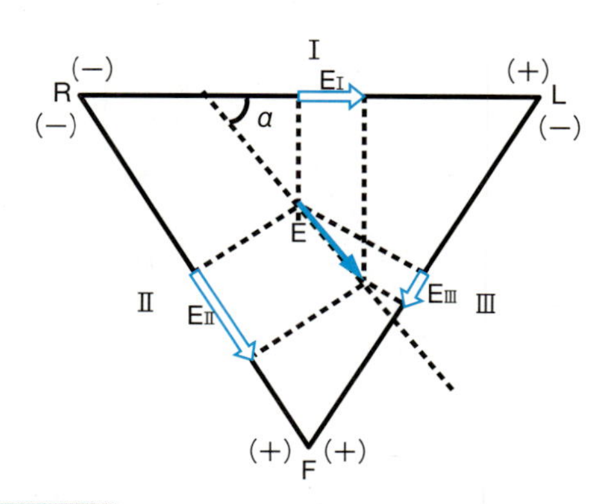

図 18 アイントーベンの三角形と双極四肢誘導

> **Point**
> アイントーベンの法則
> **Ⅱ誘導＝Ⅰ誘導＋Ⅲ誘導**

② ゴールドバーガの単極誘導

かつて、右手・左手・左足に各 5 KΩ 以上の抵抗を介し 1 点に結び不関電極(ウィルソンの結合端子)とし、関電極となる右手・左手・左足との電位差を測定する V_R、V_L、V_F誘導がウィルソンによって提唱され、単極誘導として使用されていた。

その後、ゴールドバーガが両手・左足のうちの 1 つを関電極とし、残りの電極に 10 KΩ 以上の抵抗を介して結び、それを不関電極(中間端子)として電位差を測定した。その結果、ウィルソンの結合端子を用いたときと波形の形状は変わらず、振り幅は 1.5 倍に増高されていた。V_R・V_L・V_F誘導に「増高された＝augmented」の a をつけて aV_R・aV_L・aV_Fと表記し、増高単極肢誘導と名付けたが、一般的にはゴールドバーガの単極誘導として知られている。

ウィルソンの結合端子を $V_R+V_L+V_F=0$ と定義すると、aV 誘導は次式より求められる。

$$aV_R=V_R-(V_L+V_F)/2=3/2V_R-(V_R+V_L+V_F)/2=3/2V_R$$
$$aV_L=V_L-(V_R+V_F)/2=3/2V_L-(V_R+V_L+V_F)/2=3/2V_L$$
$$aV_F=V_F-(V_R+V_L)/2=3/2V_F-(V_R+V_L+V_F)/2=3/2V_F$$

※aV 誘導には $aV_R+aV_L+aV_F=0$ の関係が成立する。

2. 胸部誘導(ウィルソンの胸部単極誘導)

ウィルソンの結合端子を不関電極として、胸壁上の定められた位置に C_1〜C_6の関電極を装着し、心起電力を水平面(横－前後)上で 6 方向から見る誘導を胸部誘導(ウィルソンの胸部単極誘導)と呼ぶ(**図 19**)。

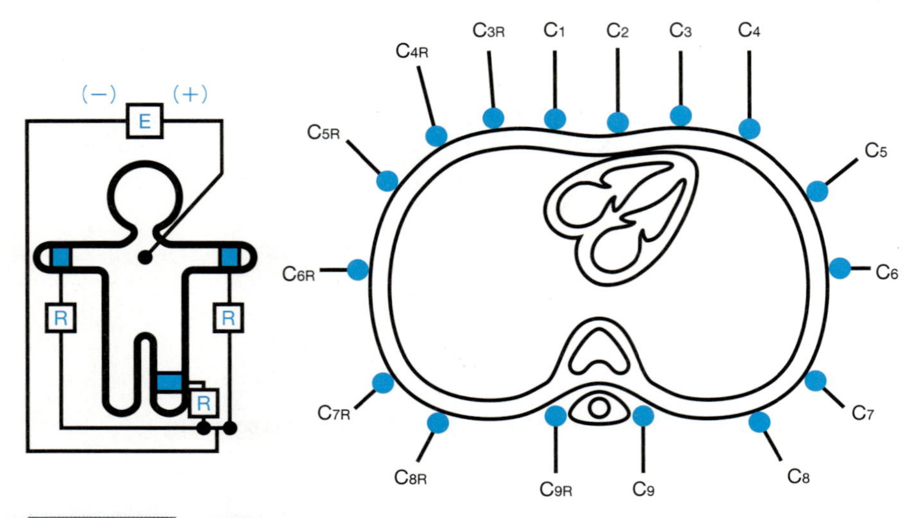

図 19 胸部誘導

左：胸部誘導の方法。右：水平面から見た胸部誘導。C_1〜C_9、C_{3R}〜C_{9R}は電極装着部位を示す。C_7〜C_9、C_{3R}〜C_{9R}については、p.31 の「右側胸部誘導・背側胸部誘導」を参照。

WORD

8 誘導法

現在、多くの心電計では、胸部誘導 6 誘導と双極四肢誘導 2 誘導(Ⅱ誘導、Ⅰ誘導もしくはⅢ誘導)の計 8 誘導を測定し、残りの誘導を計算で求める 8 誘導法が使用されている。Ⅰ誘導・Ⅱ誘導・Ⅲ誘導はアイントーベンの法則、aV_R・aV_L・aV_F誘導は下記の式より求められる。

$aV_R=R-(L+F)/2=(2R-L-F)/2=-(L-R+F-R)/2=-(\text{I}+\text{II})/2$

$=-$(Ⅰ誘導＋Ⅱ誘導)/2

$aV_L=L-(R+F)/2=(2L-R-F)/2=[L-R-(F-L)]/2$

$=(\text{I}-\text{III})/2=[\text{I}-(\text{II}-\text{I})]/2=(2\text{I}-\text{II})/2=\text{I}-\text{II}/2=$ Ⅰ誘導－Ⅱ誘導/2

$aV_F=F-(L+R)/2=(2F-L-R)/2=(F-L+F-R)/2=(\text{III}+\text{II})/2=[(\text{II}-\text{I})+\text{II}]/2$

$=(2\text{II}-\text{I})/2=\text{II}-\text{I}/2=$ Ⅱ誘導－Ⅰ誘導/2

3. 標準 12 誘導心電図の補助的誘導

標準 12 誘導の補助として、右側胸部誘導・背側胸部誘導・高位肋間記録・食道誘導などを行う場合がある。それぞれについて概説する。

① 右側胸部誘導・背側胸部誘導

右側胸部誘導・背側胸部誘導の電極装着部位を示す(**表 6**、**図 19 右**)。

表 6　右側胸部誘導・背側胸部誘導の電極装着部位

識別記号	誘導名	電極装着部位
C_{3R}〜C_{6R}	V_{3R}〜V_{6R}	C_3〜C_6 の各電極位置の対称部位
C_7	V_7	C_4と同高で、左後腋窩線との交点
C_8	V_8	C_4と同高で、左肩甲骨中線との交点
C_9	V_9	C_4と同高で、脊椎左縁との交点
C_{7R}〜C_{9R}	V_{7R}〜V_{9R}	C_7〜C_9 の各電極位置の対称部位

右側胸部誘導は、主に小児・右胸心・右室梗塞(下壁梗塞)などで記録される。小児は成人に比べ右室が優勢であるため、V_{3R}・V_{4R}誘導を追加記録する。右胸心では、V_1〜V_6誘導に加えて、V_{3R}〜V_{6R}誘導を追加記録する。そのさい、電極の配列は V_{1R}(V_2)・V_{2R}(V_1)・V_{3R}・V_{4R}・V_{5R}・V_{6R}とする。自動解析機能を用いる場合は、胸部誘導を右胸心用に変更し、四肢誘導も左右替えて記録する。急性下壁梗塞では、右室梗塞の合併の情報を得るため、V_{3R}・V_{4R}誘導の追加記録が推奨される。

背側胸部誘導は、主に後壁梗塞(左回旋枝閉塞由来)などで記録される。後壁梗塞は後壁の対側性変化として、V_1〜V_4誘導の ST 下降と V_1・V_2誘導の R 波増高で評価するが、左回旋枝閉塞由来の梗塞の場合、V_7〜V_9誘導の追加記録により、患部に近接した情報が得られる。

WORD

合成心電図

標準 12 誘導心電図からコンピュータ処理により V_{3R}・V_{4R}・V_{5R}・V_7・V_8・V_9 誘導を導出する心電計が各メーカーから製品化されている。この機能により、電極を追加することなく右室、左室後壁の心電図情報を得ることが可能となり、急性心筋梗塞における心電図検査への活用が期待されている。

② 高位肋間記録

Brugada 症候群を疑う例で、coved 型 ST 上昇が不明確な場合には、関電極を 1 肋間上(第 3 肋間)および 2 肋間上(第 2 肋間)にして記録することで、明確になる場合がある。

③ 食道誘導

食道誘導は、食道が心臓の後ろ側を通り心臓に近接(特に左心房)していることから、心房の電位を明確に記録できる誘導法である。心房波と心室波の関係を調べるのに適しており、QRS 幅の広い WPW 症候群や、心室内変行伝導を伴う上室頻拍と心室頻拍との鑑別などに応用できる。

まず四肢誘導を行い、胸部誘導端子を接続した食道誘導用ゾンデ(長さ約50 cm)にキシロカインゼリーを塗布する。口(あるいは鼻腔)からゆっくり挿入し、門歯(鼻腔)から30～40 cm位の距離で大きなP波が得られる部位を探す。門歯より31 cmの場合、単極誘導ではUE_{31}、双極誘導ではBE_{31}と表記する。

④Cabrera sequence

標準12誘導の四肢誘導は、双極四肢誘導とゴールドバーガの単極誘導に分けて記録されるため、心電図と心臓との空間的位置関係の連続性に乏しい。そこで、aV_R誘導の極性を反転した$-aV_R$誘導を設け、四肢誘導をaV_L誘導、Ⅰ誘導、$-aV_R$誘導、Ⅱ誘導、aV_F誘導、Ⅲ誘導の順に配列すると、心臓との空間的連続性が理解しやすくなる。これをCabrera sequenceと呼ぶ。前胸部誘導で陰性T波を認めた場合に、四肢誘導をCabrera sequenceにすると陰性T波の分布が把握しやすくなるため、ST上昇型急性心筋梗塞、たこつぼ心筋症などの鑑別に有用であると考えられる。

Ⅶ. さまざまな心電図検査

心電図検査の基本は標準12誘導心電図であるが、そのほかに運動・薬物負荷心電図、Holter心電図、イベント心電図、モニター心電図、植込み型ループ式心電計が存在する。目的に応じ、標準12誘導心電図に加えて、これらの検査が選択される。また、特殊な技法あるいは解析を行う心電図検査として、チルト試験、加算平均心電図、T波オルタナンス検査があり、不整脈の精査・検査目的で実施される。

1. 運動負荷試験

運動負荷には、マスター二階段試験、トレッドミル運動負荷試験、自転車エルゴメータ運動負荷試験がある。そのほかにハンドグリップ負荷試験、立位負荷試験などがあるが、これらはほとんど行われない。運動負荷試験では、まず負荷禁忌例を除外する(**表7**)。トレッドミル運動負荷試験や自転車エルゴメータ運動負荷試験では、運動中止基準(**表8**)を参考に症候限界性負荷をかけて行う。このさいの自覚症状の指

表7 運動負荷の禁忌

絶対禁忌
①急性心筋梗塞発症早期、高リスクの不安定狭心症
②コントロール不良の不整脈
③症候性高度大動脈弁狭窄
④急性あるいは重症心不全
⑤急性肺塞栓または肺梗塞
⑥急性心筋炎または心膜炎
⑦解離性大動脈瘤などの重篤な血管病変
相対禁忌
①左冠動脈主幹部の狭窄
②中等度の狭窄性弁膜症
③高度の電解質異常
④重症高血圧
⑤頻脈性不整脈または徐脈性不整脈
⑥閉塞性肥大型心筋症などの流出路狭窄
⑦運動負荷が十分行えない精神的・身体的障害
⑧高度房室ブロック

Fletcher GF, et al.：Circulation 2013；128：873-934 より作表
〔日本循環器学会：2017-2018年度活動 慢性冠動脈疾患診断ガイドライン(2018年改訂版). https://www.j-circ.or.jp/cms/wp-content/uploads/2020/02/JCS2018_yamagishi_tamaki.pdf(2022年3月閲覧)より転載〕

表8 運動中止基準

自覚症状
被検者の中止要請
ST下降を伴う軽度の胸痛
ST下降を伴わない中等度の胸痛
呼吸困難、下肢疲労、全身疲労［旧Borg指数17（かなりきつい）相当］
他覚所見
ふらつき
ろうばい
運動失調
蒼白
チアノーゼ
嘔気
欠伸その他の末梢循環不全症状
ST変化
ST下降(水平型、下降型で0.1 mV以上)
ST上昇（0.1 mV以上）
不整脈
心室頻拍
R on T現象
連続する心室期外収縮2段脈、3段脈
30%以上の心室期外収縮
持続する上室頻拍や心房細動の出現
2度、3度の房室ブロック
脚ブロックの出現
血圧反応
過度の血圧上昇(収縮期250 mmHg以上、拡張期120 mmHg以上)
血圧の低下(運動中10 mmHg以上の低下、あるいは上昇しない場合)
心拍反応
予測最大心拍数の85～90%
異常な徐脈
その他
心電図モニターや血圧モニターが正常に作動しない

斎藤宗靖：心臓病と運動負荷試験 第2版. 中外医学社 1993およびAmerican College of Sports Medicine：Guidelines for Exercise Testing and Prescription, 3rd Edition. Lea & Feibiger, 1986.より作表
〔日本循環器学会：2017-2018年度活動 慢性冠動脈疾患診断ガイドライン(2018年改訂版). https://www.j-circ.or.jp/cms/wp-content/uploads/2020/02/JCS2018_yamagishi_tamaki.pdf(2022年3月閲覧)より転載〕

表 9　Borg 指数

旧		新(修正)	
20	もうだめ	10	非常にきつい
19	非常にきつい	9	
18		8	
17	かなりきつい	7	かなりきつい
16		6	
15	きつい	5	きつい
14			
13	ややきつい	4	ややきつい
12		3	楽ではない
11	楽である	2	楽である
10			
9	かなり楽である	1	かなり楽である
8			
7	非常に楽である	0.5	非常に楽である
6	安静	0	安静

表 10　運動負荷心電図の虚血判定基準

確定基準
ST 下降 水平型ないし下降型で 0.1 mV 以上 (J 点から 0.06〜0.08 秒後で測定する) ST 上昇 0.1 mV 以上 安静時 ST 下降がある 水平型ないし下降型でさらに 0.2 mV 以上の ST 下降
参考所見
前胸部誘導での陰性 U 波の出現
偽陽性を示唆する所見
HR-ST ループが反時計方向回転 運動中の上行型 ST 下降が運動終了後徐々に水平型・下降型に変わり長く続く場合(late recovery pattern) 左室肥大に合併する ST 変化 ST 変化の回復が早期に認められる

Myers J, et al. : Cardiol Clin 1993 ; 11 : 199-213 より作表
〔日本循環器学会：2017-2018 年度活動 慢性冠動脈疾患診断ガイドライン(2018 年改訂版). https://www.j-circ.or.jp/cms/wp-content/uploads/2020/02/JCS2018_yamagishi_tamaki.pdf(2022 年 3 月閲覧)より転載〕

標としては、Borg 指数が有用である(**表 9**)。運動負荷試験は主に虚血性心疾患の診断目的で行われる。運動負荷心電図の虚血判定基準を**表 10** にあげる。なお、冠攣縮性狭心症発作時の 12 誘導心電図の陽性判定基準について、日本循環器学会の「冠攣縮性狭心症の診断と治療に関するガイドライン(2013 年度改訂版)」では、「12 誘導心電図上に関連する 2 誘導以上で、0.1 mV 以上の ST 上昇または 0.1 mV 以上の ST 下降か、陰性 U 波の新規出現が記録された場合」とされている。また、梗塞後心筋虚血の診断基準について、同学会の「慢性冠動脈疾患診断ガイドライン(2018 年改訂版)」では、「異常 Q 波誘導の ST 上昇を伴わない 0.1 mV 以上の ST 下降が妥当」とされている。

運動負荷の強度を表す単位として、METs(metabolic equivalents)が用いられる。METs とは、強い運動ほど摂取する酸素量が多いという考え方に基づき、酸素摂取量の度合いによって運動の強さを測る単位である。安静座位時の酸素摂取量を 1 METs として換算する。

① マスター二階段(ダブル)試験

標準的な昇降回数で 1 分 30 秒間昇降させる場合をマスターシングル、標準的な昇降回数の 2 倍を 3 分間で昇降させる場合をマスターダブル、さらに標準的な昇降回数の 3 倍を 4 分 30 秒間で昇降させる場合をマスタートリプルと呼ぶ。虚血性心疾患、特に労作性(安定)狭心症のスクリーニングを目的とする。マスター二階段(ダブル)試験では、6.5 METs の負荷がかかる。

比較的簡便な方法であり、従来広く行われてきたが、負荷量コントロールが困難なこと、予後指標として重要な運動耐容能の評価が困難なこと、負荷中の心電図変化をとらえるのが困難なことから、日本循環器学会の「慢性冠動脈疾患診断ガイドライン(2018 年改訂版)」では「トレッドミル法あるいはエルゴメータ法で行うほうが望ましく、特に高リスク例ではマスター法は避けるべき」とされている。

検査手順

規格が統一されている二階段(1 段の高さ 23 cm・奥行き 25 cm・幅 46〜56 cm)の台の上を一定時間昇降させ、心臓に一定強度の負荷をかける。昇降回数は、年齢・性別・体重によって決定される(**表 11**)。メトロノームのリズムに合わせて階段を昇降させる。階段を上がって反対側へ降りたところで 1 回とし、

回れ右をして両足を着地させてから振り向き、次の昇降へ移る。負荷終了後は、すぐにベッド上で仰臥位にし、経時的に標準 12 誘導心電図を記録する。施設によってプロトコールは異なるが、通常は直後、1 分、2 分、3 分、4 分、5 分まで記録する。心電図に変化が認められた場合は、その変化が消失または元に戻るまで、経時的に心電図を記録する。負荷中に胸痛や胸部不快感などの症状が出現したら、ただちに中断して被検者を横にし、標準 12 誘導心電図を記録する。

表 11　マスター二階段試験の階段昇降回数

体重 kg	年齢											男性(女性)
	15～19	20～24	25～29	30～34	35～39	40～44	45～49	50～54	55～59	60～64	65～69	70～74	75～79
23～26	64(61)												
27～31	62(60)												
32～35	60(58)												
36～40	58(56)	58(56)	58(56)	56(54)	54(52)	54(48)	52(46)	50(44)	50(42)	48(42)	46(40)	46(38)	44(36)
41～45	56(52)	56(54)	56(52)	54(50)	54(48)	52(46)	50(44)	50(44)	48(42)	46(40)	44(38)	44(38)	42(36)
46～49	54(50)	56(52)	56(52)	54(50)	52(48)	50(46)	50(44)	48(42)	46(40)	44(38)	44(36)	42(36)	40(34)
50～54	52(46)	54(50)	54(50)	52(48)	50(46)	50(44)	48(42)	46(40)	46(38)	44(36)	42(36)	42(34)	40(32)
55～58	50(44)	52(48)	54(48)	52(46)	50(44)	48(42)	46(40)	46(38)	44(38)	42(36)	40(34)	40(32)	38(30)
59～63	48(40)	50(46)	52(46)	50(44)	48(42)	46(40)	46(38)	44(38)	42(36)	40(34)	40(32)	38(34)	36(30)
64～67	46(38)	48(44)	50(44)	48(42)	48(40)	46(38)	44(38)	42(36)	40(34)	40(32)	38(32)	36(30)	36(28)
68～72	44(34)	48(42)	50(40)	48(40)	46(38)	44(38)	42(36)	40(34)	40(32)	38(32)	36(30)	36(28)	34(26)
73～76	42(32)	46(40)	48(38)	46(38)	44(36)	44(36)	42(34)	40(32)	38(32)	36(30)	36(28)	34(26)	34(24)
77～81	40(28)	44(38)	46(36)	46(36)	44(34)	42(34)	40(32)	38(32)	36(30)	36(28)	34(26)	34(26)	32(24)
82～85	38(26)	42(36)	46(34)	44(34)	42(34)	40(32)	38(32)	38(30)	36(28)	34(28)	32(26)	32(24)	30(22)
86～90	36(24)	40(34)	44(32)	42(32)	42(32)	40(30)	38(30)	36(28)	34(26)	32(26)	30(24)	30(24)	28(22)
91～94		38(32)	42(30)	42(30)	40(30)	38(28)	36(28)	34(26)	32(26)	32(24)	30(22)	28(22)	28(20)
95～99		36(30)	42(28)	40(28)	38(28)	36(26)	34(26)	34(26)	32(24)	30(22)	28(22)	28(22)	26(20)
100～101		34(28)	40(26)	40(26)	38(26)	36(26)	34(24)	32(24)	30(22)	28(22)	26(20)	26(20)	24(18)

注：性別、年齢、体重によって決められた昇降回数を 3 分間で昇降する。
（上嶋健治：患者さんが検査室に入室するまで．運動負荷試験 Q&A119．改訂第 2 版．p.6，南江堂，東京，2013 より許諾を得て転載）

② トレッドミル運動負荷試験

専用の自動駆動式ベルトコンベアを用い、医師の立会いのもとで行う検査である。労作性狭心症の診断、運動誘発性不整脈の検出、原因不明の胸部症状の検索、心疾患患者における運動耐容能の評価、心疾患患者における治療効果の判定などを目的とする。負荷プロトコールには、漸増的多段階負荷法として Bruce 法・修正 Bruce 法・Shemeld 法・Astrand 法、間欠的多段階負荷法として Naughton 法などがある。スクリーニング検査では、一般に Bruce 法が用いられる。Bruce 法以外は、低閾値の狭心症患者で慎重に負荷を増やしていきたい場合に選択され、これらのなかでは修正 Bruce 法を用いることが最も多い。Bruce 法では、トレッドミルの速度と傾斜を 3 分ごとに徐々に増加させるプロトコールとなっている（**表 12**）。修正 Bruce 法は、Bruce 法よりも低負荷のステージから開始する方法である。

表 12　Bruce 法

ステージ（各 3 分）	速度 mile/h (km/h)	傾斜 (%)	予測 METs
1	1.7 (2.7)	10	4.8
2	2.5 (4.0)	12	6.8
3	3.4 (5.5)	14	9.6
4	4.2 (6.9)	16	13.2
5	5.0 (8.0)	18	16.6
6	5.5 (8.8)	20	20.0
7	6.0 (9.6)	22	—

検査手順

まず、試験前に座位および立位で 12 誘導心電図と血圧を記録する。筋電図の混入や基線の動揺などを軽減するために、Mason-Liker 誘導法（ML 誘導）を用い、四肢誘導の電極を両肩、両側の腸骨付近に貼付する。検査中は血圧と併せ、モニターで心電図を連続して監視する。次に、ベルトコンベアの上を歩いてもらい、負荷をかけていく。目標心拍数に達するまでの、症状出現の有無・心電図の変化・血圧の推移を観察する。目標心拍数は負荷による予測最大心拍数（220－年齢/分）の 85～90％に設定する。運動終了直後は、ベッド上で休んでもらいながら標準12誘導心電図と血圧を記録し、問題がなければ終了する。目標心拍数〔予測最大心拍数（220－年齢/分）の 85～90％〕に達しなかった場合（虚血性変化が見られなかった場合も含め）には、負荷不十分として判定不能とする。

③ 自転車エルゴメータ運動負荷試験

専用の自転車を用い、医師の立会いのもとで行う検査である。トレッドミル運動負荷試験よりも自転車エルゴメータ運動負荷試験のほうが場所をとらないため、狭い検査室でも行うことができる。適応に関しては、トレッドミル運動負荷試験と同様である。高齢者の検査適応性は、自転車エルゴメータ運動負荷試験よりもトレッドミル運動負荷試験のほうが高い傾向にある。

検査手順

まず、試験前に ML 誘導法を用いて 12 誘導を装着し、座位で自転車を漕いでもらい、徐々に負荷をかけていく。体動による雑音軽減目的で仰臥位に行う場合もあるが、肉体的な負担が強くかかるため、高齢者には不向きである。トレッドミル運動負荷試験と異なり負荷を無段階的に増加できるが、通常は 8～12 分程度で最大負荷となるように、毎分の負荷増量を 10～20 W 前後で調整する。

2. 薬物負荷試験

先天性 QT 延長症候群や Brugada 症候群など、遺伝性不整脈の診断目的で行う。先天性 QT 延長症候群ではカテコラミン負荷試験が行われ、潜在性の先天性 QT 延長症候群（特に LQT1）の診断に有用である。Brugada 症候群では Na^{+}チャネル遮断薬（Ⅰa 群、Ⅰc 群）による薬物負荷試験が行われる。それぞれの検査手順および判定基準は下記の通りである。

検査手順および判定基準

先天性 QT 延長症候群におけるカテコラミン負荷試験では、エピネフリンが用いられる。12 誘導心電図を記録しながらエピネフリン 0.1 μg/kg をボーラス投与し、その後持続投与（0.1 μg/kg/min で 5 分間）を行う。投与中止後、さらに心電図を 5 分間記録する。日本循環器学会の「遺伝性不整脈の診療に関するガイドライン（2017 年改訂版）」では、エピネフリン投与開始後 1～2 分〔RR 間隔が最短の最大効果時〕（peak）〕、投与開始後 3～5 分〔定常状態（steady state）〕の QTc を計測し、投与開始前の QTc と比較する方法が示されている。定常状態で QTc 延長（≧35msec）（奇異性 QT 延長）が認められた場合を LQT1、定常状態で QTc 延長が認められず、最大効果時に QTc 延長（≧80 msec）が認められた場合を LQT2、定常状態および最大効果時のいずれも QTc 延長が認められなかった場合を LQT3 または正常と判定する。

Brugada 症候群の診断には、主に Na^{+}チャネル遮断薬のⅠa 群（プロカインアミド）、Ⅰc 群（ピルシカイニド、フレカイニド）などが用いられる。プロカインアミドは 10 mg/kg、ピルシカイニドは 1 mg/kg、フレカイニドは 2 mg/kg を、10 分で静注する。薬物負荷により心室細動が誘発される恐れもあるため、心電図モニター・除細動器・イソプロテレノール静注剤などを準備する。薬剤投与後に、第 2～4 肋間における V_1～ V_2誘導のうち 1 誘導以上で coved 型（タイプ 1）を認めた場合を陽性とする。

3. Holter 心電図

携帯型心電図検査の代表である。2あるいは3チャネル(誘導)の心電計が主流であるが、12誘導を記録できるHolter心電計もある。小型の心電図記録器と比較的大型の解析装置によって構成される。記録器にはアナログ式とデジタル式があり、現在ではほぼデジタル式を採用している。デジタル式記録器では、記録したデータの再生と解析が容易で、心電図をディスプレイ上で評価できる。心電図のほかに、血圧・酸素飽和度(SpO_2)・呼吸波形などを記録できるものもある。また、防水型の記録器もあり、入浴中の心電図を評価することも可能である。近年では自律神経活動の評価目的で、心拍変動指標、心臓突然死の予知指標である心室レイトポテンシャル、T波オルタナンス、心拍タービュランスなどを解析できる装置も市販されている。

検査手順

前胸壁に電極を装着し、誘導コードをつないで外れないようにテープで固定する。装着する電極の数と部位は、使用する機器の記録チャネル数によって異なる。最も使用頻度の高い2チャネルのHolter心電計では、5つの電極を使用する。そのうちの1つは不関電極として使用される。誘導法は双極誘導を用いるが、Ⅰ～Ⅲ誘導ではなく、CM_5・CC_5・NASA誘導などが用いられる。CM_5誘導はV_5位置(プラス電極)と胸骨上端(マイナス電極)、CC_5誘導はV_5位置(プラス電極)と反対側のV_{5R}位置(マイナス電極)、NASA誘導は胸骨下端(プラス電極)と胸骨上端(マイナス電極)で心電図が記録され、CM_5とCC_5誘導はV_5誘導、NASA誘導はV_1誘導に類似した波形となる。2チャネルの機器では、チャネル1としてCM_5誘導、チャネル2としてNASA誘導が選択されることが多い。被検者に行動記録日誌を手渡しておき、24時間の生活状況や発現した症状の種類と発生時刻、持続時間などを記録するように指導する。心電計に備えられたイベントボタンを押すことで、イベント心電図としても使用できる。得られたデータはHolter心電図用の解析装置で分析する。心拍数の1日の平均値・最大値・最小値、上室性・心室性不整脈の数と時間帯、ST部分の変化、イベント記録などがトレンドグラムとして描出される。圧縮心電図で表示されるが、必要に応じて拡大(通常)心電図として表示することも可能である。

WORD

Holter 心電図による心拍変動解析

心拍変動(heart rate variability：HRV)とは、自律神経のゆらぎによる心拍数の周期的変動のことであり、自律神経活動を反映する。心電図の正常洞調律時の RR 間隔を用いて解析され、数多くの指標がある。HRV は自律神経活動の全般的な評価と、短時間の副交感(迷走)神経活動の評価に適している。また、心臓突然死の予知指標としても活用される。

解析手順

Holter 心電図の RR 間隔をコンピュータ解析することで検出される(図 20)。HRV の解析法には、時間領域(時系列)解析・周波数領域(スペクトル)解析・非線形解析があるが、主に時間領域解析と周波数領域解析が用いられる。時間領域解析指標には、①全区間での NN(正常 RR)間隔の平均値〔mean NN(msec)〕、②全区間での NN 間隔の標準偏差〔SDNN(msec)〕、③5 分区間ごとの NN 間隔標準偏差/NN 間隔平均値〔CVNN(msec)〕、④5 分区間ごとの NN 間隔平均値の全区間にわたる標準偏差〔SDANN(msec)〕、⑤隣り合う NN 間隔の差の 2 乗の平均値の平方根〔RMSSD(msec)〕、⑥隣り合う NN 間隔の差が 50 msec を超える総数〔NN50(n)〕、⑦隣り合う NN 間隔の差が 50 msec を超える割合〔pNN50(%)〕、⑧24 時間 NN 間隔の分布ヒストグラムにおいて近似三角形を作成し、総数をその頂点(最高頻度)で割った値〔triangular index(%)〕などがある。周波数領域解析指標には、①低周波領域(LF：0.04〜0.15 Hz)のパワー値、②高周波領域(HF：0.15〜0.40 Hz)のパワー値、③LF と HF のパワー値の比(LF/HF)などがある。

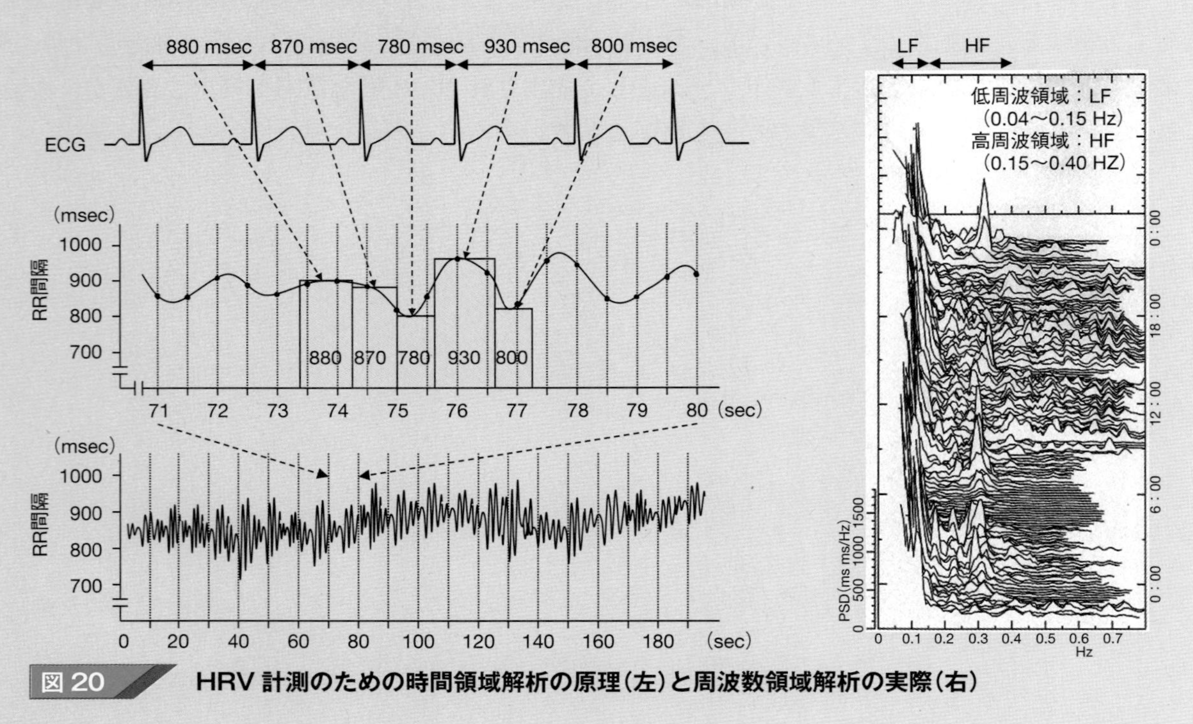

図 20 HRV 計測のための時間領域解析の原理(左)と周波数領域解析の実際(右)

判定基準

自律神経活動の瞬時の評価には周波数領域解析、心臓突然死の予知などの評価には時間領域解析が適する。周波数領域解析の HF は、副交感(迷走)神経活動を鋭敏に反映する。LF/HF は交感神経活動を反映する。健常(中年)成人での正常値は HF が 100〜400 $msec^2$、LF/HF が 2〜5 である。これらよりも高ければ亢進、低ければ低下と判定される。心臓突然死の予知においては、時間領域解析の SDNN で最も多くのエビデンスが出されている。SDNN は、一般に 70 msec 以下を陽性と判定する。なお、HRV は、持続性心房細動や期外収縮が散発する例(RR 間隔が著しく変化する例)では評価できない。

4. イベント心電図

被検者主導型の携帯型心電図検査である。被検者が手帳ほどの大きさの体外式小型心電計(イベントレコーダ)を携帯し、動悸をはじめとする不整脈症状を自覚したときに、その心電計を胸に当て、ボタンを押すことで心電図を記録することができる。24時間記録のHolter心電図でとらえることができない、発作回数が少ないなどの場合において、不整脈を検出するために用いられる。

検査手順

症状発現時に、心電計をもった指(指電極)と胸に接触させた心電計本体(胸電極)の間の心電信号を利用して、心電図を記録する。通常、2週間ほど心電計を貸し出し、その間に不整脈の検出を試みる。

5. モニター心電図

簡易心電図の代表である。胸部に貼り付ける3つの電極を用いて心電図を描写する。電極の色は、赤・黄・緑のものと、赤・黄・黒のものが市販されている。心電図と連結した小型送信機を被検者のもとに置き、管理室のモニター心電計に波形を送信して心電図を描写する。メディカルプロフェッショナル(主に看護師)によって管理され、不整脈管理に限り用いられる。最近では、心電図以外にも酸素飽和度(SpO_2)や呼吸数の測定が可能なものもある。

検査手順

電極は3つ貼り付けるが、実際に使用される電極は2つで、描写される心電図は1つのみである。残りの1つは不関電極として使用される。モニター心電図ではⅡ誘導の記録を基本としているため、胸部右上部と胸部左下部に付けた電極で心電図を描写する。心電図波形は、小型の送信機を介してモニター心電計本体まで送信される。送信方法としては、無線テレメトリー方式が用いられる。歩行可能な被検者であれば、移動中の心電図も記録できる。

6. 植込み型ループ式心電計

挿入型心臓モニターとも呼ばれる。胸部皮下に挿入した小型デバイスを利用して、心電図をループ式に記録する、比較的新しい心電図検査である。電池寿命は約3年であり、デバイスの両端を電極として使用する。自動または手動で、イベント前後30秒ほどの心電図を記録することができる。原因不明の失神発作があり、通常の心電図検査で発作時の心電図をとらえることができない場合や、潜因性脳梗塞と診断された患者において長時間心電図(ホルター心電図を含む)でも原因が特定されず、原因として心房細動の検出を目的とする場合に適応となる。症状との因果関係を調べる場合にも応用され、症状発現時に付属機器を本体に当てることにより、被検者主導で心電図を記録できる。

検査手順

超小型の記録用デバイスを切開ツールを用いて左前胸部の皮下に挿入する。手技的にやさしいため、必ずしも入院を必要としない。挿入する際に、心電図の記録が良好であるか否かを確認する。

7. チルト試験

ヘッドアップチルト(head up tilt：HUT)試験とも呼ばれる。チルト試験は、自律神経機能を評価する基本的なスクリーニング検査である。通常、臥位から立位(傾斜位)の状態になると、血液は重力に従って下肢のほうへ移動し、血圧は低下する。しかし、自律神経の作用により下肢の動脈が収縮し、心拍数を速くすると脳循環を保つことができる。自律神経機能に異常をきたすと、血圧・心拍の調節が不良となり、一時的に脳循環が低下して失神をきたす。これらの作用を利用して、自律神経の調節機能を評価する。反射性(神経調節性)失神・起立性低血圧・体位性頻脈症候群の診断に用いられる。検査には2人以上の立ち合いを要し、このうち1名は医師であることが望ましい。

日本循環器学会の「失神の診断・治療ガイドライン(2012年改訂版)」によると、「チルト試験の方法は施設により相違がみられ、統一されたプロトコールはない」とされている。以下は実施例として参照されたい。

検査手順

チルト試験を行うには、電動式または手動式のチルトテーブルが必要である。チルトテーブルがない場合は、レントゲン検査の透視台で代用することもある。食事の影響を除外するため、空腹時または食後2時間以上あけて行う。非観血式の連続血圧・心拍数測定機器を装着し、検査中には血圧と心拍数をモニターする。機器がない場合は、自動血圧計で30秒〜1分ごとに血圧と心拍数を計測する。加えて、補液を点滴静注し、心電図をモニターする。まず、検査中に失神を起こして転倒する危険性があるため、被検者をベルトでチルトテーブルに固定する。臥位で10分間、血圧と心拍数をモニターした後、30秒かけてチルトテーブルの傾斜角を60°〜80°にする。検査中に気分不快や顔面蒼白を認めた場合は、ただちに臥位にもどす。反射性(神経調節性)失神の診断には30分以上の負荷を要するが、起立性低血圧あるいは体位性頻脈症候群の診断には5分程度の負荷で十分である。反射性(神経調節性)失神が強く疑われるものの、失神が誘発されない場合は、薬物負荷下(イソプロテレノール点滴静注、ニトログリセリン舌下など)で再度チルト試験を行うこともある。

判定基準

チルト中に血圧が下降して、徐脈、失神あるいはその前駆症状を認めた場合は、反射性(神経調節性)失神と診断する。血圧低下や心停止に関して一定の判定基準はない。チルト開始3分以内に収縮期血圧が20 mmHg以上低下、あるいは拡張期血圧が10 mmHg以上低下した場合は、起立性低血圧と診断する。チルト開始5分以内に血圧低下を認めず、心拍数が30/分以上増加した場合は、体位性頻脈症候群と診断する。

8. 加算平均心電図検査(心室レイトポテンシャル)

加算平均心電図検査(signal-averaged electrocardiography : SAECG)とは、体表面で記録された複数の心電波形を加算平均することにより、心内以外からは記録できなかった微小な電位を非侵襲的に記録する検査法である。SAECGで記録された心電信号のなかで、最も臨床で活用されているのが心室レイトポテンシャル(late potentials : LP)であり、SAECGの代名詞ともなっている。心室LPは、心電図のQRS波終末部に見られる微小電位で、心室の脱分極(伝導)異常を反映する。心室LPが記録されると、持続性心室性不整脈が発現しやすい状態と判断されることから、致死性不整脈(特に持続性心室頻拍)や心臓突然死の予知指標、植込み型除細動器の適応決定などに用いられる。最近では、Holter心電計を用いて心室LPを24時間解析することも可能となっている。Holter心電計を用いて心室LPを24時間記録すると、心電図が自然変動するBrugada症候群や早期再分極(J波)症候群などのリスク評価にも応用できる。

検査手順

まずSAECGを用いてX、Y、Z誘導の心電図を90〜150心拍以上記録し、加算平均する(図21)。次に、加算平均された心電図をフィルタリングし、3つの誘導の心電図を合成して、空間(ベクトル)マグニチュード心電図を作成する。これにより、心室LP(QRS波終末部の微小電位)を検出できる。

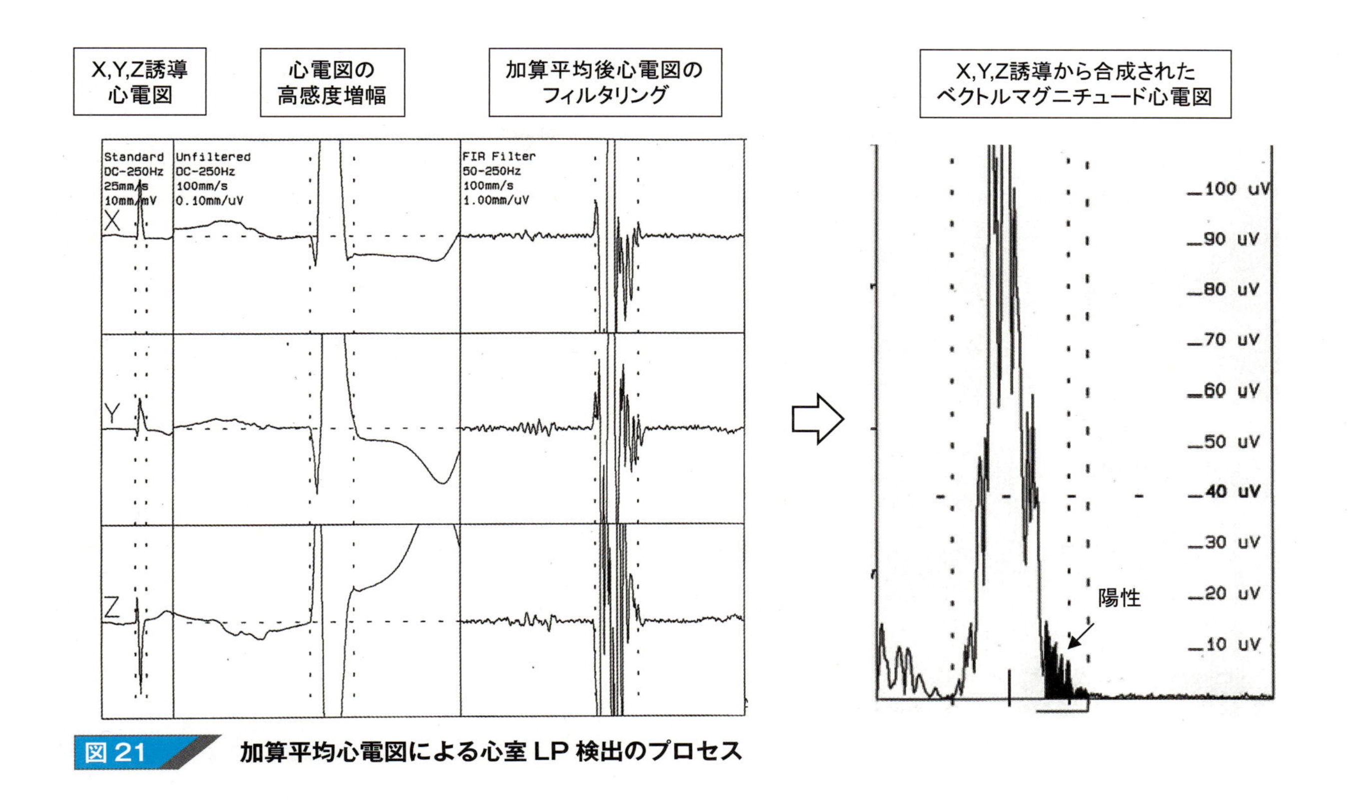

図 21 加算平均心電図による心室 LP 検出のプロセス

判定基準

①フィルター処理された QRS 幅(f-QRS)、②QRS 終末部 40 msec において記録された電位の 2 乗の平均値の平方根(RMS_{40})、③QRS 終末部で 40 μV 以下の低電位の持続時間(LAS_{40})を測定して判定する。陽性基準は機種によって異なるが、日本循環器学会の「慢性冠動脈疾患診断ガイドライン(2018 年改訂版)」には、①fQRS＞135 msec、②RMS_{40}＜15 μV、③LAS_{40}＞39 msec の 3 項目のうち、2 項目以上を満たす場合を陽性とすると、1 例があげられている。

心室LPの判定するうえで留意すべき点は、脚ブロック例を除外することである。右脚または左脚ブロックがあると必然的に fQRS は延長し、多くは LAS_{40}の延長も伴うため陽性となり、正確な判定ができなくなる。頻脈性心房細動例や頻発性期外収縮例では、QRS 波の同定が困難で加算に時間がかかるため、信頼性の高いデータを得ることが困難になる場合が多い。

9. T 波オルタナンス検査

T 波オルタナンス(T-wave alternans：TWA)とは、形の異なる T 波が 1 拍ごとに交互(ABABAB……)に出現する現象であり、心室の再分極異常を反映する。致死性の高い心室細動の発現には、脱分極異常よりも再分極異常のほうが関与しやすいことが知られるようになり、予知指標として活用されるようになった。運動負荷心電図を周波数領域解析し測定する微小な TWA を、マイクロボルト TWA(M-TWA)と呼び、多くのエビデンスが報告されている。M-TWA は、重症心室性不整脈や心臓突然死の予知指標、植込み型除細動器の適応決定などに用いられる。最近では、Holter 心電図の波形を利用して時間領域解析で簡易に TWA を測定する modified moving average TWA(MMA-TWA)や、特許の関係から MMA-TWA と異なった時間領域解析で Holter 心電図を利用して TWA を測定する T-wave variability(TWV)も活用されている。そのほか、Holter 心電図を M-TWA と同じように周波数領域解析し、TWA を 24 時間測定する frequency-domain TWA(FD-TWA)も活用されている。しかし、有効性についてのエビデンスは不十分であり、今後の課題とされている。

検査手順

雑音が混入しにくい特殊電極を用いてX、Y、Z誘導および標準12誘導心電図を記録し、一定数以上の心拍を加算平均する(**図22**)。T波の頂点においてT波高の時系列トレンドを作成し、高速フーリエ変換(fast Fourier transform：FFT)法による周波数領域解析を行う。TWAの出現には心拍数閾値があるため、M-TWA測定時にはエルゴメータやトレッドミルによる運動負荷で心拍数をある一定の値(110〜120拍/分くらい)まで上昇させなければならない。ペーシング法を用いて行うこともあるが、この場合は心房ペーシングでのみ可能となる。

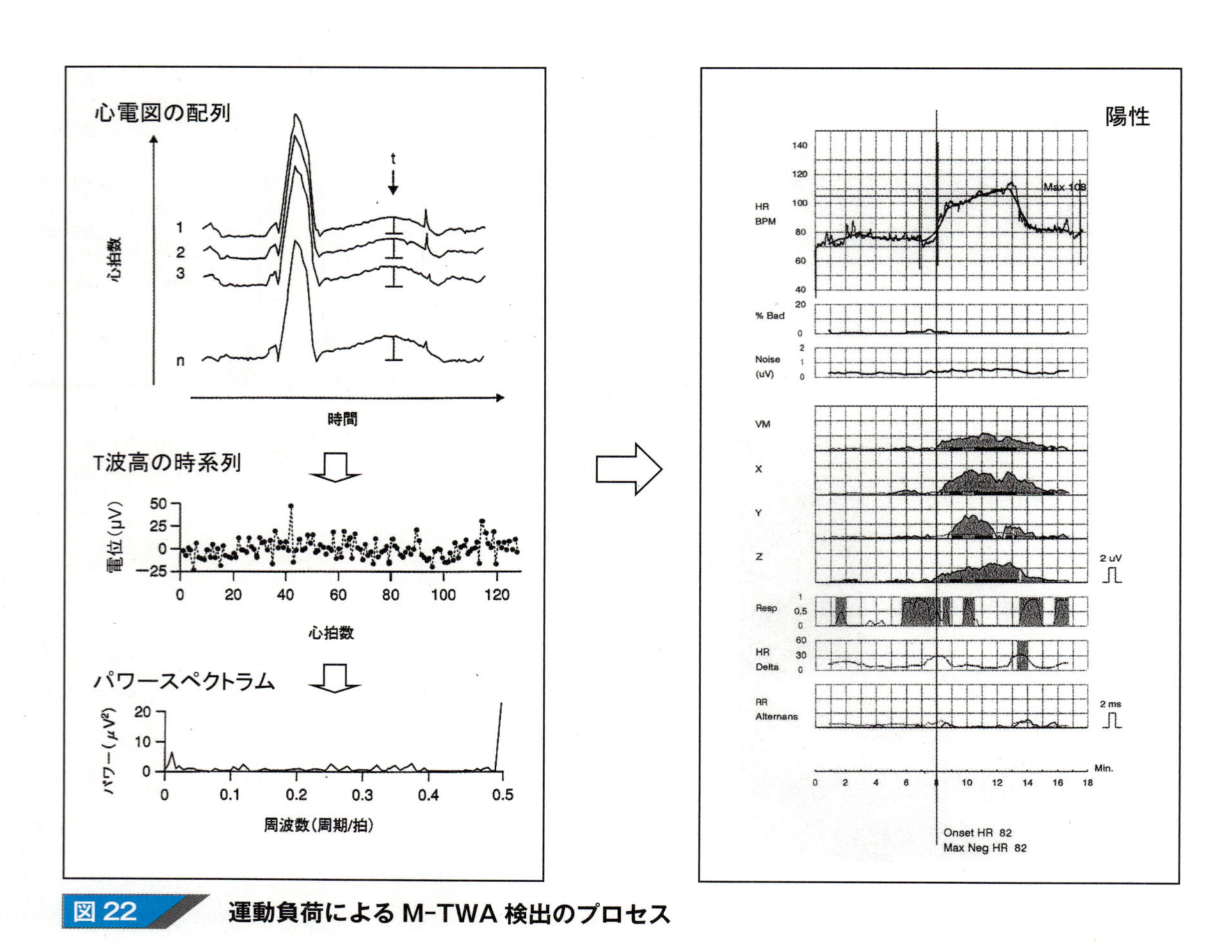

図22 運動負荷によるM-TWA検出のプロセス

判定基準

M-TWAの陽性基準は、X、Y、Z誘導あるいは隣り合う胸部誘導において、交互電位(TWAの程度を反映するパラメータ)が1.9 μV以上、かつ交互比(交互電位と雑音との比でデータの信憑性を表すパラメータ)が3.0超、さらに、これらが心拍数110拍/分以下で出現し、1分以上持続した場合を陽性とする。それらを満たさなければ陰性、判定できなければ判定不能とする。TWAは陰性であることに意義がある検査法のため、陰性(正常)と非陰性(陽性または判定不能：異常)の2つに分けて判定することが多い。持続性心房細動例や期外収縮頻発例では交互性の判定が困難になるため、解析できない。TWAの出現には心拍数閾値があるため、一般的に運動負荷を用いて測定が行われるが、高度徐脈例やβ遮断薬服用例では目標値まで心拍数を増加させられず、判定できない場合がある。

心電計とは—構成・分類・性能—

診断に役立つ心電図を記録するためには、心電計の性能や構成について理解し、正しく使用する必要がある。本章では、主に心電計の構成・分類・性能について概説する。

Ⅰ．心電計の構成

心電計は、主に、入力部(電極、誘導コード、入力保護回路、フローティング回路、増幅部)、A/D 変換部、演算処理部(信号処理部、心電図計測・解析部)、表示部、記録部、フローティング電源部からなる。**図 23** に 1 例を示す。

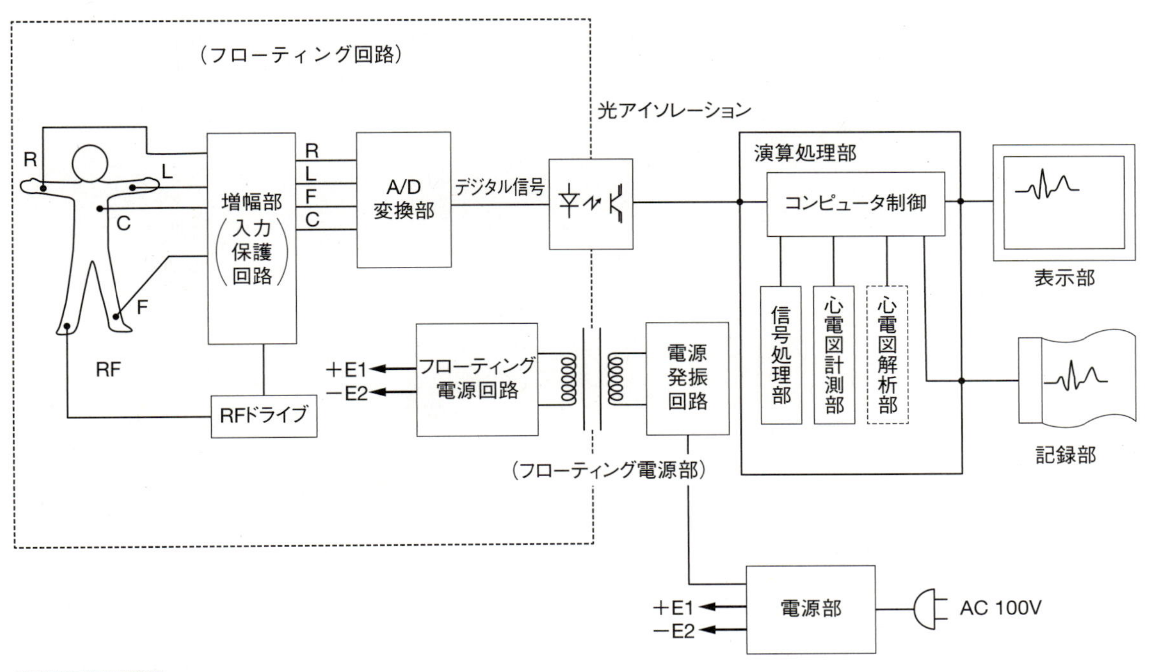

図 23　心電計の構成

心電図解析部については、解析付心電計にのみ搭載される。

(提供：フクダ電子社)

1．入力部

入力部には、電極・誘導コード・入力保護回路・フローティング回路・増幅部がある。それぞれについて概説する。

① 電極

電極は誘導コードのチップ先に取り付け、被検者の皮膚に直接装着することで、心電図信号を検出する。電極をペーストが付着したままにすると錆びて交流障害が生じやすくなるため、使用後は必ず清拭する。また、新しい電極を使用する際には、生理食塩水に一晩つけるなどのエイジング処理を施すとよい。

現在使用されている主な電極には、リユーザブル電極、ディスポーザブル電極がある。それぞれについて概説する。

リユーザブル電極(図24)

リユーザブル電極は心電計に一般的に付属している電極で、四肢誘導としてクリップ式、胸部誘導として吸着式(成人用 20 mmφ、小児用 15 mmφ など)がある。電極部には、いずれも洋白(Ni・Cu・Zn の合金)や銀/塩化銀(Ag/AgCl)が使用されているが、胸部誘導と四肢誘導では必ず同素材の電極を組み合わせて使用する。電極は新旧混用を避け、すべて同時に交換する。電極装着に際しては、電極—皮膚間接触インピーダンスや分極電圧の変動を抑えるために、ペーストや導電性ゲルパッドなどを使用する。吸着式電極は皮下出血を生じる場合があるため、長時間の連続使用を避ける。また、リユーザブル電極の場合、短時間で複数の被検者に装着するため、感染リスクがあることも考慮すべきである。

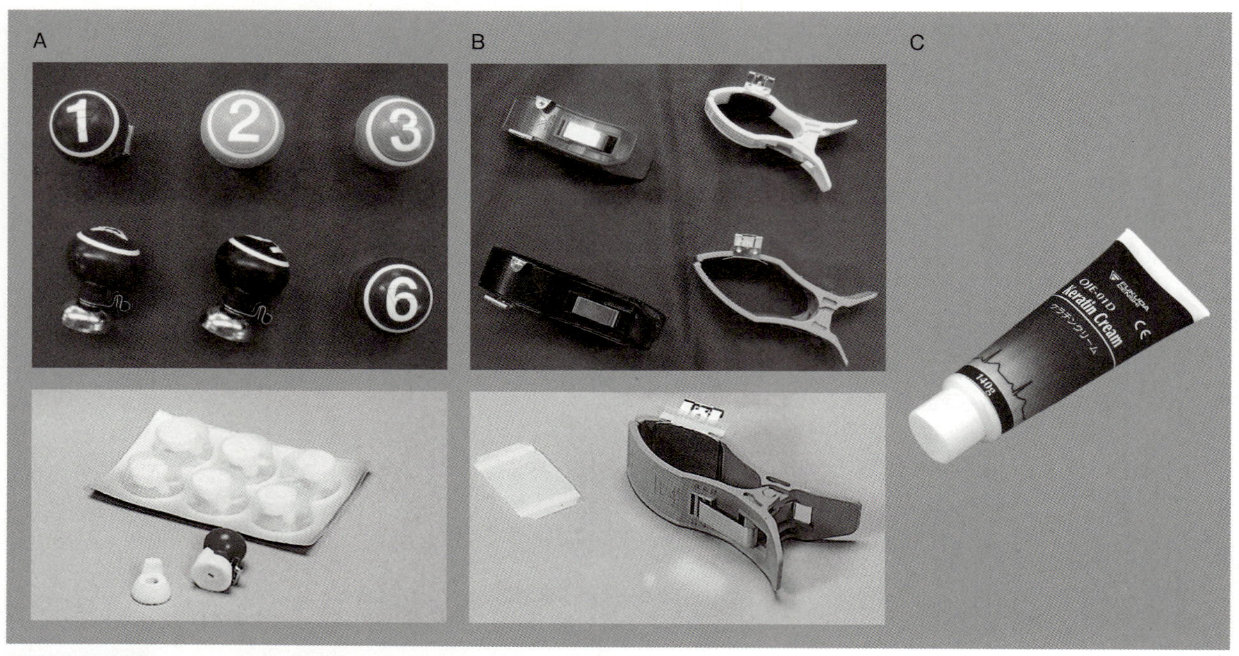

図24 リユーザブル電極とペースト

A：胸部誘導用吸着式電極。下はゲルパッドをつけた状態。
B：四肢誘導用クリップ式電極。下はゲルパッドをつけた状態。
C：ペースト。

(提供：フクダ電子社)

ディスポーザブル電極(図25)

ディスポーザブル電極には、運動負荷試験・Holter 心電図検査・モニター心電図などのように長時間の検査で使用する電極と、安静時心電図検査のように比較的短時間の検査で使用する電極がある。いずれも、ワニ口タイプやクリップタイプなどを使用する。なお、ディスポーザブル電極を装着する際には、ペーストを使用する必要はない。

・長時間の検査で使用するディスポーザブル電極

長時間の検査で使用する電極は、金属などでできた電極導体(アイレット)部分、導電性ゲル部分、皮膚に貼り付けて接着を保持するための粘着部分(テープバッキング＋接着剤、粘着ゲル)の3部分からなる。電極導体は分極電圧が安定しており、除細動後の基線復帰時間の速い銀/塩化銀(Ag/AgCl)が使用されているものが多い。

・短時間の検査で使用するディスポーザブル電極

比較的短時間かつ安静時に行う検査で使用する電極は、強い粘着力をさほど必要としないことから、より簡便な構造となっており、薄い銀/塩化銀シートに粘着性のある導電性ゲルを塗布したものが多い。

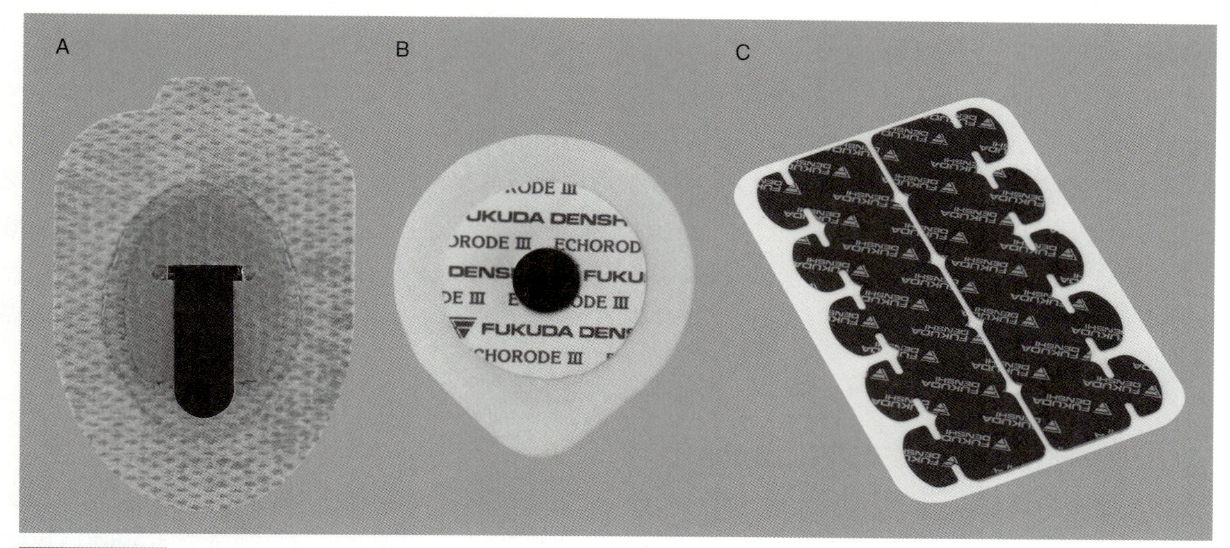

図25　ディスポーザブル電極

A：ワニ口タイプ。ホルター心電図検査のような長時間の検査で使用する。
B：クリップタイプ。ホルター心電図検査、モニター心電図のような長時間の検査で使用する。
C：ワニ口タイプ。標準12誘導心電図検査のような短時間の検査で使用する。

（提供：フクダ電子社）

② 誘導コード（図26）

電極と心電計の入力部をつなぐコードで、交流障害対策として信号線がシールドされている。誘導コード先端のチップは、識別目的で日本産業規格（JIS規格）および国際電気標準会議（IEC）規格により、色別されている。付け間違い防止のために電極をいくつかまとめているなど、工夫を凝らした誘導コードもある。

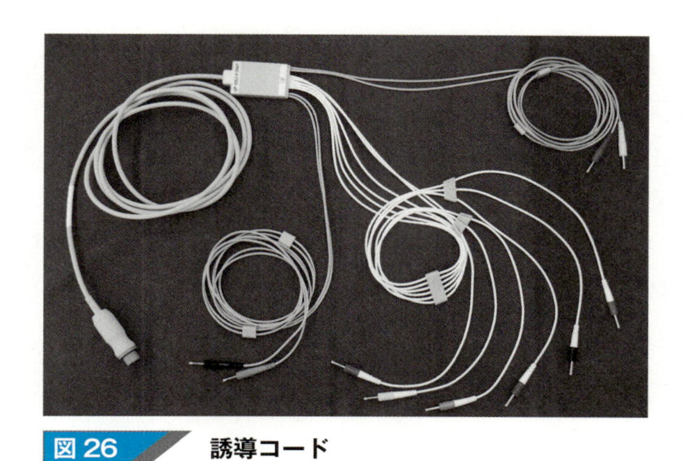

図26　誘導コード

（提供：フクダ電子社）

③ 入力保護回路

外部からの不要なエネルギーから心電計を保護するために、特別な対策が施されている箇所である。たとえば、耐徐細動器の高エネルギー除細動パルスから心電計を守るため、アレスタ（避雷器に使用）などの部品を用いて高電圧を吸収し、心電計に過度の電圧がかからないような構成となっている。そのほか、電気メスによるエネルギーや電流の影響を避けるための対策、ペースメーカパルスを正しく検出するための特別な回路などを装備した心電計もある。

④ フローティング回路

電撃事故の防止および安全性確保のために、心電図信号入力部を演算処理部などの二次回路より分離(アイソレーション)した回路である。心電計に要求されている安全対策の一つである。

⑤ 増幅部

誘導コードを介して入力された心電図信号は、高入力インピーダンスの差動増幅器によりインピーダンス変換される。また、差動増幅器の使用により、差動入力信号間の同相信号を除去して入力することもできる。同相信号除去を効率よく行うためには、電極間の接触抵抗が等しく、変動のないことが必要となる。接触抵抗を抑え、変動を減らすためには、皮膚の前処理が重要となる。なお、近年の標準 12 誘導心電計は、四肢誘導の 2 チャネル(例えばⅠ、Ⅱ誘導)および胸部誘導の 6 チャネルの計 8 チャネルを誘導合成し、ほかの四肢誘導を計算で求めることで、全誘導を同時に処理している。この場合、上記の差動増幅器を 8 個搭載している。

2. A/D 変換部(アナログ/デジタル変換部)

増幅部を通過した心電図信号は、500〜8,000 Hz(さらに高周波の場合もある)のサンプリング周波数で、アナログ信号からデジタル信号へ変換される(A/D 変換)。なお、以下の演算処理では、500 Hz または 1000 Hz のデータとして処理している。

3. 演算処理部

A/D 変換された信号は、光アイソレーション回路を経て演算処理部に送られ、下記のような処理が行われる。

① 信号処理部

デジタル化された心電図信号に対し、心電図に不要な基線動揺・交流障害・筋電図などを除去するためにフィルタ処理を行う。

② 心電図計測・解析部(図 27、28)

増幅部・A/D 変換部・信号処理部を通過した心電図波形データに対し、心拍の検出・心電図の各波(P 波、QRS 波、T 波)の区分点認識・各波の計測(幅・間隔、振幅)を行い、それらの数値をもとに計測処理が行われる。各波の区分点として、P 波始点および終点、QRS 波始点および終点、T 波終点を認識しているが、これらは 12 誘導全体でひとつと考えられている。
※波形計測については、各メーカにより表現方法が異なる。図 28 はその 1 例である。

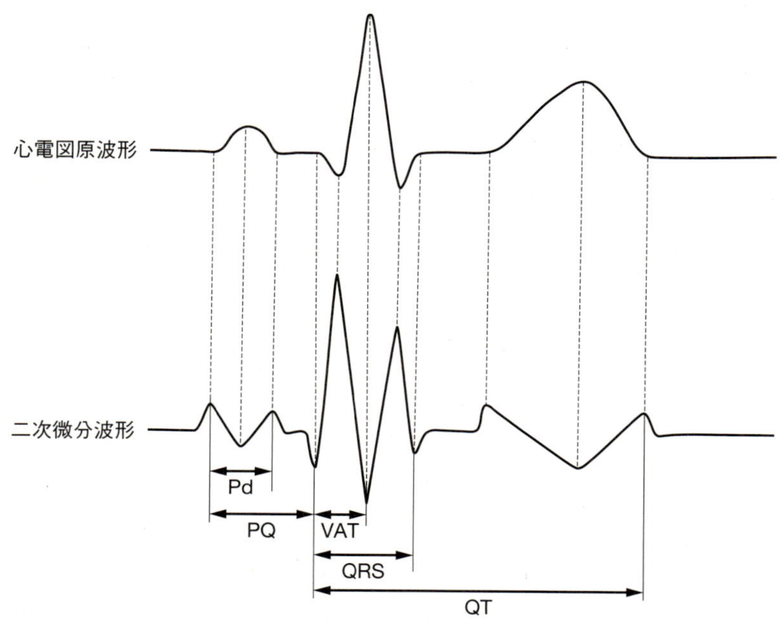

図 27　心電図波形の特徴抽出波(微分波)による区分点認識

Pd：P 幅、PQ：PQ 間隔、QRS：QRS 幅、QT：QT 間隔、VAT：心室内興奮伝導時間
〔石山陽事：心電計，心電図モニタ．ME の基礎知識と安全管理(日本生体医工学会 ME 技術教育委員会監修)．改訂第 7 版．p.132，南江堂，東京，2020 を参考に作成〕

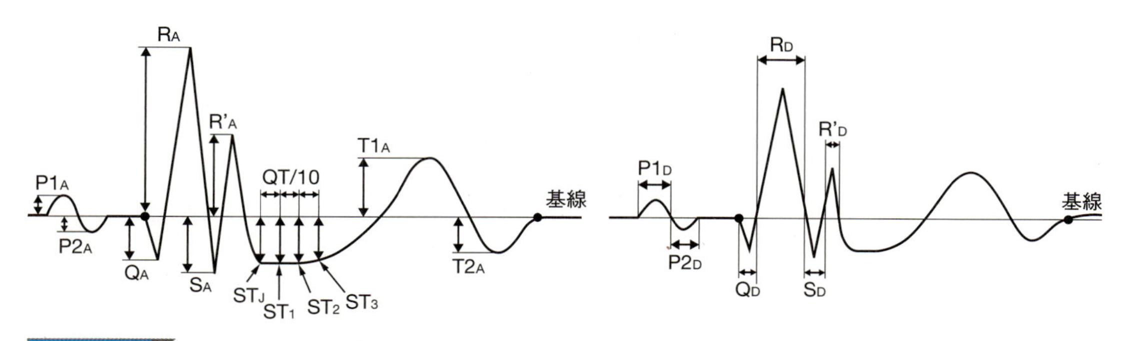

図 28　波形計測(左：振幅，右：時間幅)

A：Amplitude(振幅)、D：Duration(持続時間)
ST の決定：目視法では STJ より 60 msec もしくは 80 msec の点で ST 評価をするのに対し、心電計では QT/10 の時間を STJ からとり(ST1 もしくは ST2)、ST 下降を計測する。
(電子情報技術産業協会編：新 ME 機器ハンドブック．新版．p.15，コロナ社，東京，2008 より許諾を得て改変し転載)

4．表示部

心電図波形・雑音混入の確認・被検者情報・自動解析結果などが、ディスプレイに表示される。

5．記録部

心電図波形・被検者情報・自動解析結果などを記録する。サーマルヘッドで感熱紙に記録する方式が主流であるが、パーソナルコンピュータなどで使用するプリンタを用いて記録する心電計もある。

6．フローティング電源部

現在の心電計の JIS 規格(JIS T 0601-2-25：2014)では CF 形装着部が要求されており、入力部の電源はアイソレーショントランスなどを介し、二次回路から電気的に分離されている。

Ⅱ．分類

心電計にはいくつかの種類があり、電気的安全性・記録方式によって、次のように分類される。電源方式による分類も可能であるが、現在はほとんどの心電計が交直両用となっているため、割愛する。

1．電気的安全性による分類

電撃に対する保護、装着部により、以下のように分類される。

① 電撃に対する保護による分類（表 13）

外部から電源を供給される ME 機器は、クラスⅠまたはクラスⅡに分類される。外部から電源を供給されない ME 機器は、内部電源機器に分類される。クラスⅠ、Ⅱともに電撃に対する保護を基礎絶縁のみに依存しない電気機器である。追加安全対策として、クラスⅠは外部の接触可能金属部分を保護接地しており、クラスⅡは二重絶縁または強化絶縁を備えている。クラスⅡは保護接地が不要な ME 機器である。

表 13　電撃に対する保護による分類

クラス	記号	保護手段	設備側が考慮すべき点
クラスⅠ	／	基礎絶縁・保護接地 ※保護設置の記号 ⏚	接地極付きコンセント（3P）
クラスⅡ	▣	二重絶縁または強化絶縁	接地設備不要（2P）
内部電源	／	基礎絶縁	接地設備不要

② 装着部による分類（形別分類）（図 29）

装着部はＢ形・BF 形・CF 形に分類されるが、JIS 規格（JIS T 0601-2-25：2014）では、漏れ電流が少なく、心臓への直接使用が可能な CF 形のみが許可されている。

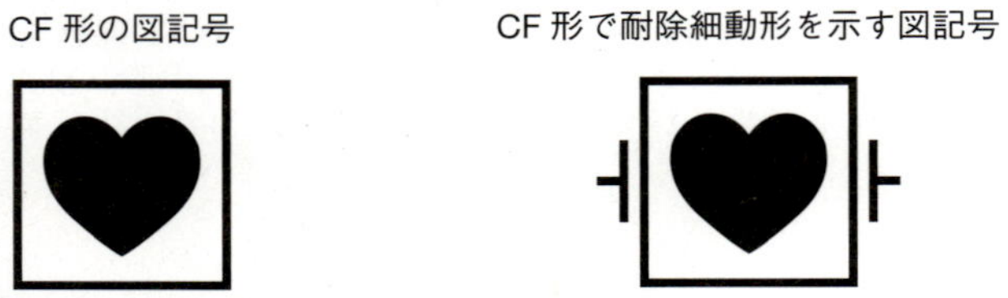

CF 形の図記号　　CF 形で耐除細動形を示す図記号

図 29　CF 形の図記号、CF 形で耐除細動形を示す図記号

心電計本体に耐除細動形の記号があっても、専用の誘導ケーブルが指定されている場合があるため、注意を要する。

2．記録方式などによる分類

最近の心電計はサーマルレコーダによって心電図を記録しているが、パーソナルコンピュータや医療用ワークステーションの画面で波形を確認し、心電計本体で記録することなく心電図データを電子化して電子カルテに転送するなどの方法も増加傾向にある。パーソナルコンピュータや医療用ワークステーションで表示すると、印刷時に縮小および拡大されることもあるため、注意を要する。縮小および拡大された場合、共に記録されている校正波形の高さや同時印刷のグリッドを計測することにより、実際の感度を知ることができる。

Ⅲ．性能

日本産業規格(JIS T 0601-2-25：2014)および国際電気標準会議(IEC)規格(IEC 60601-2-25：2011)では、静電誘導、交流障害、皮膚一電極間の高インピーダンス、分極電圧の変動などの影響を受けることなく、心電図が記録できる性能が求められている。

1．入力インピーダンス

心電図記録のための入力インピーダンスは、±300 mV の直流オフセット電圧の範囲内で 2.5 MΩ 以上である。

2．感度

心電計では、1 mV の入力に対する記録振幅が 10 mm であることを 10 mm/mV と表す(標準感度)。追加の感度がある場合は 5 mm/mV、20 mm/mV などと表記される。心電計の最小検知入力は、10 Hz に対して 20 μVp-v 以下である。

3．内部雑音(入力換算値)

入力換算雑音は、誘導コードに抵抗 51 KΩ とコンデンサ 47nF を並列接続し、200pF で接地した場合に、30 μVp-v 以下である。

4．同相信号抑制

規定の試験回路に 20Vrms、60 Hz の正弦波を入力したとき、その記録の振れは標準感度で 10mmp-v 以下である。

5．直流オフセット電圧

±300 mV の直流オフセット電圧を印加後、規定の性能を満たす。

6．過負荷許容電圧

50 または 60 Hz、1 Vp-p の正弦波を 10 秒間印加後、正常に動作する。

7．直線性およびダイナミックレンジ

いずれのチャネルにおいても±5 mV の入力信号を記録できる。

8．記録速度

25 mm/s、50 mm/s の記録速度で、誤差は±5%以内である。

9．正弦波特性

臨床で使用されている心電計の周波数帯域は、JIS 規格(JIS T 0601-2-25：2014)に基づいており、0.05～150 Hz までの周波数が記録できるように規定されている(周波数特性の測定は 10 Hz、1 mV の正弦波信号を基準とする)。

10．低周波(インパルス)応答

従来、低域の周波数特性は時定数(1 mV のステップ電圧に対する応答が初期振幅の 1/e≒37%に減衰す

るまでの時間)で規定されていたが、近年はIEC(JIS)規格により次のような低周波のインパルス応答で規定されるようになった(**図30、31**)。300 μV/s、100 msec の方形波インパルス印加に対する応答で、基線より 100 μV を超えるオフセットがないこと、200 msec の範囲で 250 μV/s を超える傾斜およびインパルスの範囲外で 100 μV/s の傾斜がないことと定められている。

試験	入力振幅(mVp-v)	入力信号周波数および波形	心電図記録上の出力振幅応答
A	10	0.67 Hz～40 Hz、正弦波	±10%※
B	0.5	40 Hz～100 Hz、正弦波	＋10%/－30%※
C	0.25	100 Hz～150 Hz、正弦波	＋10%/－30%※
D	0.5	150 Hz～500 Hz、正弦波	＋10%/－100%※
E	1.5	≦1 Hz、20 msec 幅の三角波	＋0%/－10%※※

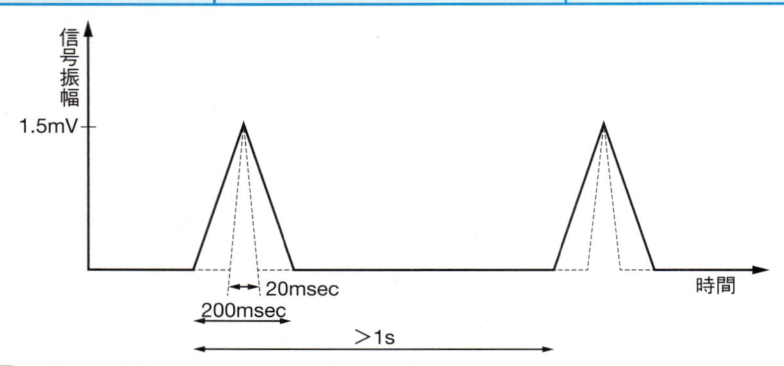

図30 周波数応答(上)および試験Eに対する三角波形(下)

※出力振幅は、10 Hz の出力信号を基準とする。
※※出力振幅は、200 msec 幅の出力信号を基準とする。
〔JIS T 0601-2-25 : 2014(IEC 60601-2-25 : 2011)図 201.107, 表 201.107 より許諾を得て転載〕

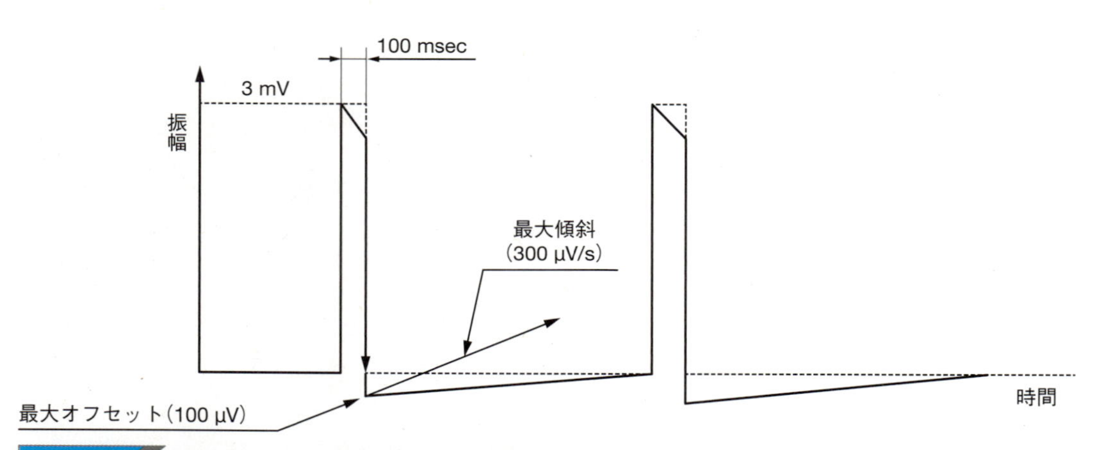

図31 入力インパルス信号および心電計の応答

--------(破線):入力インパルス信号、———(連続線):心電計応答
〔JIS T 0601-2-25 : 2014(IEC 60601-2-25 : 2011)図 201.108 より許諾を得て転載〕

Point

心電計の総合周波数特性(記録部特性を含む)

10 Hz の振幅 10 mm の正弦波を 100%としたとき
0.67～40 Hz……90～110%、40～150 Hz……70～110%

11. フィルタ

フィルタには筋電図除去フィルタ(ハイカットフィルタ)、基線動揺除去フィルタ(ドリフトフィルタ)、交流障害除去フィルタ(ハムフィルタ)がある。

① 筋電図除去フィルタ(ハイカットフィルタ)

25 Hz または 35 Hz 以上の周波数が抑制される。フィルタ使用により、該当する周波数成分を含む QRS 振幅が低くなる場合がある。成人では 100 Hz フィルタ(ハイカットフィルタ)、小児では 150 Hz フィルタ(フィルタオフ設定)を使用するとよい。

② 基線動揺除去フィルタ(ドリフトフィルタ)

呼吸や発汗による基線の動揺を除去するためのフィルタ。このフィルタでは、低周波成分を除去するために、低周波成分の ST 波、T 波、U 波、特に徐脈時の U 波が歪む恐れがある。また、表示および記録までに 1〜2 秒程度の遅延が生じる場合がある。

③ 交流障害除去フィルタ(ハムフィルタ)

50 Hz または 60 Hz の交流障害を除去する。フィルタ使用により、高周波成分を含む QRS 振幅が低くなる場合がある。従来のアナログフィルタでは 50 Hz または 60 Hz、およびその周囲の周波数成分も減衰することが危惧されたが、現在ではデジタルフィルタを採用している心電計が多く、50 Hz または 60 Hz からの減衰帯域幅を狭くすることで、その前後の波形の歪みを最小限に抑えている。

12. ペースメーカとの併用

心電計は、JIS 規格で規定された 100 パルス/分のペースメーカパルスの信号を基線シフトすることなく、表示および記録することができる。

13. チャネル間干渉

1 つのチャネルに 30 Hz、2.5mVp-p の三角波を入力したとき、干渉によりほかのチャネルで 0.5 mm を超える信号が現れない。

14. 記録時間(誘導データ収録時間)とデータ保存

通常は 10 秒以上の記録時間を有する。不整脈を自動認識した場合やマニュアル設定をする場合には、24 秒程度まで延長できる機種が多い。標準 12 誘導心電図では、肢誘導(Ⅰ・Ⅱ・Ⅲ)のうち 2 誘導に胸部誘導(V_1〜V_6)の 6 誘導を加えた計 8 誘導が保存される。心電波形の保存に際しては、データ圧縮(可逆的圧縮もしくは非可逆的圧縮)されることが多い。

> **WORD**
>
> **標準 12 誘導心電図伝送**
>
> 近年、心電図計の主要構成部品が IC チップ化されたことで、心電計の超小型化が可能となり、標準 12 誘導心電図でも、心電計端末を被検者に装着し、離れた場所でデータの記録および保存が可能な心電計がある。速やかな心電図検査と頻回の経時的記録が必要となる急性冠症候群などでは、伝送可能な心電計が有用であると考えられている。

15. 解析対象波形

解析付き心電計は、12誘導の生データとは別に、波形解析に使用した波形データである解析対象波形を保存している。解析対象波形には、アベレージ波形とドミナント波形などがある。

・アベレージ波形

解析対象波形のなかで、最も多いパターンの波形を加算平均(アベレージ)する。加算平均の代わりに中央値(メディアン)を採用する場合もある。

・ドミナント波形

解析対象波形のなかで、最も多いパターンの波形で雑音の少ない波形とする。

16. 計測値

計測値として一般的な心拍数、PR(PQ)間隔、QRS幅、QT間隔、QTc、QRS軸などに加え、P軸、T軸、各誘導のP、P'、Q、R、R'、S、T、T'の振幅および幅(時間)などを保存する。不整脈計測値としては各心拍のRR間隔、PR間隔、QRS幅、QRS面積情報、QRS軸情報、心拍判定フラグなども保存する。なお、ST部分などの計測位置、QTcの算出法、解析時に使用する特殊な計測値などは機種により異なるため、同じデータでも同様の結果が得られるとは限らない。

17. 心電図自動解析の流れ

自動解析における主な流れについて概説する。なお、使用方法は機種によって異なるため、各取扱説明書に準じて使用すること。

① 前処理

入力された心電図信号の品質チェックを行う。雑音の混入や電極外れなどをチェックし、アラートにより確認を促す。左右手の電極つけ間違いを警告する機能をもつ心電計もある。

② QRS波抽出

波形計測の基準となるQRS波の抽出を行う。心電図信号を数値データとして取り扱うため、さまざまなパラメータに分解してQRS波の抽出を行う。たとえば、入力信号を微分して波形変化を傾きとしてとらえ、傾きの大きいデータ群をQRS波候補とする方法などがある。

③ 連続波形計測

入力された心電図信号を連続して、各心拍のPR間隔、QRS幅、QT間隔、QRS振幅、QRS面積、QRS電気軸を計測し、さらに前後の心拍とのRR間隔、PP間隔を求め、不整脈の検出パラメータとする。

④ 計測(区分点認識)

抽出したQRS波の位置に基づいて、P波、QRS波、T波の始終点を求める。求めた点からPR間隔、QRS幅、QT間隔などを計算する。

⑤ 波形計測

区分点認識した波形に基づいて、誘導ごとに時間幅、振幅値、STjなどを計測する。また、R波のnotchについては上向脚、下降脚も計測する。さらに、P波、QRS波、T波の電気軸を算出する。

⑥ 解析所見

該当機種による解析とミネソタコード分類に基づき、計測処理で求めた各波形計測値により、心電図を分類する。

WORD

ミネソタコード分類

米国ミネソタ大学で、標準 12 誘導心電図を統計などに使用する目的で考案されたコード分類。心電図を客観的かつ共通の尺度で分類できるように考慮されている。疫学目的で使用されることが多い。

⑦ 解析結果出力（総合判定）

解析結果は被検者情報（個人番号、年齢、性別、氏名など）や解析プログラムで求めた基本計測値（心拍数、RR 間隔、PR 間隔、QRS 幅、QT 間隔、P 波・QRS 波・T 波の電気軸など）、所見名、ミネソタコード分類などをレポートとして、波形とともに出力する。各波形の詳細計測値を出力することも可能である。

MEMO

雑音の対処

心電図に雑音が混入すると心電図判読が困難となるため、的確に除去する必要がある。雑音には内部雑音と外部雑音があり、外部雑音は交流障害、筋電図の混入、基線動揺の大きく３つに分けられる。それぞれについて概説する。

Ⅰ．内部雑音

心電計自体により発生する雑音を内部雑音と呼ぶ。

特徴

誘導コードのチップ先を規定のインピーダンスでショート(短絡)させた状態で心電図を記録すると、基線に機器内部より発生した雑音が入る。

対処

- コネクタをしっかりと差し直す。電極や誘導コードのチップ先が汚れている場合は、清拭する。
- 誘導コードや電極を新しいものに交換する。
- 心電計内部に原因があるため、メーカに対処を依頼する。

Ⅱ．外部雑音

外部雑音は、交流障害(ハム)・筋電図の混入・基線動揺(ドリフト)の大きく３つに分けられる。様々な原因から起こりうるため、検査室の環境のみならず、被検者および電極などの状況をよく確認することが大切である。

1．交流障害(ハム)(図 32)

交流障害(ハム)の混入経路は、電源配線などから漏れた電流が床・ベッドを通して心電計に混入する漏洩電流、電源の配線が原因の静電誘導、電気機器などから発生する磁力線が原因の電磁誘導の大きく３つに分けられる。そのほか、特定の誘導で見られる場合は発汗やペースト不足などによるインピーダンスの増大が、全誘導で見られる場合はアースの不備が原因と考えられる。検査室の湿度、電極の接触不良・錆びや汚れ、新旧・異種電極の混用、人や物(カーテンなど)の接触などが誘因となる場合もある。

特徴

50 Hz または 60 Hz の規則的な波が心電図に混入する。

対処

- アースの接続状態を確認する。
- 電極の錆び・汚れや混用がないことを確認する。
- シールドシートなどを用いてアース(1 点)をとる。
- 必要のない電気機器の電源コードを抜く。
- 電源延長コードは使用せず、壁のコンセントから直接電源をとる。
- 誘導コードをひとつにまとめる。
- 併用機器との距離を離す。

・湿度を50〜60%に保つ。
・ペーストを再塗付する。
・被検者を電気機器や電気コードから遠ざける。
・被検者の皮膚を清拭する。

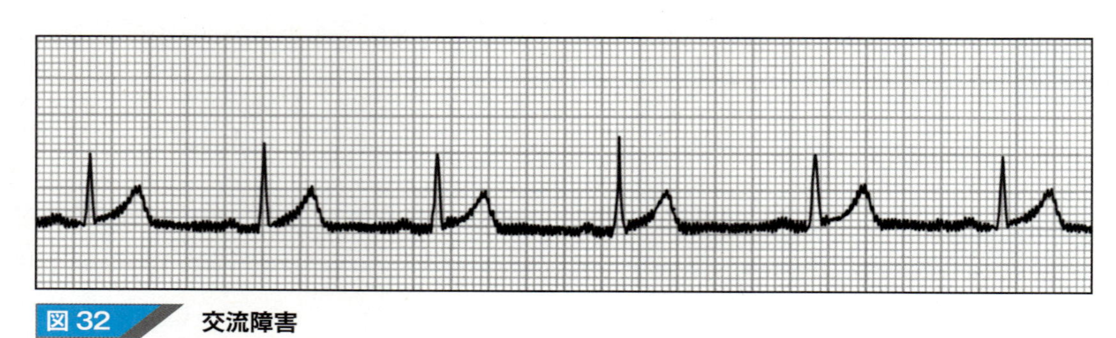

図32 交流障害
(新 博次監修：モニター心電図の基礎. p.5, フクダ電子, 東京, 2012より許諾を得て転載)

2. 筋電図の混入(図33)

筋電図の混入は、主に被検者の緊張・不安からくる硬直や、寒さによる震えによって生じる。そのほか、背中が曲がっている場合、手足に震えが生じる疾患を有する場合、衣服で手足が締め付けられている場合、ベッドが窮屈な場合にもよく見られる。

特徴

振幅・周波数ともに不規則な波が心電図に混入する。

対処

・被検者の不安を取り除き、リラックスしてもらうよう努める。
・寒さ対策として、空調を調節し、必要に応じてバスタオルなどをかける。
・背中が曲がっている場合は、足を折り曲げた状態で検査するとよい。
・手足に震えのある場合は、四肢誘導の電極を影響のない場所に動かす。
・衣服を緩める。
・大きいベッドを使用する。

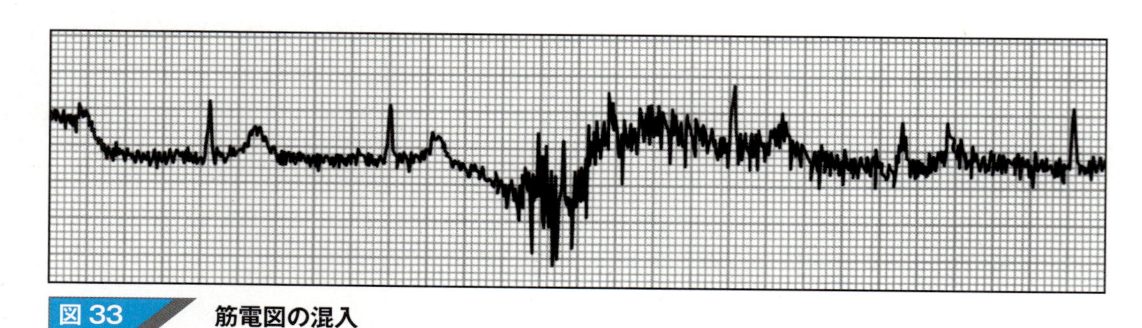

図33 筋電図の混入
(新 博次監修：モニター心電図の基礎. p.5, フクダ電子, 東京, 2012より許諾を得て転載)

3. 基線動揺(ドリフト)(図34)

基線動揺(ドリフト)は、主に被検者の呼吸や発汗により生じ、電極装着直後によく見られる。被検者の緊張や不安などから生じたり、電極の接触不良により、電極と皮膚間のインピーダンスが変化することで生じたりする場合もある。

特徴

心電図の基線が緩徐に上下する。呼吸とともに上下する場合、呼吸とは無関係に上下する場合の二通りがある。

対処

- 電極の接触・誘導コードを確認する。
- 空調を調節する。
- 被検者の不安を取り除き、リラックスしてもらうよう努める。
- 皮膚を清拭する。
- 静かに呼吸してもらう（可能であれば、息を止めてもらう）。

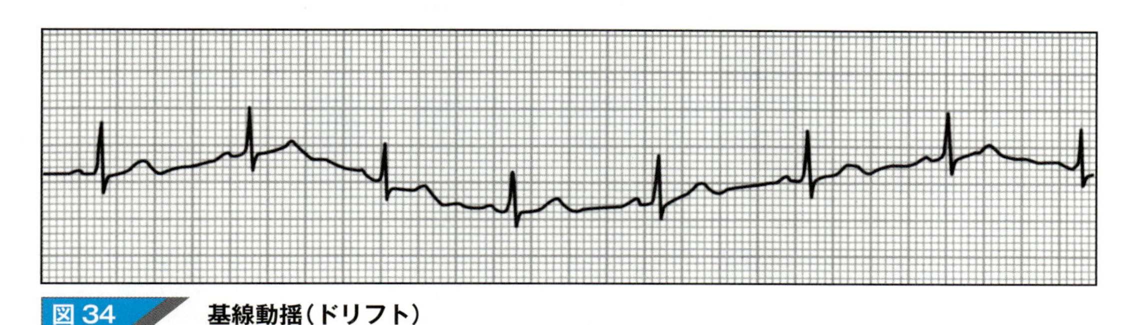

図 34　基線動揺（ドリフト）

（新 博次監修：モニター心電図の基礎．p.6，フクダ電子，東京，2012 より許諾を得て転載）

Point

歯磨きによる雑音

電極を肩に装着すると、歯を磨いている時に雑音が混入する場合があるため、注意を要する。

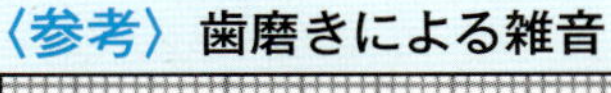

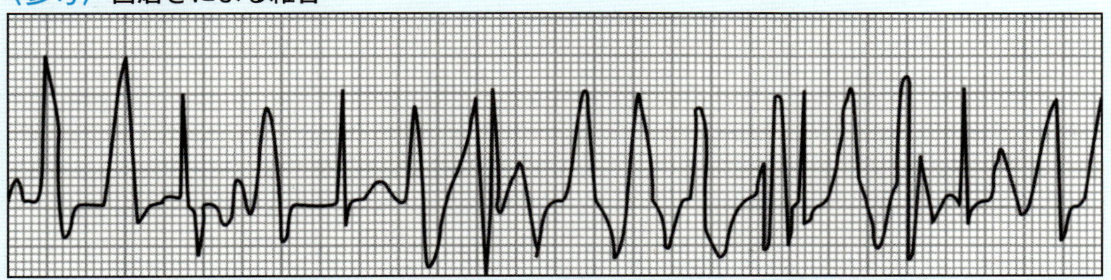

（新 博次監修：モニター心電図の基礎．p.5，フクダ電子，東京，2012 より許諾を得て転載）

4．フィルタの使用

フィルタには筋電図除去フィルタ（ハイカットフィルタ）、基線動揺除去フィルタ（ドリフトフィルタ）、交流障害除去フィルタ（ハムフィルタ）がある。雑音を完全に除去するのは難しく、やむをえずフィルタを使用する場合もある。ハムフィルタおよびドリフトフィルタについては、使用時の波形の歪みを一定以下にするよう、JIS 規格（JIS T 0601-2-25：2014）で定められている。特に、ハイカットフィルタは、フィルタをオンにすると QRS 波形などが小さく記録される恐れがあるため、注意を要する。また、波形が歪む可能性に鑑み、JIS 規格（同上）ではフィルタの使用状況を示すよう定めている。そのため、心電計の出力レポートには、フィルタ使用の有無が必ず記載されている。フィルタのオン・オフ時の両記録を残すのも有効である。

※詳細については、第 1 章「心電計とは―性能・分類・構成―」（p.51）を参照。

さらにレベルアップ！ 「雑音混入の原因となっている電極を特定するには」

★各誘導の定義がカギとなる！

四肢誘導に雑音が混入している場合、原因となる電極(右手・左手・左足)を特定するための秘訣がある。例えば、ⅠおよびⅡ誘導に雑音が混入した場合、原因となる電極は、両誘導に共通して関連する右手となる。ⅠおよびⅡ誘導の雑音を1とすると、aV_R誘導では同程度の雑音、aV_L・aV_F誘導では1/2程度の雑音、全胸部誘導では1/3程度の雑音が混入していると考えられる。これは、双極四肢誘導では1/2、胸部誘導では1/3として、対極となる中点を計算しているためである。四肢誘導に雑音の混入がなく、特定の胸部誘導にのみ雑音が混入している場合は、対応する胸部電極が原因となる。各誘導の定義を下記に示す(**表 14**)。

表 14 各誘導の定義

誘導名	定義
Ⅰ Ⅱ Ⅲ	Ⅰ＝L−R Ⅱ＝F−R Ⅲ＝F−L
aV_R aV_L aV_F	$aV_R = R - (L+F)/2$ $aV_L = L - (R+F)/2$ $aV_F = F - (L+R)/2$
V_1 V_2 V_3 V_4 V_5 V_6	$V_1 = C_1 - CT$ $V_2 = C_2 - CT$ $V_3 = C_3 - CT$ $V_4 = C_4 - CT$ $V_5 = C_5 - CT$ $V_6 = C_6 - CT$ $CT = (L+R+F)/3$

実臨床から見た心電図検査

実臨床では、被検者への対応なども考慮しつつ、検査を進めていかなければならない。本章では、実臨床から見た標準 12 誘導心電図検査およびホルター心電図検査について概説する。

Ⅰ．実臨床から見た標準 12 誘導心電図検査

標準 12 誘導心電図検査は、健康診断などをはじめ、最もよく行われている検査法である。主に検査室で行われるが、ときに病棟出張として病室で行われる場合もある。短時間で多く検査を行うため、的確かつ迅速に対応する必要がある。

1．検査室の環境

心電図に雑音が混入するなどの恐れがあるため、検査に適した環境を保つよう、留意する。下記に、適切な検査室の環境についての例をあげる。

- 室温 25℃前後、湿度 50％前後に保ち、空調の風が被検者に直接かからないよう配慮する。
- 検査室の出入口は、引き戸にカーテンを設置するなど、プライバシー保護に努める。
- 検査室は、検査用ベッド・心電計・脱衣カゴを置くことができ、車椅子やストレッチャーを検査用ベッドに横づけできる程度の広さとする。
- 検査用ベッドは長さ・幅ともに大きめ、高さはやや低めとする。
- 交流障害の混入を防ぐため、検査用ベッドにシールドシートを敷いたり、ベッド脚にゴムパッドをつけたりして、アースをとる。
- 医用 3P プラグを使用する。
- 交流障害の混入を防ぐため、電源コードが被検者近辺を走行しないように、また並行にならないように注意する。
- 電撃事故を生じる可能性があるため、電源用の延長コードの使用は厳禁である。
- 周辺のコード類は短く束ね、最短距離で機器と接続する。

2．接遇

接遇とは、被検者と円滑なコミュニケーションをとることにより、的確な心電図検査を行うためのスキルであり、リスクマネジメントの観点からも重要である。被検者が極度に緊張していると、正確な検査結果が得られない恐れもあるため、検査内容を十分に説明し、リラックスしてもらうよう留意する。身だしなみを整える、聞き取りやすい口調で話すなど、被検者への対応を施設内で話し合い、規則を定めておくとよい。

3．安全管理と保守点検

検査室には自動体外除細動器（AED）や酸素ガス、点滴セットなどを用意し、安全管理に努める。保守点検には日常点検と定期点検がある。日常点検は、始業・終業時に誘導コードや電極などの状態や動作確認、

外観確認などを行い、検査前には校正電圧(1 mV)、感度(10 mm/mV)、記録速度(25 mm/s±5%)が基準値を満たしていること、各フィルタの設定などを確認する。定期点検は、医療機器の性能維持を目的として、清掃・校正・部品の交換などを行う。定期的に行う必要があり、製造メーカに委託することも可能である。詳細は、製造メーカに問い合わせる、または取扱説明書を参照されたい。

4. 電極装着

まず、雑音の混入を防ぐため、金属製の腕時計やアクセサリー、磁気バンドなどを外してもらう。皮膚を清拭した後、リユーザブル電極では電極装着部位にペーストをよく塗り込んで、皮膚―電極間接触インピーダンス(**図 35**)や分極電圧を低く保つ。胸部誘導では、隣の装着部位のペーストおよび電極が接触しないように注意する。

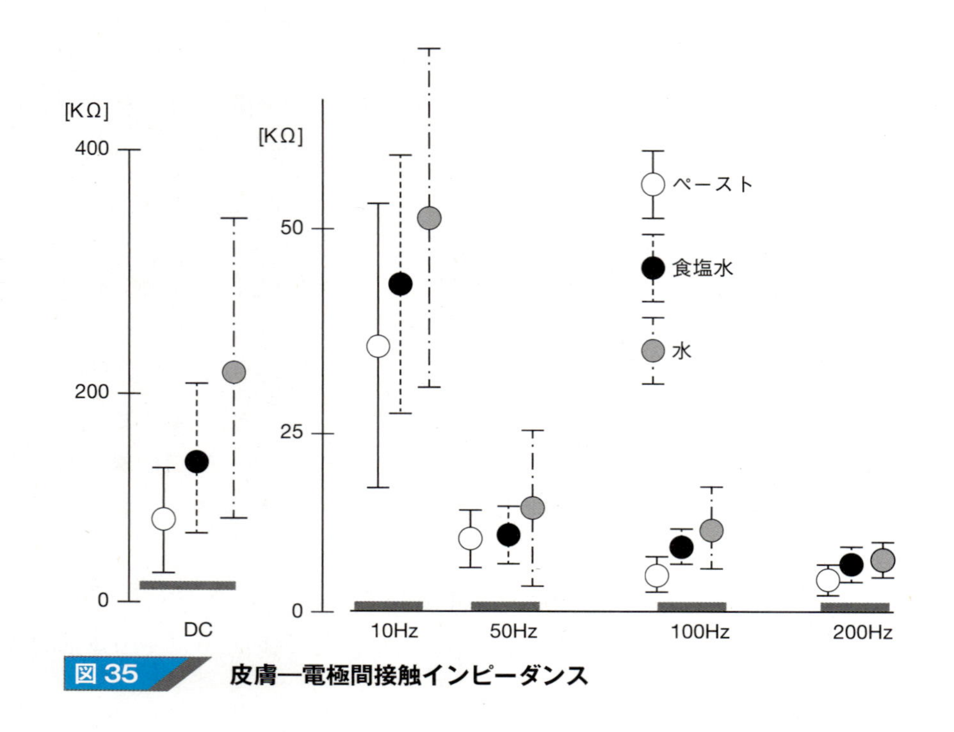

図 35 皮膚―電極間接触インピーダンス

四肢誘導では、右足から電極を装着する。四肢に装着し終えたら、胸部に第 4 肋間胸骨右縁(V_1 誘導)、左縁(V_2 誘導)、第 5 肋間と左鎖骨中線上(V_4 誘導)、V_2 誘導と V_4 誘導の中間点(V_3 誘導)、V_4 誘導と同じ高さの左前腋窩線上(V_5 誘導)、左中腋窩線上(V_6 誘導)の順で電極を装着する(**表 15**、**図 36**)。通常の電極装着が行えない場合は装着部位を変更するなどにより対応し、変更部位および変更理由をレポートに付記する。特に注意を要する場合を下記に示す。

・乳幼児の場合

小児用ディスポーザブル電極を用いて、サージカルテープなどで補強する。母親の協力を得るなど、体動を抑えるよう工夫する。

・手足にギブスおよび義肢を付けている場合

体幹部ではなく、手首から腕のつけ根や足首から脚のつけ根に装着すれば、波形への影響は少ないといわれている。吸着式電極もしくは貼付け式電極を装着する。

・透析および点滴を受けている場合

血管の閉塞事故が生じないように、シャント部より近位(上腕など)にディスポーザブル電極、あるいはクリップ式電極を装着する。点滴中の患者では、点滴ラインのシース刺入部を避け、波形に影響が出ない程度にずらす。

表 15 電極、電極の位置、識別およびカラーコード

誘導	コード1 (日本および通常ヨーロッパ)		体表面上の位置
	識別記号	カラーコード	
四肢誘導	R L F	赤 黄色 緑	右手 左手 左足
ウィルソンの胸部誘導	C C_1 C_2 C_3 C_4 C_5 C_6	白 白/赤 白/黄色 白/緑 白/茶色 白/黒 白/紫	単一胸部移動電極 第4肋間胸骨右縁 第4肋間胸骨左縁 C_2とC_4とを結ぶ線上の中点 第5肋間と左鎖骨中央線との交点 左前腋窩線上のC_4と同じ高さ 左側中腋窩線上のC_4と同じ高さ
中性電極	N または RF	黒	右足(中性)

〔JIS T 0601-2-25：2014(IEC 60601-2-25：2011)表 201．102 より許諾を得て転載〕

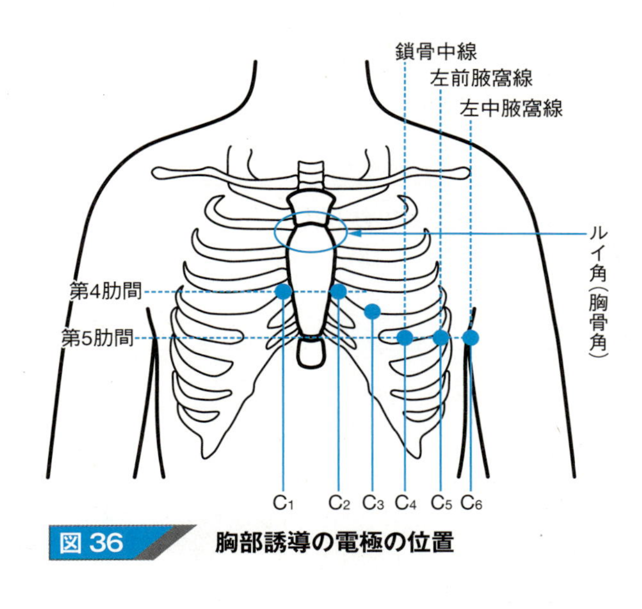

図 36 胸部誘導の電極の位置

5. 記録

的確な電極装着、雑音の除去を心がけ、判読しやすいきれいな心電図を記録するよう留意する。また、不整脈が出現している場合は長めに記録するなど、その病態に応じて行う必要がある。

また、電極のつけ間違いによる波形の特徴を覚え、正しく装着できているか否かを、波形を見て判断できるようにしておくとよい。**図 37** は、四肢誘導で左右手の電極をつけ間違えた際の心電図である。I 誘導は上下反転、II 誘導とIII誘導、aV_R 誘導と aV_L 誘導が各々入れ替わる波形になっている。**図 38** は、胸部誘導の電極つけ間違いの心電図である。通常では、V_1 誘導から V_5 誘導にかけて次第に R 波が高くなり(V_6 誘導は心臓から離れているために、V_5 誘導より低くなる)、S 波が浅くなる(R/S 値が大きくなる)。このパターンから外れる場合は注意を要する。最近では、ID 番号を入力すると過去の心電図が表示されるシステムもあり、過去の心電図と比較することによって、電極のつけ間違いの発見につながる場合もある。

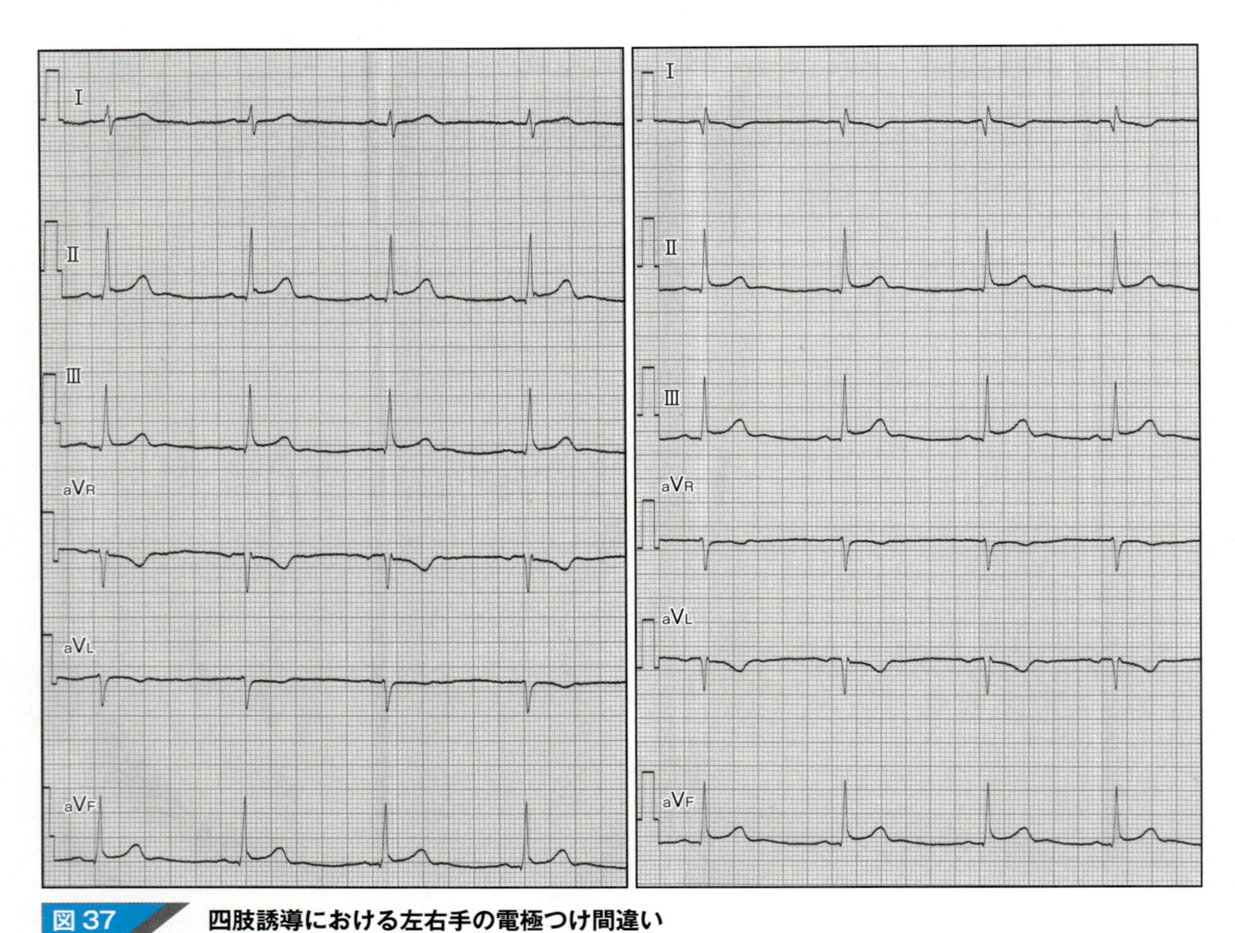

図 37 四肢誘導における左右手の電極つけ間違い

左：正しく電極をつけた心電図、右：左右手の電極をつけ間違えた心電図

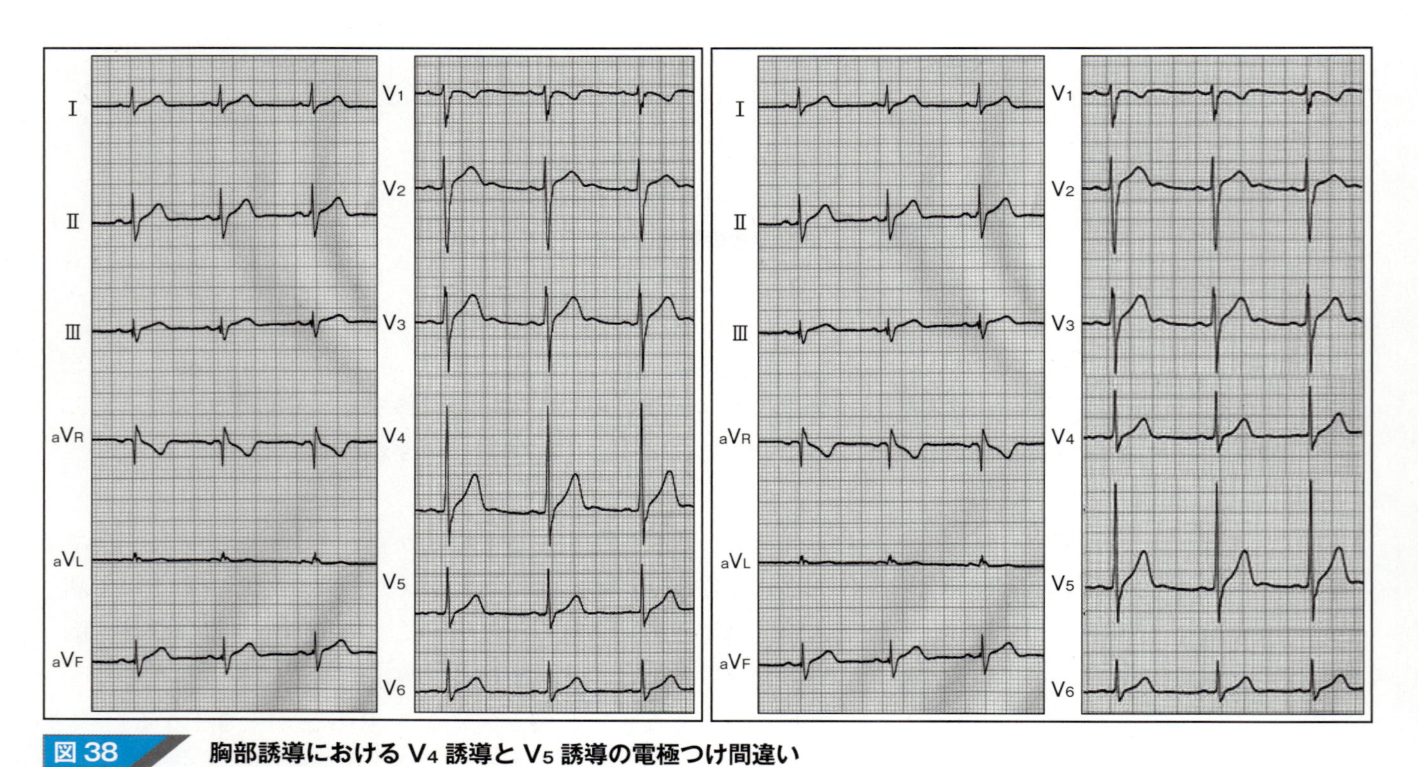

図 38 胸部誘導における V_4 誘導と V_5 誘導の電極つけ間違い

左：正しく電極をつけた心電図、右：V_4 誘導と V_5 誘導の電極をつけ間違えた心電図

6. 病室で検査を行う際の注意点

病室で検査を行う場合、被検者の感染性の有無・他検査を含む治療計画・医療機器使用状況・被検者の日常生活動作(ADL)および意識水準などを事前に確認する。電極装着を行う際には、心電計のみならず、ほかの医療機器の電源コードが被検者近辺を走行しないように、また並行にならないように注意する。使用中の医療機器を動かす場合には、医師もしくは看護師に許可を得る。検査の開始・終了の際には、医師もしくは看護師に申し送りをする。

Ⅱ. 実臨床から見たHolter心電図検査

Holter心電図検査は、被検者に電極と記録器を装着して日常生活における心電図を記録し、解析装置を用いてデータを取得する検査法であり、主に不整脈および狭心症の診断、治療効果の判定などに用いられる。検査室や病室で行う検査とは異なり、被検者に機器を管理してもらうため、日常生活における注意点や機器の取り扱い方法などについて、十分に説明することが肝要である。

1. 記録器および電極の着脱

標準12誘導心電図検査を参考に、診断目的に適した誘導法を選択する(図39)。電極装着部位を清拭し、皮膚—電極間接触インピーダンスを下げる。皮膚専用の紙やすりや皮膚研磨剤の使用も有効であるが、かぶれや疼痛の原因になるため、皮膚が敏感な場合は避ける。

誘導名	CM_5	CC_5	NASA
電極位置	(−) N (+)	N (−) (+)	(−) N (+)
陽極(+)	V_5	V_5	胸骨下端(剣状突起)
陰極(−)	胸骨上端	V_5R	胸骨上端
類似誘導	V_5またはⅡ	V_5	V_1またはaV_F
誘導の方向	X	X	Z
長所	①V_5と近似で波形が大きい(V_5の1.5倍) ②虚血の診断(ST下降,上昇)に優れている ③P波の認識が比較的良好	①V_5との近似性に優れる ②体位の影響が少ない ③最も純粋にX軸方向の評価ができる ④虚血の診断(ST下降,上昇)に優れている	①V_1に近似でP波の認識が良好である ②不整脈の分析に優れている ③体動による基線動揺や筋電図の混入が少ない
短所	①偽性ST下降が見られやすい ②Y軸方向成分も含まれる	呼吸による基線変動が大きい	体位、個人差による波形変化が大きい

図39 Holter心電図の代表的誘導法とその特徴

＊N：アース

(山本誠一：心臓病検査診断学：心電図・心音心機図・心エコー図. 第2版. 柳本印刷, 岡山, 2015より許諾を得て転載)

胸骨や肋骨の上に電極を装着し、全体を粘着テープで固定する。それぞれの電極ケーブルは少したるませて、電極のすぐ下の胸壁に粘着テープで固定する。固定した電極ケーブルをひとつに束ね、少したるませて記録器に近い腹部に粘着テープで固定する。雑音の混入を防ぐために、各々しっかりと固定する。装着後、QRS 波の振幅が 0.5 mV 以上あるか、目的とする波形が出ているか、雑音が混入していないかなどを確認する。

IC メモリーカードを確認し、データが残っている場合は解析済みであることを確認のうえ、消去してから使用する。記録器の内蔵時計を確認し、時刻のずれが大きい場合は時報に合わせる。各設定が終了すると、自動的に記録が開始される。

検査終了後は、記録を停止してから、電極を取り外す。記録器、電極およびケーブルに異常のないことを確認し、皮膚を清拭する。

2. データ解析、記録

得られたデータにつき、自動解析で N(Normal)、S(Supraventricular)、V(Ventricular)などの波形に分類し、マニュアル解析でヒストグラムや ST 計測、ST トレンドなどの各種編集を行う。レポートとして、圧縮心電図(波形・心拍トレンドグラム・ST トレンドグラム)、数値データ〔1 日の総心拍数、心拍数(最小値・最大値・平均値)、期外収縮数、最長・最短 RR 間隔など〕、グラフ(単位あたりの不整脈出現数)が描出される。

解析時間は約 30 分から数時間であるが、複雑な不整脈の症例や雑音の混入が多い症例では、長時間かかることもある。電極装着を的確に行うなどにより、雑音の混入を抑える必要がある(**表 16**)。

表 16　Holter 心電図における雑音の原因と対処

雑音発生部位	原因	対処
外部	外部電源からの交流障害、電波障害、外力による衝撃	取り扱いにつき十分に説明し、注意をうながす。
被検者	体動、呼吸、筋電図	取り扱いにつき十分に説明し、注意をうながす。
電極	接触不良、電極の劣化	装着前に不備の有無を確認、的確な装着を行う。
ケーブル	断線、接触不良	装着前に不備の有無を確認する。
コネクタ	接触不良、汚れ、錆び	装着前に不備の有無を確認する。
IC メモリーカード	破損、前回記録の消去忘れ	装着前に不備の有無を確認する。

3. 行動日誌の受け渡しと被検者への注意事項

行動日誌に検査日、被検者名、体位変換(左右仰臥位・座位・立位など)を記載し、被検者に渡す。検査終了後は、行動日誌を受け取り、検査中にどのような症状が出現したか、イベントボタン使用の有無などを確認する。

的確に心電図を記録するため、被検者に検査の意義と注意事項を十分に説明する。主な注意事項例を下記にあげる。

・装着翌日に機器を取りはずすため、2日連続で来院すること。
・装着翌日の来院は時間厳守とし、必ず行動日誌を持参すること。
・装着時から翌日までの行動内容と、症状の出現時刻(記録器に表示された時刻)を行動日誌に記入すること(**図 40**)。
・症状が出現したら、ただちにイベントボタンを押すこと。
・日常生活における心電図記録を目的としているため、普段どおりに生活し、運動も可能であること。
・電極や記録器は水に濡れると故障する恐れがあるため、シャワーや入浴は不可(防水型であれば入浴可能)。
・雑音が混入するため、電気毛布や電気カーペットは使用不可。
・記録器を落下させたり、強い衝撃をかけたりしないこと。
・電極コードを強く引っ張ったり、記録器をケースから出したりしないこと。
・電極を長時間装着するため、皮膚がかぶれる可能性があること。
・記録器装着中には、CT 検査および MRI 検査を行わないこと。
・記録器は流用するため、必ず返却すること。

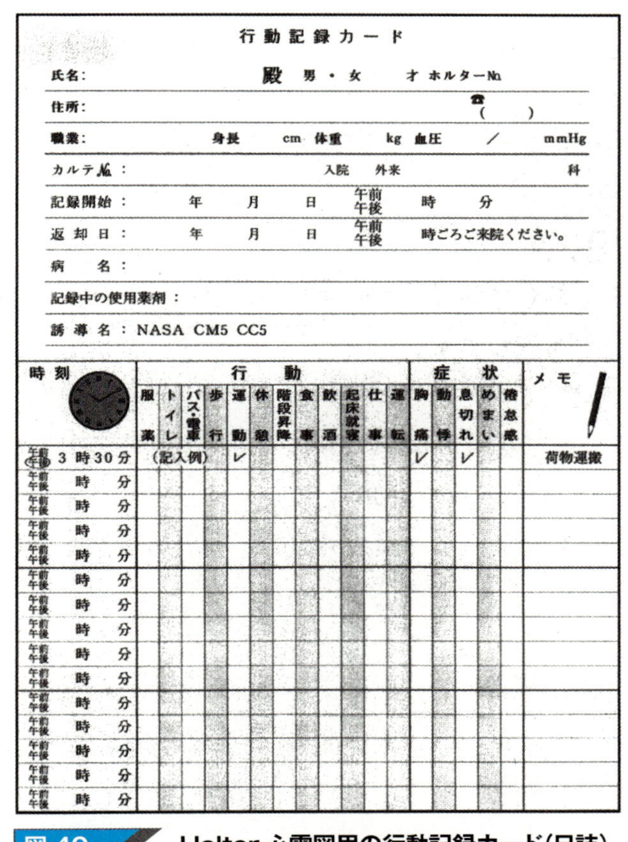
行動記録カード

氏名:　殿　男・女　才　ホルターNo.
住所:　☎ (　)
職業:　身長　cm　体重　kg　血圧　／　mmHg
カルテNo.:　入院　外来　科
記録開始:　年　月　日　午前 午後　時　分
返却日:　年　月　日　午前 午後　時ごろご来院ください。
病名:
記録中の使用薬剤:
誘導名: NASA CM5 CC5

時刻	行動												症状					メモ
	服薬	トイレ	バス・電車	歩行	運動	休憩	階段昇降	食事	飲酒	起床就寝	仕事	運転	胸痛	動悸	息切れ	めまい	倦怠感	
午前 午後 3時30分	(記入例)				✓								✓		✓			荷物運搬
午前 午後 時 分																		
午前 午後 時 分																		
午前 午後 時 分																		
午前 午後 時 分																		
午前 午後 時 分																		
午前 午後 時 分																		
午前 午後 時 分																		
午前 午後 時 分																		
午前 午後 時 分																		
午前 午後 時 分																		
午前 午後 時 分																		
午前 午後 時 分																		
午前 午後 時 分																		
午前 午後 時 分																		

図 40　Holter 心電図用の行動記録カード(日誌)
(フクダ電子社提供)

4．症例提示

Holter 心電図検査を行った症例をいくつか提示する（図 41～43）。

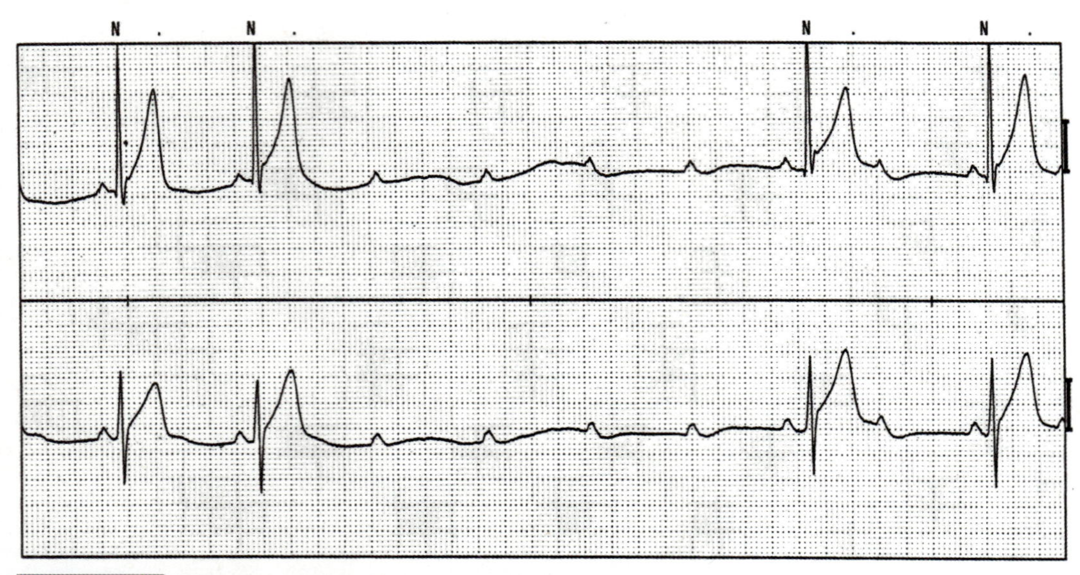

図 41　高度房室ブロックの Holter 心電図

PQ 間隔は 0.16 秒と一定であるが、突然 QRS 波が脱落し、P 波のみが 4 個続いている。Adams-Stokes 発作が出現したため、人工ペースメーカの植込み術を施行した。
（山本誠一：心臓病検査診断学：心電図・心音心機図・心エコー図．第 2 版．柳本印刷，岡山，2015 より許諾を得て転載）

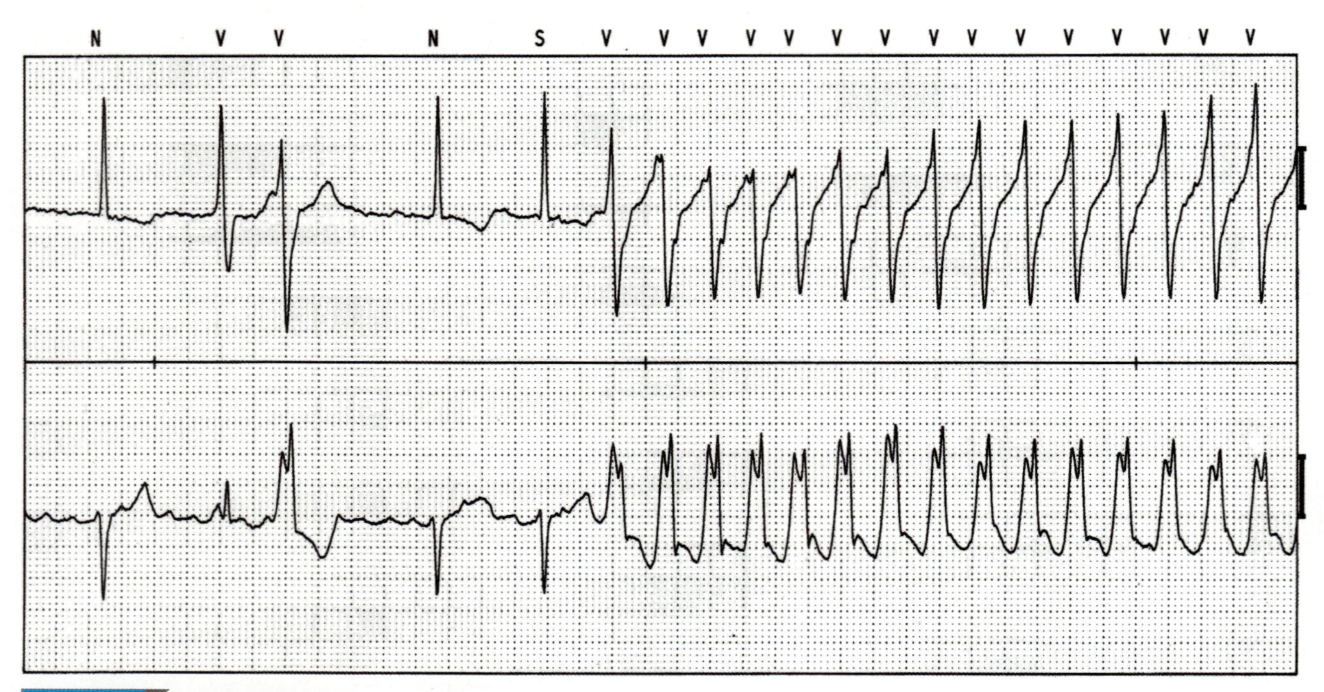

図 42　心室頻拍を併発した心筋梗塞

急性心筋梗塞の合併症として、心室頻拍は頻度の高い重症不整脈である。心室頻拍から心室細動に移行する場合もあるため、担当医への緊急連絡を要する。
（山本誠一：心臓病検査診断学：心電図・心音心機図・心エコー図．第 2 版．柳本印刷，岡山，2015 より許諾を得て転載）

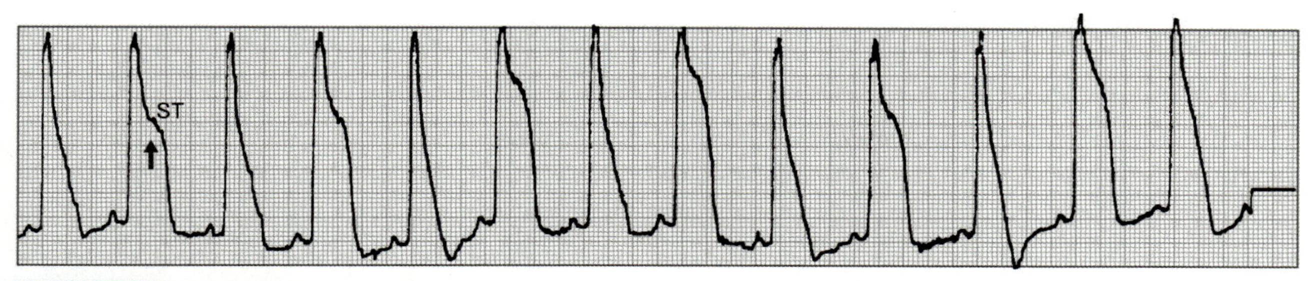

図 43　冠攣縮性狭心症発作時の心電図

午前 3 時 30 分に ST が著明に上昇した異型狭心症である。症状から冠攣縮性狭心症が疑われていたため、ニトログリセリン舌下錠を服用し、狭心症発作は消失した。
（山本誠一：心臓病検査診断学：心電図・心音心機図・心エコー図．第 2 版．柳本印刷，岡山，2015 より許諾を得て転載）

MEMO

安全対策─事故防止と急変時の対応─

心電図検査における安全対策としては、電撃事故の防止、被検者急変時の対応、被検者の転落・転倒の防止や取り違え防止、感染防止などがあげられ、各施設で対策を定めておくことが肝要である。本章では、主に電撃事故の防止、被検者急変時の対応について概説する。

Ⅰ．電撃事故の防止

心電計をはじめとする医用電気機器(ME 機器)を取り扱うにあたっては、電気的な安全性に関する正しい知識を取得する必要がある。ME 機器の安全規格は、JIS 規格(JIS T 0601-1：2017)の「安全に関する一般要求事項」として定められている。なお、心電計に関しては、JIS 規格(JIS T 0601-2-25：2014)により「心電計の基礎安全及び基本性能に関する個別要求事項」として詳細に記載されているので、一読されたい(2022 年 3 月現在)。

1．アース

アースは、ME 機器および被検者を大地と結び、余剰電気を大地に逃して等電位にすることにより、電撃事故(マクロショック、ミクロショック)を未然に防いだり、交流障害(ハム)の混入を防いだりする。ME 機器の電源コードは、すべて 3P プラグ(接地極付き医用 3P プラグ)であり、コンセントに差し込めばアースが取れるようになっている。

・ミクロショック

体内電極やカテーテルなどを介して直接心臓に流れ込んで起こる電撃。

・マクロショック

手や足など体表面から流れ込んで起こる電撃。

2．等電位化接地(EPR システム)

CCU、ICU、心臓カテーテル室、手術室などでは、ミクロショック対策として、すべての金属物〔被検者環境(水平距離 2.5 m 範囲)の ME 機器など〕を 1 箇所でまとめてアースをとる(1 点アース)、すべての機器間の電位差を 10 mV 以下にするなどが義務付けられている。これらにより、人体抵抗を 1 KΩ としたときの漏れ電流を、0.01 mA 以下にすることができ、ミクロショックを防ぐことができる(I＝E/R＝10/1000＝0.01)。

3．漏れ電流許容値

心電図検査時に心電計からの漏れ電流による電撃事故を未然に防ぐため、漏れ電流許容値(**表 17**)が定められている。

表 17　正常状態および単一故障状態での患者漏れ電流および患者測定電流の許容値

<table>
<tr><th rowspan="2">電流</th><th rowspan="2">説明</th><th rowspan="2"></th><th colspan="2">B 形装着部</th><th colspan="2">BF 形装着部</th><th colspan="2">CF 形装着部</th></tr>
<tr><th>NC</th><th>SFC</th><th>NC</th><th>SFC</th><th>NC</th><th>SFC</th></tr>
<tr><td rowspan="2">患者測定電流</td><td rowspan="2"></td><td>直流</td><td>10</td><td>50</td><td>10</td><td>50</td><td>10</td><td>50</td></tr>
<tr><td>交流</td><td>100</td><td>500</td><td>100</td><td>500</td><td>10</td><td>50</td></tr>
<tr><td rowspan="4">患者漏れ電流</td><td rowspan="2">患者接続部から大地への電流</td><td>直流</td><td>10</td><td>50</td><td>10</td><td>50</td><td>10</td><td>50</td></tr>
<tr><td>交流</td><td>100</td><td>500</td><td>100</td><td>500</td><td>10</td><td>50</td></tr>
<tr><td rowspan="2">SIP/SOP へ外部電圧を印加した場合の電流</td><td>直流</td><td>10</td><td>50</td><td>10</td><td>50</td><td>10</td><td>50</td></tr>
<tr><td>交流</td><td>100</td><td>500</td><td>100</td><td>500</td><td>10</td><td>50</td></tr>
<tr><td rowspan="4">合計
患者漏れ電流</td><td rowspan="2">一緒に接続した同一形装着部からの電流</td><td>直流</td><td>50</td><td>100</td><td>50</td><td>100</td><td>50</td><td>100</td></tr>
<tr><td>交流</td><td>500</td><td>1000</td><td>500</td><td>1000</td><td>50</td><td>100</td></tr>
<tr><td rowspan="2">SIP/SOP へ外部電圧を印加した場合の電流</td><td>直流</td><td>50</td><td>100</td><td>50</td><td>100</td><td>50</td><td>100</td></tr>
<tr><td>交流</td><td>500</td><td>1000</td><td>500</td><td>1000</td><td>50</td><td>100</td></tr>
</table>

（単位：μA）
NC：正常状態、SFC：単一故障状態、SIP/SOP：信号入出力部
※注　合計患者漏れ電流は、複数の装着部をもつ機器だけに適用できる。この場合、個々の装着部は、患者漏れ電流の許容値を超えることは許されない。

（JIS T 0601-1：2017 表 3 より許諾を得て転載）

Point

心電計によく付記されている記号

操作前に、関連する付属文書を参照する必要がある

取扱説明書に従わないと、患者や操作者にリスクが生じる恐れがある

等電位化端子である

危険、警告を促す

Ⅱ．被検者急変時の対応

検査中に被検者の容体が急変し心肺蘇生が必要な場合もあるため、救命処置の知識を身につけることが肝要である。救命処置には、一次救命処置(BLS)と二次救命処置(ALS)がある。一次救命処置とは、傷病者に遭遇した際に誰もが行うことのできる処置で、胸骨圧迫と人工呼吸による心肺蘇生(CPR)、自動体外式除細動器(AED)による除細動が含まれる。ここでは、成人を対象とした一次救命処置の手順について記す。なお、検査室内での安全が確保された状況で、使用器具はAEDとし、救護者は人工呼吸の訓練を受けているものと想定している。

一次救命処置の手順(図44)

※下記は「JRC蘇生ガイドライン2020(日本蘇生協議会監修)」に基づいて作成している。随時最新のガイドラインを確認されたい。

※★印は**＜参考＞小児の心肺蘇生**を参照。

①患者(被検者)の顔色・体動・呼吸などの異変に気づいたら、肩を軽くたたきながら大声で呼びかけて、反応を確認する。

②反応がない場合(判断に迷う場合も含む)は、大声で応援を呼び、緊急通報およびAED搬送を依頼する。自ら緊急通報する可能性に鑑み、自施設の緊急通報の手段を確認しておくとよい。反応ありの場合は、バイタルサインの評価を可能な範囲で行う。

③胸および腹部の動きにより呼吸を、頸動脈(★1)により脈拍を、10秒以内に確認する。呼吸および脈拍が正常ではない(判断に迷う場合も含む)、または死戦期呼吸(しゃくりあげるような不規則な呼吸)と判断した場合には、すぐに胸骨圧迫を100～120回/分のテンポで行う。胸骨の下半分を、約5cm沈む深さ(6cmを超えない)まで両手で圧迫する(★2)。圧迫するごとに、胸壁を完全にもとの位置に戻す(圧迫を解除する)。圧迫の中断は最小とし、胸壁に力がかからないようにする。

※病院内のベッド上で行う際は背板を使用してもよいが、胸骨圧迫開始の遅れや胸骨圧迫中断は最小とする。

※呼吸はないものの、脈拍を認める場合……約10回/分(6秒に1回)の人工呼吸(★3)を行いながら、ALSチームを待つ。

※呼吸は普段通りではないものの、脈拍を認める場合……必要に応じて補助呼吸を行いながら、ALSチームを待つ。待っている間、呼吸状態を継続して観察し、少なくとも2分ごとに脈拍確認を行い、心停止となった場合に胸骨圧迫をすぐに開始できるようにする。

Point

胸骨圧迫の注意点

強く！(胸が約5cm沈むまでの深さで、6cmを超えない)

速く！(100～120回/分)

絶え間なく！(中断を最小に)

④頭部後屈顎先挙上法(必要に応じて、下顎挙上法、下顎挙上法＋頭部後屈を用いる)で気道を確保し、人工呼吸を開始する。1回の換気量は、胸の上がりが確認できる程度とし、約1秒かけて吹き込む。AEDが到着するまで、脈拍を確認することなく、胸骨圧迫：人工呼吸＝30回：2回の割合でCPRを続ける(★4)。

人工呼吸２回を行っている間の胸骨圧迫中断は 10 秒未満とし、胸骨圧迫比率(CPR 中に実際に胸骨圧迫を行っている時間の比率)は少なくとも 60% とする。人工呼吸ができない状況の場合はそのまま胸骨圧迫を続ける。

※バックバルブマスク(BVM)があり、救助者が複数いる場合……救助者 1 名が BVM を両手で保持し顔面と密着させると、効果的である。ただし、BVM の換気には訓練を要する。救助者となることを想定し、BVM を用いた人工呼吸を習熟しておくとよい。

Point

心肺蘇生の注意点

胸骨圧迫：人工呼吸＝30 回：２回

人工呼吸は、胸の上がりが確認できる程度の換気量を、約 1 秒かけて吹き込む

人工呼吸２回を行っている間の胸骨圧迫中断は 10 秒未満

胸骨圧迫比率はできるだけ高く、少なくとも 60%

⑤AED が到着したら電源を入れ、患者(被検者)の胸をはだけ、電極パッドなどに描かれているイラストにしたがって電極パッドを貼る(★5)。そのさい、電極パッドが触れ合わないように注意する。貼っている間も絶え間なく胸部圧迫を続ける。

⑥AED が心電図解析・評価を開始したら、患者(被検者)から離れる。

⑦電気ショックが必要な場合は、音声メッセージにしたがって、患者(被検者)に触れている人がいないことを確認し、ショックボタンを押す。電気ショックを 1 回実施したら、ただちに胸骨圧迫から CPR を再開する。電気ショックが不要な場合は、音声メッセージにしたがって、ただちに胸骨圧迫から CPR を再開する。いずれも、CPR を 2 分間行った後、再び AED による心電図解析が自動的に始まる(AED は自動的に、2 分おきに心電図解析を行う設定になっている)。以後、CPR と AED を繰り返し行う。

⑧ALS チームに引き継ぐまで、または患者(被検者)に明らかな心拍再開(正常な呼吸や目的のある仕草)が認められるまで、CPR を続ける。心拍が再開し、回復したと判断したら、CPR をいったん中止してもよいが、AED を装着している場合はパッドを貼付したまま電源をオンにしておく。

<参考>小児の心肺蘇生

成人との主な相違点をまとめた(**本文中★印、表 18**)。

表 18　小児の心肺蘇生における成人との主な相違点

★1	拍動の確認	頸動脈のほか、大腿動脈でもよい。
★2	胸骨圧迫	両手または片手で、胸の厚さの約 1/3 が沈むまで、100〜120 回/分のテンポで圧迫する。
★3	無呼吸・脈拍有の場合の人工呼吸	12〜20 回/分の人工呼吸を行う。
★4	胸骨圧迫と人工呼吸の割合	救助者が 1 名の場合は成人と同様、救助者が複数名いる場合は、胸骨圧迫：人工呼吸＝15：2 の割合で行う。
★5	AED の電極パッド	未就学児は小児用モード/キー、または小児用パッドを用いる。小児用がない場合は、成人用を使用する。

注：本表における小児とは、満 1 歳から思春期頃までを指す。

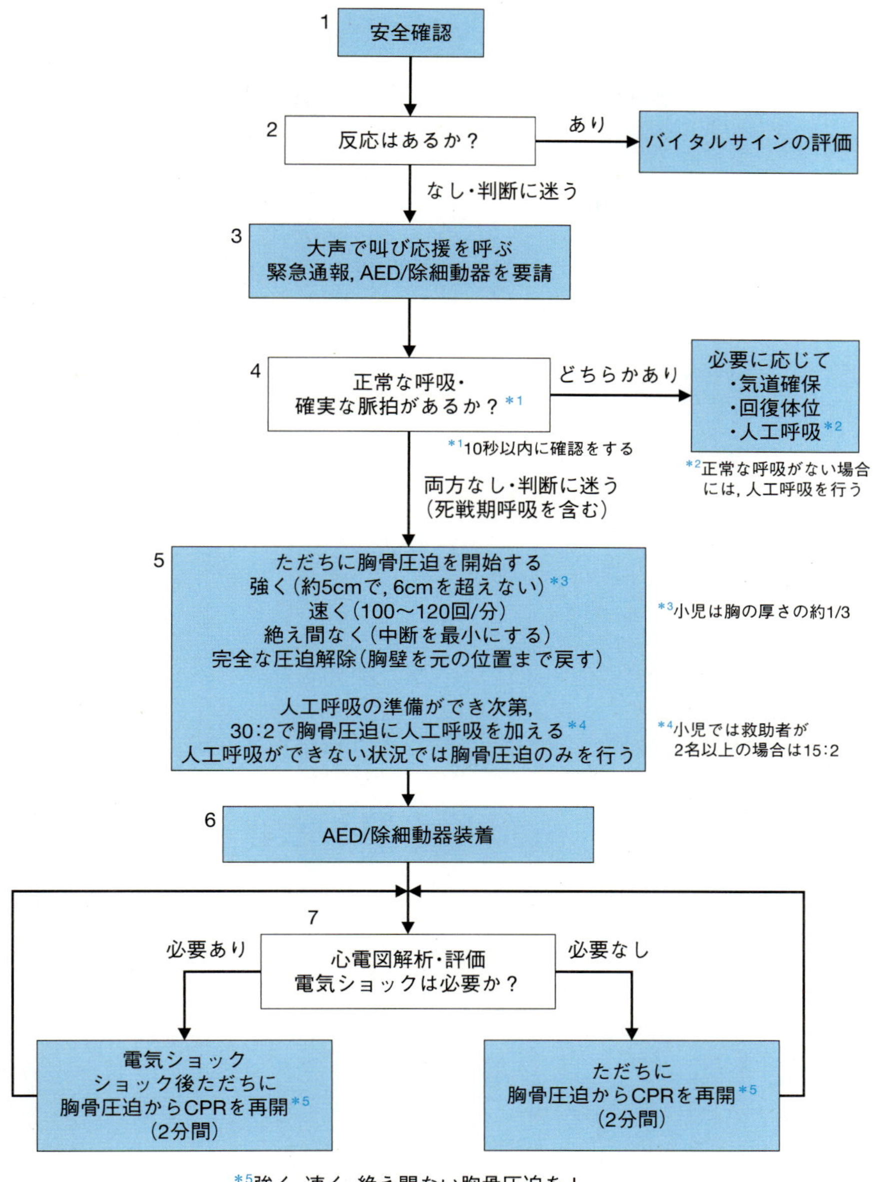

図 44　医療用 BLS アルゴリズム

（日本蘇生協議会監修：JRC 蘇生ガイドライン 2020．p51，医学書院，東京，2021 より許諾を得て転載）

MEMO

心電図判読—「読める」のその先へ—

心電図判読力を身につけるためには、より多く判読する必要がある。本章では、実際の心電図をもとに、着目すべき所見や判読のポイント、発生のメカニズム、鑑別を要する心電図、よくある患者背景について記載した。「心電図が読める」のみならず、「読める」のその先を目指していただきたい。

判読力アップのための効果的な使用方法

①まずは、解説などを見ることなく、自力で判読する。
②「ここを Check !」を参照しながら、着目すべき心電図所見や判読のポイントを確認する。
③なぜこのような心電図を呈するのか？　パターンを暗記するのではなく、発生のメカニズムを知り、病態から心電図を診る。
④鑑別を要する心電図や鑑別のポイント、このような心電図を呈しやすい患者背景を学ぶ。
⑤「Doctor CALL!!」は執筆者が「緊急連絡を要する」と判断した心電図に付記している。これを参考として、判読の先の行動を考える。施設内で緊急連絡を要する心電図について話し合い、基準を定める目安としていただけたら幸いである。
※「さらにレベルアップ！」や「WORD」などにより、さらなる知識を習得する。

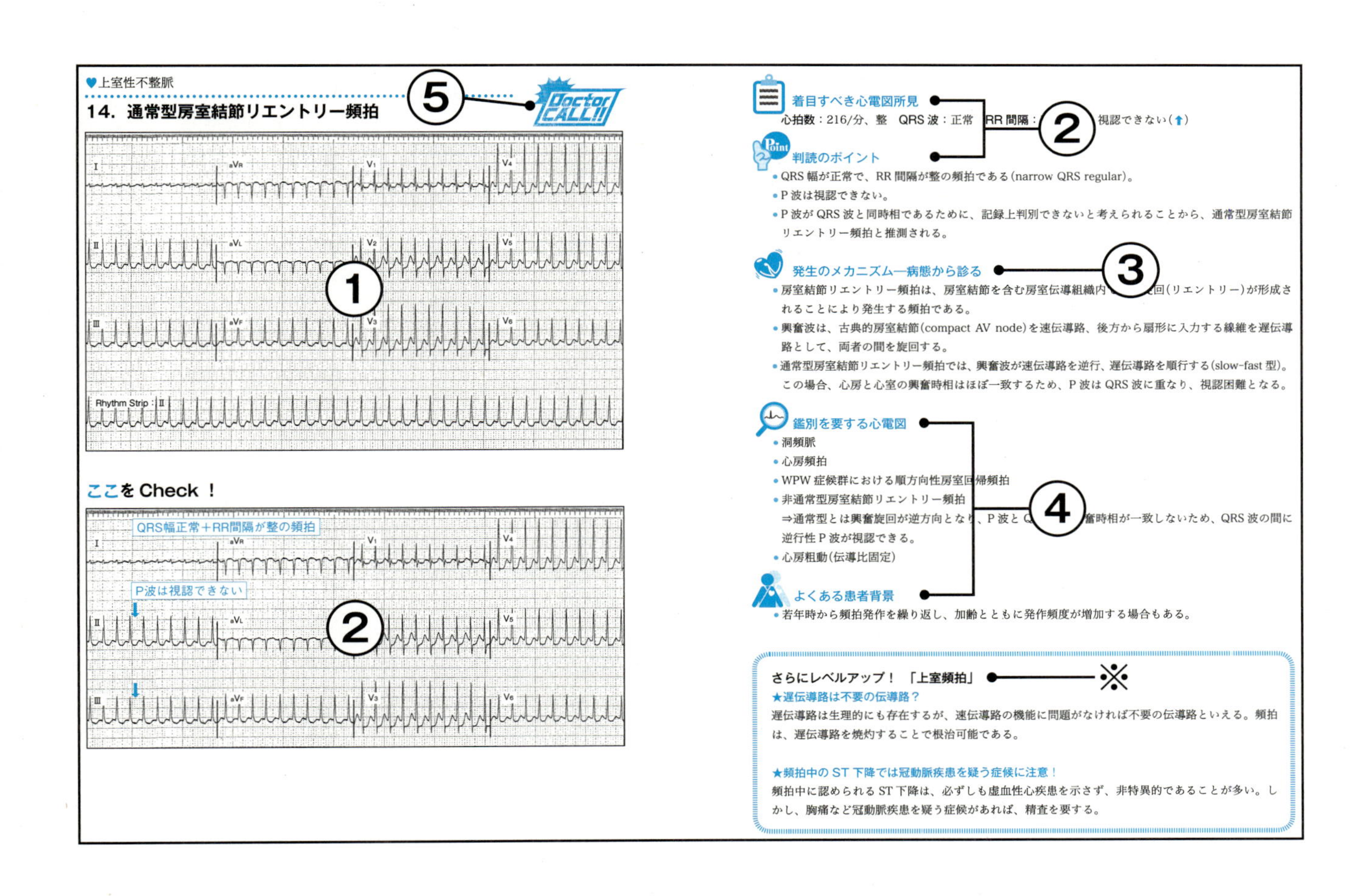

MEMO

1. 成人

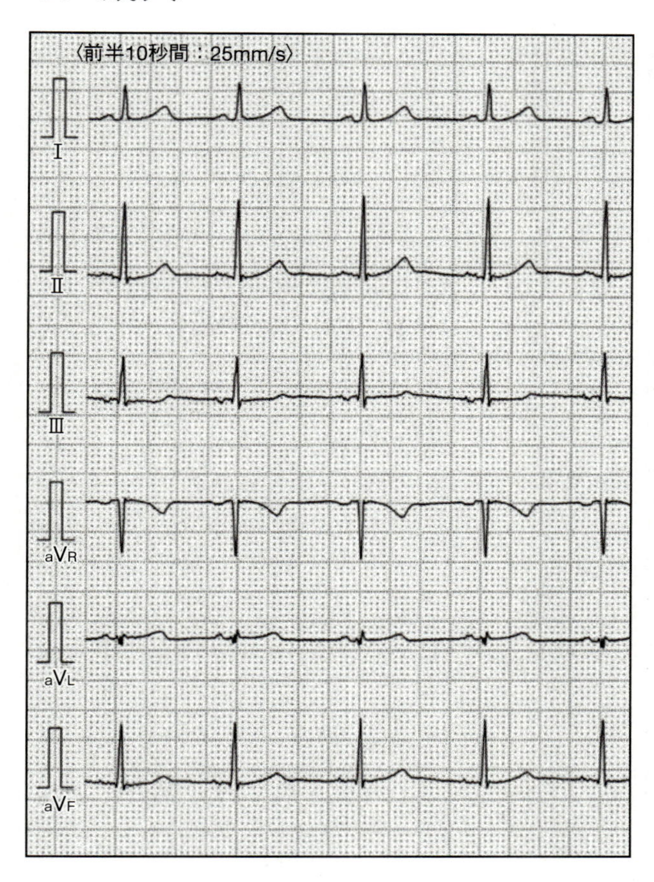

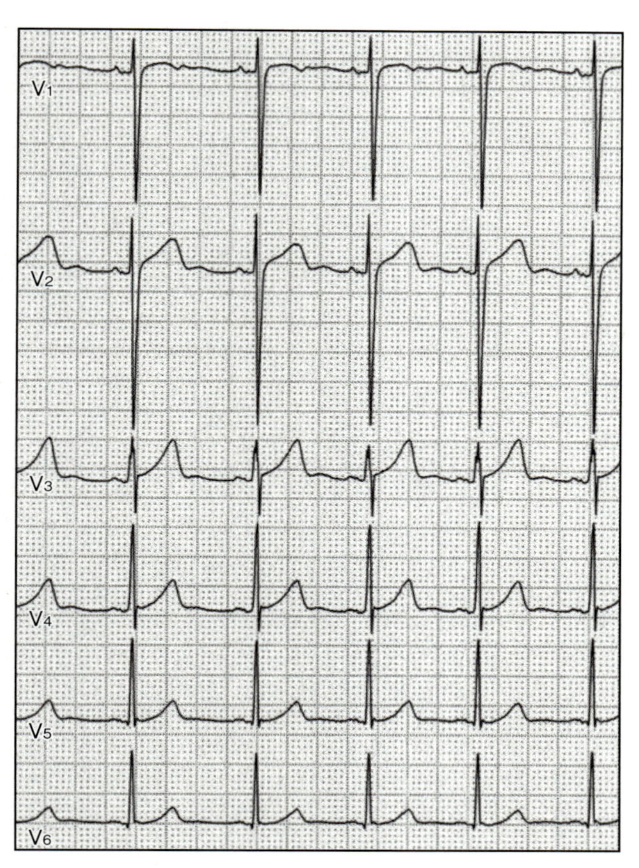

着目すべき心電図所見

リズム：整　**心拍数**：76/分　**P 波**：電気軸＋30°、幅 0.08 秒　**PR(PQ)間隔**：0.12 秒　**QRS 波**：電気軸＋60°、幅 0.08 秒、V_5～V_6誘導に中隔性 q 波、Ⅱ、Ⅲ、aV_F誘導に小さな q 波　**ST 部分**：V_2・V_3誘導で 0.1 mV、V_1・V_4誘導で 0.05 mV の上昇型の ST 上昇を認める　**T 波**：Ⅰ～Ⅲ・aV_L・aV_F・V_1～V_6誘導で陽性、V_2～V_4誘導で U 波を認める　**QT 間隔**：0.36 秒、補正 QT 間隔(QTc)は Bazett 式で 0.40 秒

判読のポイント

- P 波・QRS 波・T 波はⅠ・aV_F誘導で陽性、胸部誘導の T 波はすべて陽性である。P 幅・QRS 幅・QT 間隔も正常範囲である。V_2・V_3誘導で 0.1 mV の上昇型 ST 上昇を認めるが、正常範囲と考えられる。

2. 小児

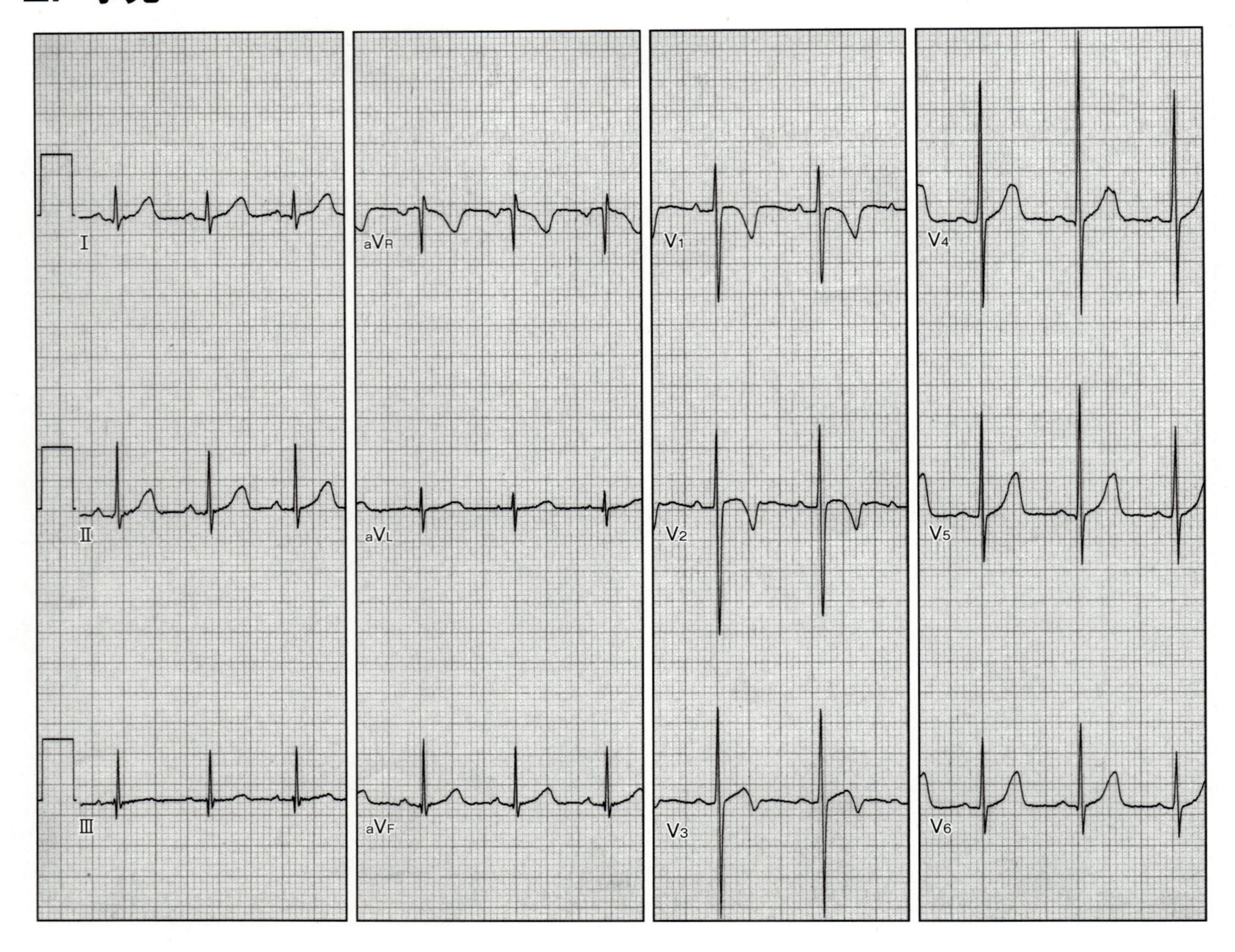

ここをCheck！

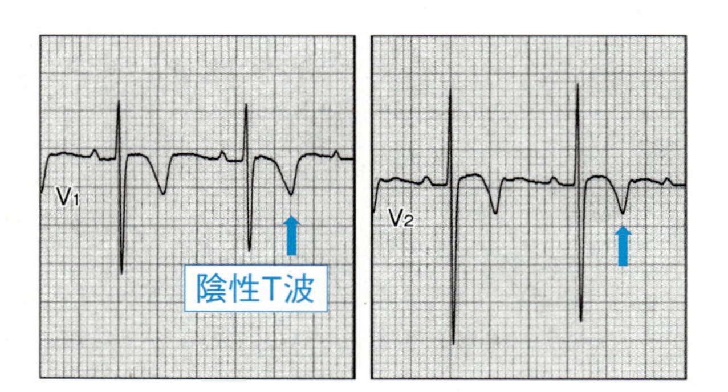

着目すべき心電図所見

リズム：整　**心拍数**：97/分　**P 波**：電気軸＋45°、幅 0.06 秒　**PR(PQ)間隔**：0.12 秒
QRS 波：電気軸＋60°、幅 0.06 秒、RV_1＝0.7 mV、RV_5＝1.5 mV、肥大所見なし。V_4〜V_6誘導に中隔性 q 波、Ⅲ・aV_F誘導に小さな q 波　**ST 部分**：上昇、下降なし　**T 波**：V_1・V_2誘導で陰性（↑）
QT 間隔：0.28 秒、補正 QT 間隔（QTc）は Bazett 式で 0.36 秒、Fridericia 式で 0.33 秒

判読のポイント

- 成人に比較して、心拍数が速く、PR 間隔および QRS 幅が狭い。
- 6 歳未満では、T 波は V_1・V_2誘導で陰性の場合が多く、V_1誘導から V_6誘導にかけて、陰性から陽性に連続的に変化する。また、V_5誘導で最も高い。
- 生理学的右室肥大を反映して、成人と比較すると V_1誘導の R 波が高く、V_5・V_6誘導の S 波が深いことが特徴である。幼少であるほどその傾向が高い。
- 補正 QT 間隔（QTc）は、小児では Bazett 式より Fridericia 式のほうが適しているとの報告があるため、両方を併記することが望ましい。

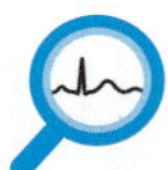

鑑別を要する心電図

- 肺高血圧
- 肺動脈狭窄

3. 乳児

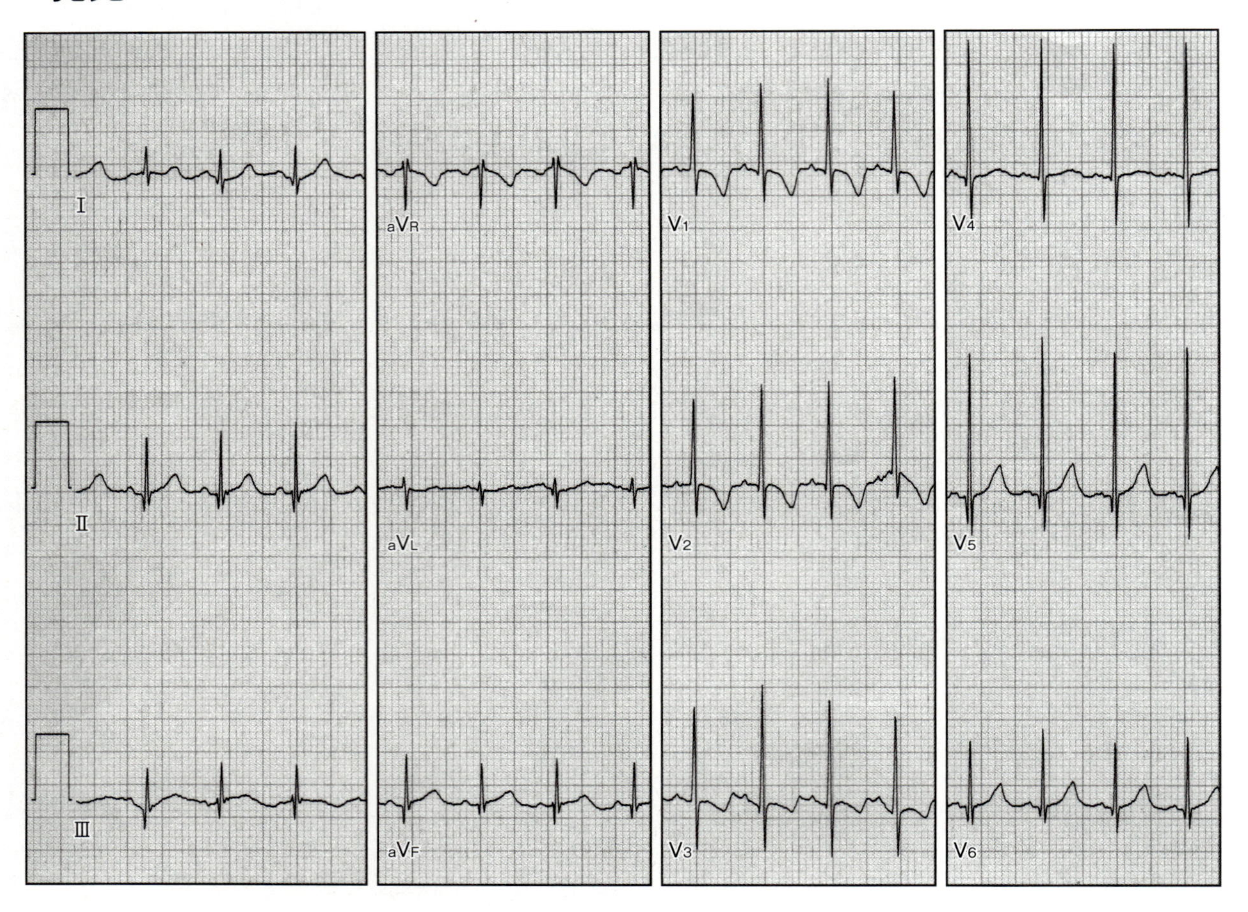

ここをCheck ！

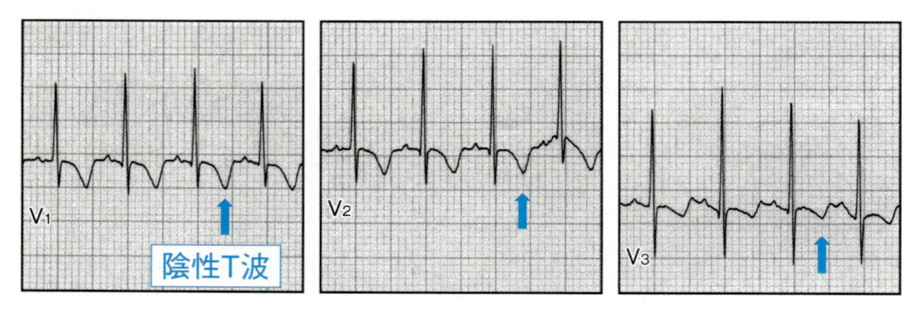

着目すべき心電図所見

リズム：整　**心拍数**：136/分　**P 波**：電気軸＋45°、幅 0.05 秒　**PR(PQ)間隔**：0.09 秒
QRS 波：電気軸＋80°、幅 0.06 秒　**ST 部分**：上昇、下降なし　**T 波**：V_1～V_3誘導で陰性(↑)
QT 間隔：0.24 秒、補正 QT 間隔(QTc)は Bazett 式で 0.36 秒、Fridericia 式で 0.32 秒

判読のポイント

- 成人に比較して、心拍数が速く、PR 間隔が短く、QRS 幅が狭い。
- T 波は V_1～V_3誘導で陰性の場合が多く、V_1誘導から V_6誘導にかけて、陰性から陽性に連続的に変化する。また、V_5誘導で最も高い。
- 生理学的右室肥大を反映して、成人と比較すると V_1誘導の R 波が高く、V_5・V_6誘導の S 波が深いことが特徴である。乳児の V_1誘導は R>S であり、成人の基準では右室肥大と診断されるため、注意を要する。
- 生理的右室肥大を反映して、乳児では V_1～V_2誘導で R>S の場合が多い。
- ＋120° までの右軸偏位を呈する場合が正常範囲である。本症例は正常軸である。
- 補正 QT 間隔(QTc)は、乳児では Bazett 式より Fridericia 式のほうが適しているとの報告があるため、両方を併記することが望ましい。

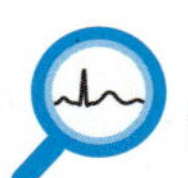

鑑別を要する心電図

- 肺高血圧
- 肺動脈狭窄

4. 早期再分極　正常範囲

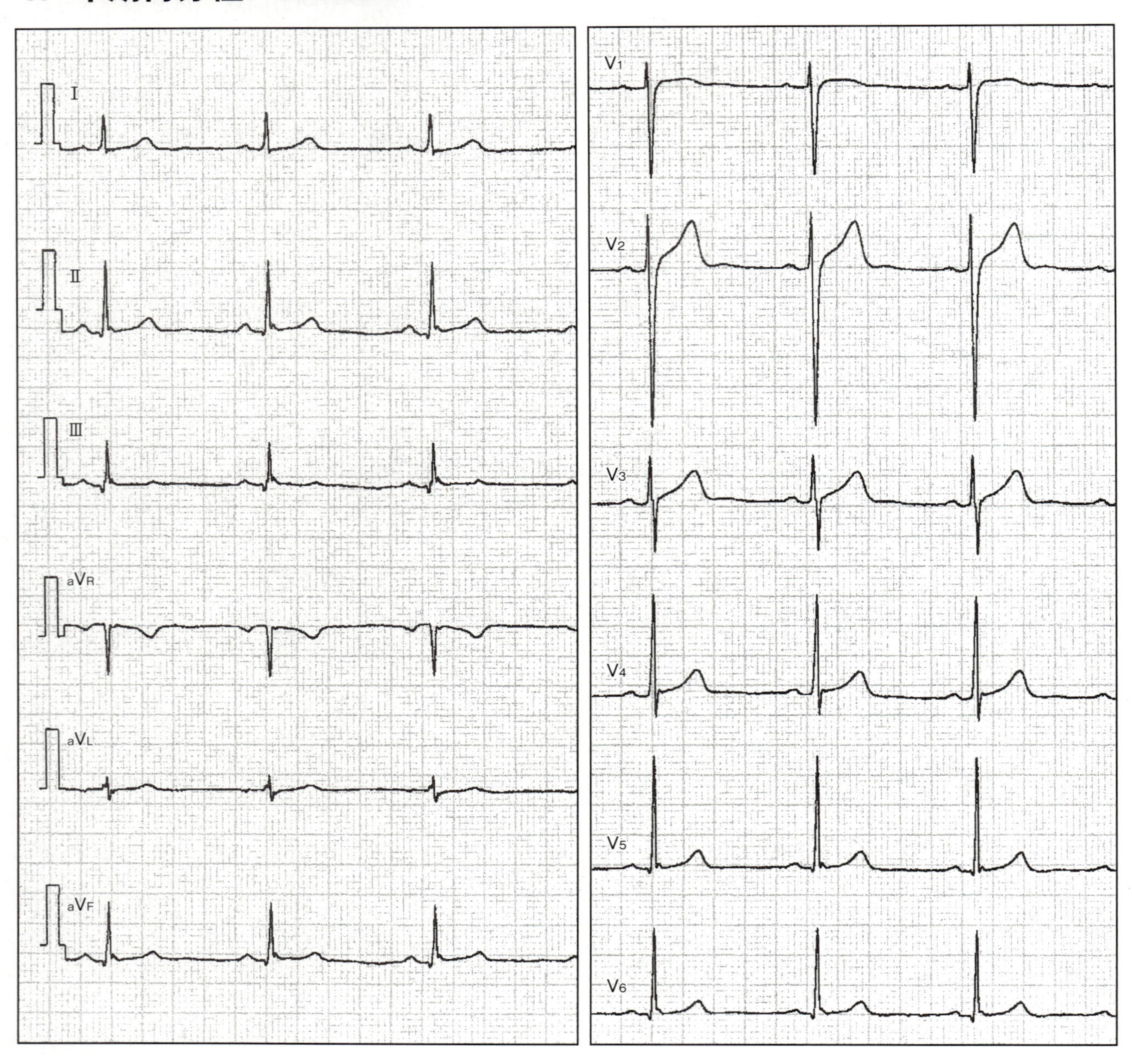

ここをCheck ！

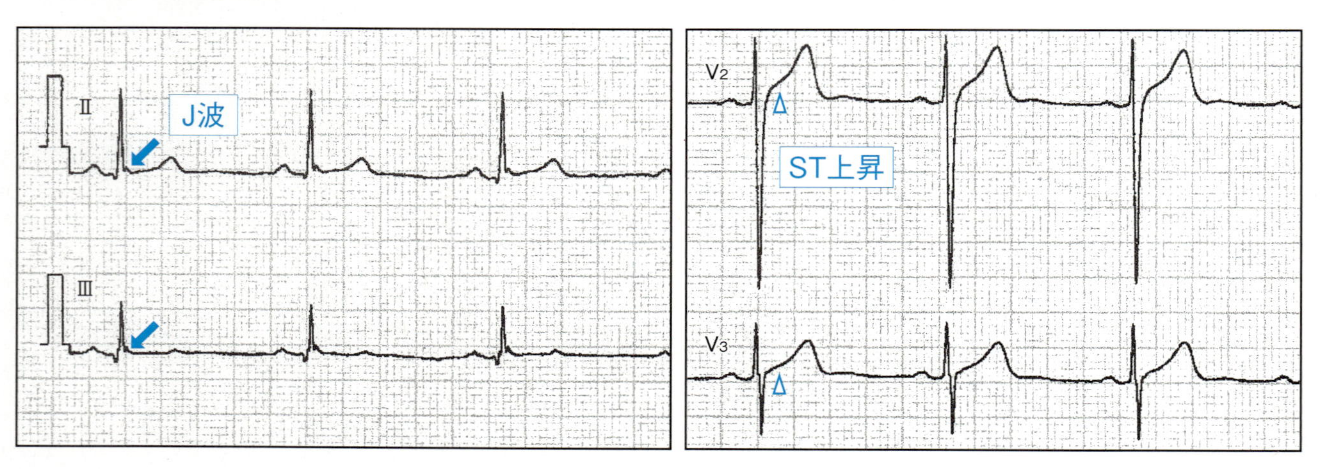

着目すべき心電図所見

リズム：整　**心拍数**：61/分　**P 波**：電気軸＋70°、幅 0.1 秒　**PR(PQ)間隔**：0.16 秒　**QRS 波**：電気軸＋70°、幅 0.1 秒　**ST 部分**：Ⅱ・aV_F・V_4・V_5・V_6誘導で 0.05 mV、V_1・V_3誘導で 0.1mV、V_2誘導で 0.2 mV の上昇型の ST 上昇（△）　**T 波**：Ⅰ～Ⅲ・aV_F・V_1～V_6誘導で陽性　**QT 間隔**：0.36 秒、補正 QT 間隔(QTc)は、Bazett 式で 0.36 秒　**その他**：Ⅱ・Ⅲ・aV_F・V_5・V_6誘導に J 波（⬆）を認める

判読のポイント

- QRS 波直後の notch(J 波)を伴わない V_1～V_3誘導の上昇型の ST 上昇を早期再分極と呼ぶ。本症例は四肢誘導(Ⅰ・aV_F誘導)では P 波・QRS 波・T 波が陽性であり、胸部誘導では T 波がすべて陽性である。P 幅・QRS 幅・QT 間隔も正常範囲である。胸部誘導とⅡ・Ⅲ・aV_F誘導で上昇型の ST 上昇と J 波を認めるものの、本症例は正常範囲の早期再分極と考えられる。

発生のメカニズム―病態から診る

- 再分極が早期に起こることにより生じると考えられている。

鑑別を要する心電図

- 急性心筋梗塞
- 心膜炎

〈参考〉 正常範囲の早期再分極例

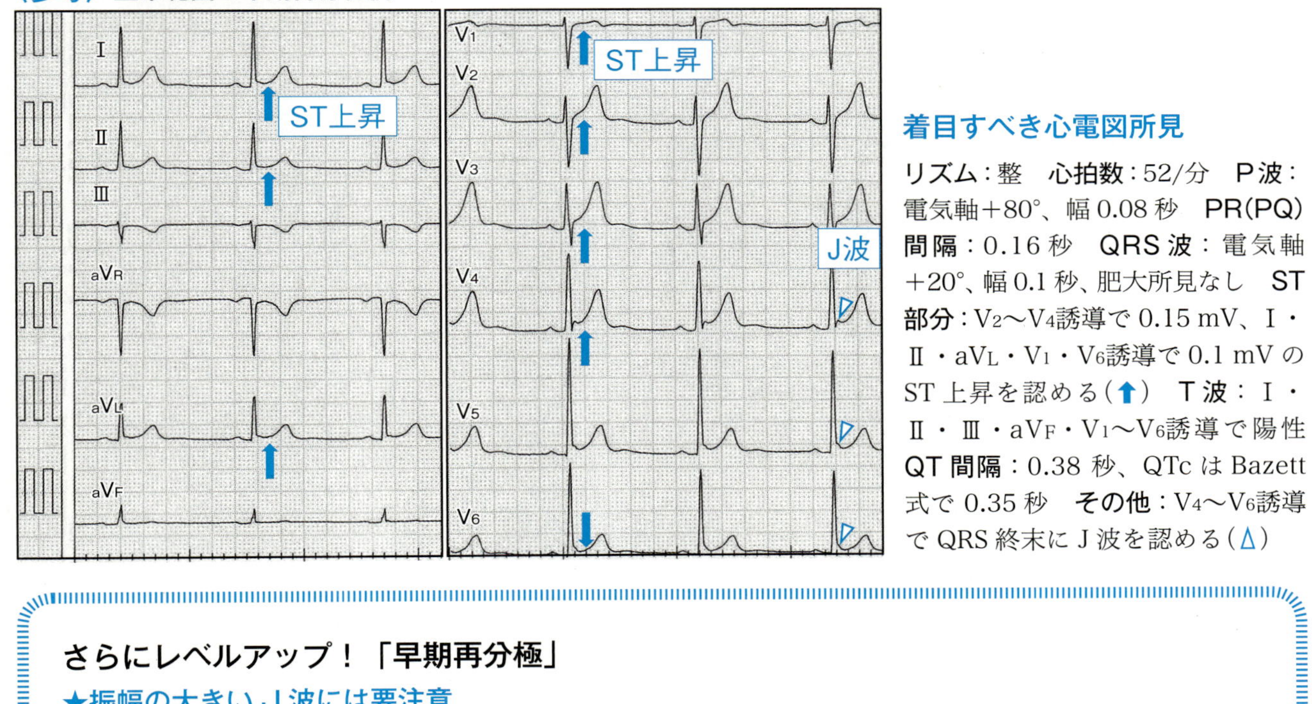

着目すべき心電図所見

リズム：整　**心拍数**：52/分　**P 波**：電気軸＋80°、幅 0.08 秒　**PR(PQ)間隔**：0.16 秒　**QRS 波**：電気軸＋20°、幅 0.1 秒、肥大所見なし　**ST 部分**：V_2～V_4誘導で 0.15 mV、Ⅰ・Ⅱ・aV_L・V_1・V_6誘導で 0.1 mV の ST 上昇を認める（⬆）　**T 波**：Ⅰ・Ⅱ・Ⅲ・aV_F・V_1～V_6誘導で陽性　**QT 間隔**：0.38 秒、QTc は Bazett 式で 0.35 秒　**その他**：V_4～V_6誘導で QRS 終末に J 波を認める（△）

さらにレベルアップ！「早期再分極」

★振幅の大きい J 波には要注意

早期再分極では、ST 上昇と J 波記録が特徴的である。ST 上昇は若年成人に多く、健常人の 5～10%に認められる。また、0.1 mV 以上の J 波は全人口の 3～6%、0.2 mV 以上の J 波は 0.6%に認められるとされている。特に下壁誘導で 0.2 mV 以上の J 波を有する例では、年間心臓死率が 1.5～2%、不整脈死が 0.8%前後と報告されており、早期再分極を合併する例の予後はそうでない例と比較して有意に不良であると報告されている。

1．正常軸

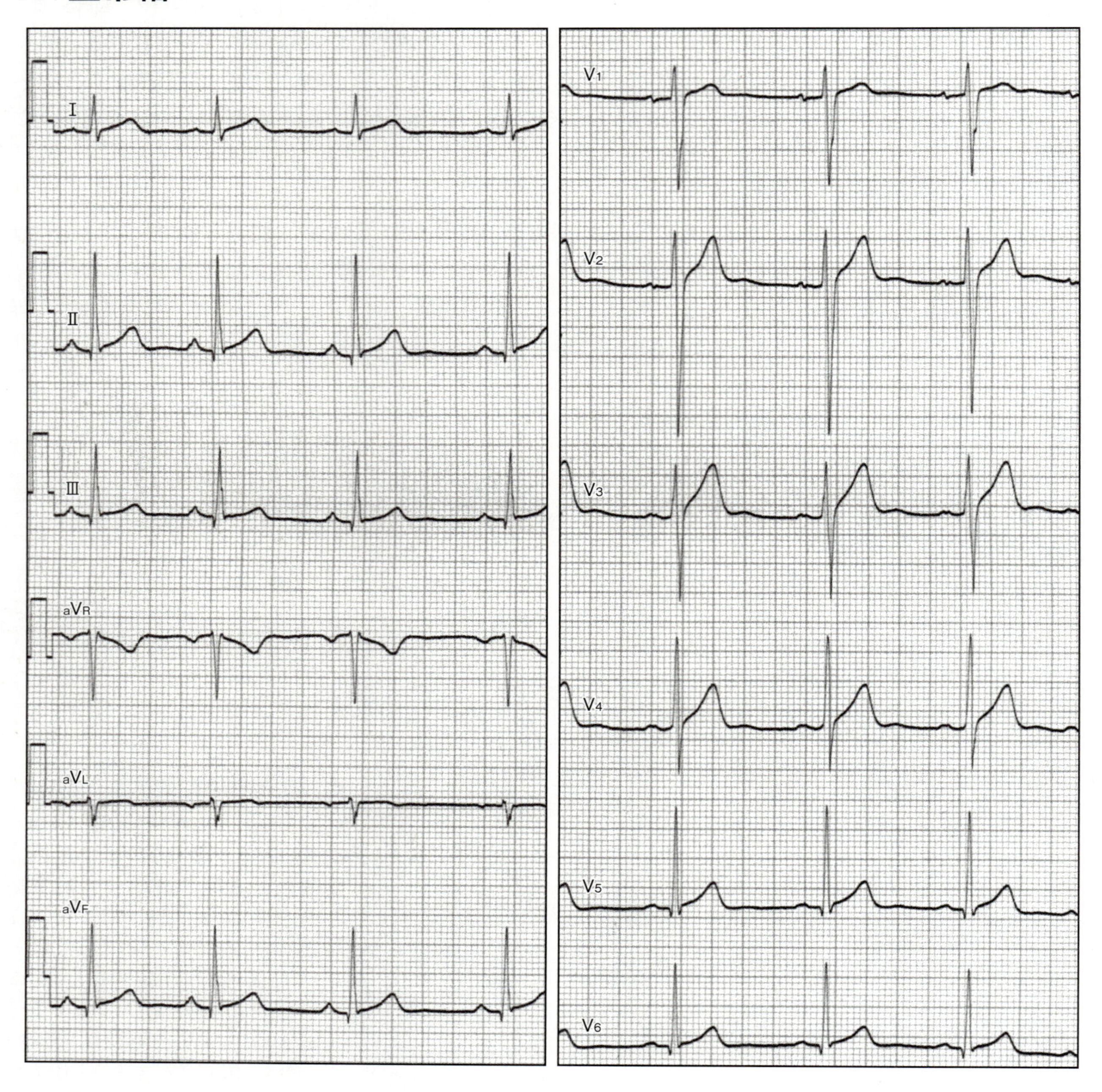

ここをCheck！

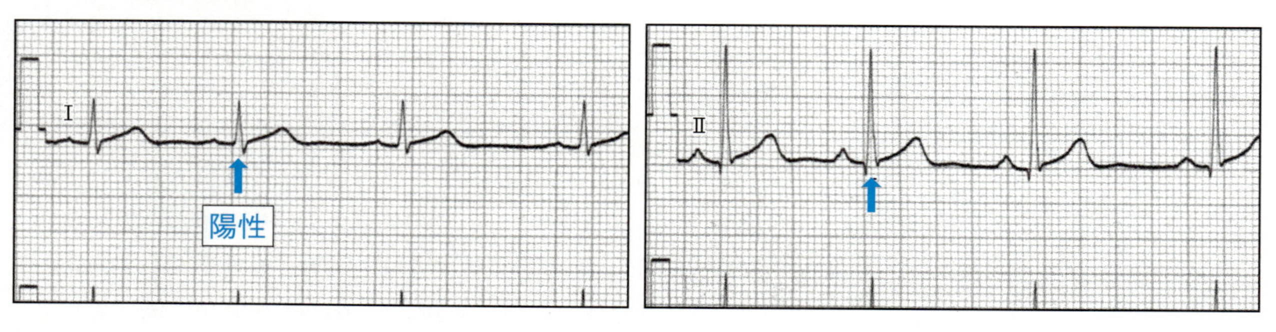

電気軸の範囲

- 成人では0°～+90°(0°～−30°、+90°～+120°を境界域とする場合もある)、新生児では+60°～+180°、1～5歳では+10°～+110°、5～8歳で再度0°～+140°まで広がり、8～16歳では0°～+120°までが正常軸とされる。

判読のポイント

- 成人の正常軸の範囲においては、Ⅰ・Ⅱ誘導ともに陽性となる(⬆)。したがって、成人では、Ⅰ・Ⅱ誘導ともに陽性成分(R波)が陰性成分(Q波またはS波)よりも大きければ、正常軸と診断できる。新生児(+60°～+180°)ではaVL・aVF誘導ともに陽性、8～16歳(0°～+120°)では、Ⅱ誘導で陽性かつaVR誘導で陰性となる。

注：電気軸の求め方および分類については、「第1章　心電図判読のための基礎知識」(p.23の図12、p.24の表4)を参照されたい。

2. 右軸偏位

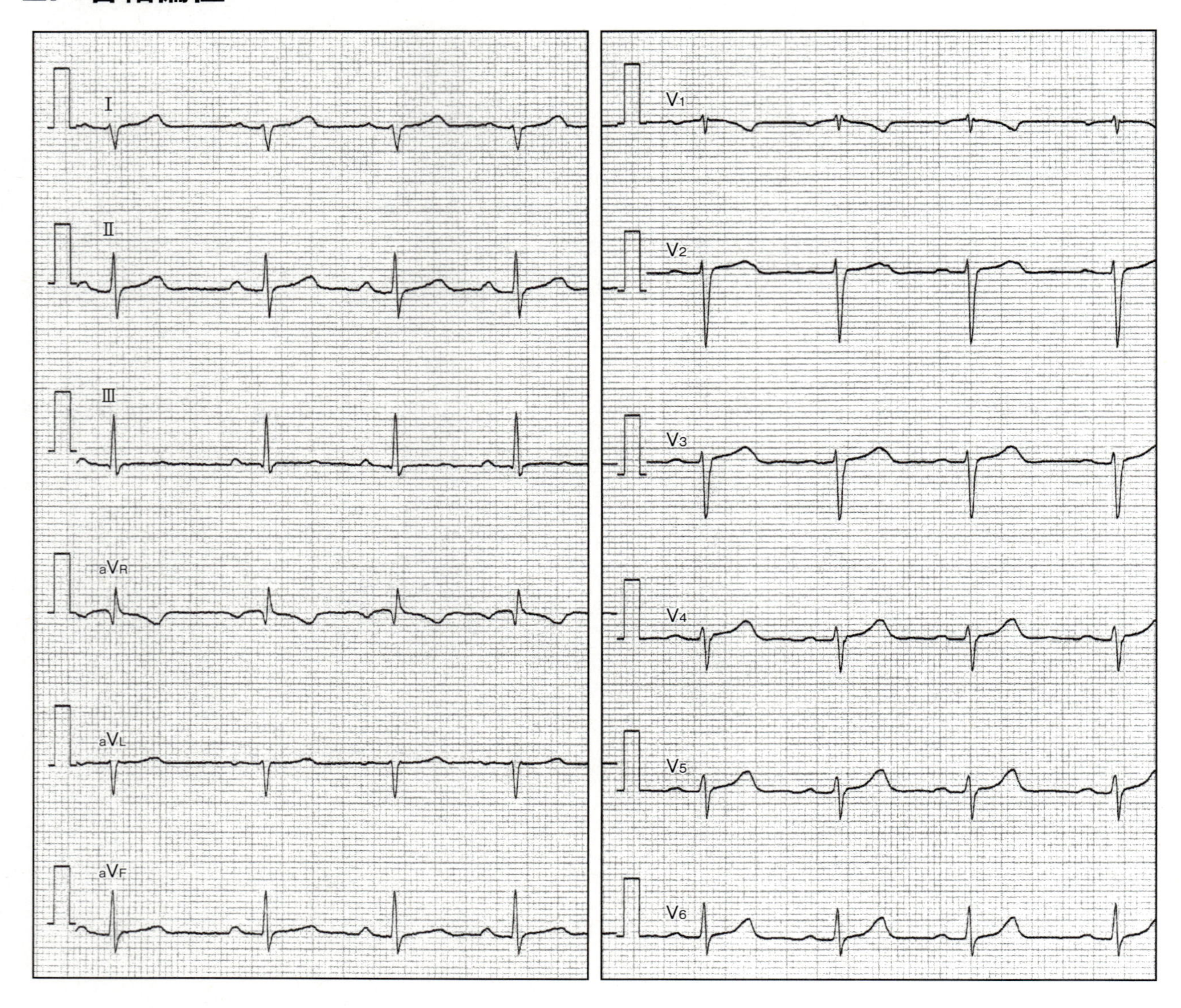

ここを Check ！

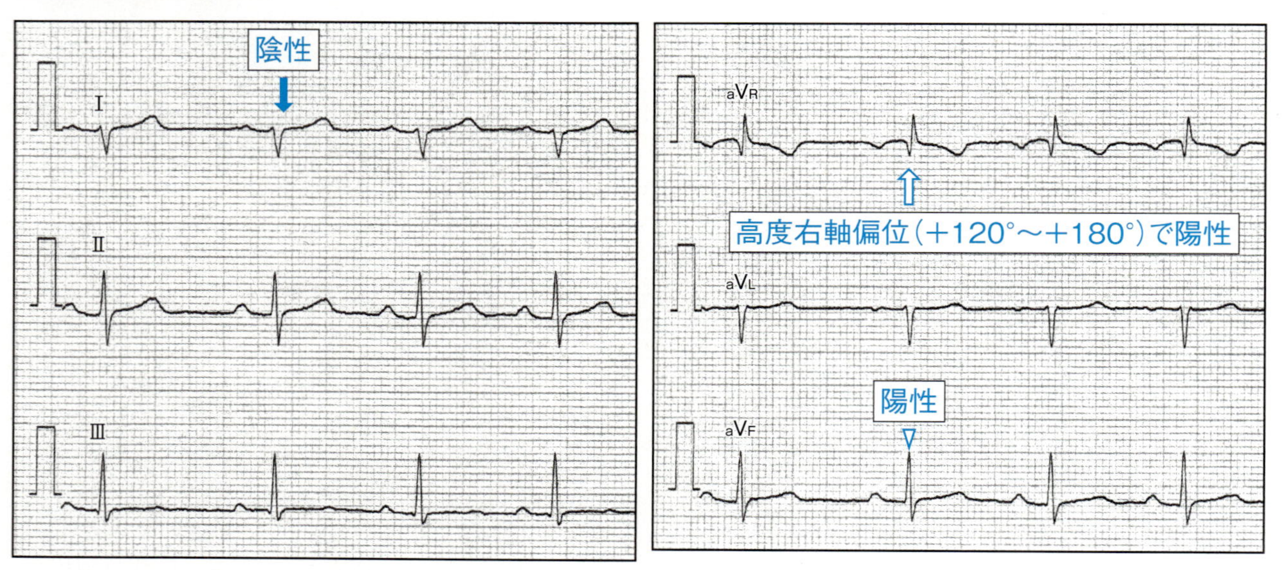

電気軸の範囲

- 成人では＋90°～＋180°で、そのうち＋120°～＋180°を高度右軸偏位と呼ぶ。新生児では右軸偏位はすべて正常と診断され、1～5歳では＋110°～＋180°、5～8歳では＋140°～＋180°、8～16歳では＋120°～＋180°を示す。

判読のポイント

- QRS波がⅠ誘導で陰性（⬆）、aVF誘導で陽性（△）となる。それらに加え、120°以上の高度右軸偏位ではaVR誘導が陽性（⇧）となる。

発生のメカニズム―病態から診る

- 正常心では心臓の長軸が左下を向いているが、胸郭の小さい若年の女性や肺気腫の患者など、心臓の長軸が下方向に向いている場合や、右室肥大のように右室の起電力が増加している場合も右軸偏位となる。また、左室側壁梗塞のように左側方向の起電力が低下している場合にも右軸偏位となる。また、右脚ブロックや左側のWPW症候群のように、心室内の伝導のパターンの変化によっても生じる。

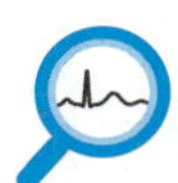

鑑別を要する心電図

- 左右手の誘導のつけ間違い
  ⇒Ⅰ誘導で陰性、aVR誘導で陽性、aVL誘導で陰性となり、右軸偏位を示す。この場合、P波の極性も本来と逆になるが、胸部誘導はすべて正常である。一方、右軸偏位ではP波の極性は正常となる。

よくある患者背景

※「発生のメカニズム―病態から診る」を参照。

- 正常異型（垂直心）
- 肺気腫や吸気による心臓位置の移動
  ⇒深呼吸によって心臓が右方に移動すると、右軸偏位になりやすい。肺気腫の患者については「発生のメカニズム―病態から診る」を参照。
- 右室肥大
- 右室拡大
- 右脚ブロック
- 左脚後枝ブロック
- 右胸心
- 異所性心室調律
- WPW症候群
- 心房中隔（二次口）欠損
- 胸郭の小さい若年の女性
- 側壁心筋梗塞
- 左室側壁梗塞

3. 左軸偏位

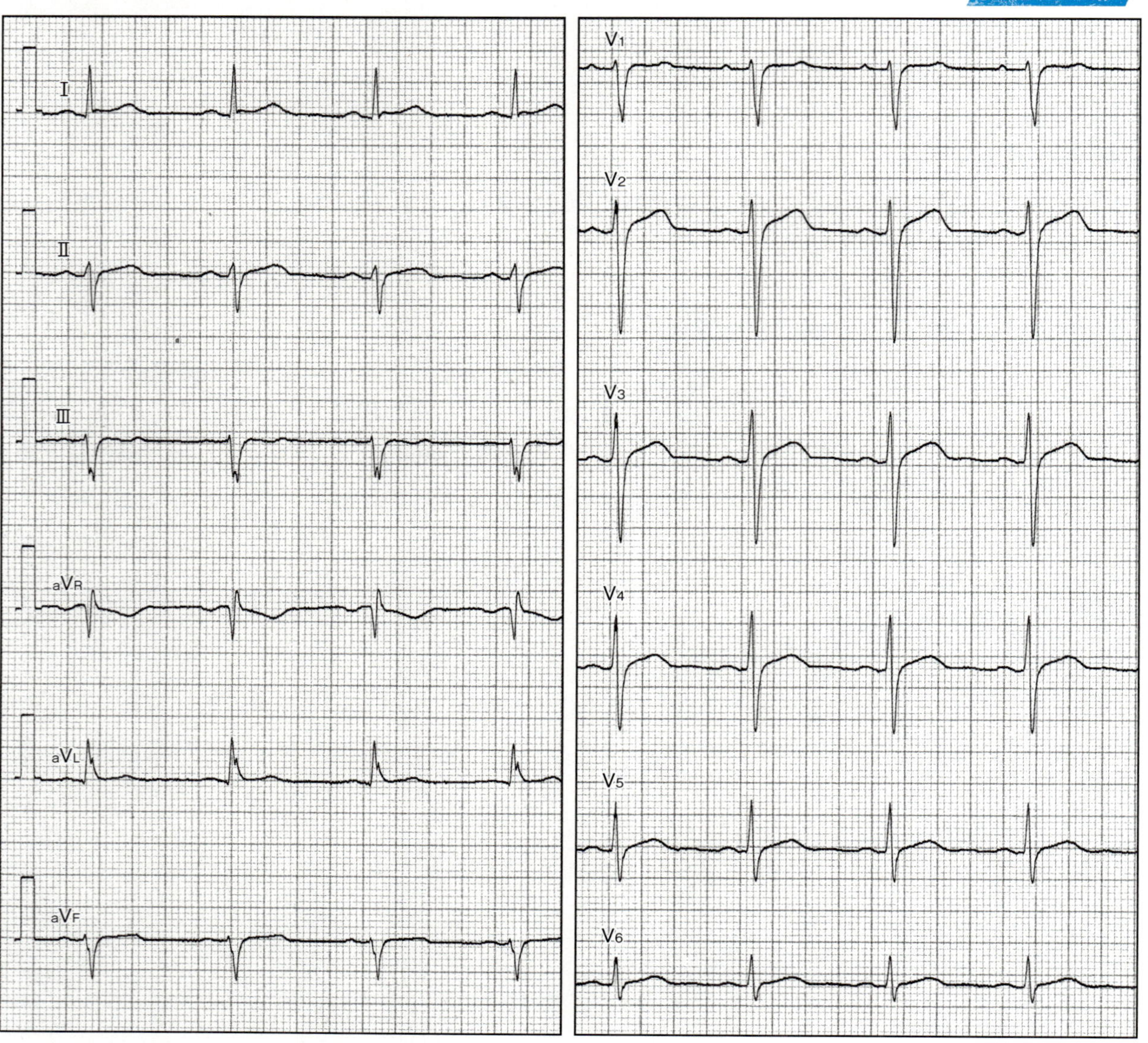

ここを Check ！

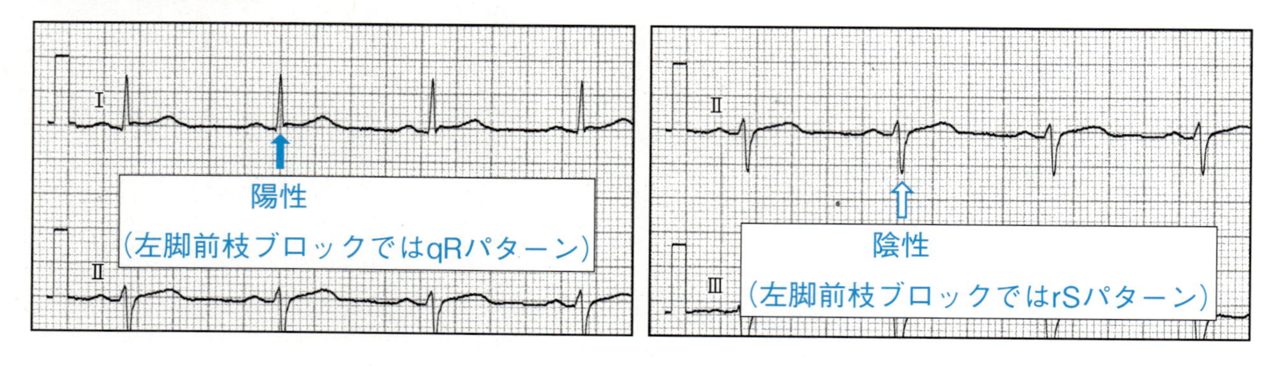

電気軸の範囲

- 成人では0°～－90°（－60°～－90°は高度左軸偏位）、新生児では＋60～－90°、生後1週～生後3ヵ月では＋20°～－90°、生後3ヵ月～16歳では0°～－90°を示す。

判読のポイント

- QRS波が、Ⅰ誘導で陽性（⬆）かつⅡ誘導で陰性（⇧）となる。高度左軸偏位では、それらに加えてaVR誘導で陰性となる。
- Ⅱ度以上の房室ブロックや心筋梗塞の所見を合併する場合は、緊急処置が必要となりうる。また、新規発症の左軸偏位も心筋虚血が関与する可能性があるため、注意を要する。

発生のメカニズム―病態から診る

- 原因としては、左脚前枝ブロックが最も多い。左脚前枝がブロックされると、心室興奮が左脚後枝領域から始まり、前壁領域に広がる。したがって、QRS波の初期0.02秒は下向き・右向きとなり、Ⅰ誘導で初期0.02秒のQ波、Ⅱ・Ⅲ・aVF誘導で初期0.02秒のR波を認める。その後、心室興奮は左上方に広がるため、Ⅰ誘導でR波、Ⅱ・Ⅲ・aVF誘導で深いS波を生じる。下壁梗塞により、Ⅱ・Ⅲ・aVF誘導に大きなQ波がある場合も、左軸偏位となる。

鑑別を要する心電図

- 手足誘導のつけ間違い

よくある患者背景

- 前壁心筋梗塞、拡張型心筋症、アミロイドーシスなどによる心筋症や左室肥大にしばしば合併する
  ⇒心筋障害によって左脚前枝ブロックをきたし、左軸偏位を示す。
- 心房中隔一次口欠損、心内膜床欠損、心室中隔欠損、大動脈縮窄、共通房室口などの先天性心疾患をもつ患者
  ⇒刺激伝導系の先天異常により、左軸偏位を示す。
- 加齢に伴う伝導障害
- 横隔膜挙上による心尖部の挙上（腹水貯留・妊娠など）

4. 北西軸（極端な軸偏位）

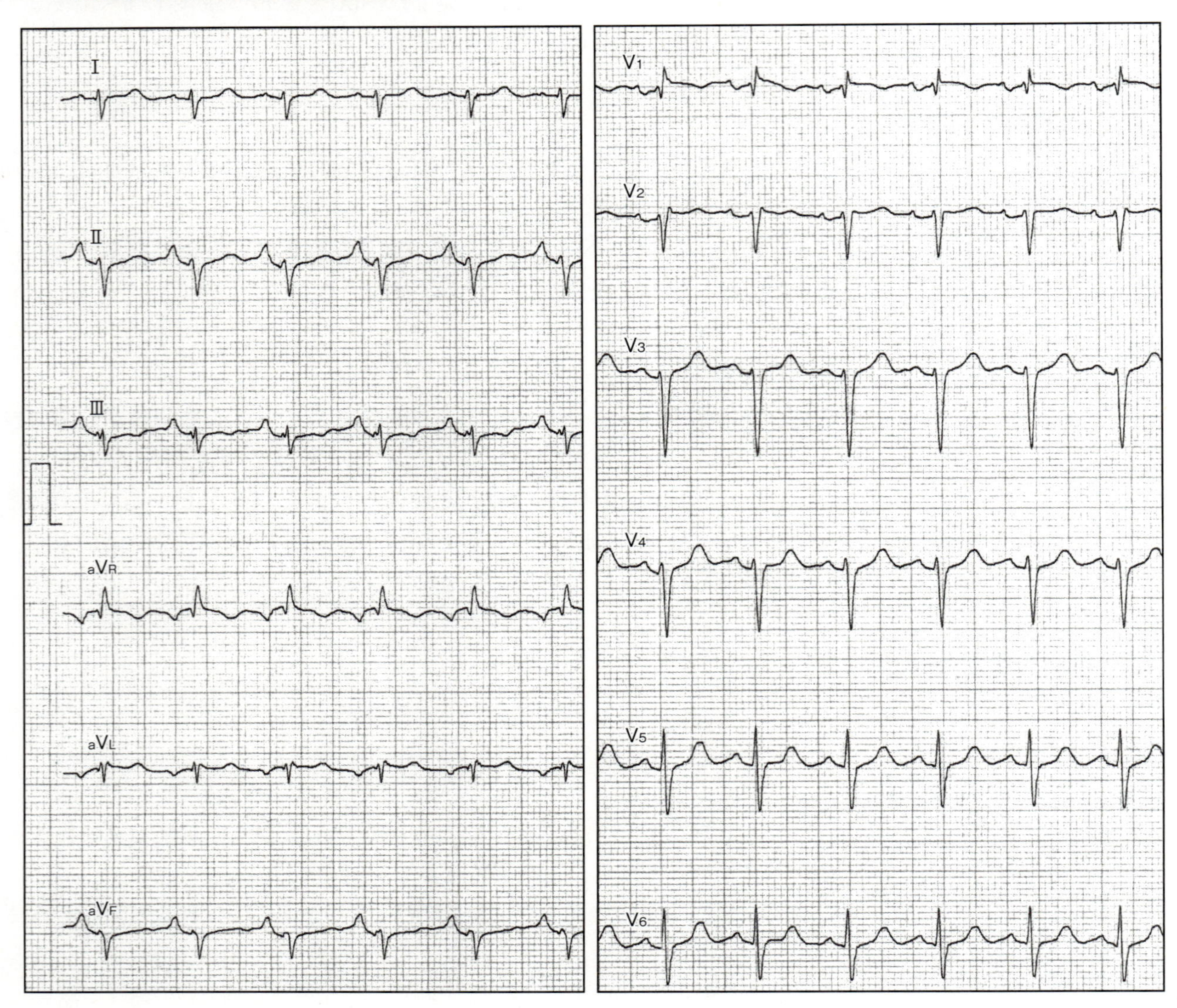

ここをCheck ！

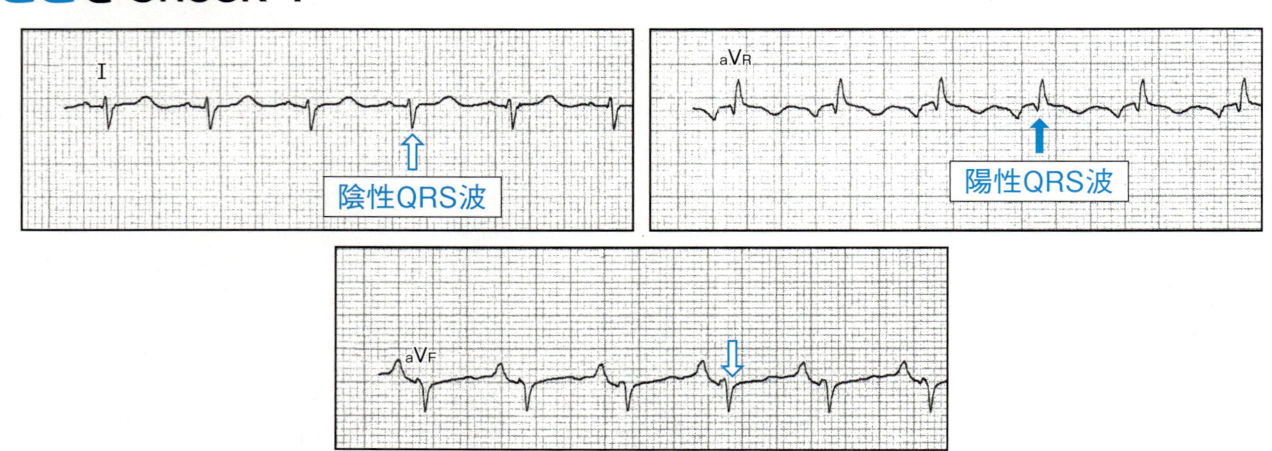

電気軸の範囲

- 電気軸が−90°〜−180°の場合を北西軸または極端な軸偏位と呼ぶ。また、北西軸を不定軸と呼ぶこともある。

判読のポイント

- 北西軸(−90°〜−180°)の場合、Ⅰ〜Ⅲ、aVF・aVL誘導でQRS波が陰性となる(⬆)。したがって、aVR誘導以外のすべての四肢誘導が陰性となる。

発生のメカニズム―病態から診る

- 北西軸は極度の左軸偏位または極度の右軸偏位であり、先天性心疾患などに伴う伝導障害が原因となる。

よくある患者背景

- Fallot四徴症、三尖弁閉鎖症など、極度の右軸偏位・極度の左軸偏位を生じる疾患を有する患者。
- 正常例でも異型として生じうる。

5. 不定軸

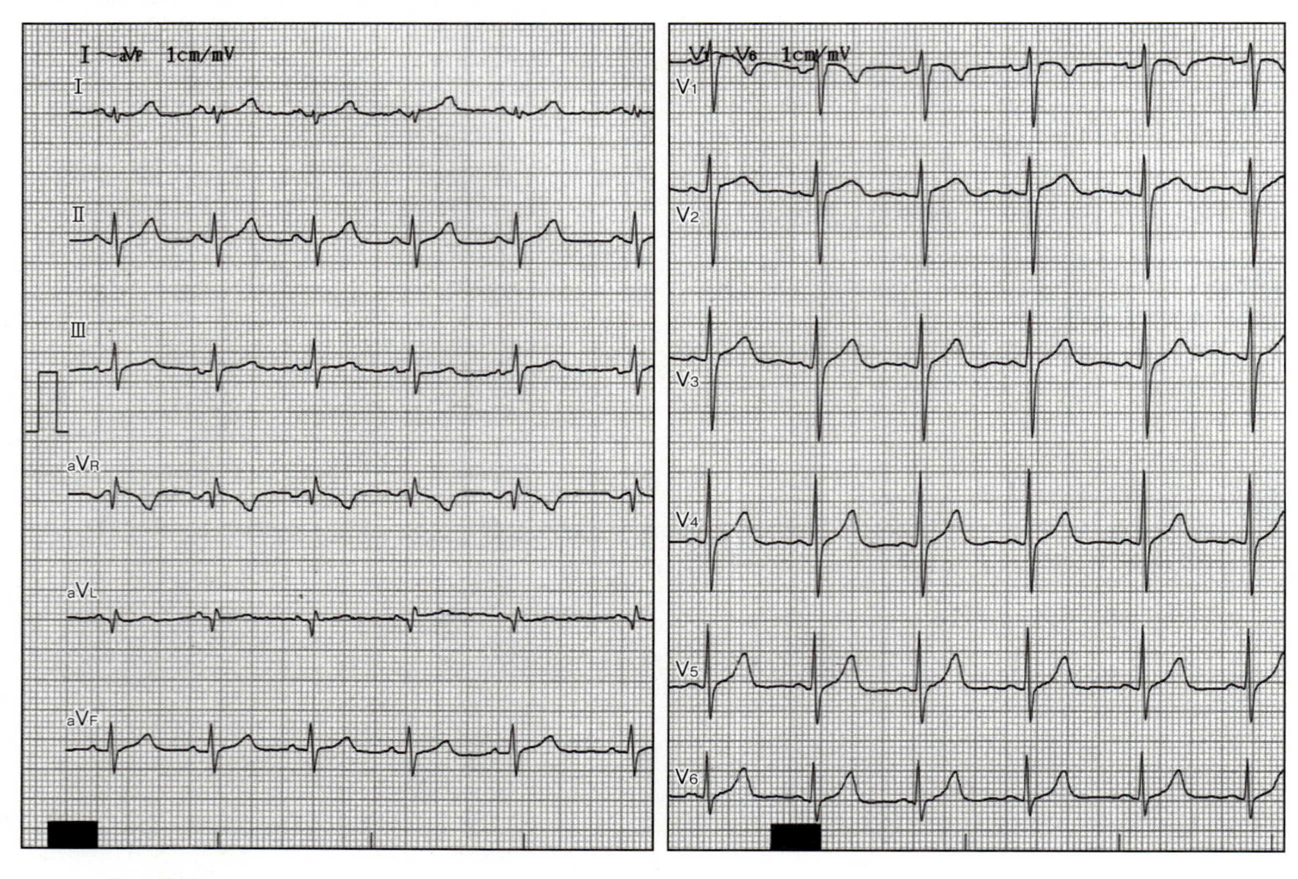

ここを Check ！

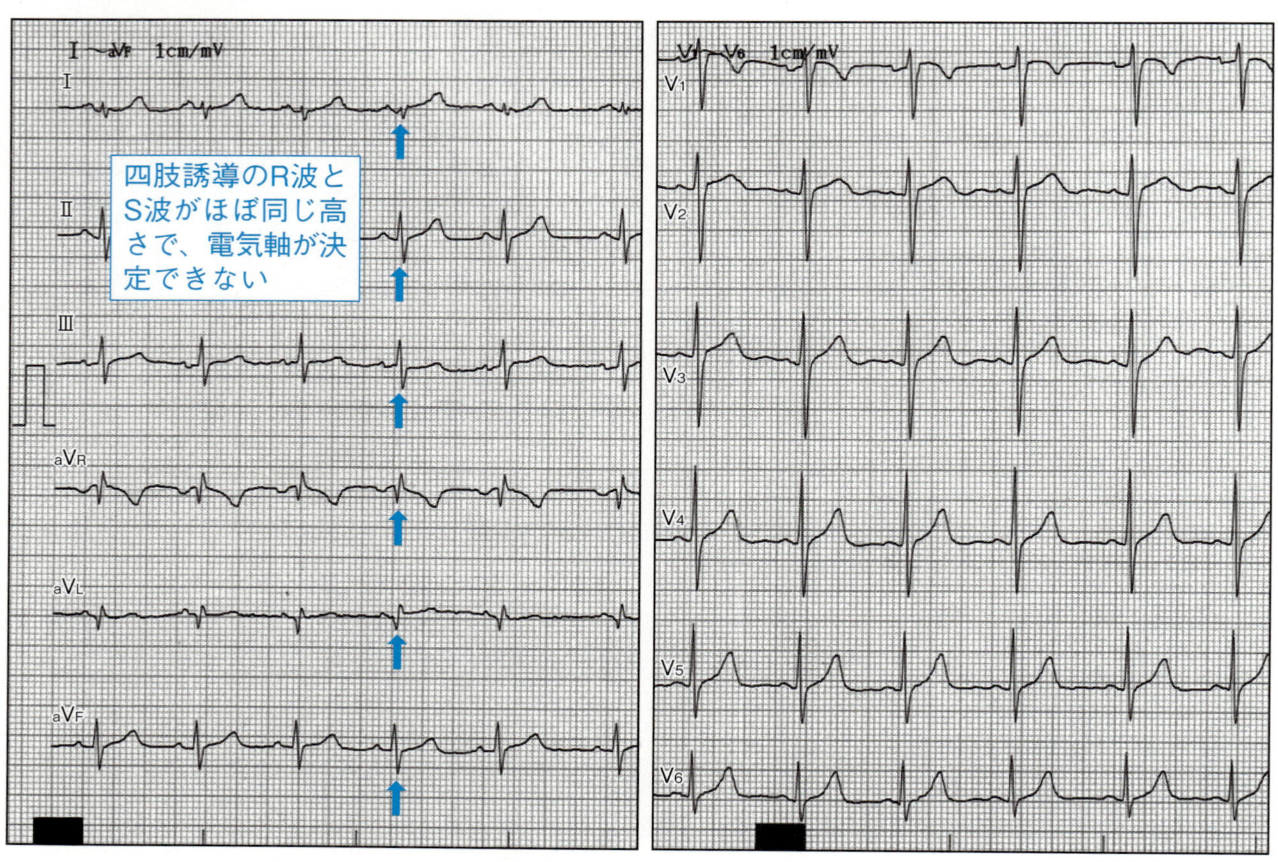

電気軸の範囲

- 四肢誘導のすべてで、R 波、S 波または Q 波の波高が等しいために電気軸が求められない場合を不定軸と呼ぶ。

判読のポイント

- 四肢誘導のⅡ・Ⅲ・aV_F誘導は RS 型、aV_R・aV_L誘導は QR 型、Ⅰ誘導は rsr' 型で、QRS の R 波と、S 波もしくは Q 波の和がほぼ 0 mV であり、QRS 電気軸が計算できない。

発生のメカニズム―病態から診る

- 不定軸は、四肢誘導の QRS ベクトルが前方もしくは後方に向いているために、このような心電図波形を呈すると考えられている。特に病的な意義はない。

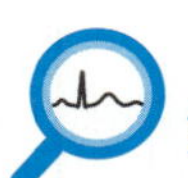

鑑別を有する心電図

- 極端な右軸、左軸を呈する心電図

6. 時計方向回転

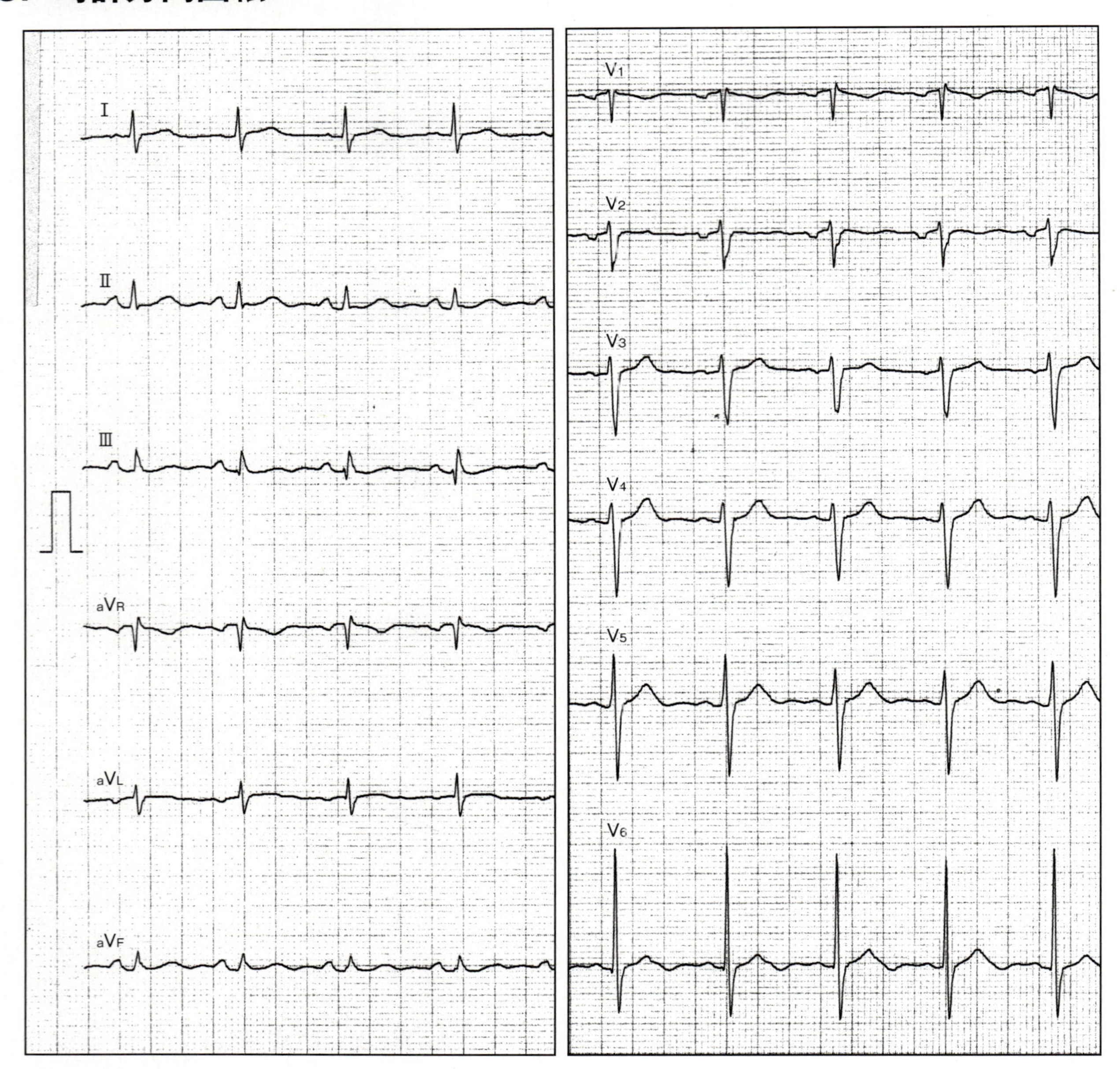

ここを Check ！

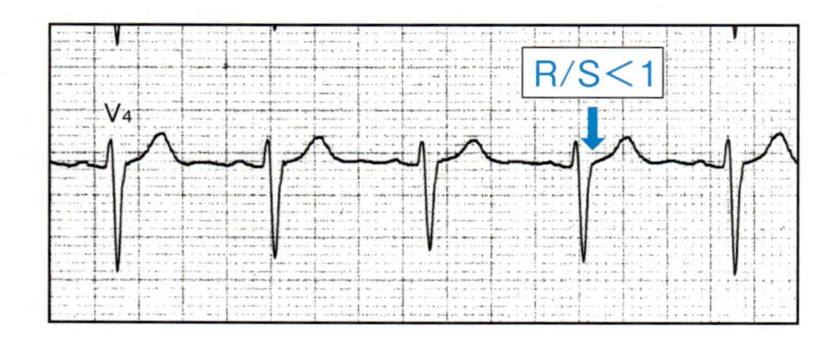

移行帯と回転方向

- 心臓の長軸を軸として、心尖部から見て時計方向に旋回。
- 胸部誘導の移行帯が V_4誘導よりも左側にある。

判読のポイント

- 通常 V_1〜V_3誘導の R 波は、V_4誘導の R 波よりも低い。
- V_4誘導で、S 波が R 波よりも大きい(⬆)。

発生のメカニズム―病態から診る

- 基本的には、左室前壁の起電力の低下、左室の後方への移動が関係する。副伝導路伝導や正常例でも起こりうる。

よくある患者背景

- 前壁中隔梗塞や前壁梗塞
  ⇒心室中隔から心尖部まで(V_1〜V_3誘導により反映)の障害をきたす疾患。
- 慢性肺疾患
  ⇒肺拡張により心臓位置が変化し、時計方向回転を呈する。
- 右室拡大
  ⇒左室の後方への圧排・移動により、時計方向回転を呈する。
- 右側や中隔に副伝導路を有する WPW 症候群
- 正常例においても認めうる。

7. 反時計方向回転

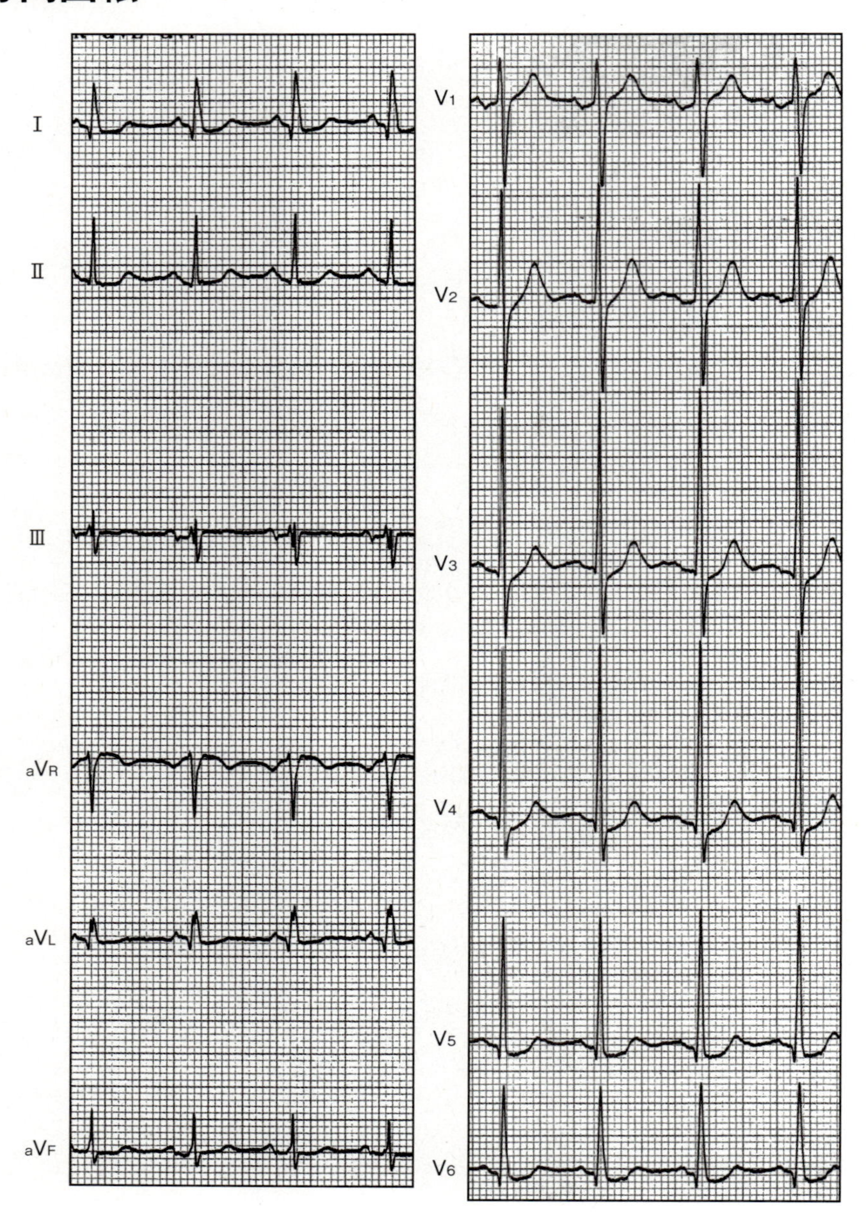

ここをCheck ！

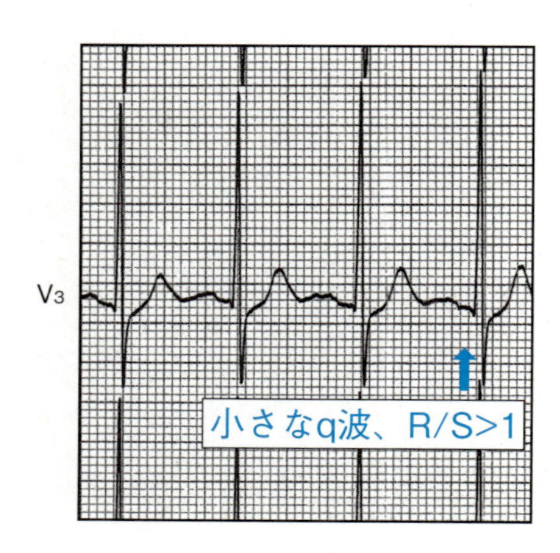

移行帯と回転方向

- 心臓の長軸を軸として、心尖部から見て反時計方向に旋回している状態。
- 胸部誘導の移行帯がV_3誘導よりも右側にある。

判読のポイント

- V_3誘導でqR型のQRS波となり、S波は存在するもののR波よりも小さい(⬆)。
- 著明な反時計方向回転では、V_1誘導でR波がS波よりも大きく、V_2誘導でqR型となる。

発生のメカニズム―病態から診る

- 後壁梗塞や右室肥大のような病態が関係し、V_1・V_2誘導のR波が増高するもので、正常例でもしばしば見られる。

よくある患者背景

- 後壁梗塞
  ⇒後壁のQ波の鏡面像として、V_1誘導のR波が増高し、反時計方向回転を示す。
- 右室肥大
  ⇒右室起電力の増加により、V_1誘導のR波が増高し、反時計方向回転を示す。
- 正常例でも異型として起こりうる。

1．右胸心

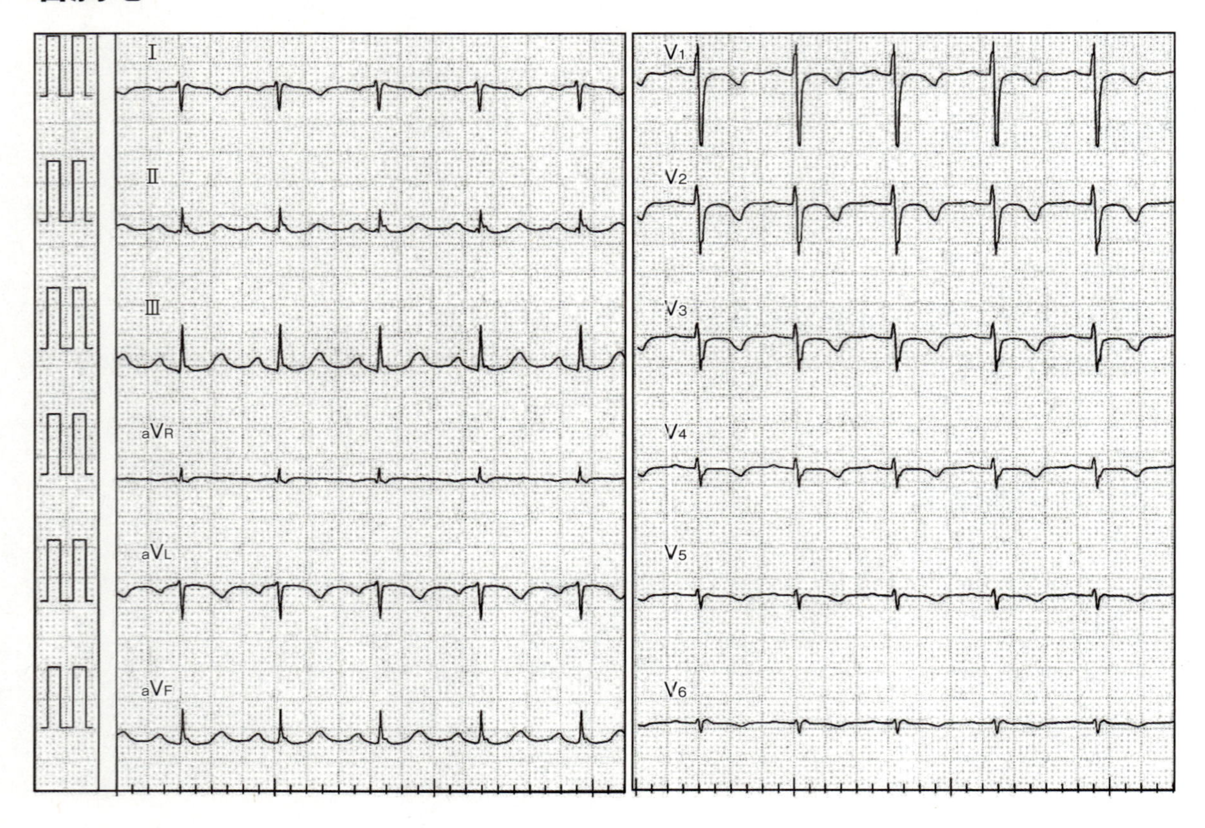

ここをCheck！

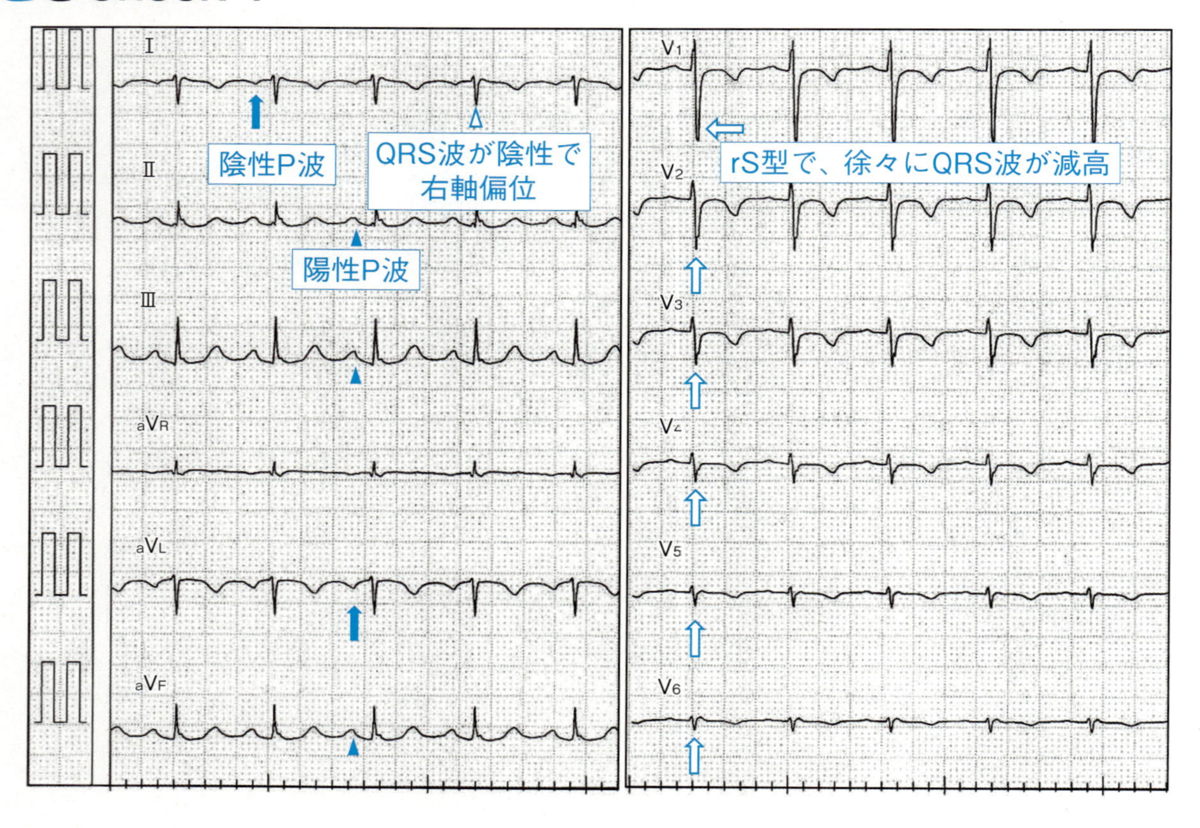

着目すべき心電図所見

リズム：整　**心拍数**：96/分　**P 波**：電気軸＋120°、幅 0.08 秒、Ⅰ・aV_L誘導で陰性（⬆）、Ⅱ・Ⅲ・aV_F誘導で陽性（▲）　**PR(PQ)間隔**：0.16 秒　**QRS 波**：電気軸＋130°、幅 0.1 秒。Ⅰ誘導では QRS 波が陰性で、右軸偏位を呈している（△）。V_1誘導から V_6誘導にかけて QRS 波の減高を認め、rS 型を呈している（⇧）　**ST 部分**：ほぼ平坦　**T 波**：V_2誘導で最も陰性が深く、V_6誘導にかけて徐々に浅くなる　**QT 間隔**：0.34 秒、補正 QT 間隔(QTc)は Bazett 式で 0.43 秒

判読のポイント

- QRS 電気軸は＋130° で、右軸偏位を認める。
- P 波はⅠ・aV_L誘導で陰性、Ⅱ・Ⅲ・aV_F誘導で陽性で、心房の電気軸も右下方へ向かっている。
- 胸部誘導では、V_1 誘導から V_6誘導にかけてすべて rS 型で、QRS 波の減高が認められる。

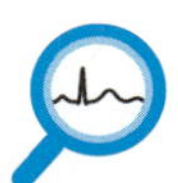

鑑別を要する心電図

- 陳旧性側壁心筋梗塞　• 右室肥大　• 異所性心房調律

さらにレベルアップ！　「右胸心」

★右胸心は全誘導を左右逆に装着すると、正常心電図になる

右胸心もしくは内臓逆位では、正常と左右対象に心臓が存在するため、V_1誘導が通常の V_2誘導、V_2誘導が通常の V_1誘導、V_3～V_6誘導は V_{3R}～V_{6R}誘導に相当する。このため、V_3～V_6誘導の QRS 波はすべて非常に類似し、なおかつ V_3～V_6誘導にかけて QRS 波が減高する。一般的に、四肢誘導では P 波、QRS 波ともに右軸偏位を示す。Ⅰ・aV_L誘導の P 波が陰性の場合には、右胸心を疑う。右胸心は、全誘導を左右逆に装着して記録すると、正常な心電図となる。

〈参考〉全誘導を左右逆に装着した右胸心の心電図

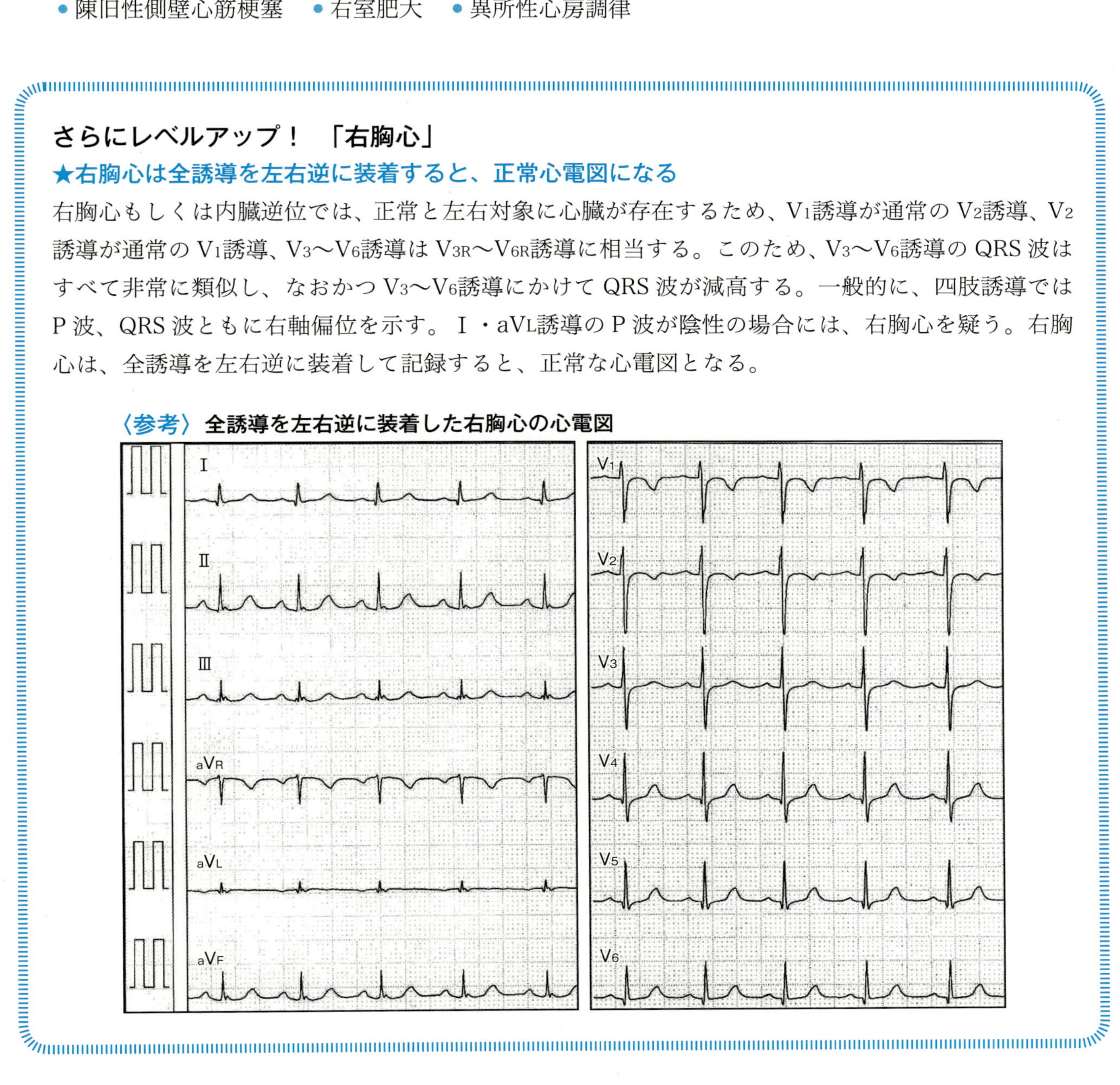

2. 右房負荷

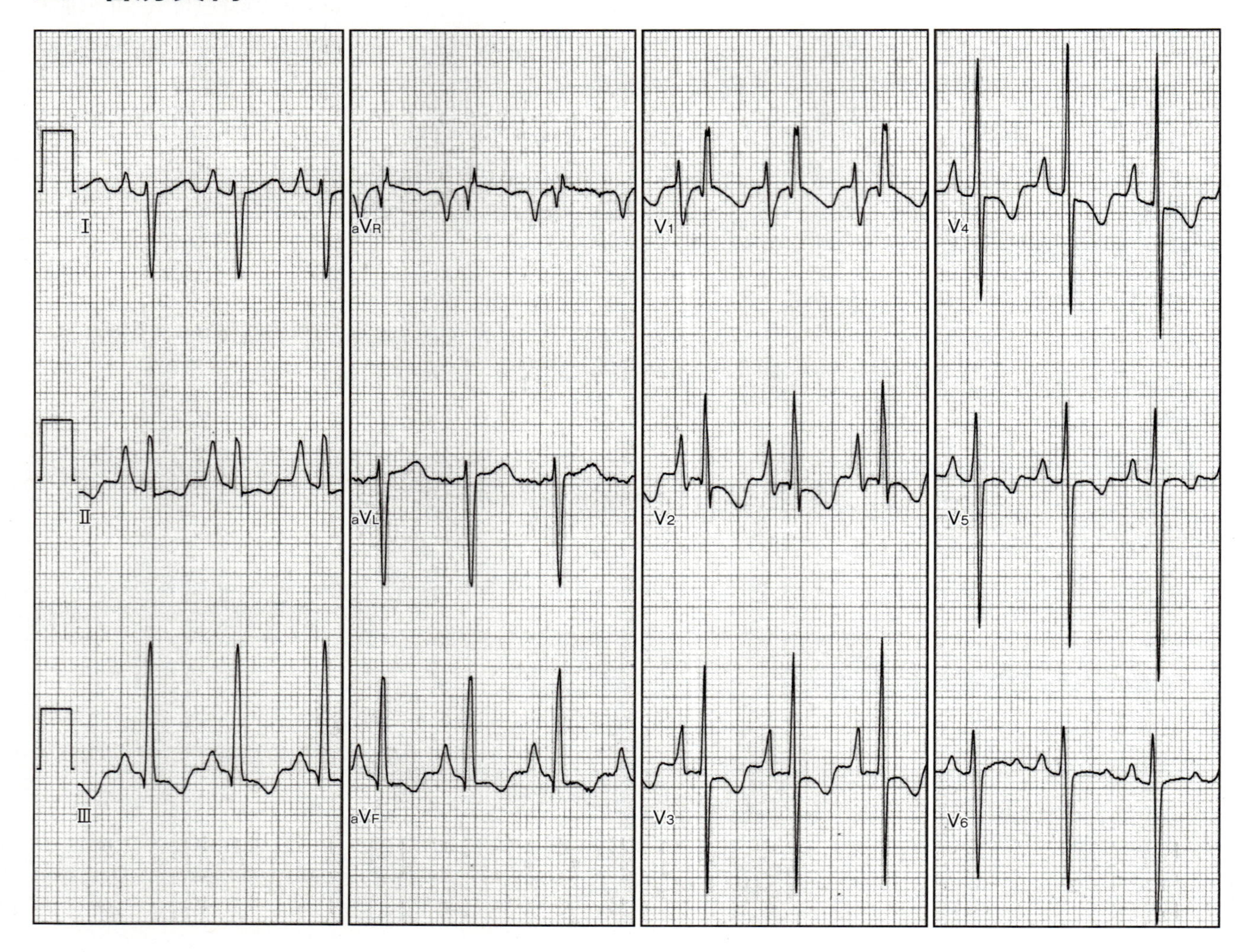

ここを Check ！

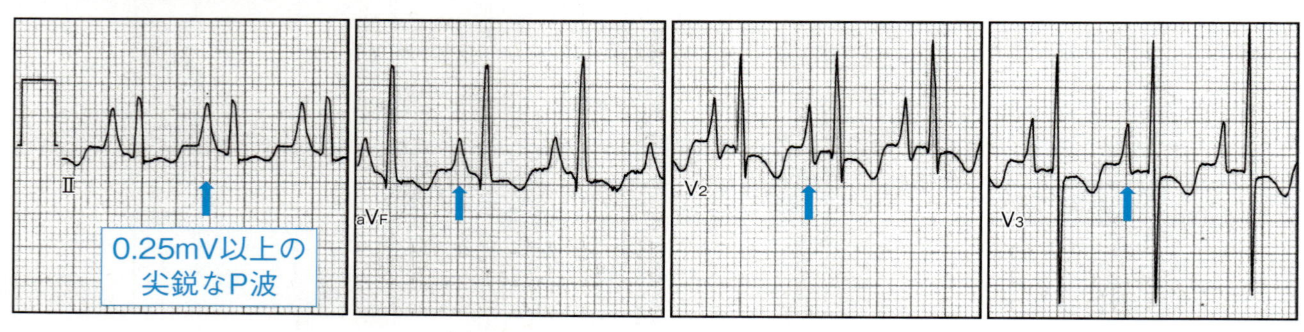

着目すべき心電図所見

リズム：整　**心拍数**：107/分　**P 波**：電気軸＋70°、幅 0.12 秒、高さはⅡ・V_3誘導で 0.6 mV、aV_F誘導で 0.5 mV、V_1・V_2誘導では二相性で 1 mV。Ⅱ・aV_F・V_2・V_3誘導で尖鋭な P 波が見られる（⬆）**PR（PQ）間隔**：0.16 秒　**QRS 波**：電気軸 120°、幅 0.08 秒、V_1誘導で qR 型、SV_6＝2.1 mV　**ST 部分**：Ⅱ・Ⅲ・aV_F誘導で 0.1 mV の ST 下降　**T 波**：Ⅱ・Ⅲ・aV_F・V_1〜V_4誘導で T 波逆転　**QT 間隔**：0.32 秒、補正 QT 間隔（QTc）は Bazett 式で 0.43 秒、Fridericia 式で 0.39 秒

判読のポイント

- 非常に尖鋭な P 波を認める。0.25 mV 以上の P 波増高が右房負荷と定義され、特にⅡ・Ⅲ・aV_F誘導で認めることが多い（本症例では、0.25 mV 以上）。
- P 波の幅は正常な場合が多いが、本症例では若干延長している。肺高血圧に合併することが多いため、肺性 P 波と呼ばれる。
- 本症例は原発性肺高血圧のため、著明な右室肥大をきたし、さらに右房負荷をきたしている。

発生のメカニズム―病態から診る

- 右房圧上昇、右房の容量負荷により右房が拡張し、その起電力が上昇するため、P 波が増高する。

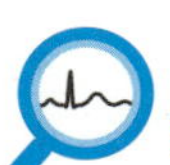

鑑別を要する心電図

- 左房負荷
- 両房負荷
- 拘束型心筋症
- 三尖弁狭窄

よくある患者背景

- 原発性肺高血圧症
- 慢性閉塞性肺疾患
- 肺梗塞

3. 左房負荷

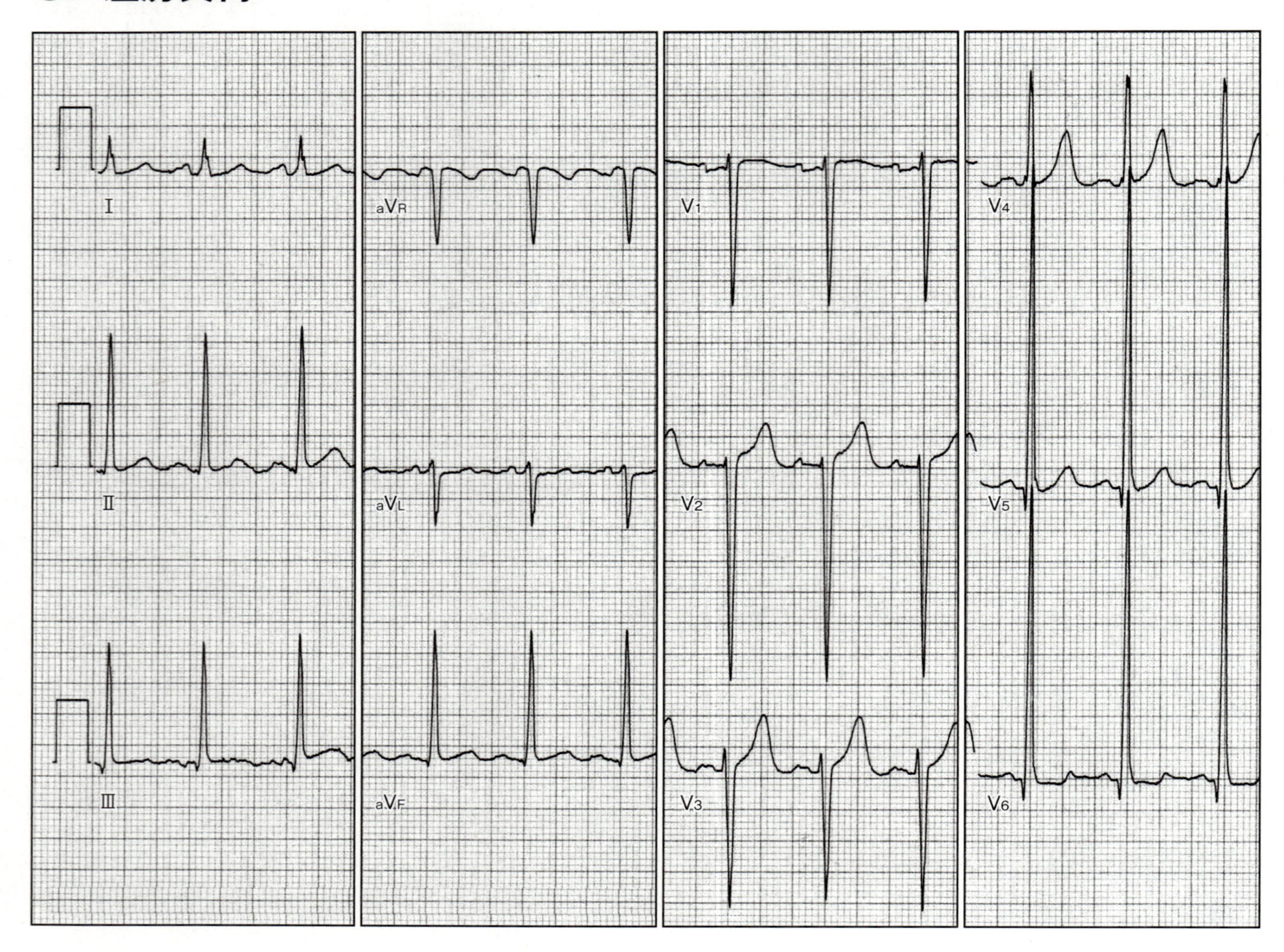

ここをCheck！

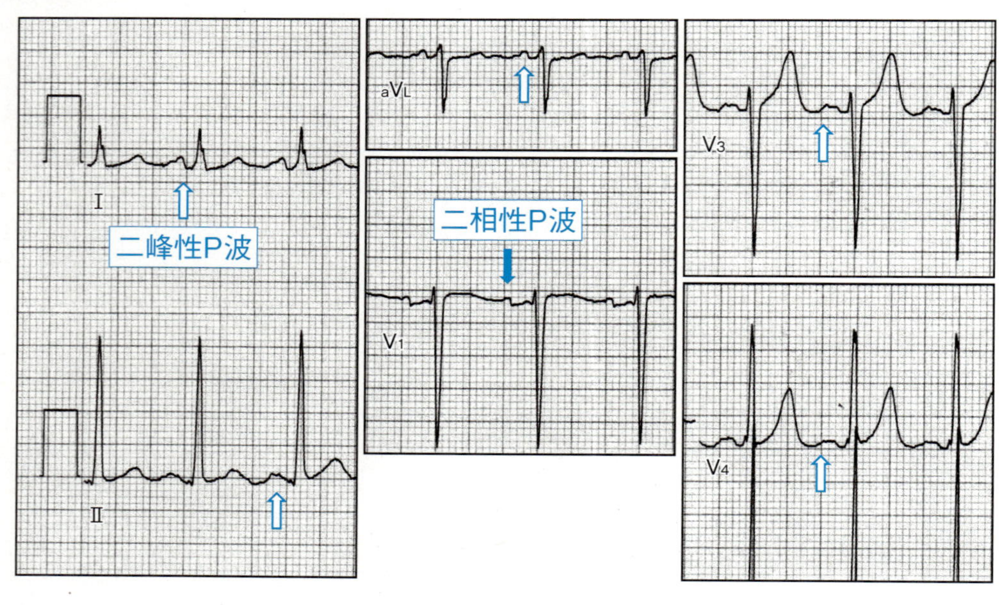

着目すべき心電図所見

リズム：整　**心拍数**：100/分　**P 波**：電気軸＋20°、幅 0.12 秒、高さは 0.15 mV。Ⅰ・Ⅱ・aV_L・V_3・V_4誘導で二峰性（⇧）、V_1誘導で二相性（⬆）の P 波が見られる　**PR（PQ）間隔**：0.16 秒　**QRS 波**：電気軸＋80°、幅 0.08 秒、SV_1＝2.1 mV、RV_5＝5.2 mV　**ST 部分**：V_6誘導で 0.05 mV の水平型 ST 下降、V_2・V_3誘導で 0.1 mV の上昇型の ST 上昇　**T 波**：V_6誘導で陰性　**QT 間隔**：0.34 秒、補正 QT 間隔（QTc）は Bazett 式で 0.44 秒、Fridericia 式で 0.40 秒

判読のポイント

- 左房は心電図の P 波の後半成分であり、左房が容量負荷もしくは圧負荷を受けると P 波の幅が広くなる。
- P 波の幅が、成人では≧0.12 秒、小児では≧0.1 秒の場合に左房負荷を疑う。
- V_1誘導の P 波が二相性ないし陰性を示す場合、陰性相の幅（秒）と振幅（mm）との積（P terminal force）の絶対値が≧0.04 の場合は、左房負荷と診断する。左房負荷は僧帽弁疾患に合併することが多いため、僧帽性 P 波と呼ばれる。
- 本症例では P terminal force が 0.08 秒×1 mm＝0.08、幅が 0.12 秒であるため、左房負荷と診断される。
- 本症例は僧帽弁閉鎖不全であることから左房負荷をきたし、左室肥大を伴っている。

発生のメカニズム―病態から診る

- 洞結節は右房内にあるため、心房興奮はまず右房興奮から始まり、右房と左房を連絡する心房内興奮伝導路である Bachmann 束を通って左房に伝導する。左房が拡大すると心房の興奮終了に時間がかかるため、P 波の幅が広くなる。特に、左房の興奮を示す P 波の後半成分の延長が強いため、P terminal force が大きくなる。

鑑別を要する心電図

- 肥大型心筋症・高血圧
  ⇒左室肥大をきたす疾患
- 中隔梗塞

よくある患者背景

- 僧帽弁狭窄
- 僧帽弁閉鎖不全
- 拘束型心筋症

4. 両房負荷

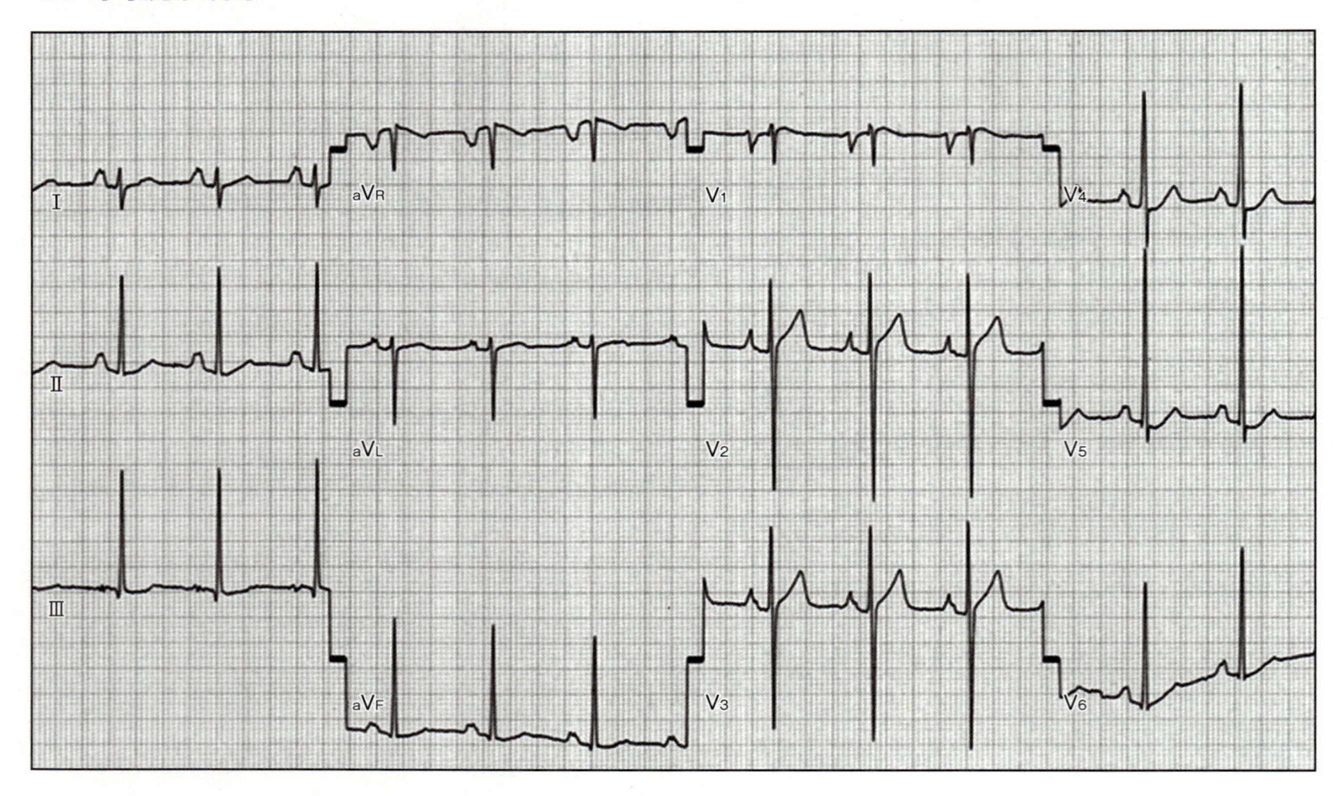

ここをCheck ！

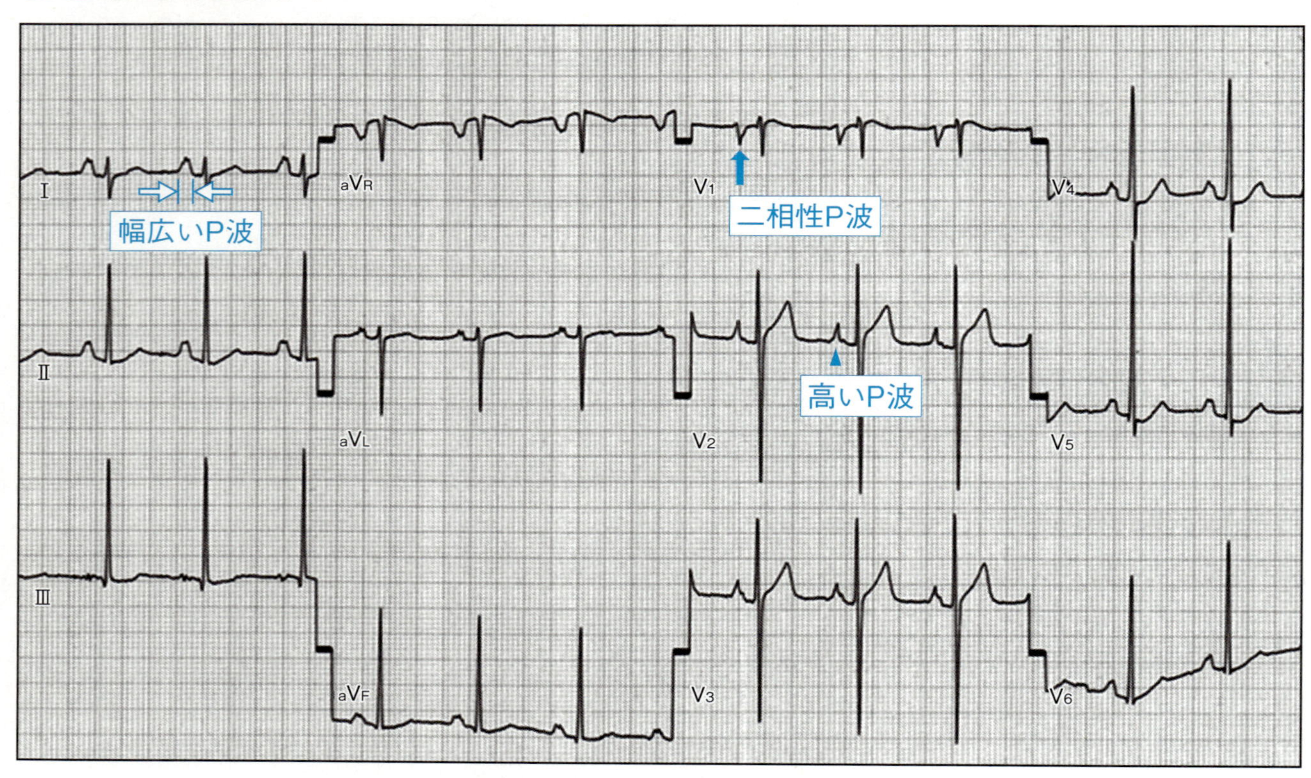

着目すべき心電図所見

リズム：整　**心拍数**：65/分　**P 波**：電気軸＋30°、幅 0.1 秒、高さ 0.3 mV〔I 誘導(⇧)〕、V_1誘導で二相性(⬆)、V_2 誘導で高い P 波が見られる(▲)。　**PR(PQ)間隔**：0.08 秒　**QRS 波**：電気軸＋90°、幅 0.11 秒、SV_1＝0.6 mV、RV_5＝3.5 mV　**ST 部分**：V_4・V_5誘導で 0.1 mV の ST 下降、V_2・V_3誘導で 0.2 mV の上昇型 ST 上昇　**T 波**：V_1誘導で平低　**QT 間隔**：0.3 秒。補正 QT 間隔(QTc)は Bazett 式で 0.31 秒、Fridericia 式で 0.31 秒

判読のポイント

- P 波の幅が成人では≧0.12 秒、小児では≧0.1 秒で、高さも 0.25 mV を超える。また、V_1誘導の P 波が二相性ないし陰性を示す場合が多い。左房負荷もしくは右房負荷の、それぞれ単独の心電図は比較的よく見られるが、両房負荷を認める疾患は多くはない。本症例は、拘束型心筋症の 9 歳の心電図である。

発生のメカニズム―病態から診る

- 両房の拡大により、P 波は高くなるとともに幅も広がる。両心室拡張期圧が上昇することで、両房負荷を呈する。

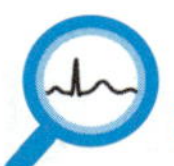

鑑別を要する心電図

- 僧帽弁狭窄
  ⇒左房負荷が見られる。
- 三尖弁狭窄
  ⇒右房負荷が見られる。

よくある患者背景

- 肺高血圧のある症例では、両房負荷となる場合がある。

5. 右室肥大　圧負荷

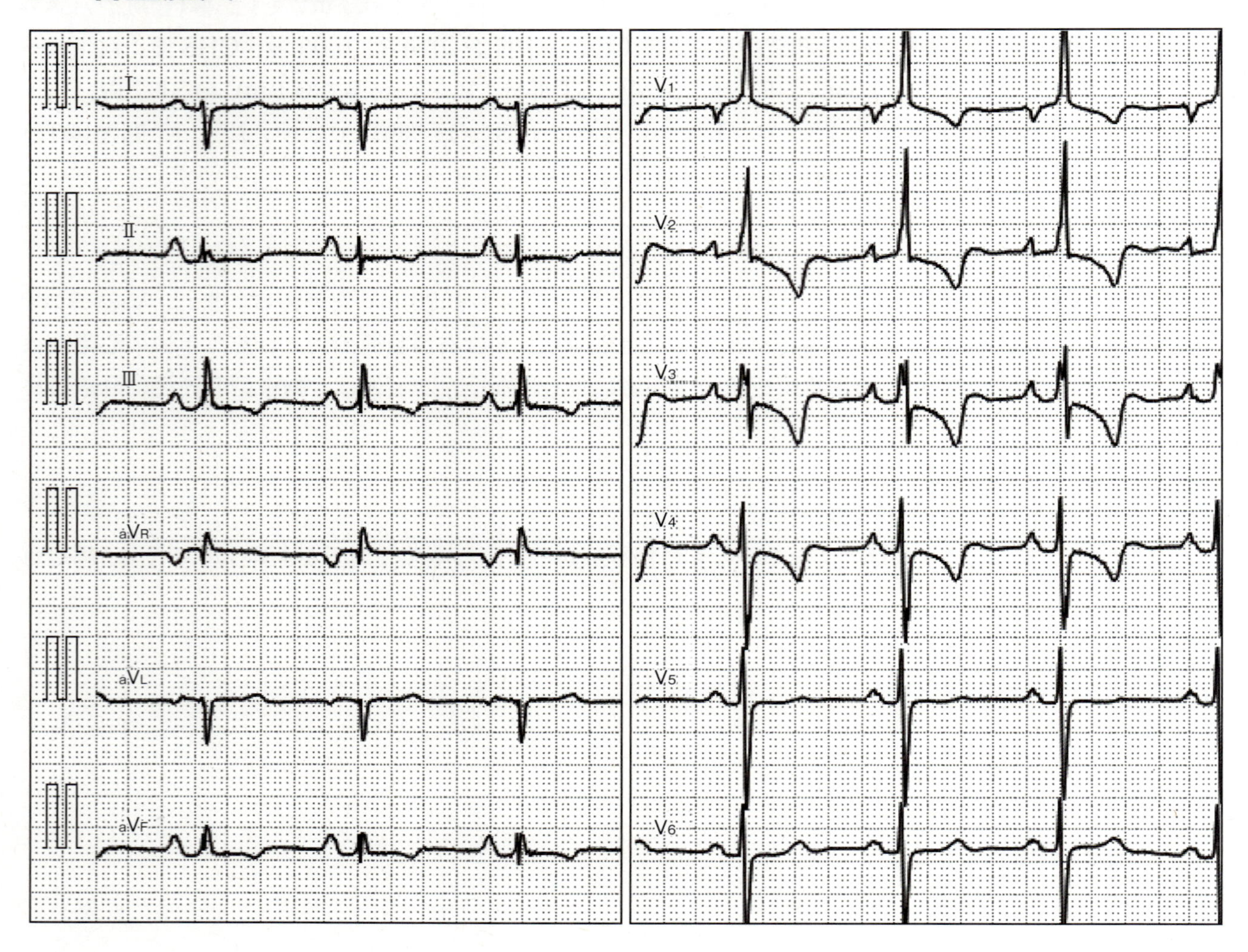

ここを Check ！

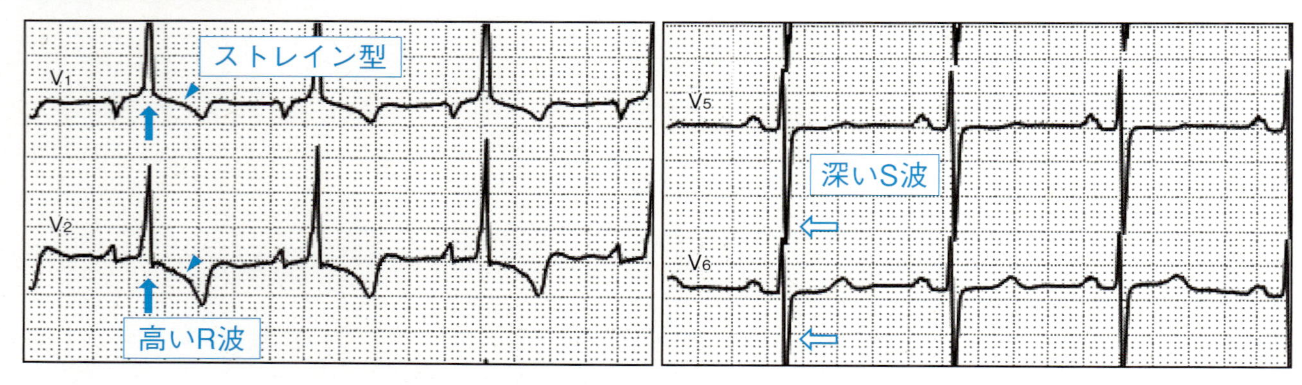

着目すべき心電図所見

リズム：洞調律　**軸偏位**：右軸偏位　**QRS 波**：V_1・V_2誘導の高い R 波(R/S 比＞1)(⬆)、V_5・V_6誘導の深い S 波(⇧)　**QRS 幅**：0.1 秒　**ST 部分**：V_1〜V_4誘導のストレイン型(▲)　**P 波**：右房負荷(Ⅱ・aV_F誘導で P 波高 0.25 mV、P 波幅 0.08 秒)

判読のポイント

- 右側胸部誘導(V_1〜V_3誘導)で、高い R 波(R/S 比 1 以上)とストレイン型(二次性 ST-T 変化による陰性 T 波)が見られる。
- Ⅰ・aV_L・V_5・V_6誘導で、深い S 波(時に R/S 比 1 以下)が見られる。
- 右軸偏位・右房負荷・右脚ブロック所見を認めることも多い。

発生のメカニズム―病態から診る

- 慢性的な圧負荷に伴う右室肥大では、右室の起電力ベクトルが右前下方に大きく偏位する。水平面では V_1・V_2誘導に向かうベクトルが大きくなり高い R 波を認め、前額面では右下方にベクトルが向かうため右軸偏位となり、Ⅰ・aV_L・V_5・V_6誘導に深い S 波が形成される。

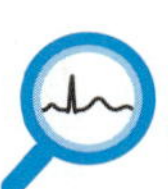

鑑別を要する心電図

- 高位後壁梗塞・WPW 症候群 type A・右脚ブロック・急性肺性心
  ⇒V_1誘導で R 波増高をきたす疾患
- 反時計方向回転

よくある患者背景

- 原発性肺高血圧症
- 僧帽弁狭窄症や慢性血栓塞栓性肺高血圧症(CTEPH)といった種々の疾患による二次性肺高血圧
- 肺動脈狭窄
- 心房中隔欠損症
- Fallot 四徴症 など

6. 右室肥大　容量負荷

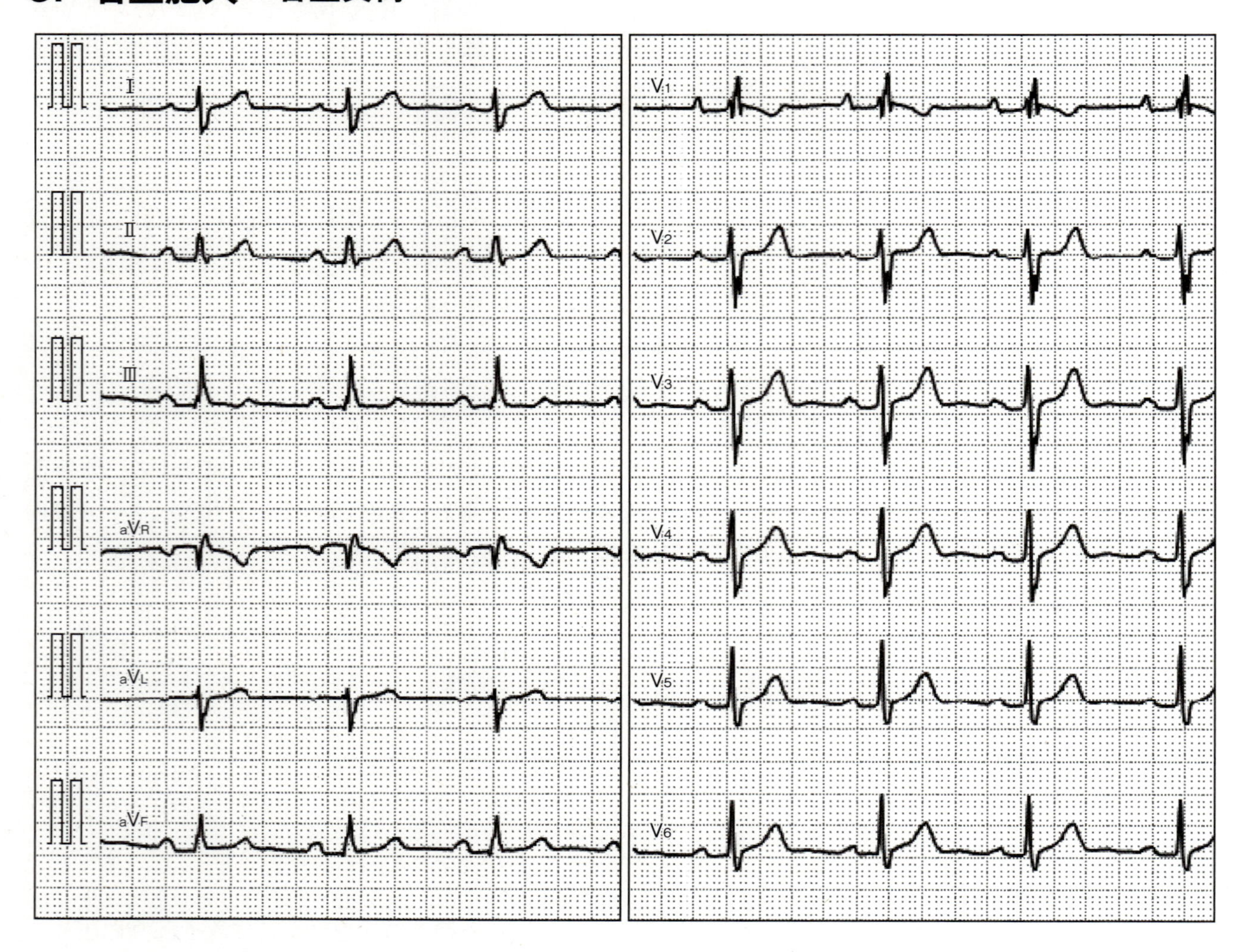

ここをCheck ！

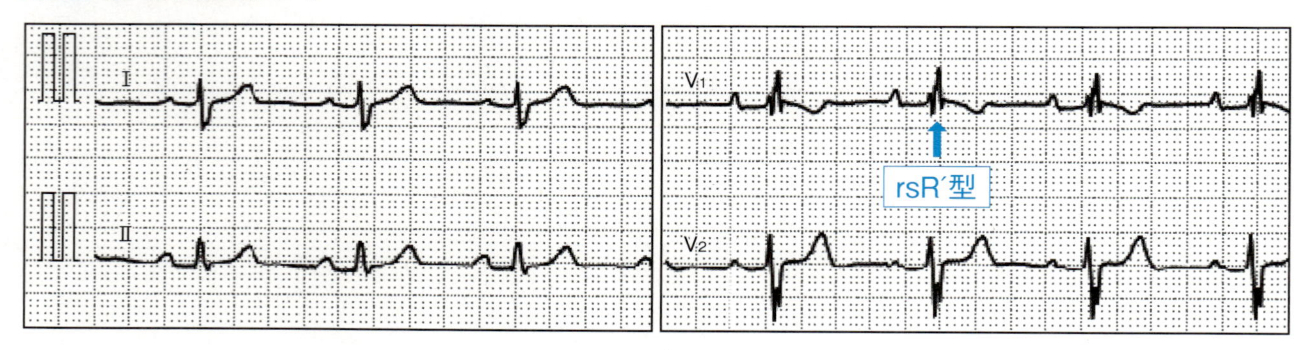

着目すべき心電図所見

リズム：洞調律　**軸偏位**：軽度右軸偏位　**PQ 間隔**：0.22 秒（1 度房室ブロック）　**QRS 波**：V_1誘導で rsR' 型（⬆）、Ⅰ・V_5・V_6誘導で幅広く深い S 波　**QRS 幅**：0.105 秒

判読のポイント

- V_1誘導で rsR' 型、V_6誘導で幅広い S 波を認め、QRS 幅は 0.10〜0.12 秒と軽度延長する（いわゆる不完全右脚ブロック所見を示す）。
- QRS 軸は正常、もしくは軽度の右軸偏位を示す。

発生のメカニズム—病態から診る

- 心房中隔欠損症に代表される右室容量負荷（拡張期性負荷）では、不完全右脚ブロックが出現しやすい。これには、右室基部と心室中隔の興奮遅延や右室容量負荷により肥厚した室上稜の興奮遅延によるとの説がある。

鑑別を要する心電図

- 高位後壁梗塞・WPW 症候群 type A・完全右脚ブロック
  ⇒V_1誘導で R 波増高をきたす疾患
- 反時計方向回転

よくある患者背景

- 心房中隔欠損症
- 急性肺塞栓症（急性肺性心）
- 三尖弁閉鎖不全症
- Ebstein 奇形

7. 原発性肺高血圧症

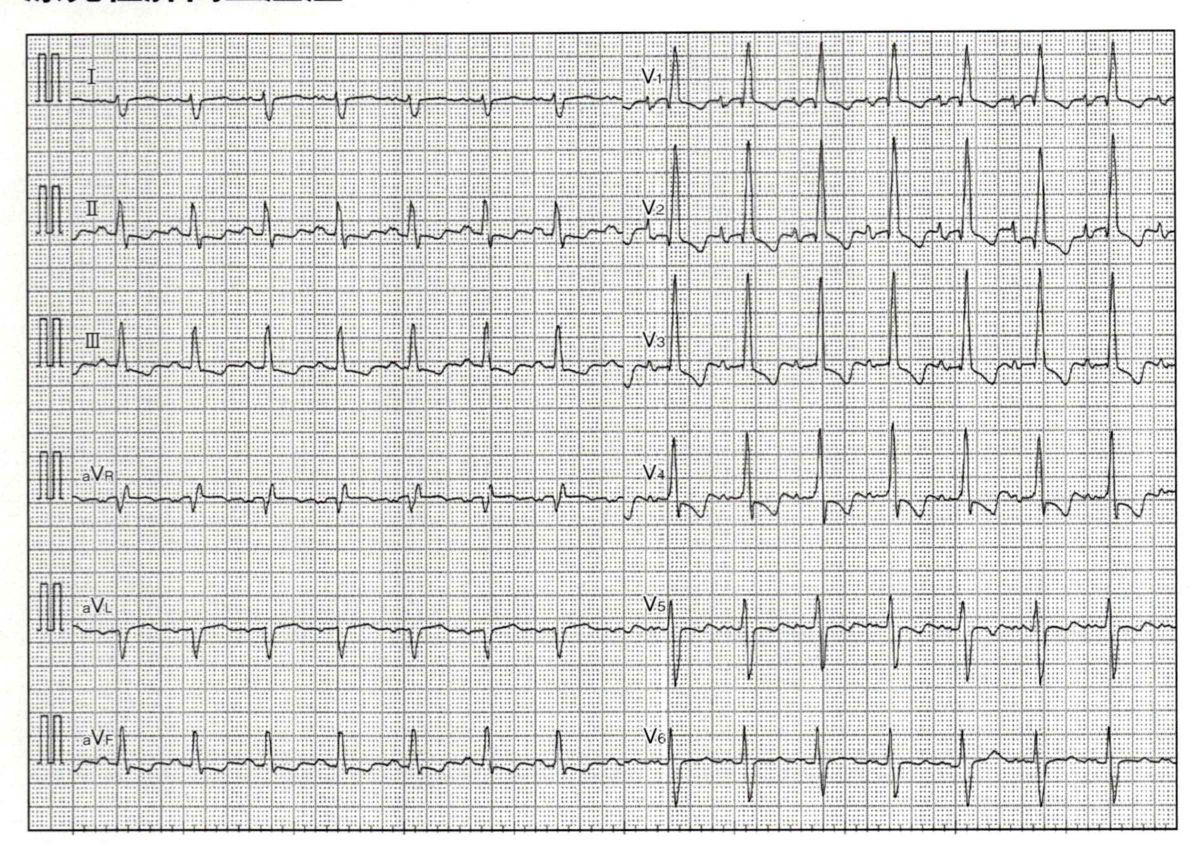

ここをCheck ！

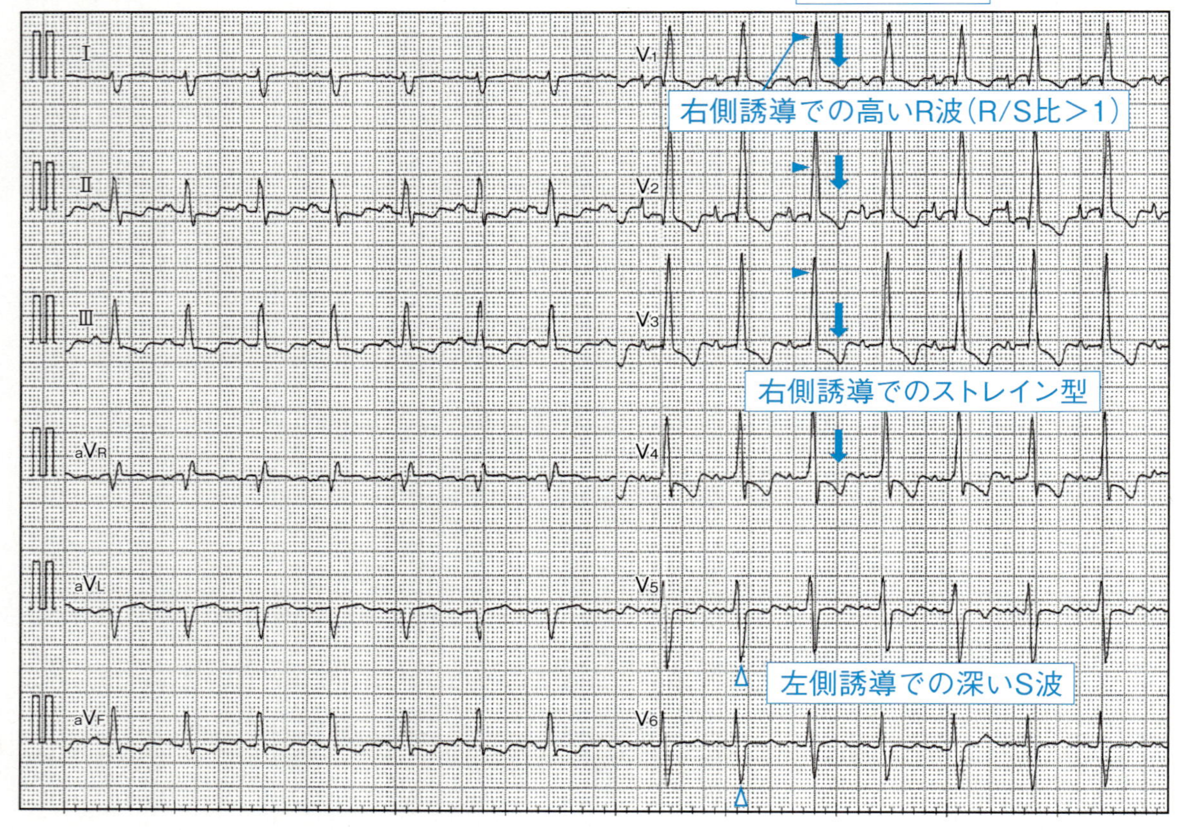

着目すべき心電図所見

リズム：洞調律　**軸偏位**：右軸偏位　**QRS 波**：右脚ブロック。V_1〜V_3誘導の高いR波(R/S比＞1)(▲)。V_5・V_6誘導の深いS波(△)　**ST-T 部分**：V_1〜V_4誘導のストレイン型(⬆)

判読のポイント

- 右側胸部誘導で高いR波(R/S比＞1)とストレイン型のST-T変化が認められる。左側胸部誘導に深いS波があることから、右室肥大をきたしていると考えられる。
- 本症例では右軸偏位を伴っているが、そのほか、右房負荷や右脚ブロック所見などを伴うことが多い。
- 同様の所見は二次性の肺高血圧でも認められるため、心電図以外の検査結果を含めて総合的に鑑別する必要がある。

発生のメカニズム―病態から診る

- 肺動脈圧の上昇により右心系への圧負荷がかかるため、右室肥大所見を呈する。

鑑別を要する心電図

- 肺塞栓症や僧帽弁狭窄症、慢性血栓性肺高血圧症などの右室圧負荷をきたす疾患

よくある患者背景

- 女性では60代以上の高齢者層に多い傾向がある。
- 男性では好発年齢はなく、全年齢層にほぼ均等に分布している。

8. 左室肥大　圧負荷

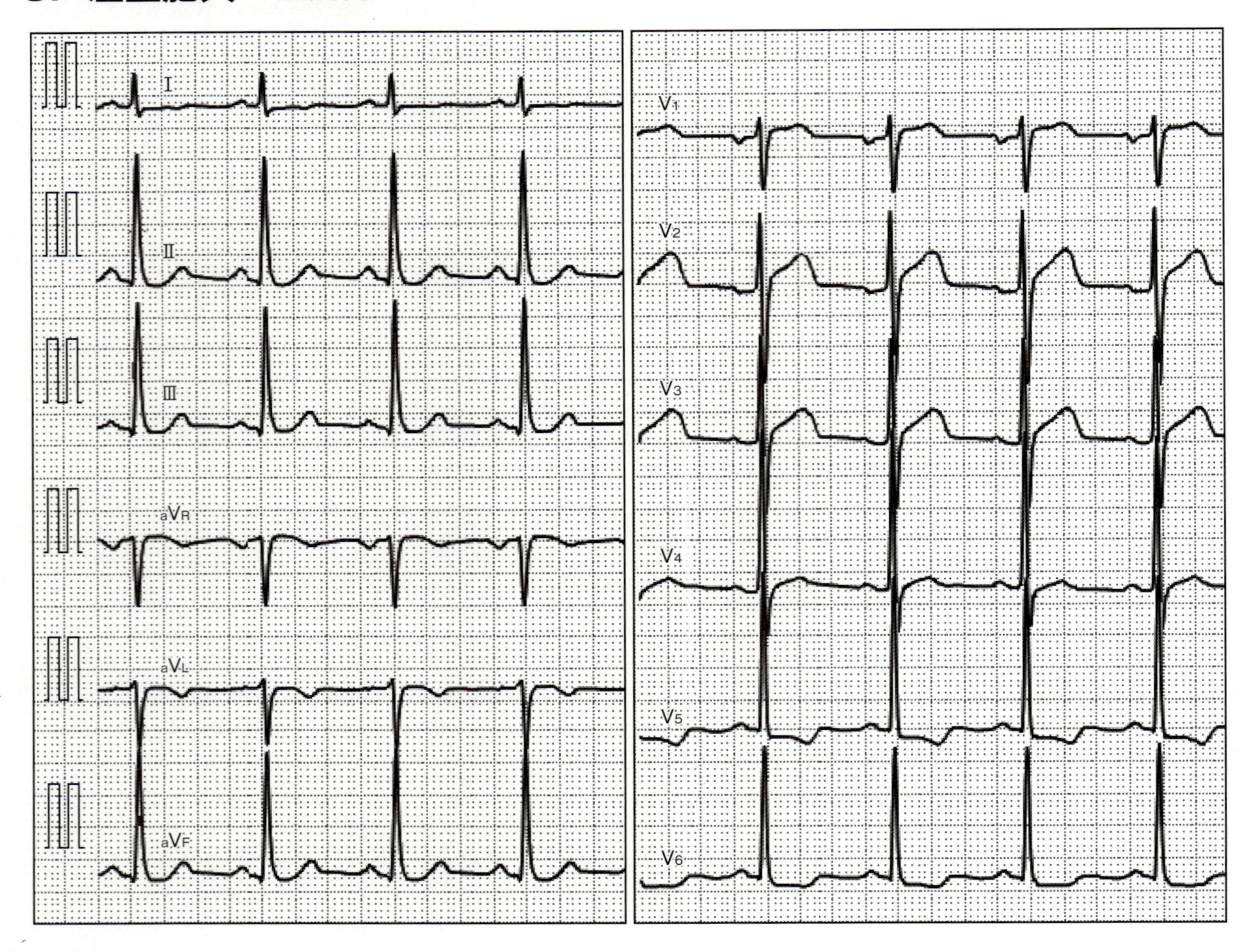

ここをCheck ！

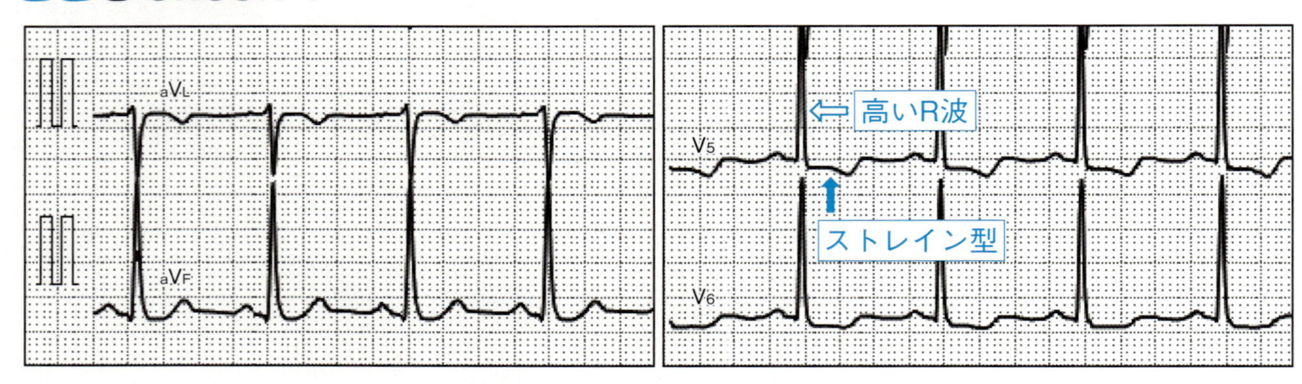

着目すべき心電図所見

リズム：洞調律　**PQ 間隔**：0.17 秒　**QRS 波**：V_5・V_6誘導の R 波増高（⇧）、RV_5＝2.5 mV、SV_1＝1.0 mV　**QRS 幅**：0.115 秒　**ST-T 部分**：V_5・V_6誘導でストレイン型（上方凸の ST 下降と非対称性の陰性 T 波）（⬆）

判読のポイント

- 左側胸部誘導（V_5・V_6誘導）で高い R 波（R/S 比 1 以上）と、ストレイン型（二次性 ST-T 変化による上方凸の ST 下降と非対称性の陰性 T 波）が見られる。また、V_1誘導で深い S 波が認められる。
- 古典的な左室高電位差の診断基準はさまざまであるが、V_5誘導の R 波の高さと V_1誘導の S 波の深さから、①RV_5＋SV_1≧3.5 mV、②RV_5≧2.6 mV の基準が用いられることが多い。
- 若年者は胸壁が薄いことから偽陽性となる可能性があるため、①RV_5＋SV_1≧4.0 mV、②RV_5≧3.0 mV などの基準にすべきとの提唱がある。
- 左室圧負荷による左室肥大では、①左室高電位差の所見に加えて、②QRS 幅の延長、③ストレイン型の ST-T 変化を伴うことが多い。
- QRS 幅は軽度延長、特に左側誘導での心室興奮到達時間（VAT：ventricular activation time）が 0.04〜0.06 秒と延長する。

発生のメカニズム―病態から診る

- 左室肥大では、左室の起電力ベクトルが左後上方に大きく偏位するため、左側誘導（Ⅰ・aV_L・V_5・V_6誘導）の R 波が増高する。一方、対側の V_1誘導では S 波が深くなる。

鑑別を要する心電図

- 左脚ブロック
- WPW 症候群 type B

よくある患者背景

- 高血圧性心疾患
- 大動脈弁狭窄症
- 肥大型心筋症

9. 左室肥大　容量負荷

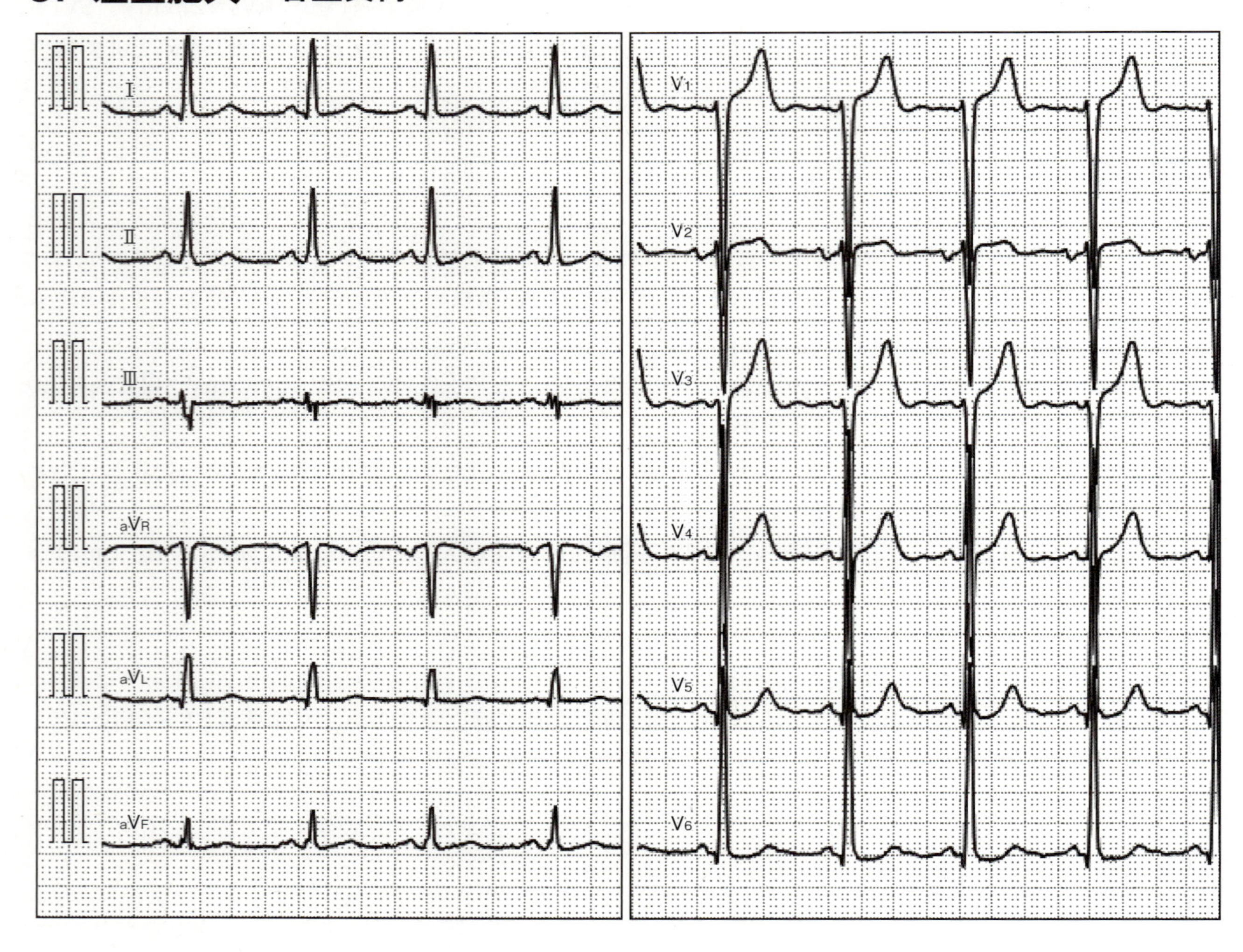

ここをCheck ！

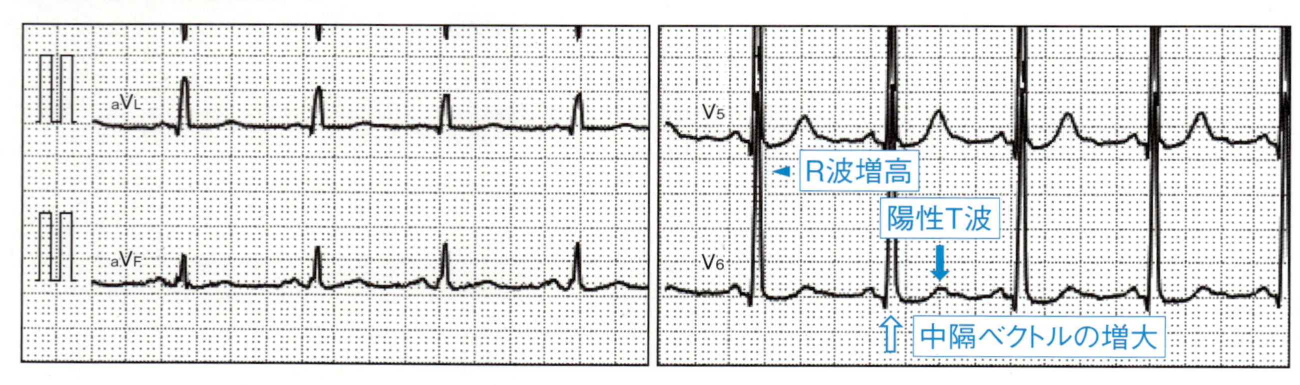

着目すべき心電図所見

リズム：洞調律　**PQ 間隔**：0.17 秒　**QRS 波**：V_5・V_6誘導の R 波増高(▲)、RV_5＝4.5 mV、SV_1＝3.0 mV、V_5・V_6誘導の q 波　**QRS 幅**：0.11 秒　**ST 部分**：高電位を示す左側胸部誘導(V_5・V_6誘導)の陽性 T 波(⬆)

判読のポイント

- 左側胸部誘導(V_5・V_6誘導)で高い R 波(R/S 比 1 以上)。
- 左室高電位差の診断基準は圧負荷による左室肥大と同じ基準で、①RV_5＋SV_1≧3.5 mV、②RV_5≧2.6 mV が用いられることが多い。
- 左室圧負荷で見られるストレイン型の ST-T 変化と異なり、左室容量負荷では V_5・V_6誘導の T 波増高と、ST 上昇や中隔ベクトルの増大(⇧)が見られる。
- 左側誘導で、心室興奮到達時間の延長が認められる。

発生のメカニズム—病態から診る

- 左室肥大では、左室の起電力ベクトルが左後上方に大きく偏位するため、左側誘導(Ⅰ・aV_L・V_5・V_6誘導)の R 波が増高する。一方、対側の V_1誘導では S 波が深くなる。

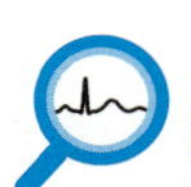

鑑別を要する心電図

- 左脚ブロック
- WPW 症候群 type B

よくある患者背景

- 大動脈弁閉鎖不全症
- 拡張型心筋症

10. 両室肥大

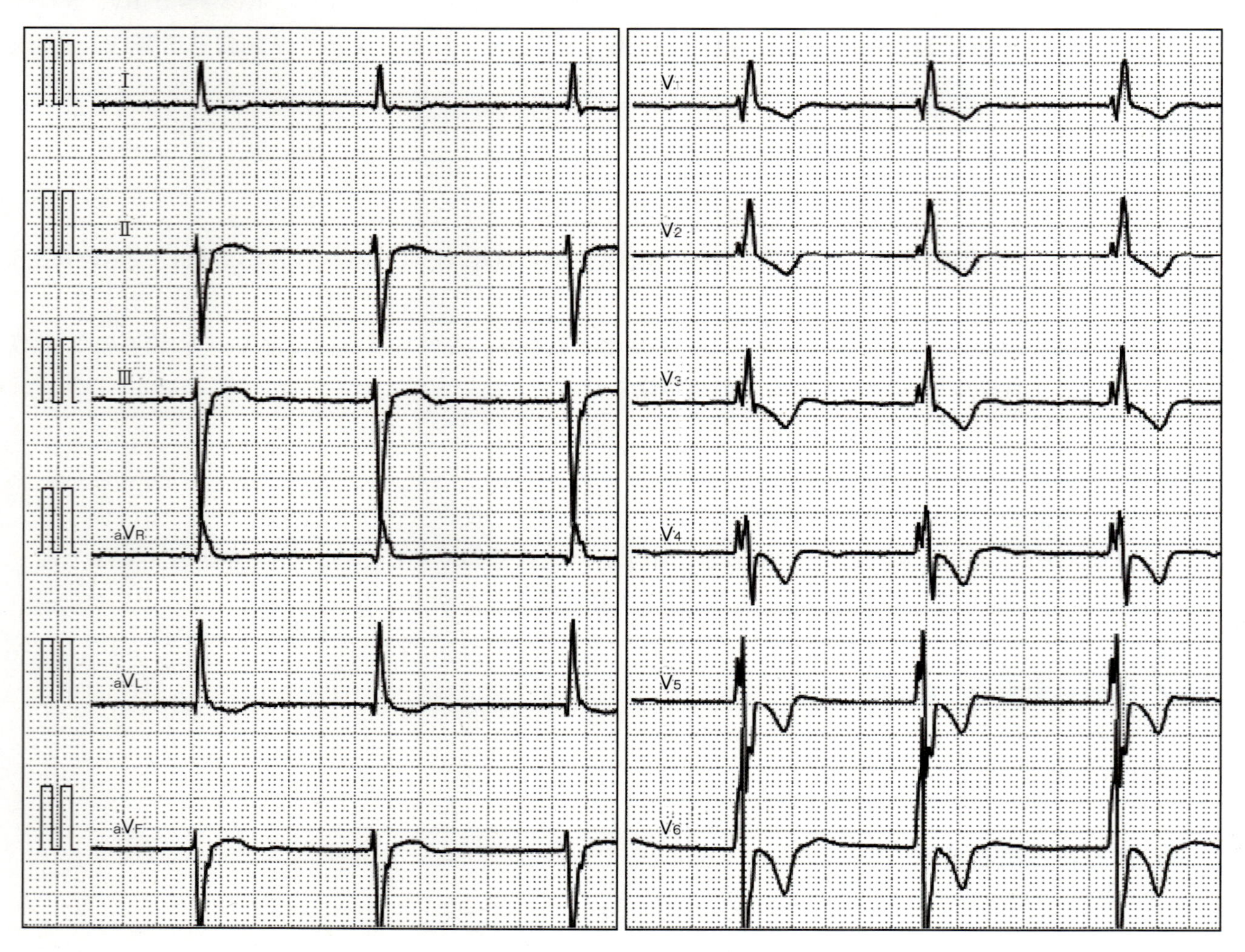

ここをCheck ！

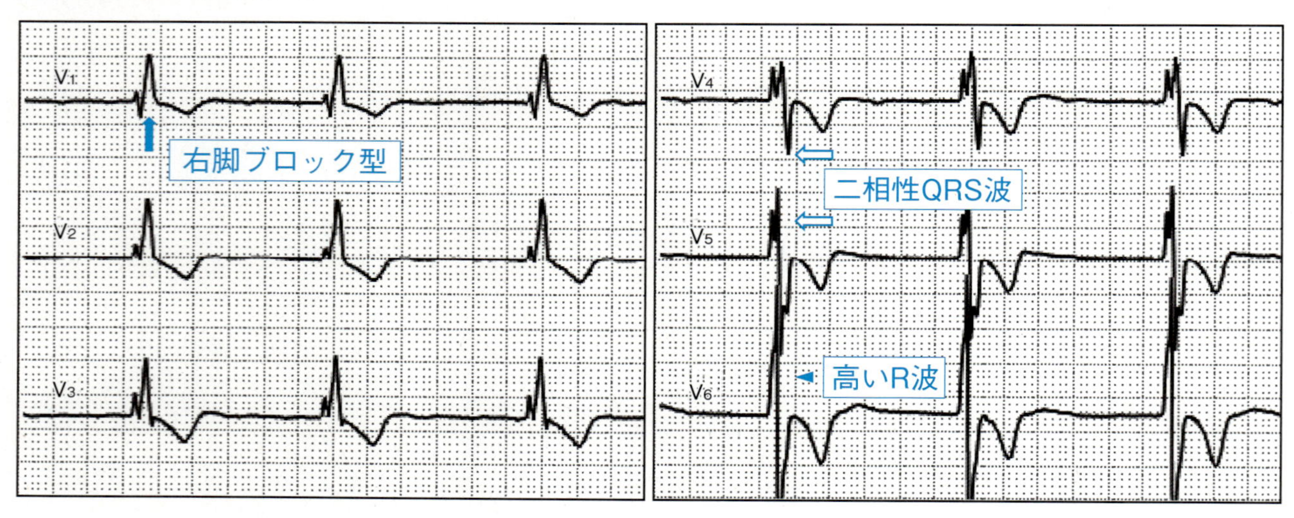

着目すべき心電図所見

リズム：洞停止または心房静止、心房細動　**心拍数**：50〜55/分　**軸偏位**：左軸偏位　**P 波**：認めず　**PQ 間隔**：計測不可　**QRS 波**：V_6誘導で高い R 波(R/S 比＞1)(▲)、V_1誘導で右脚ブロック型(⬆)、V_4・V_5誘導に二相性 QRS 波(⇧)を認める(Katz-Wachtel 現象)　**QRS 幅**：0.135 秒　**T 波**：V_1〜V_6誘導に陰性 T 波

判読のポイント

- 左室肥大所見を中心として、右室肥大所見が合併する。
- 左側胸部誘導(V_6)の高い R 波(R/S 比 1 以上)に加えて、(不完全)右脚ブロック、V_1誘導の R 波増高が見られる。
- V_4・V_5誘導に二相性 QRS 波を認める(Katz-Wachtel 現象)。

発生のメカニズム―病態から診る

- 心室中隔欠損、動脈管開存などの左→右短絡を有する左室容量負荷疾患で、短絡血流が多いと肺高血圧を合併し、右室肥大を起こして両室肥大所見を呈するようになる。

よくある患者背景

- 二次性肺高血圧を伴う心室中隔欠損症や動脈管開存症(アイゼンメンジャー症候群)

1．洞頻脈

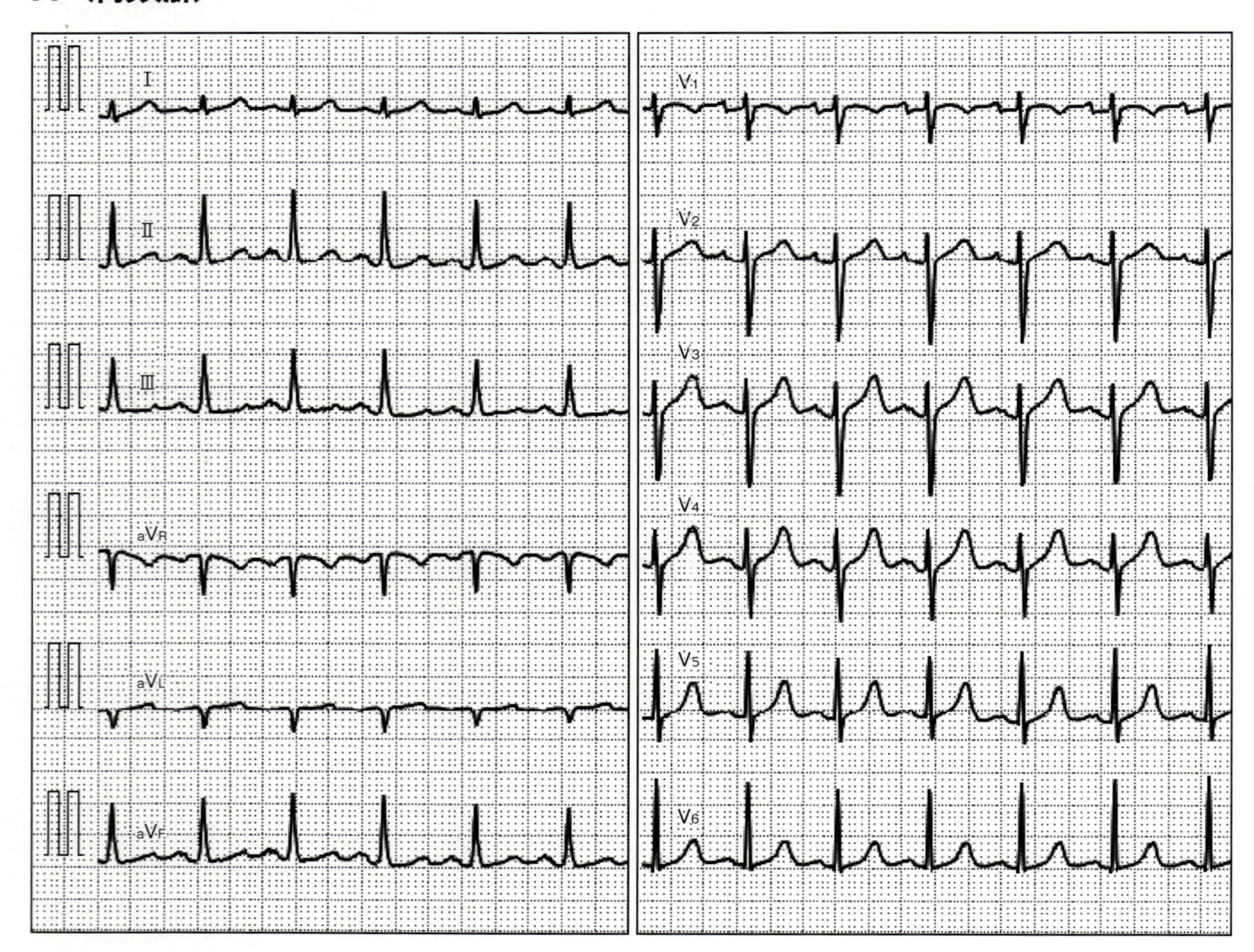

ここをCheck ！

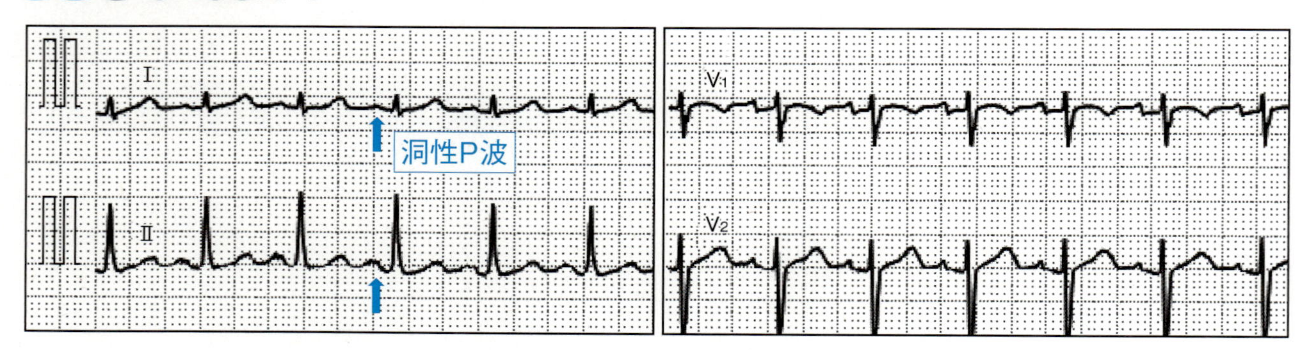

着目すべき心電図所見

リズム：洞調律　**心拍数**：110/分　**P 波**：正常。Ⅰ～Ⅲ・aVF誘導で陽性の洞性 P 波（⬆）　**PQ 間隔**：0.16 秒　**QRS 波**：正常　**QRS 幅**：0.07 秒　**ST 部分**：ST 偏位なし　**QT 間隔**：0.34 秒　**T 波**：正常

判読のポイント

- 心拍数 100/分以上で、QRS 幅の狭い規則的な頻拍である。
- Ⅰ～Ⅲ・aVF誘導で、陽性の洞性 P 波が QRS 波の前に認められる（定義上 long RP' 頻拍となる）。
- P-QRS の関係は 1：1 と一定である。

発生のメカニズム—病態から診る

- 洞結節からの刺激生成頻度が増加した状態。若年者では心拍数が 190～200/分程度まで増加することがある。
- 精神的な興奮や運動、疼痛による交感神経緊張などが原因となって生じる場合と、発熱・甲状腺機能亢進症・脱水・出血性ショックといった病態により生じる場合がある。
- カテコラミン製剤（β 刺激剤）や抗コリン薬・テオフィリン製剤のほかに、血管拡張作用を有する抗血小板薬であるシロスタゾールなどの使用により生じる場合もある。

鑑別を要する心電図

- 心房頻拍
- 洞結節リエントリー性頻拍
- 不適切洞頻脈

⇒洞頻脈では心拍が徐々に速くなり、軽快時には徐々に遅くなる。

よくある患者背景

- 若年者
- 術後や全身状態不良時

2. 呼吸性洞不整脈

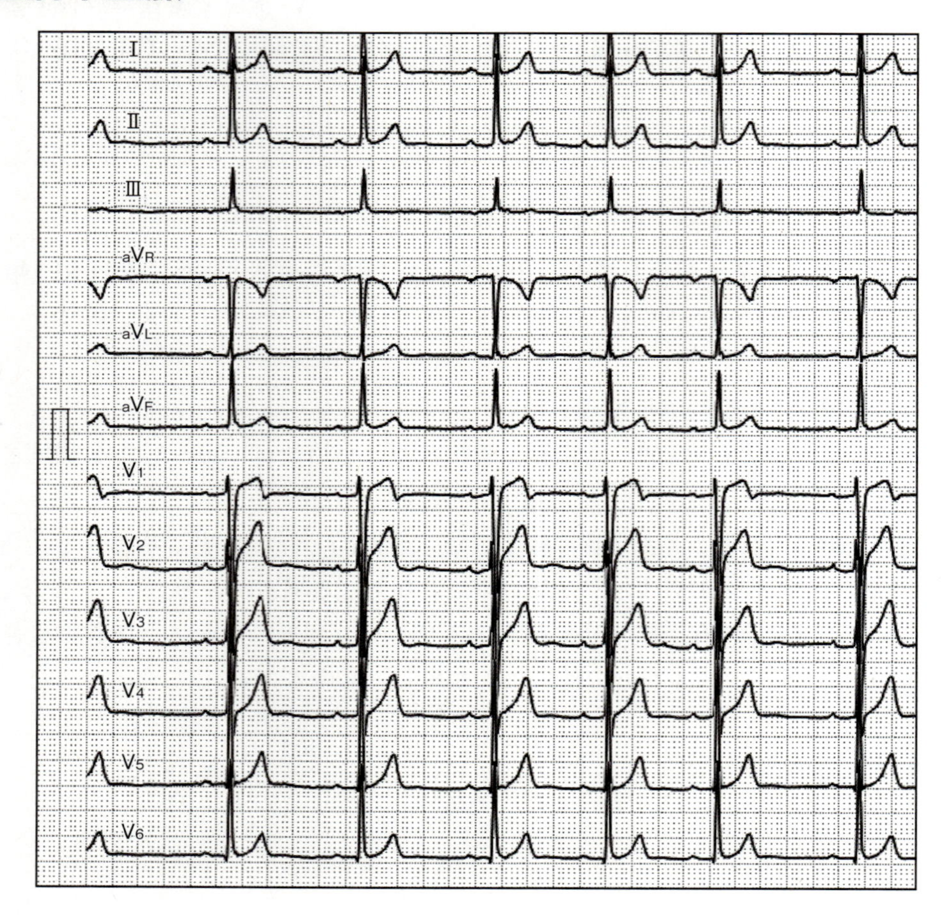

ここを Check ！

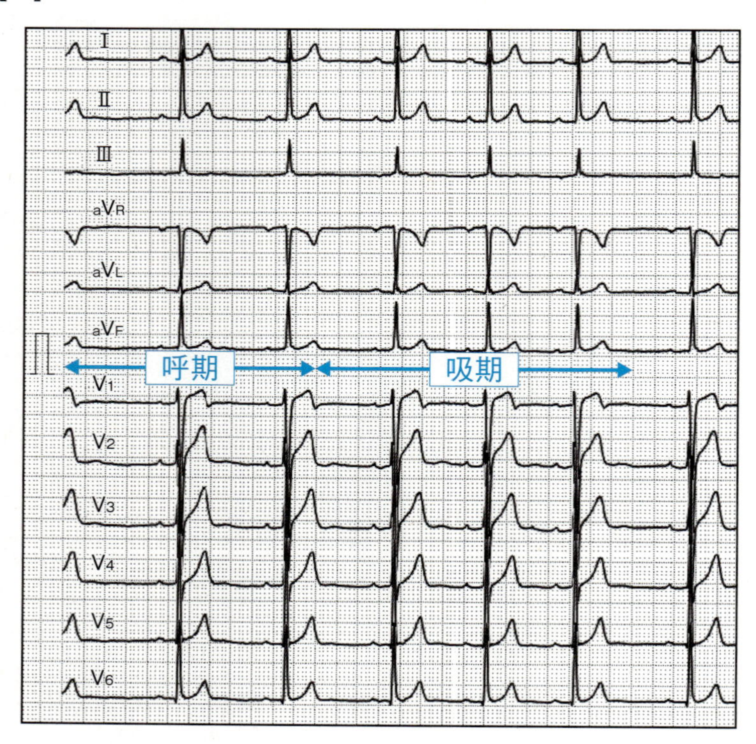

着目すべき心電図所見

リズム：洞調律　**PP 間隔**：最大 1.2 秒、最小 0.86 秒　**P 波**：正常（Ⅰ〜Ⅲ・aV_F誘導で陽性 P 波）
PQ 間隔：0.18 秒とほぼ一定　**QRS 波**：正常　**QRS 幅**：正常　**ST-T 部分**：ST 偏位なし

判読のポイント

- 洞性 P 波が呼吸の周期に伴って変動し、周期は吸期で短縮し呼期で延長する。
- PP 間隔の最大と最小の差が 0.16 秒以上ある。
- P 波の波形は一定で変化しない。

発生のメカニズム―病態から診る

- 呼吸による自律神経の変動が影響し、洞結節からの刺激生成頻度が変動したもので、呼吸性不整脈（respiratory arrhythmia）とも呼ばれる。
- 吸期の終末にかけて心拍が速まり、呼期の終末に向けて遅くなる。
- 安静時の呼吸と循環エネルギーを節約して、効率的なガス交換を実現する高次の心肺相関であることが示唆される。

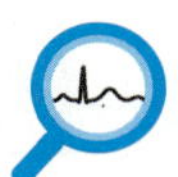

鑑別を要する心電図

- 洞房ブロック
- 洞停止
- 心房期外収縮の連発
- 移動性ペースメーカ

よくある患者背景

- 若年者によく見られる生理的な反応で、病的意義はない。

3. 非呼吸性洞不整脈

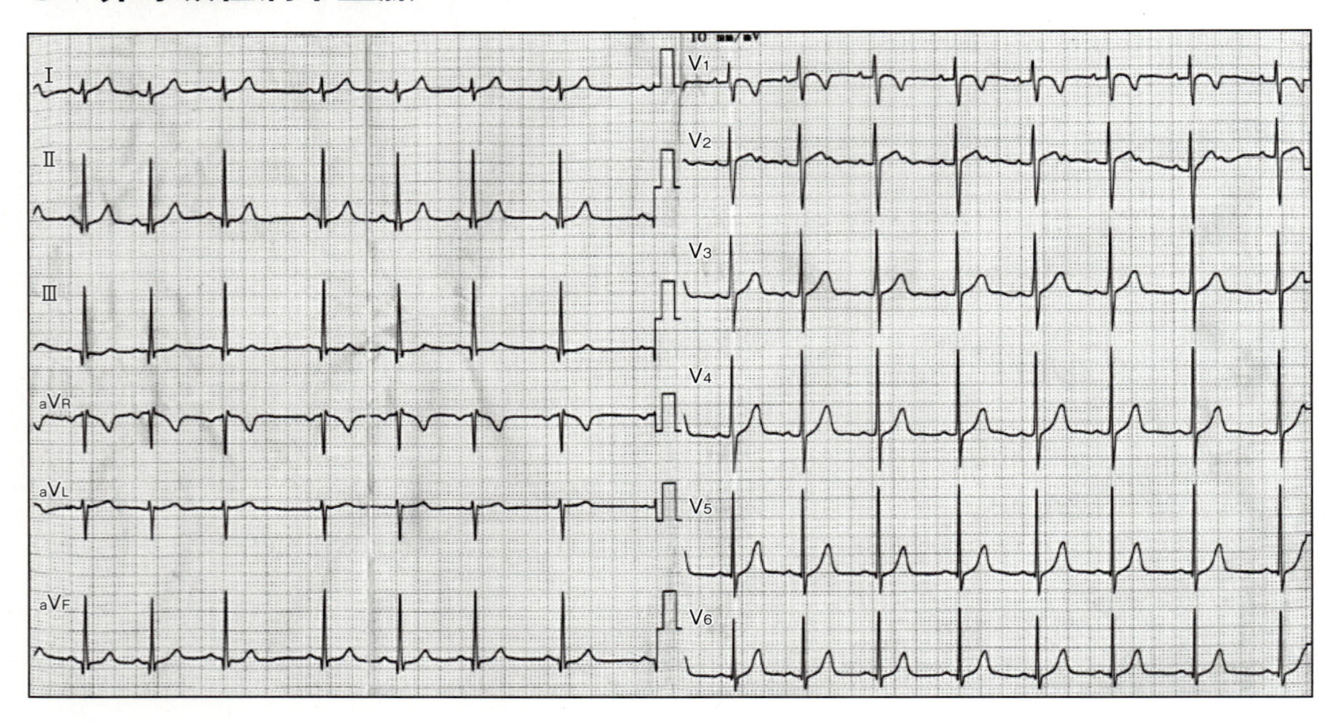

ここをCheck ！

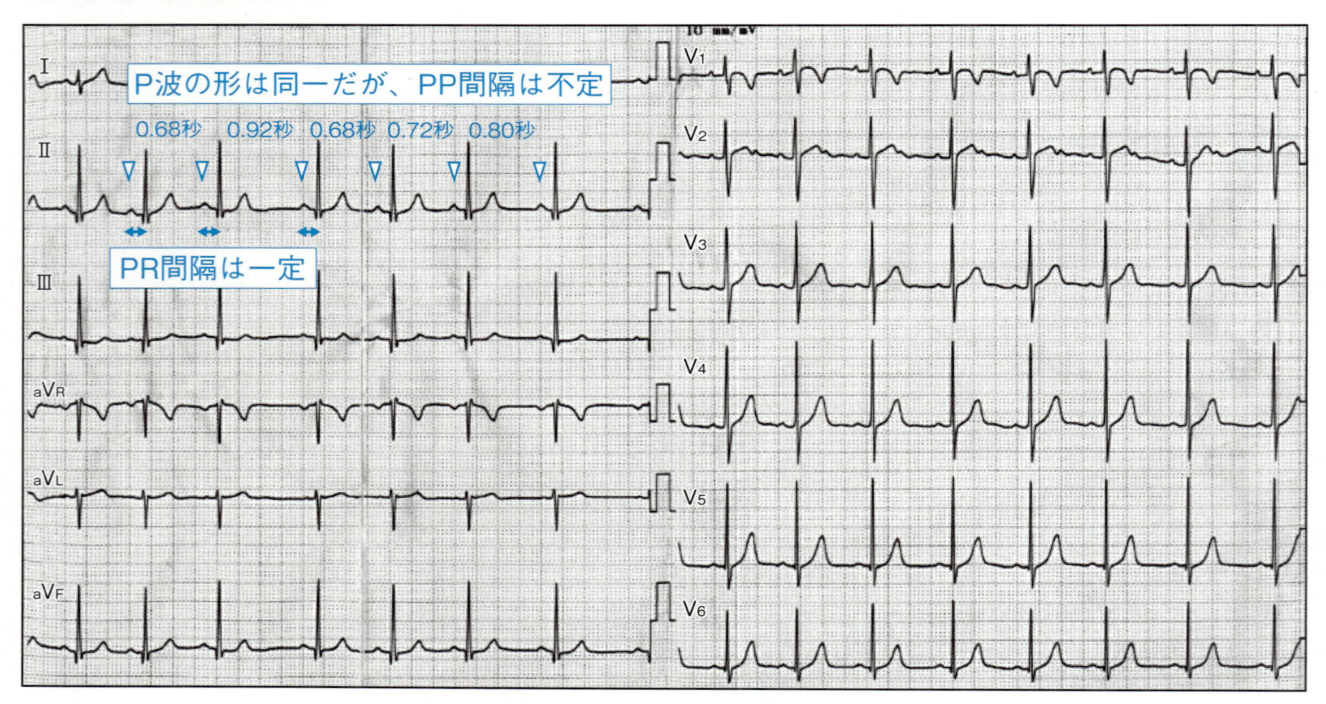

着目すべき心電図所見

リズム：不整であるが、心房細動とは異なり、P 波が明瞭である。この P 波の波形はすべて同一（△）

PP 間隔：不定で、0.12 秒以上の変動がある　**PR(PQ)間隔**：一定（⟷）　**QRS 波**：正常　**QT 間隔**：正常

判読のポイント

- 呼吸性洞不整脈と異なり、洞性 P 波の PP 間隔が呼吸と無関係に変動する。
- P 波の波形は変化しない。

発生のメカニズム―病態から診る

- 自律神経の影響を受けて、洞結節の興奮性が変化することにより生じる。

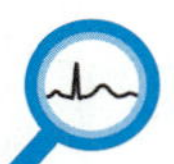

鑑別を要する心電図

- 洞房ブロック
- 洞停止
- 移動性ペースメーカ

⇒非呼吸性洞不整脈では、P 波の波形は変化しない。

よくある患者背景

- 病的意義はないことが多く、正常心、病的心のいずれでも認めうる
- ジギタリス中毒

4. 異所性心房調律　移動性ペースメーカ

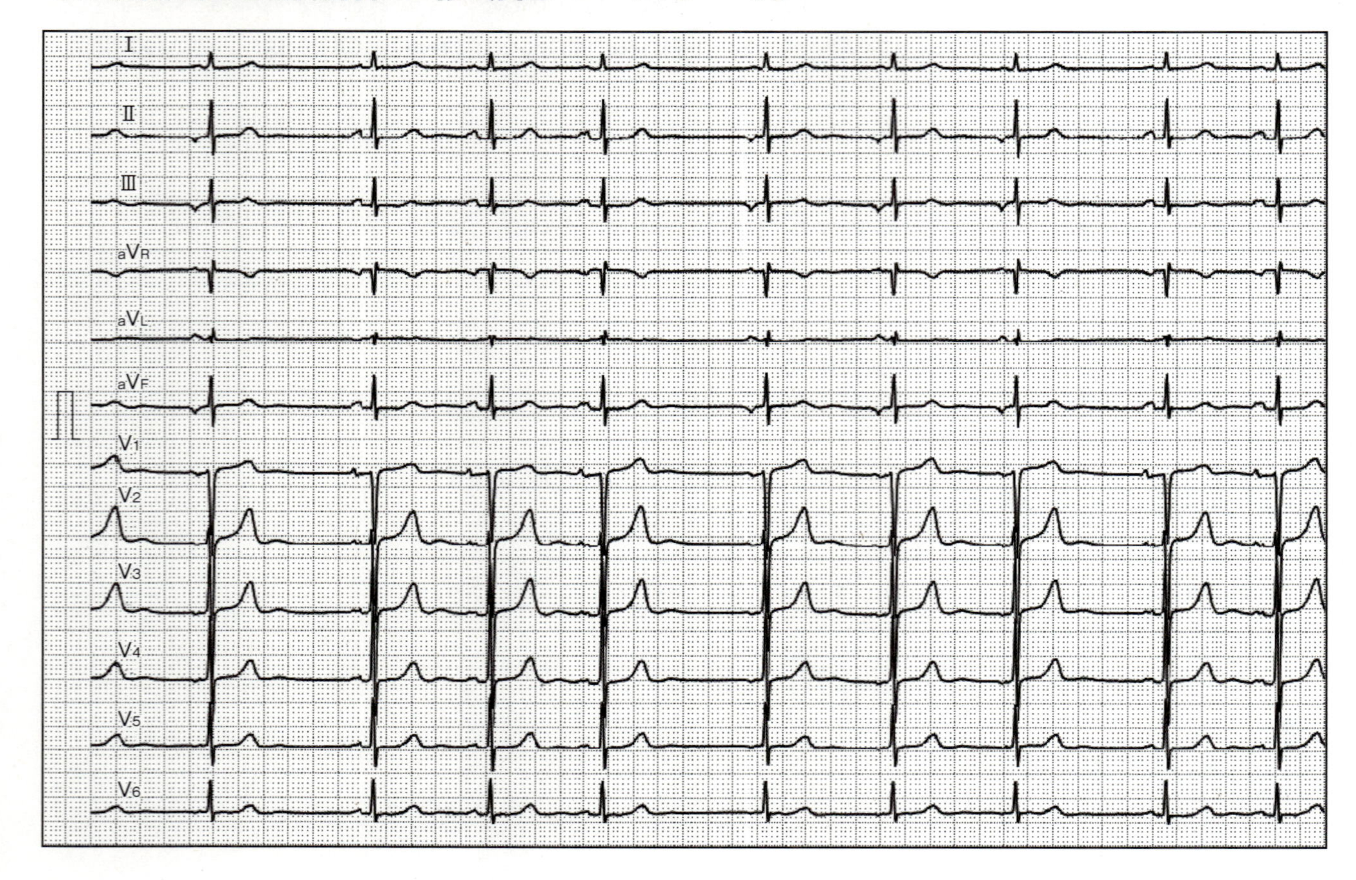

ここをCheck ！

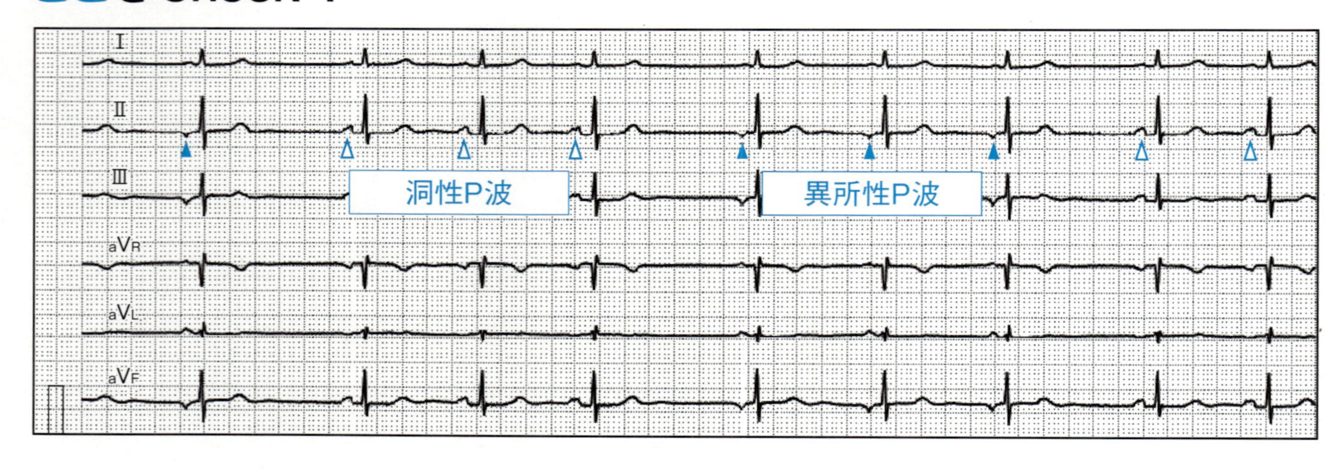

着目すべき心電図所見

リズム：2、3、4、8、9拍目は洞調律(△)、1、5、6、7拍目の心拍は異所性心房調律(▲)　**心拍数**：45～65/分と不定　**P波**：洞調律時はⅠ～Ⅲ・aVF誘導で陽性P波、異所性心房調律時はⅡ・Ⅲ・aVF誘導で陰性P波　**PQ間隔**：洞調律時0.16秒、異所性心房調律時0.12秒　**QRS波**：正常　**QRS幅**：0.08秒　**ST-T部分**：正常範囲　**T波**：正常

判読のポイント

- 正常洞調律とは異なるP波(異所性P波)が、一定期間(数拍以上)連続的に認められる。
- 心拍数は100 bpm以上の頻脈とはならない。

発生のメカニズム―病態から診る

- 移動性ペースメーカ(wandering pacemaker、pacemaker shiftとも呼ぶ)は、刺激発生部位が洞結節内で移動したり、心房のそのほかの部位へ変化したりすることで生じる。
- 迷走神経緊張や洞結節に陰性変時作用をきたす薬剤などの服用により、洞結節の自動能が抑制されて生じることが多い。
- 興奮発生部位が下位心房へ移動するほどⅡ・Ⅲ・aVF誘導のP波は陰性が顕著となり、房室結節に近づくほどPQ間隔は短縮する。

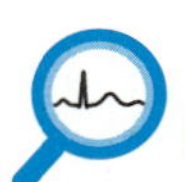

鑑別を要する心電図

- 多源性心房期外収縮
- 洞不整脈

よくある患者背景

- 健常人でも小児や若年者、アスリートなどにも生じ、病的意義は乏しい。
- 通常、血行動態に悪影響を与えることはなく、特別な治療を必要としない。
- 植込みデバイスであるペースメーカとは関係がない。

5. 異所性心房調律　左房調律（下部心房調律）

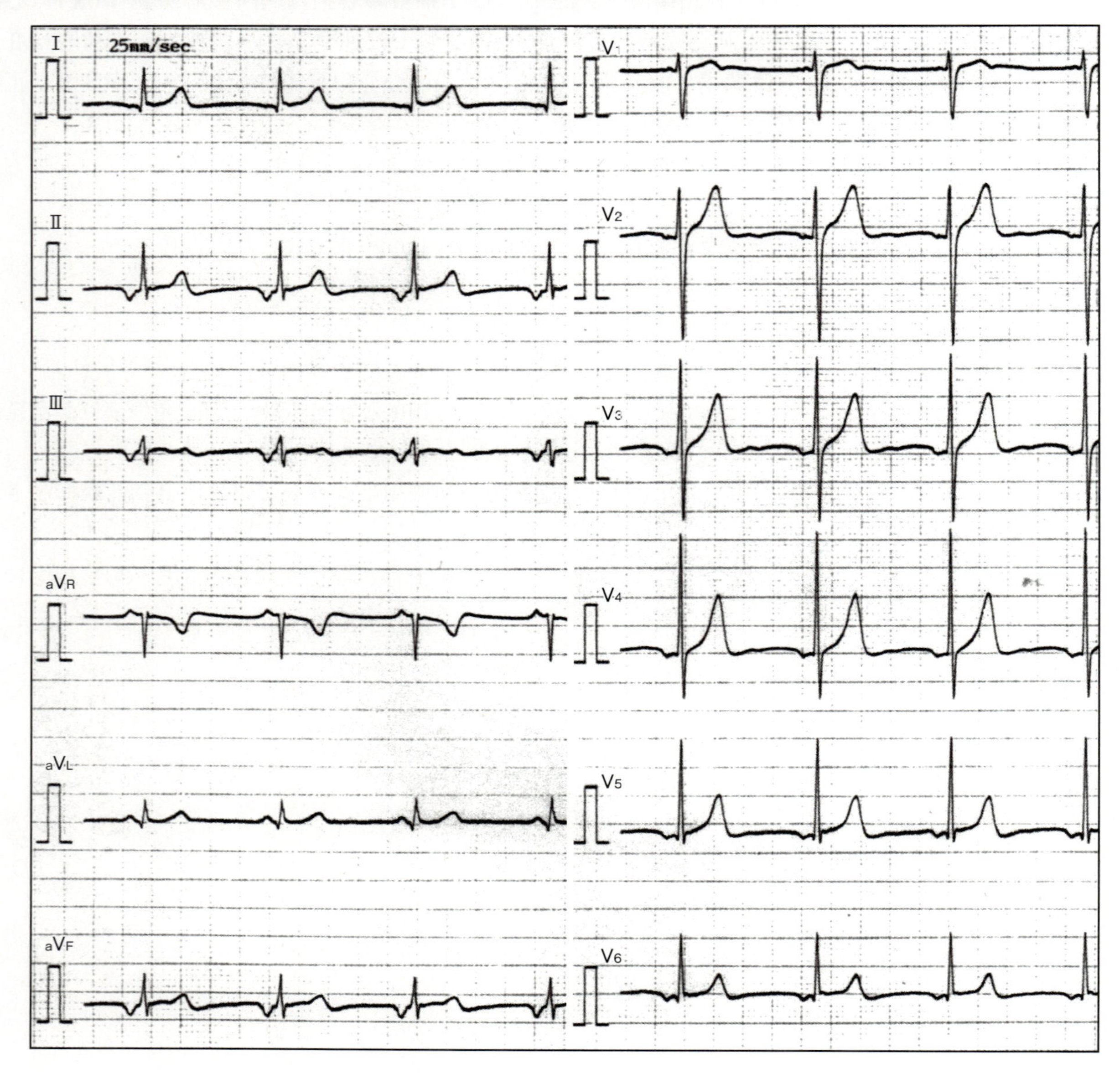

ここをCheck ！

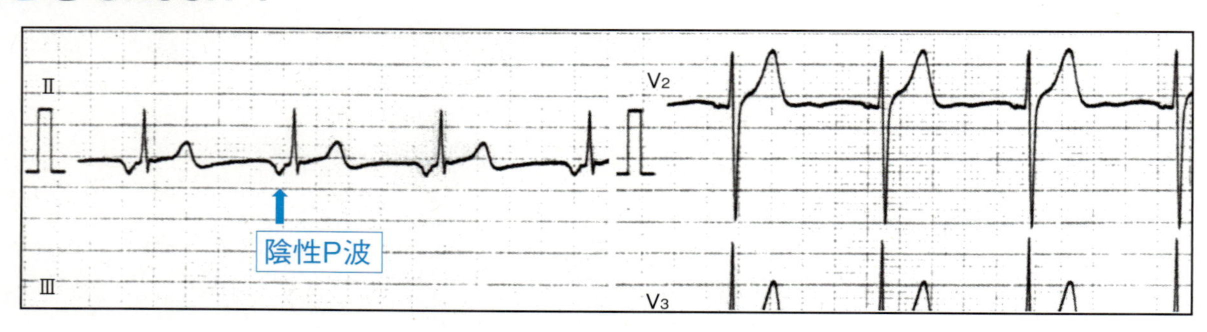

着目すべき心電図所見

リズム：左房調律　**心拍数**：70/分　**P 波**：Ⅱ・Ⅲ・aVF・V5・V6誘導で陰性 P 波（⬆）　**PQ 間隔**：0.12 秒　**QRS 波**：正常　**QRS 幅**：0.08 秒　**ST-T 部分**：正常範囲

判読のポイント

- 心拍数は正常範囲。
- 左房調律では、Ⅰ・V6誘導の P 波は陰性となることが多く、下部心房調律では、Ⅱ・Ⅲ・aVF誘導で P 波は陰性となる。

発生のメカニズム―病態から診る

- 洞結節以外の場所から調律が見られる場合を異所性心房調律(ectopic atrial rhythm)と呼ぶ。調律が見られる部位としては、左房あるいは冠静脈洞で頻度が高い。
- 冠静脈洞調律では刺激発生部位が冠静脈洞開口部近傍にあり、心房下部から興奮が生じるため、Ⅱ・Ⅲ・aVF誘導で P 波は陰性となる。
- 迷走神経緊張などにより、一過性に生じることも多い。

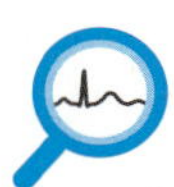

鑑別を要する心電図

- 心房頻拍
  ⇒心房頻拍では心拍数 100 bpm 以上。
- 心房補充調律
  ⇒心房補充調律では心拍数 50 bpm 以下。
- 移動性ペースメーカ

よくある患者背景

- 若年者
  ⇒長期間持続している場合でも、自覚症状を伴うことは少ない。
- まれに、左上大静脈遺残、下大静脈欠損などの先天性異常に伴う場合もある。

1．低電位差

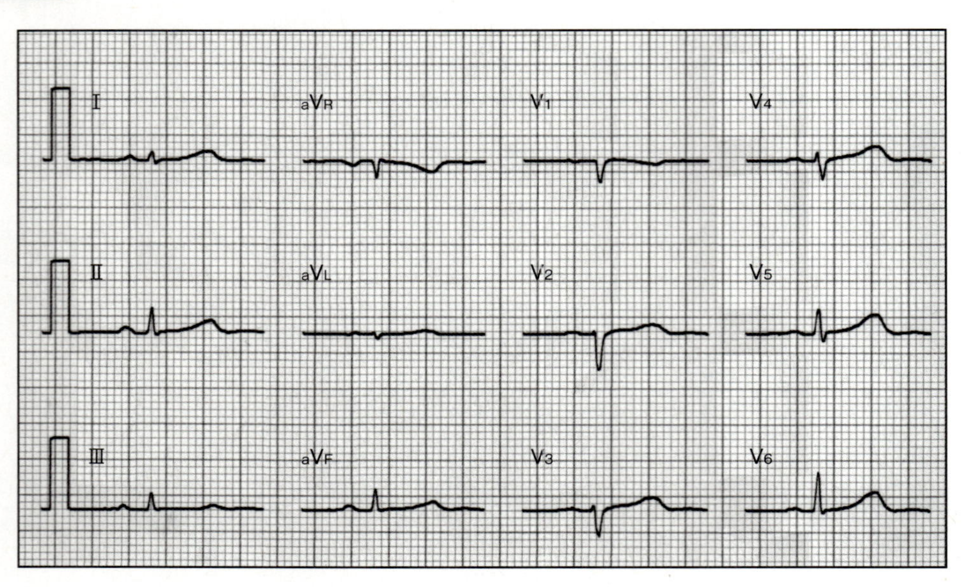

ここをCheck ！

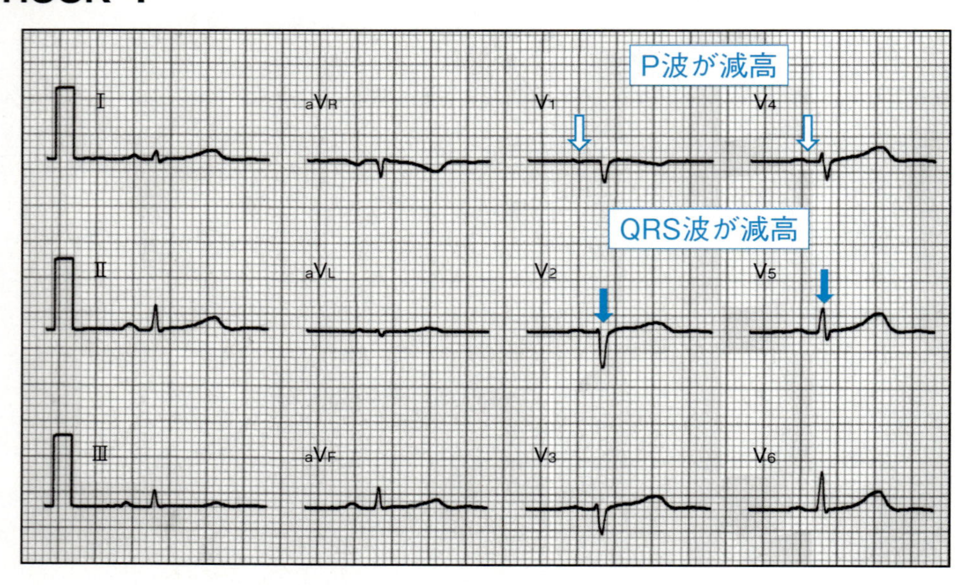

着目すべき心電図所見

リズム：正常洞調律　**P 波**：減高（⇧）　**PR(PQ)間隔**：0.15 秒　**QRS 波**：肢誘導は全誘導で振幅が 0.5 mV 以下、胸部誘導は全誘導で 1.0 mV 以下（⬆）　**ST 部分**：異常なし　**T 波**：異常なし　**QT 間隔**：0.40 秒

判読のポイント

- 全肢誘導の QRS 波の振幅が 0.5 mV 以下である。
- 全胸部誘導の QRS 波の振幅が 1.0 mV 以下である。
- QRS 波が低電位差を示す場合、P 波も減高することが多い。
- 減高した P 波が心電図の自動診断で認識されない場合がある。
- 異常 Q 波や ST 部分の変化が見逃されやすいため、注意を要する。

発生のメカニズム―病態から診る

- 低電位差は、心臓の起電力が低下した場合（心筋梗塞・急性心筋炎・心アミロイドーシス など）や、心起電力が体表電極に十分反映されない場合（心囊液貯留・肺気腫・四肢の浮腫 など）に生じる。

鑑別を要する心電図

- 広範囲の急性心筋梗塞
- 急性心筋炎（特に劇症型）
- 急性心膜炎
- 心アミロイドーシス・心ヘモクロマトーシス など

よくある患者背景

- 甲状腺機能低下症（粘液水腫心）
- 高度肺気腫
- 高度肥満
- 全身性の浮腫
- 急性心膜炎
- 急性心筋炎
- 心アミロイドーシス

2. ジギタリス効果　盆状 ST 降下

ジギタリス投与中

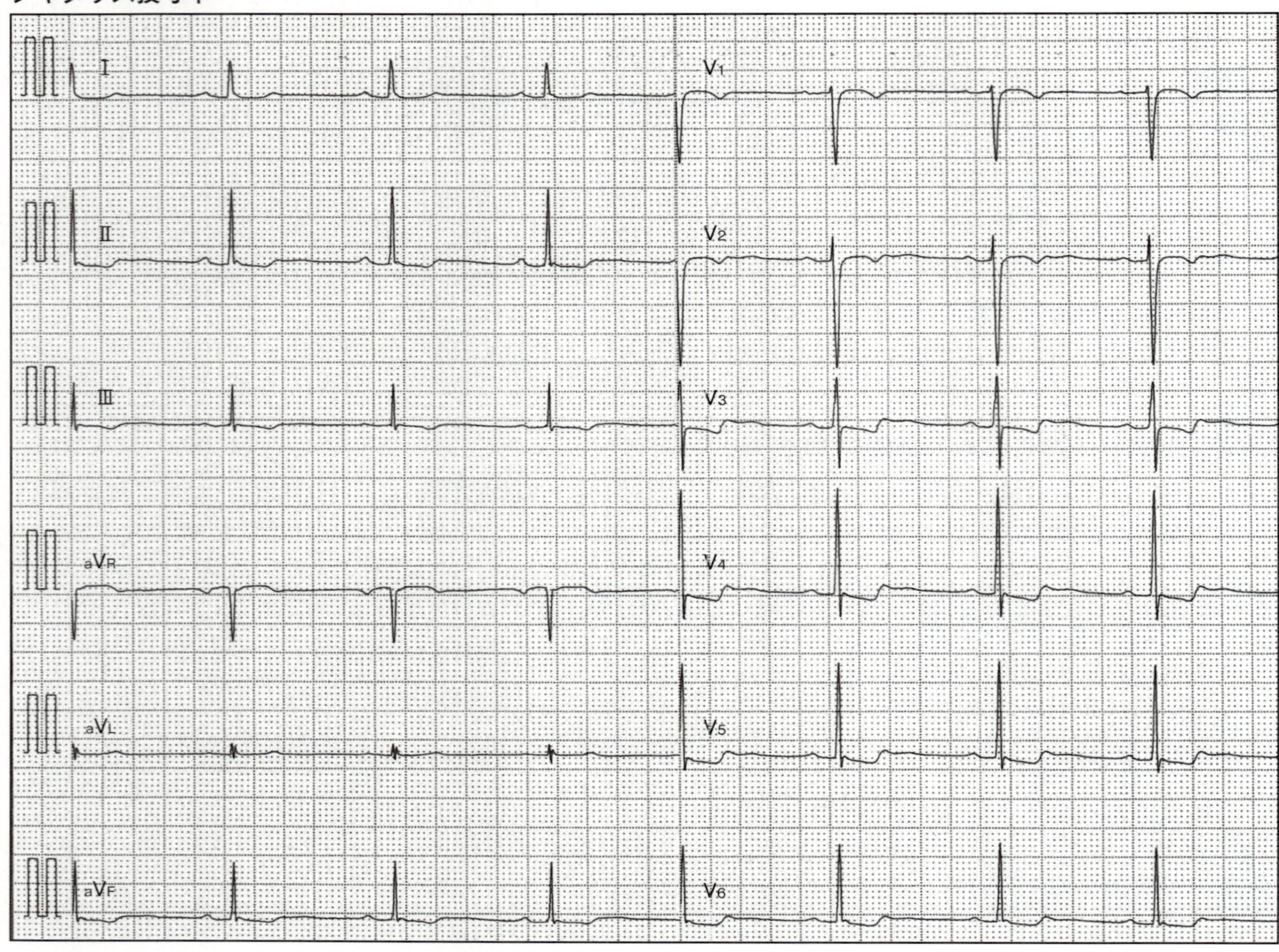

ここを Check ！

ジギタリス投与中

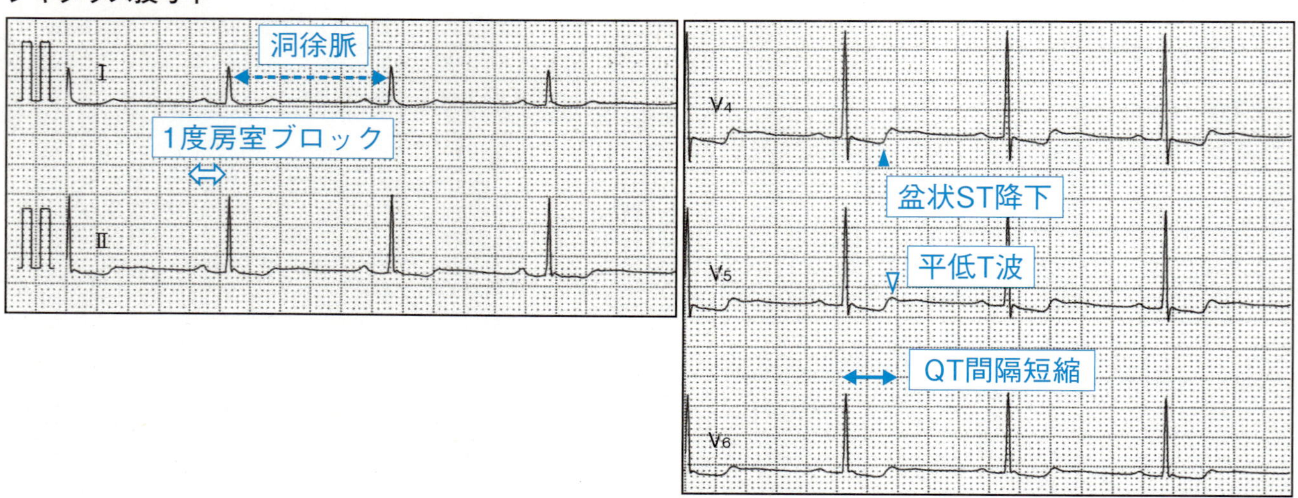

着目すべき心電図所見

リズム：洞調律　**心拍数**：56/分、整で洞徐脈(←--→)　**P 波**：正常　**PR(PQ)間隔**：0.24 秒と軽度延長〔1 度房室ブロック(⇔)〕　**QRS 波**：投与の有無によらず正常(投与中は平均電気軸が左軸化して、QRS 幅が短縮することもある)　**ST 部分**：V_3〜V_6誘導で ST 部分の盆状降下を認める(▲)　**T 波**：平低〔ST 部分の盆状降下を認める誘導では、T 波が平低化しやすい(△)〕　**QT 間隔**：0.36 秒〔補正 QT 間隔(QTc)は 0.35 秒〕と短縮傾向(⟷)

判読のポイント

- 洞徐脈傾向、1 度房室ブロック、左胸部誘導で ST 部分の盆状降下、QT 間隔の短縮を示すことが多い。

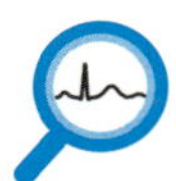

発生のメカニズム―病態から診る

- ジギタリスは心筋細胞内の Ca^{2+} 濃度を上昇させるため、活動電位の持続時間が短縮するとともに、QT 間隔も短縮する。また、副交感神経を緊張させるため、RR 間隔および PR(PQ)間隔が延長する。

鑑別を要する心電図

- 虚血性心疾患⇒虚血性心疾患では、ST 部分は水平型下降を認める。
- 左室肥大⇒左室肥大では、ST 部分でストレイン傾向を認める。
- QT 短縮症候群

よくある患者背景

- 高齢者、血清 K^+濃度が低めの患者
  ⇒ジギタリスの血中濃度が上昇しやすい。また、ジギタリスの薬理作用が増強される。

〈参考〉ジギタリス中止後

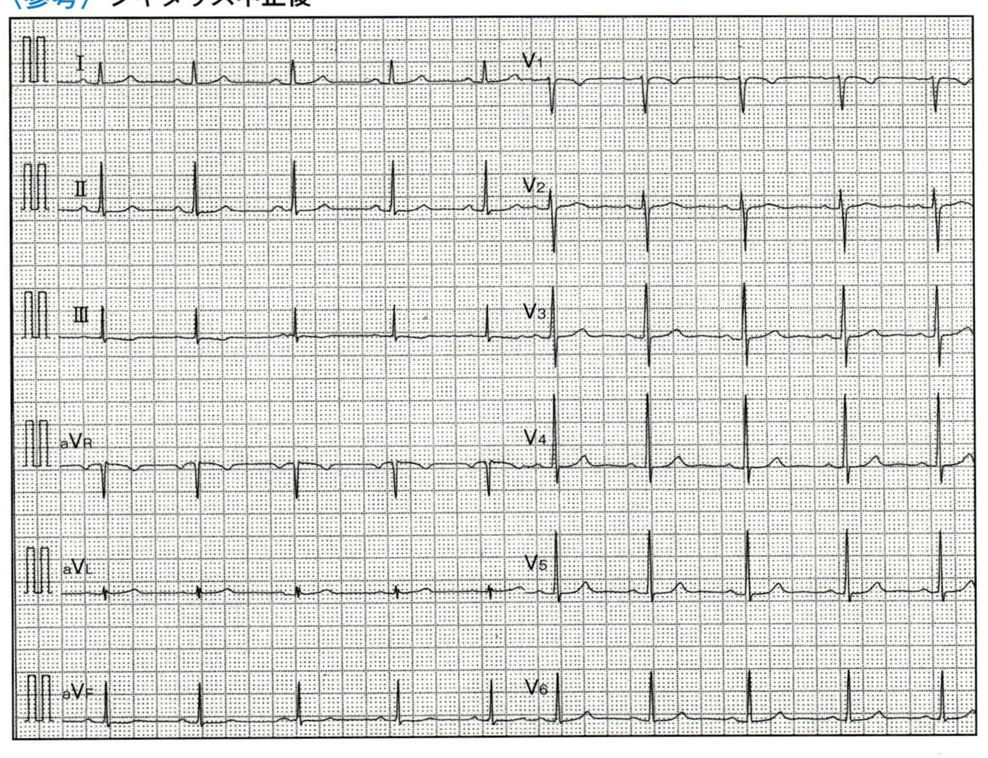

着目すべき心電図所見

リズム：洞調律　**心拍数**：70/分、整で正常洞調律　**P 波**：正常　**PR(PQ)間隔**：0.16 秒と正常　**QRS 波**：ジギタリス投与の有無によらず正常　**ST 部分**：V_3〜V_6誘導で ST 部分の盆状降下を認めない　**QT 間隔**：0.36 秒〔補正 QT 間隔(QTc)は 0.39 秒〕と正常化

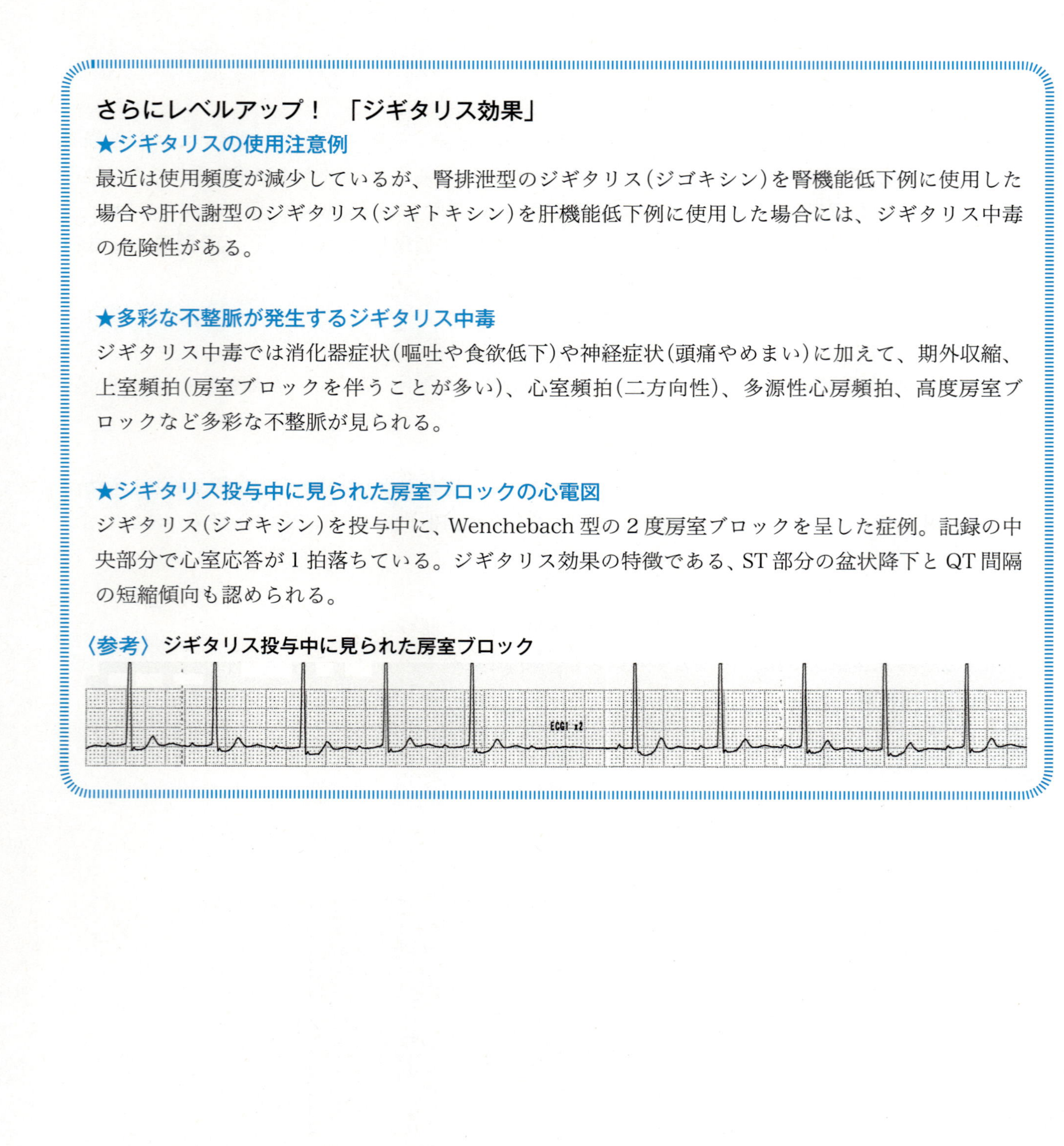

さらにレベルアップ！　「ジギタリス効果」

★ジギタリスの使用注意例

最近は使用頻度が減少しているが、腎排泄型のジギタリス（ジゴキシン）を腎機能低下例に使用した場合や肝代謝型のジギタリス（ジギトキシン）を肝機能低下例に使用した場合には、ジギタリス中毒の危険性がある。

★多彩な不整脈が発生するジギタリス中毒

ジギタリス中毒では消化器症状（嘔吐や食欲低下）や神経症状（頭痛やめまい）に加えて、期外収縮、上室頻拍（房室ブロックを伴うことが多い）、心室頻拍（二方向性）、多源性心房頻拍、高度房室ブロックなど多彩な不整脈が見られる。

★ジギタリス投与中に見られた房室ブロックの心電図

ジギタリス（ジゴキシン）を投与中に、Wenchebach 型の 2 度房室ブロックを呈した症例。記録の中央部分で心室応答が 1 拍落ちている。ジギタリス効果の特徴である、ST 部分の盆状降下と QT 間隔の短縮傾向も認められる。

〈参考〉ジギタリス投与中に見られた房室ブロック

MEMO

3. 陰性U波

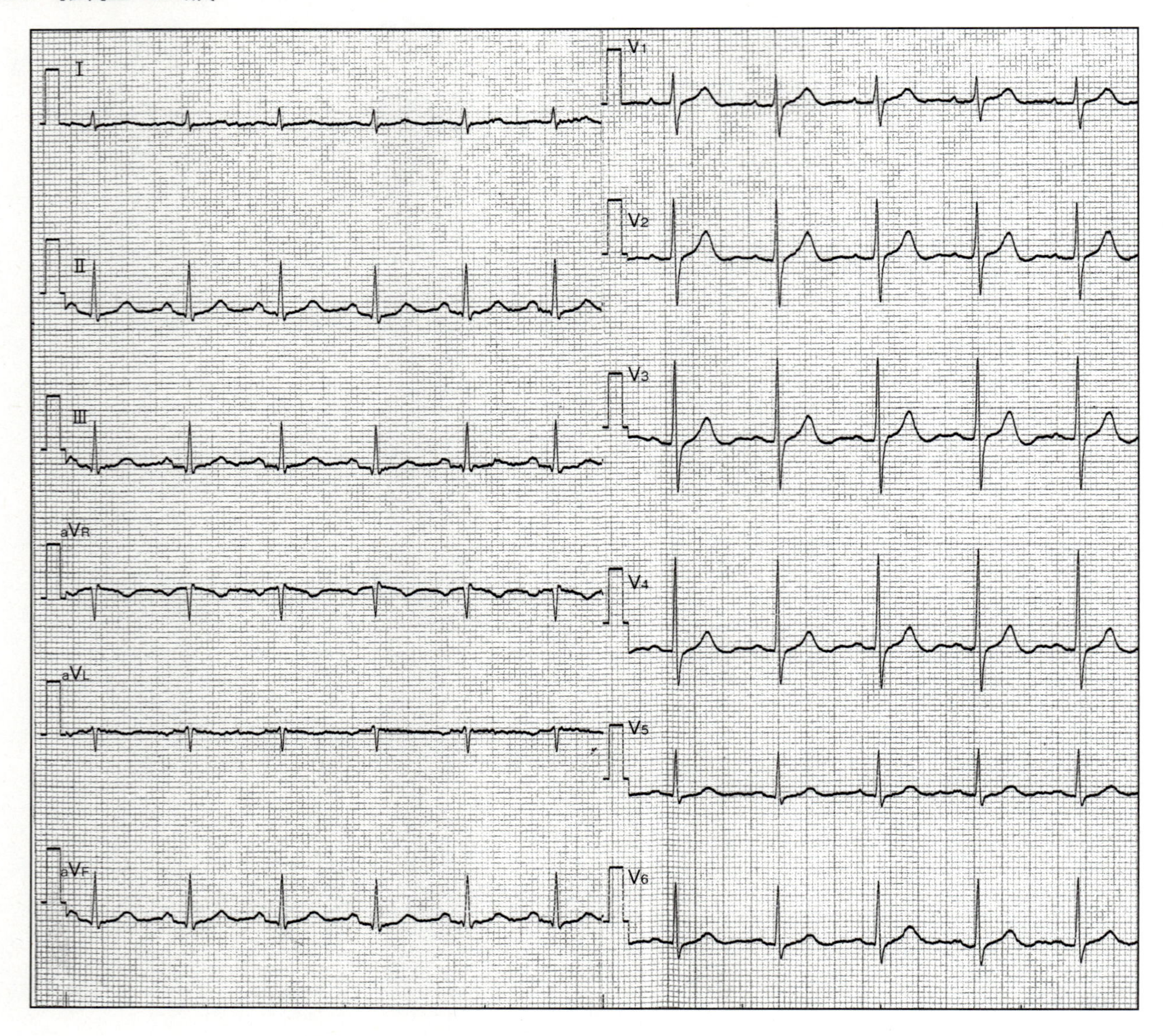

ここをCheck！

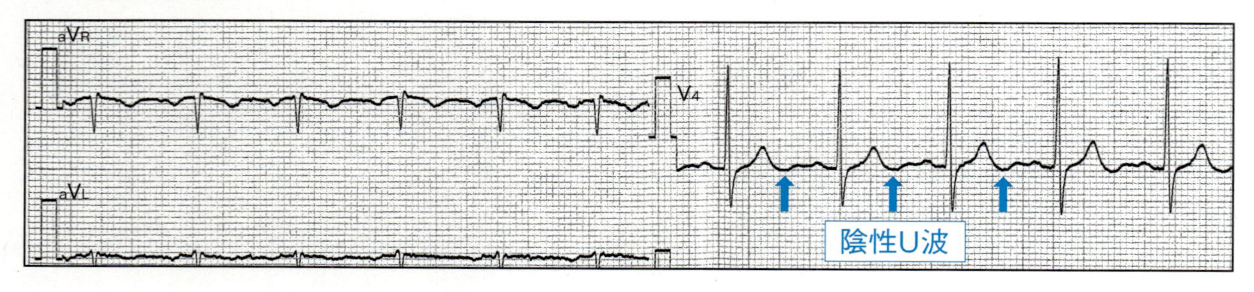

着目すべき心電図所見

リズム：正常洞調律　**心拍数**：82/分、整　**P 波**：正常　**PR(PQ)間隔**：0.17 秒　**QRS 波**：正常　**ST 部分**：正常　**T 波**：正常　**QT 間隔**：0.37 秒〔補正 QT 間隔(QTc)は 0.43 秒〕と正常　**その他**：T 波に続いて陰性 U 波を認める(⬆)

判読のポイント

- U 波は、T 波の後に続く小さな波形成分である。振幅は T 波より小さく、特に陰性 U 波は陽性の T 波の下行脚からそのまま続くために、見落とされがちである。また、後続の P 波にも重なりやすいため、注意を要する。陰性 U 波が疑われる場合は、全誘導の同じ時相を比較する必要がある。

発生のメカニズム—病態から診る

- U 波自体の成因には、Purkinje 線維の再分極説・乳頭筋の再分極説・M 細胞説など、諸説ある。

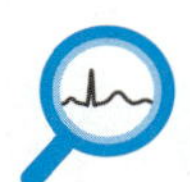

鑑別を要する心電図

- QT 延長症候群
  ⇒QT 延長症候群の二相性 T 波と、陽性 U 波を鑑別することが重要。
- 虚血性心疾患(特に異型狭心症)
  ⇒虚血性心疾患(特に異型狭心症)では T 波増高に続いて陰性 U 波が見られる場合がある。
- 肥大型心筋症
  ⇒心室に負荷がかかる病態では、陰性 U 波が認められやすい。

よくある患者背景

- 虚血性心疾患・肥大型心筋症・大動脈弁疾患など、心室に負荷がかかる病態を有する患者

さらにレベルアップ！「陽性 U 波」

★陽性 U 波の原因とよくある患者背景

陽性 U 波は、低カリウム血症・QT 延長症候群・クモ膜下出血・低体温などで認められるほか、二次性 QT 延長症候群をきたす薬剤により生じることも多い。

4. 高カリウム血症　血清 K^+ 値：8.4 mEq/L

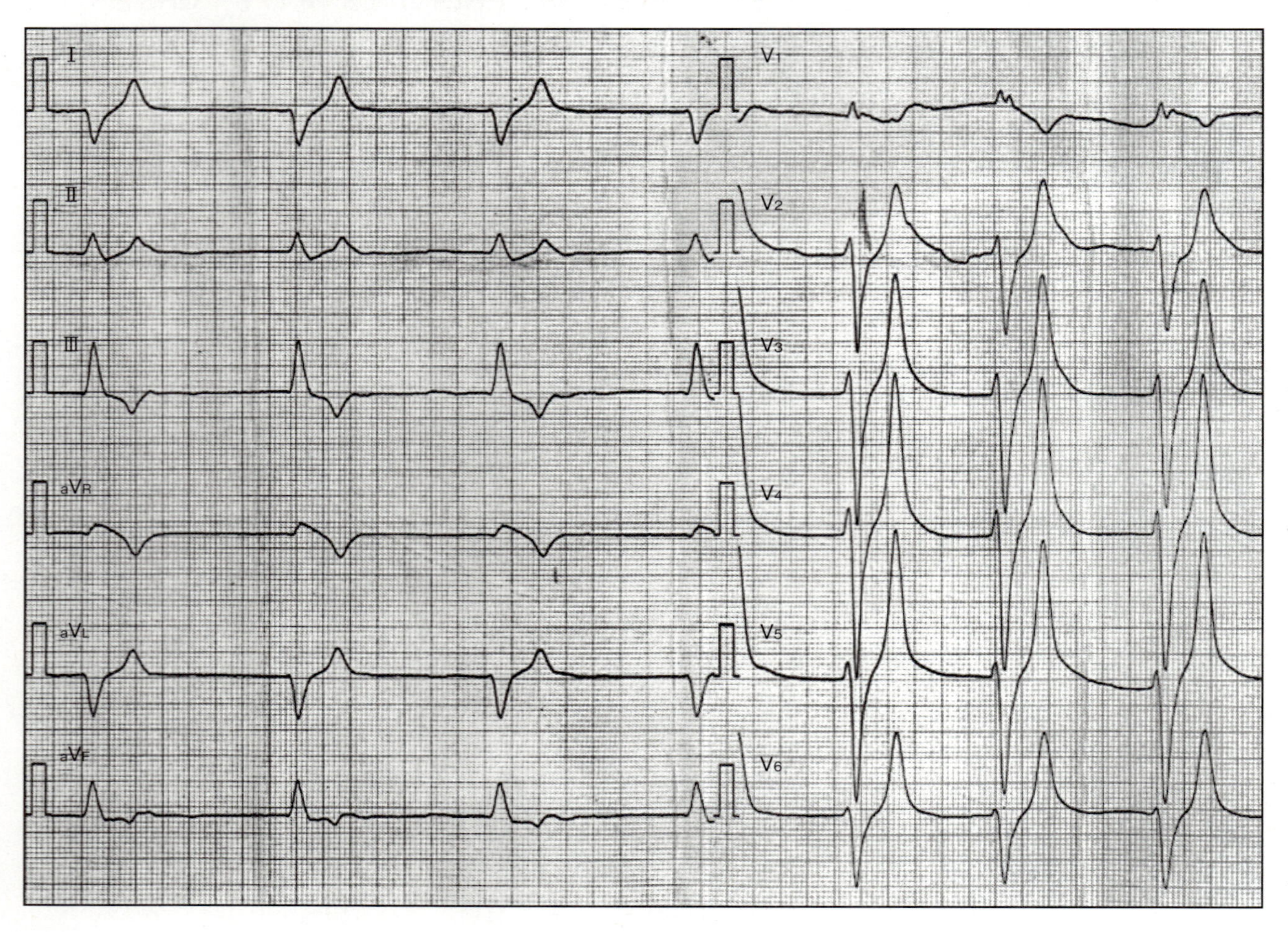

ここをCheck！

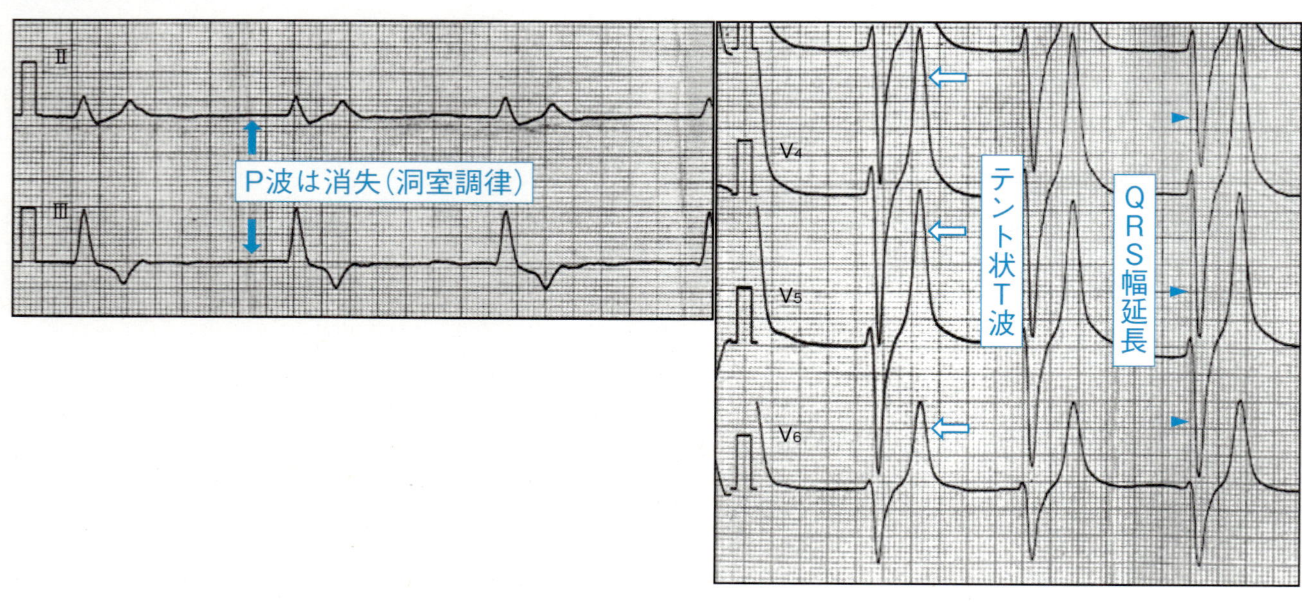

着目すべき心電図所見

リズム：洞室調律　**心拍数**：52/分、整　**P 波**：消失（⬆）　**PR（PQ）間隔**：測定不能　**QRS 波**：QRS 幅が著しく延長（▲）　**ST 部分**：QRS 幅の延長が著しければ、不明瞭となる　**T 波**：胸部誘導で著しく尖鋭化〔テント状 T 波（⇧）〕　**QT 間隔**：0.50 秒。補正 QT 間隔（QTc）は 0.41 秒　**その他**：血清 K^+ 値の上昇の程度によって、心電図変化は多様である

判読のポイント

- P 波は不明瞭化し、やがて消失する（洞室調律）。
- QRS 幅の延長を示す。
- 全誘導、特に胸部誘導で T 波の増高と尖鋭化（テント状 T 波）を示す。
- PQ 間隔は延長することもあるが、QT 間隔は正常のことが多い。

発生のメカニズム―病態から診る

- 血清 K^+ 値が上昇すると、T 波が尖鋭化して増高する（テント状 T 波）。また、心室筋の伝導が抑制されて QRS 幅が延長し、やがて心房筋の興奮も抑制されて、P 波が消失する。すなわち、洞結節から結節間伝導路を介して興奮が心室へ伝播（SV 伝導：sinoventricular conduction）する洞室調律となる。さらに K^+ 値が上昇すると、QRS 波と T 波は鑑別困難となり、サインカーブ様となって心室細動に移行する。

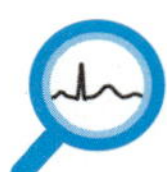

鑑別を要する心電図

- 急性心筋梗塞
- 異型狭心症
- 急性心筋炎

よくある患者背景

- 腎機能が低下して無尿や乏尿となった患者
- K^+ 保持性利尿剤を服用している患者

5. 低カリウム血症　血清 K⁺ 値：2.6 mEq/L

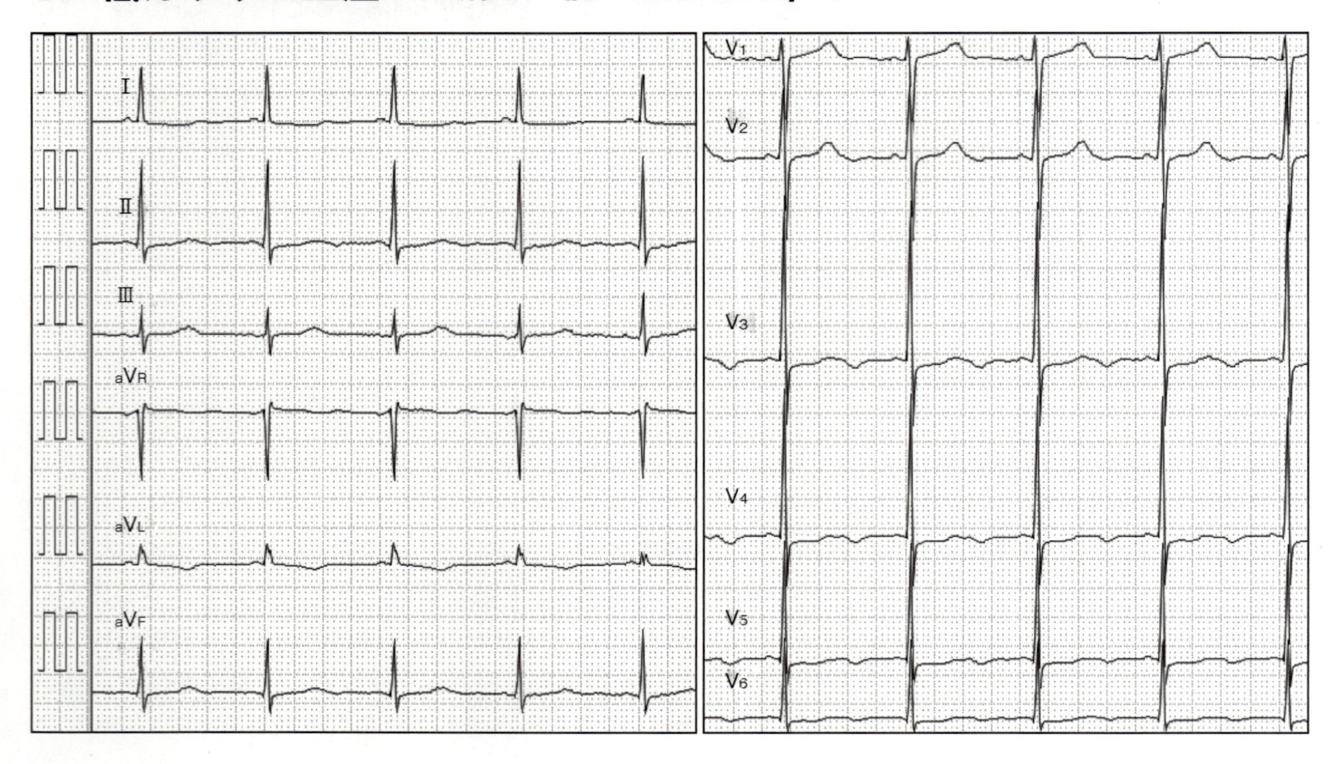

ここを Check ！

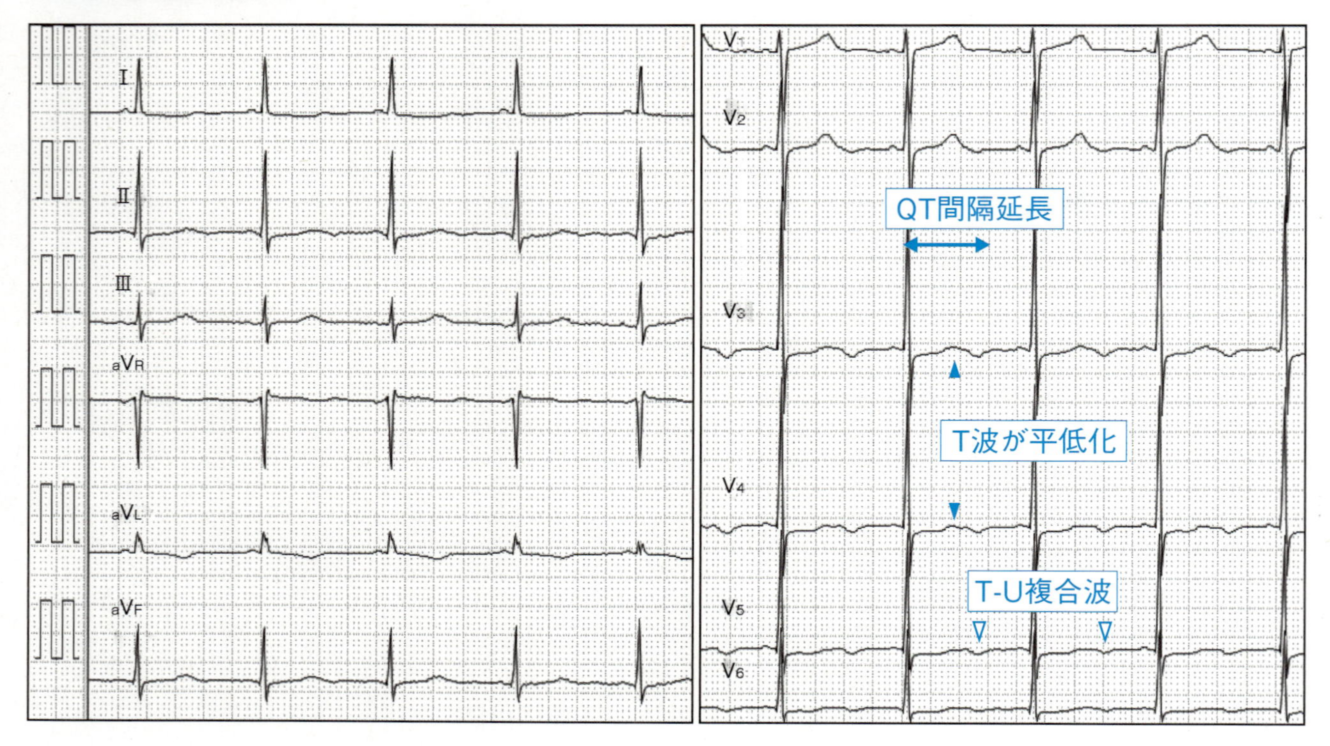

着目すべき心電図所見

リズム：正常洞調律　**心拍数**：68/分、整　**P 波**：正常　**PR(PQ)間隔**：0.12 秒　**QRS 波**：正常　**ST 部分**：胸部誘導(V_3〜V_6誘導)で ST 部分の下降　**T 波**：全誘導で T 波の平低化を認める(▲)　**QT 間隔**：0.54 秒〔補正 QT 間隔(QTc)は 0.58 秒〕と延長(⟷)　**その他**：V_4〜V_5誘導で U 波が出現し、T-U 複合波(△)を作る

判読のポイント

- T 波は平低化や陰性化を示す。
- QT 間隔の延長〔補正 QT 間隔(QTc)＞0.44(女性は 0.46)秒〕を示す。

発生のメカニズム—病態から診る

- 血清 K^+ 値が低下すると、①自動能の亢進、②伝導の抑制、③不応期の不均一な延長によって、QT 間隔は延長し、U 波が増高して T-U 複合波を形成しやすくなる。重症例では、異常自動能や興奮旋回(リエントリー)による心室頻拍が生じやすく、基線を中心に QRS 波がねじれる torsade de pointes と呼ばれる特徴的な多形性心室頻拍となる。

鑑別を要する心電図

- 先天性 QT 延長症候群
- 虚血性心疾患
- 低カルシウム血症
- 薬物の副作用

よくある患者背景

- 鉱質コルチコイド作用のある甘草成分を含有する漢方薬を長期服用している高齢者
- 下痢や嘔吐をきたしている患者

さらにレベルアップ！　「低カリウム血症」

★二次性 QT 延長症候群の原因

徐脈・QT 延長作用のある薬物投与・電解質異常・脳神経疾患・心疾患などは、二次性 QT 延長症候群の原因になりやすい。これらのなかで、徐脈・抗不整脈薬(Ⅰ群薬やⅢ群薬)の過剰投与・低カリウム血症・心内膜下虚血は、日常臨床で比較的高頻度で見られるため注意を要する。

6. 高カルシウム血症　血清 Ca^{2+} 値：16.4 mg/dl

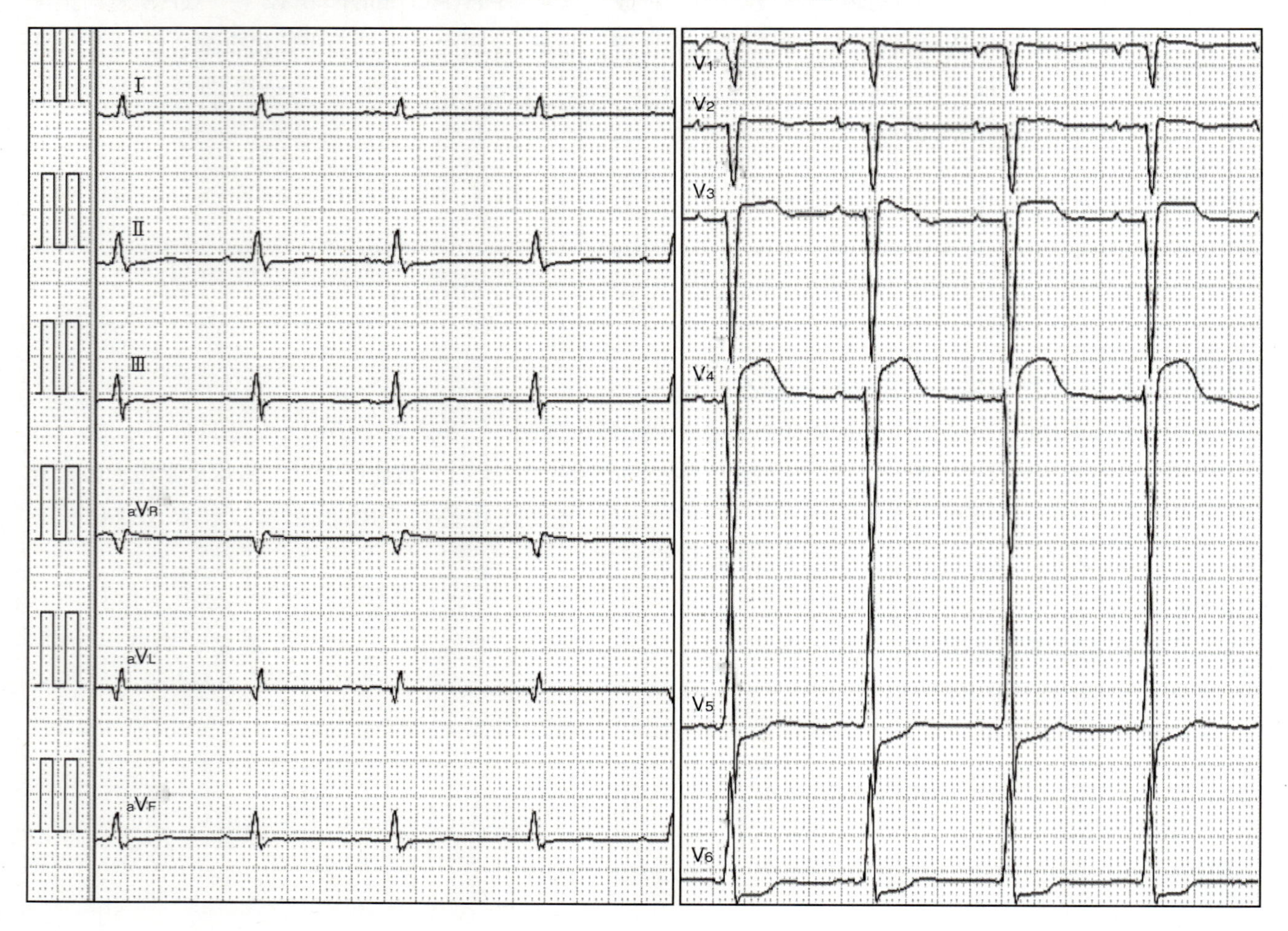

ここを Check ！

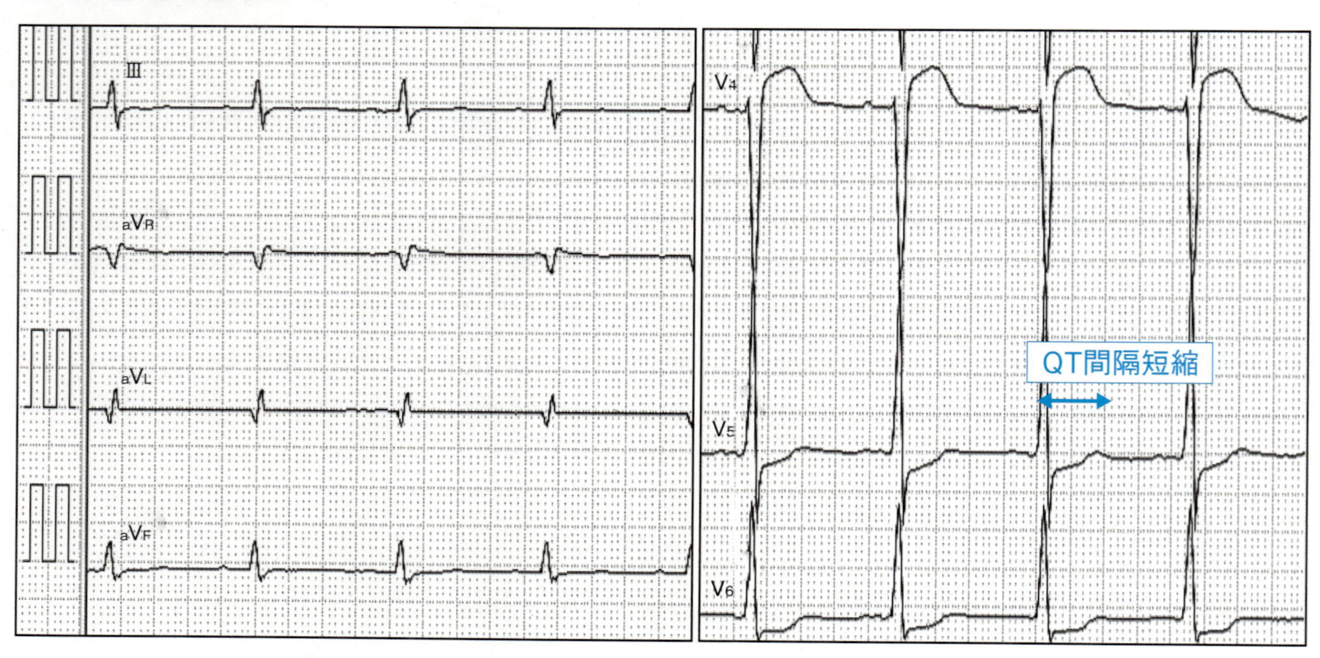

着目すべき心電図所見

リズム：正常洞調律　**心拍数**：72/分、整　**P波**：正常　**PR(PQ)間隔**：0.20秒と正常上限　**QRS波**：SV_1＝0.7 mV、RV_5＝2.3 mV　**ST部分**：本症例では下降　**T波**：肢誘導と左胸部誘導で平低化　**QT間隔**：0.38秒〔補正QT間隔(QTc)は0.39秒〕と短縮(←→)　**その他**：QT間隔の短縮に伴い、ST部分は消失する傾向にある(本症例は、多発性骨髄腫による高カルシウム血症を伴う心アミロイドーシスのため、ST部分の変動が見られる)

判読のポイント

- QT間隔の短縮を示す。
- QT間隔短縮以外の所見に比較的乏しい。

発生のメカニズム―病態から診る

- 高カルシウム血症では、活動電位持続時間がほぼ均一に短縮するために、QT間隔も比較的均一に短縮することから、QT間隔の局所的なばらつき(QT分散)が少ない。伝導は抑制傾向になり、洞徐脈や房室ブロックを呈する場合もある。

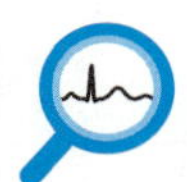

鑑別を要する心電図

- QT短縮症候群
- ジギタリス効果

よくある患者背景

- 副甲状腺機能亢進症や悪性腫瘍を有する患者。ミルクアルカリ症候群。

7. 低カルシウム血症　血清 Ca^{2+} 値：8.1 mg/dl

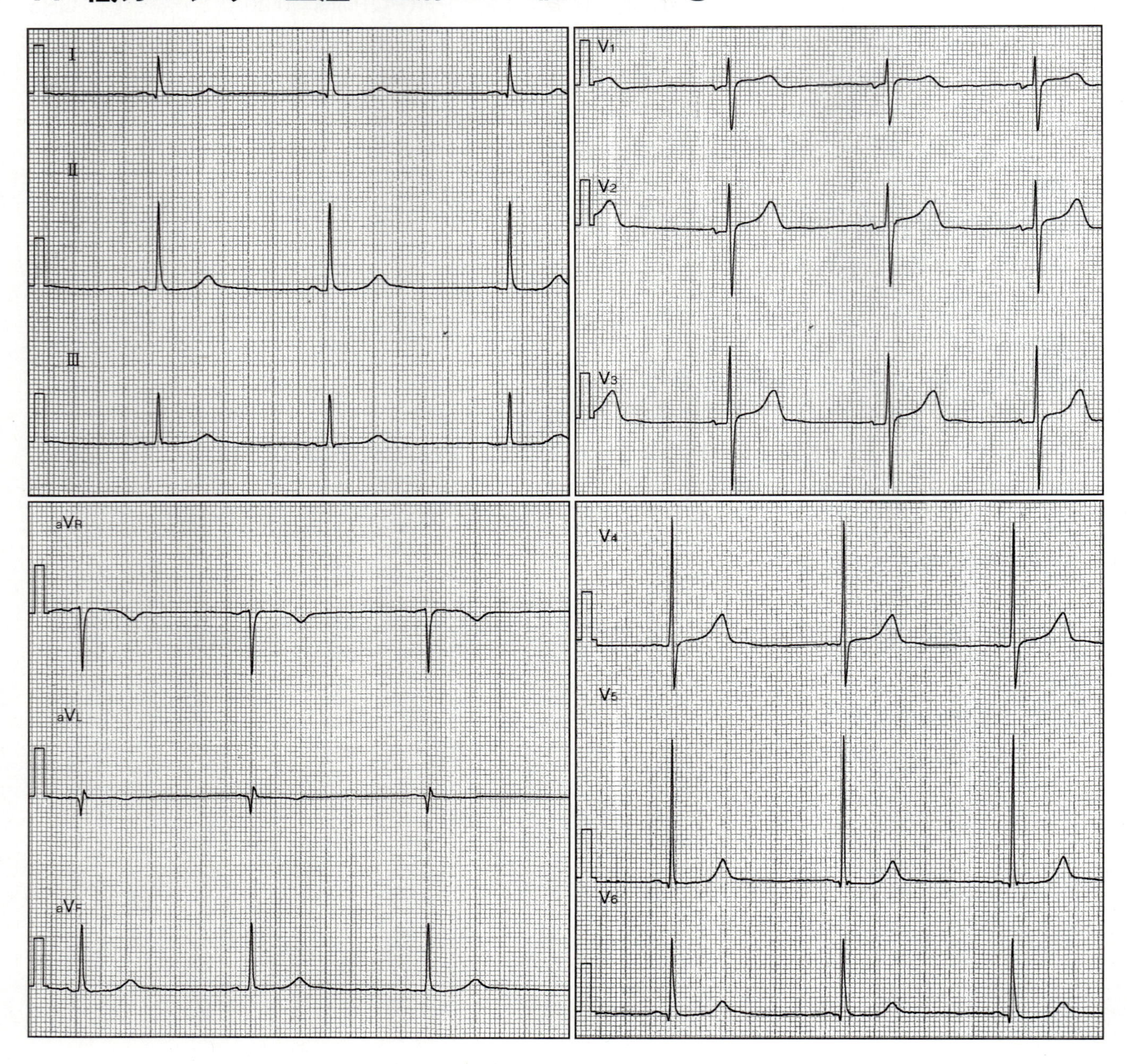

ここを Check ！

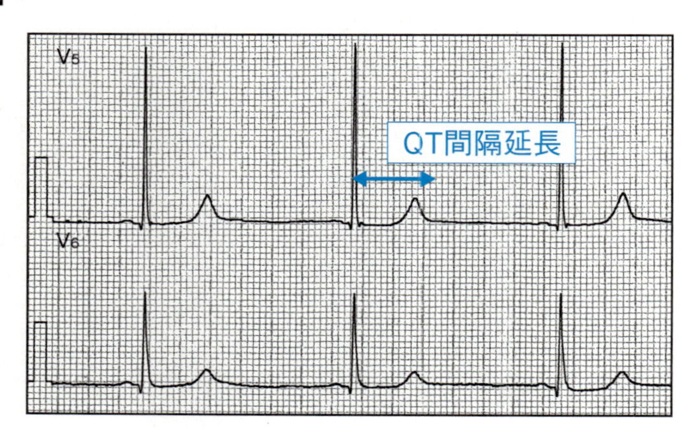

着目すべき心電図所見

リズム：洞徐脈　**心拍数**：43/分、整　**P 波**：減高　**PR(PQ)間隔**：0.13 秒　**QRS 波**：特記すべき所見なし　**ST 部分**：平坦でやや長い　**T 波**：ST 部分が平坦でやや長いため、T 波の上行脚と下行脚がやや対称的　**QT 間隔**：0.57 秒〔補正 QT 間隔(QTc)は 0.50 秒〕と延長(⟷)　**その他**：U 波は認められない

判読のポイント

- QT 間隔の延長を示す。
- ST 部分は平坦で長い傾向にある。

発生のメカニズム―病態から診る

- 低カルシウム血症では、活動電位の持続時間の延長に伴い、ST 部分や QT 間隔も延長する。
- 不応期の延長が不均一ではないため、torsade de pointes などの不整脈の発生は比較的まれである。

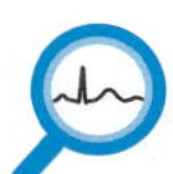

鑑別を要する心電図

- 先天性 QT 延長症候群
- 虚血性心疾患
- 低カリウム血症

よくある患者背景

- 副甲状腺機能低下症
- ビタミン D 欠乏症
- 低マグネシウム血症

1．完全右脚ブロック

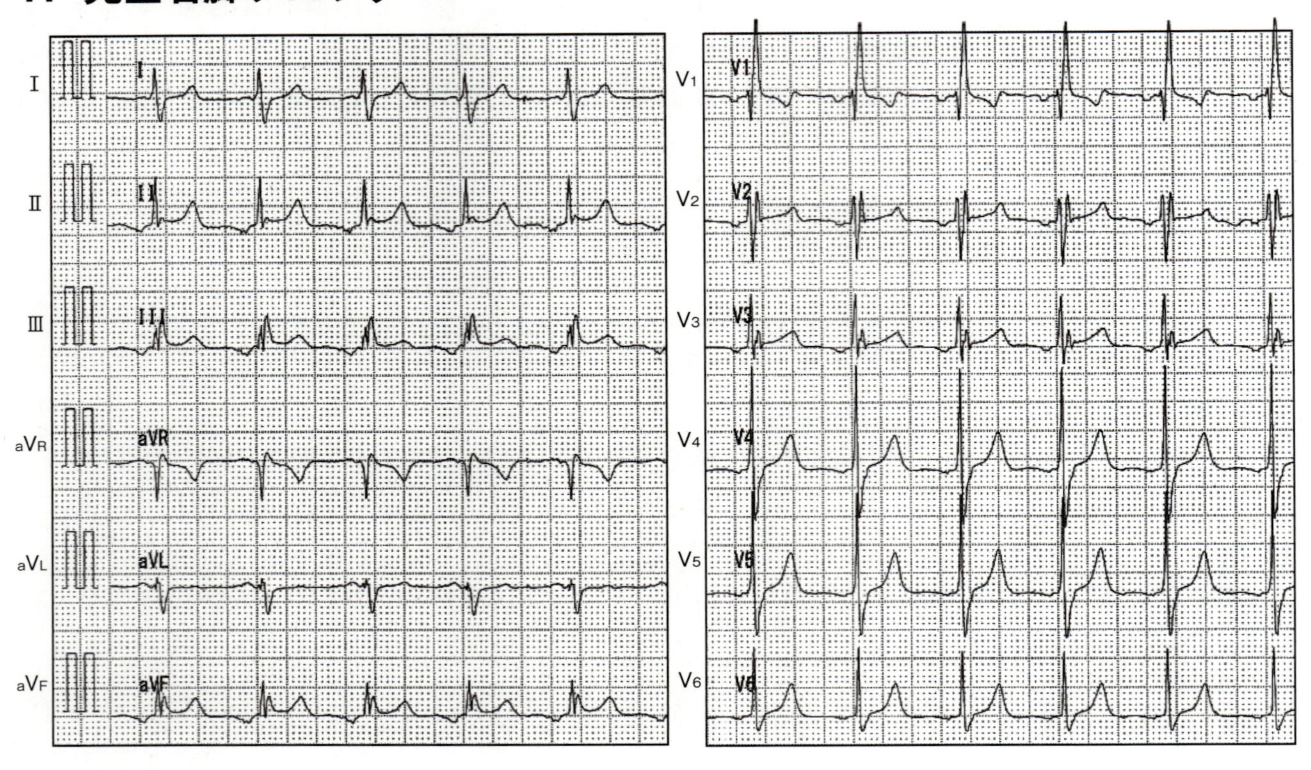

ここをCheck ！

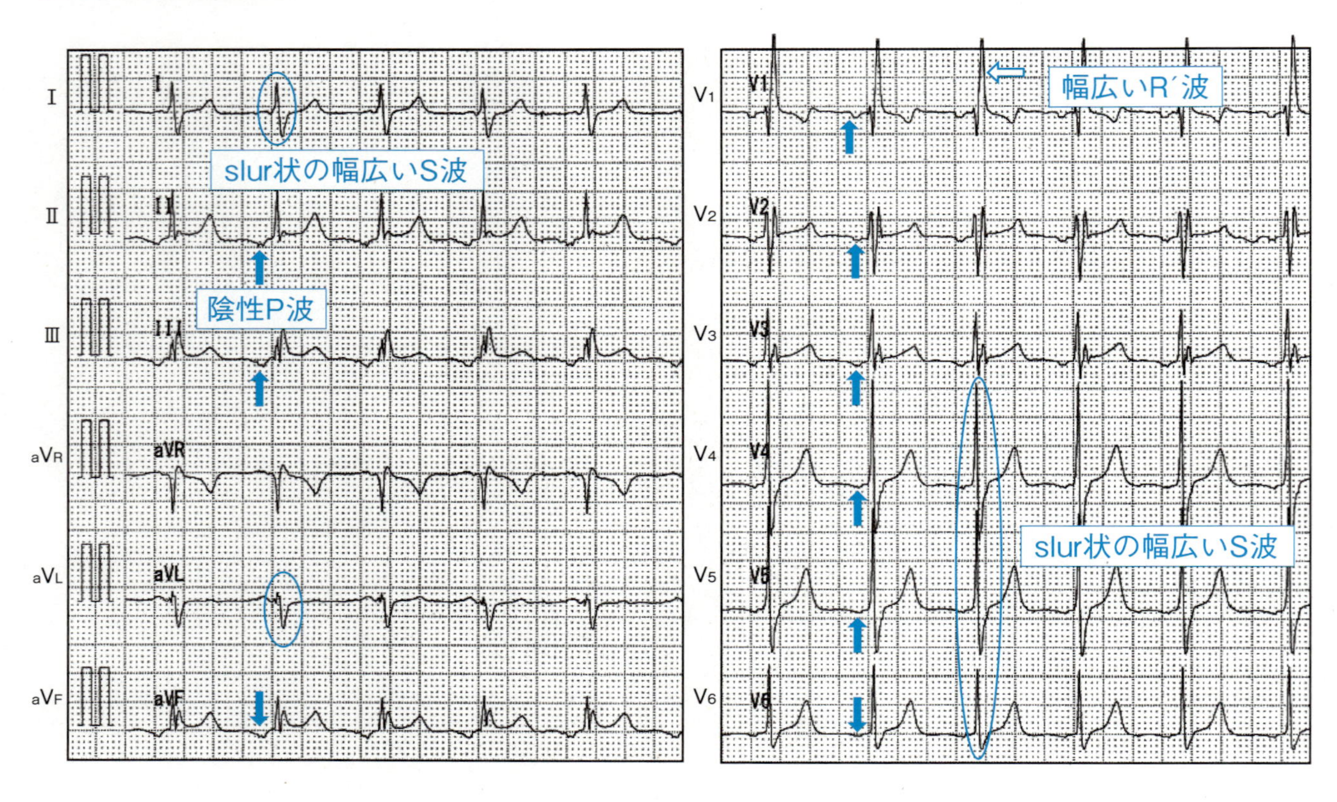

着目すべき心電図所見

P 波：Ⅱ・Ⅲ・aV_F・V_1〜V_6 誘導に陰性 P 波を認める（心房下部調律、84/分）（⬆）　**QRS 波**：QRS 幅は 0.12 秒と延長、V_1誘導は rSR' 型を示し幅の広い R' 波（⇧）を、Ⅰ・aV_L・V_4〜V_6 誘導で slur 状の幅広い S 波を認める（◯）（完全右脚ブロックの所見）

判読のポイント

- P 波はやや幅が広く、Ⅱ・Ⅲ・aV_F・V_1〜V_6誘導で陰性 P 波が見られる。さらに、P 波が終了するとともに QRS 波が始まっており、房室結節までの伝導時間が短いので、この調律は心房の下方前部にその起源があり、下前方から上方後部に向かって伝幡していることがわかる。
- QRS 波の初期部分（V_1〜V_3誘導の rS 部分、Ⅰ・aV_L・V_4〜V_6誘導の R 波）の幅が狭い。
- QRS 波の後半部分（V_1〜V_3誘導に幅の広い R' 波、Ⅰ・aV_L・V_4〜V_6誘導に幅の広い S 波）の幅の延長が見られ、右脚ブロックを反映している。
- QRS 幅が 0.12 秒以上である（0.12 秒未満は不完全右脚ブロック：「不完全右脚ブロック」p.146 参照）。

発生のメカニズム―病態から診る

- 左脚の伝導は正常であるため、QRS 波の初期部分に伝導遅延はなく、興奮伝幡ベクトルの方向も正常である。左心室の正常な興奮伝幡が終了した後、右脚ブロックのために興奮が伝わっていない右心室が残っており、QRS 波の後半部分で右心室方向に向かう伝導遅延した電気的ベクトル成分を反映して、V_1〜V_3誘導に幅広い R' 波、Ⅰ・aV_L・V_4〜V_6誘導に slur 状の幅広い S 波が見られる。

鑑別を要する心電図

- 右室肥大
- 後壁梗塞
- WPW 症候群 type A
- Brugada 症候群
- 不整脈原性右室心筋症

よくある患者背景

- 器質的心疾患がない場合にも、0.3％の頻度で見られるといわれている。
- 完全右脚ブロックは加齢により増加する傾向にあるため、高齢者では病的意義はないことも多い。

2. 不完全右脚ブロック

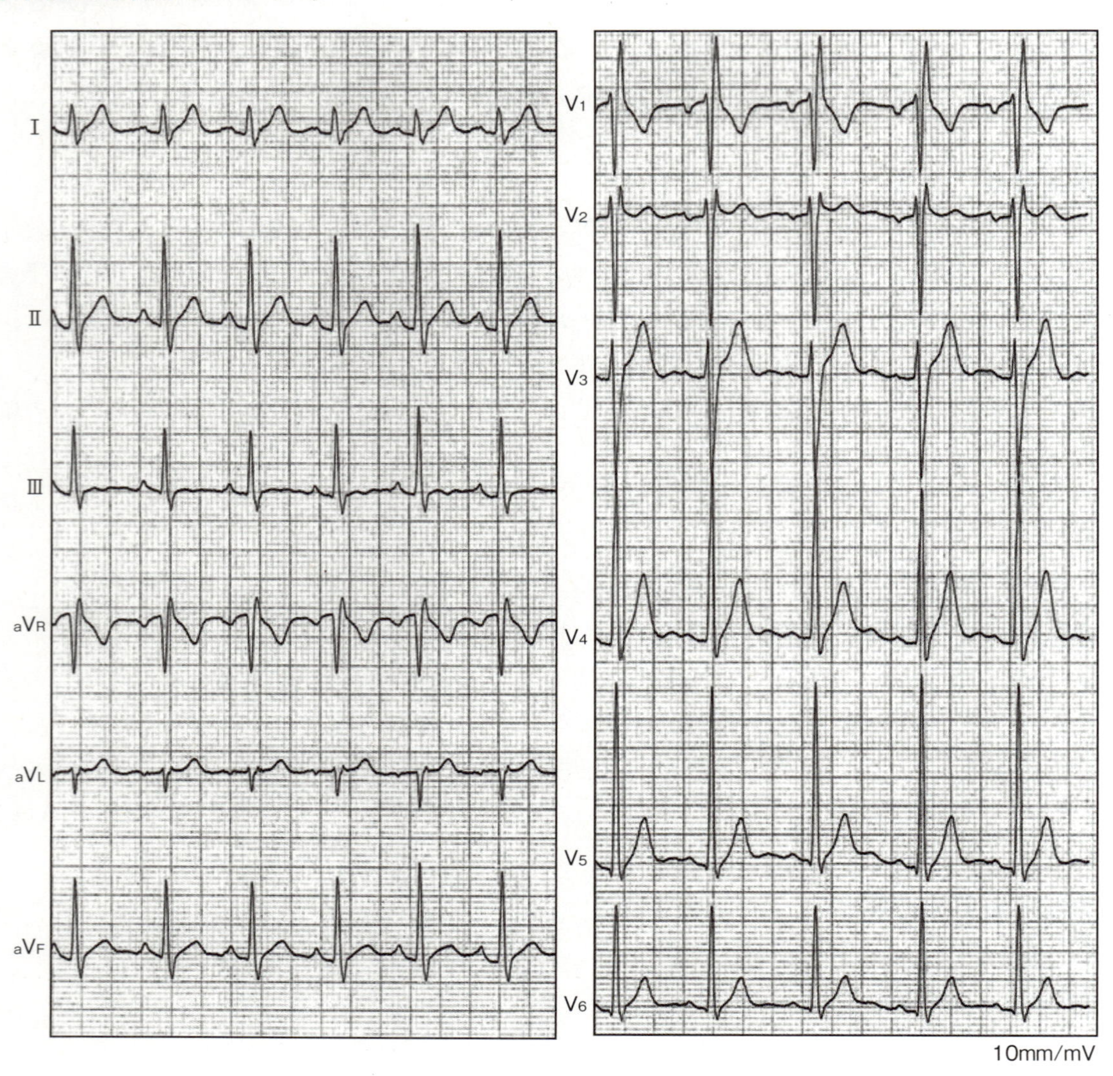

ここを Check ！

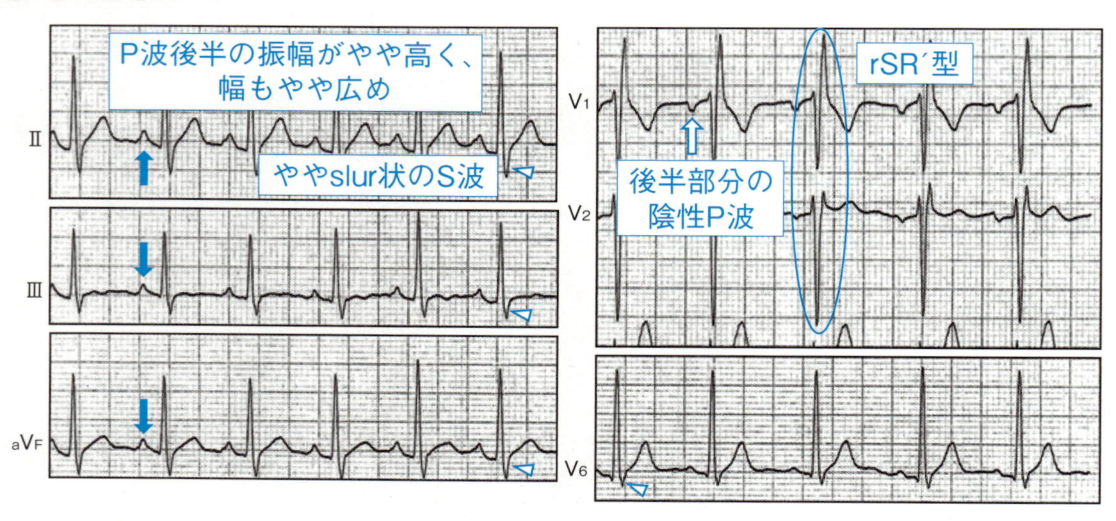

着目すべき心電図所見

心拍数：洞頻脈傾向(90〜100/分)が見られる　**P波**：Ⅱ・Ⅲ・aV_F誘導の後半部分の振幅が0.2 mVと正常上限であるがやや高めであり、その幅も0.12秒とやや広い(⬆)。V_1誘導のP波は二相性で、陰性部分は−0.15 mVとやや深いが、左房負荷の基準は満たさない(⇧)　**QRS波**：0.11秒とやや延長し、V_1・V_2誘導はrSR'型を示している(◯)。Ⅰ〜Ⅲ・aV_F・V_3〜V_6誘導ではややslur状のS波を示し(△)、不完全右脚ブロックといえる。V_1誘導のS波とV_5誘導のR波の振幅から左室高電位が見られるが、本症例は痩せ型若年者であるため、左室肥大ではない

判読のポイント

- V_1・V_2誘導のQRS波はrSR'型で、QRS幅は0.1秒以上0.12秒未満と、0.12秒を超えてないことから、不完全右脚ブロックと判読する。

発生のメカニズム―病態から診る

- 完全右脚ブロックと同様に左室の伝導は障害されていないため、QRS前半部分の幅は延長しない。左室の伝導終了後、右側へ向かう興奮ベクトルがやや遅延することから、V_1誘導はrSR'型となり、Ⅰ〜Ⅲ・aV_F・V_3〜V_6誘導でやや幅広いS波が見られる。しかし、QRS幅は0.12秒を超えていない。

鑑別を要する心電図

- 右室肥大
- 後壁梗塞
- Brugada症候群
- 不整脈原性右室心筋症

よくある患者背景

- 若年者を含め、健常人にもよく見られる心電図異常であり、全体の1〜3%に見られると報告されている。若年症例のなかには、ときに心房中隔欠損症が隠れている場合がある。

3. 間欠性右脚ブロック

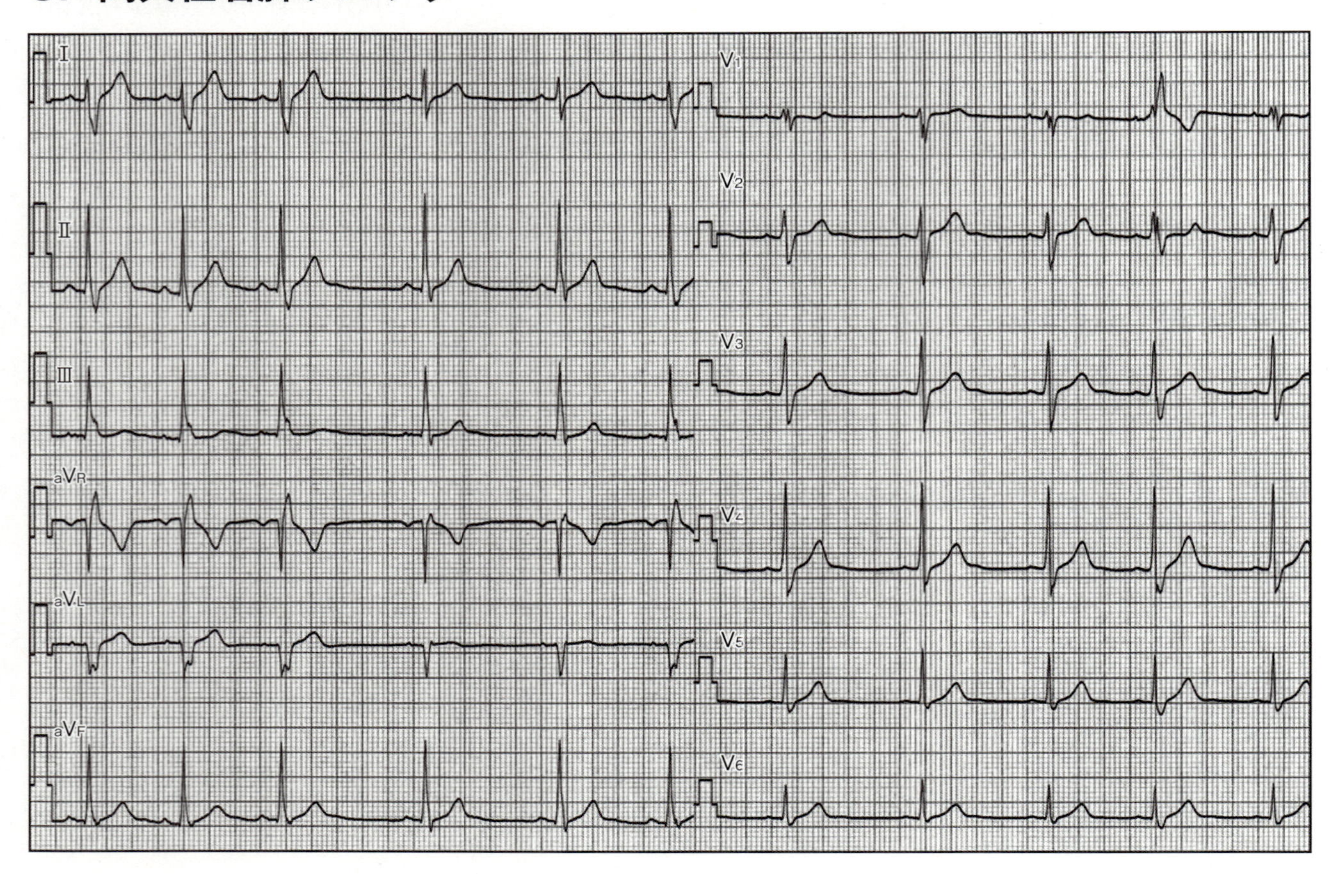

ここをCheck！

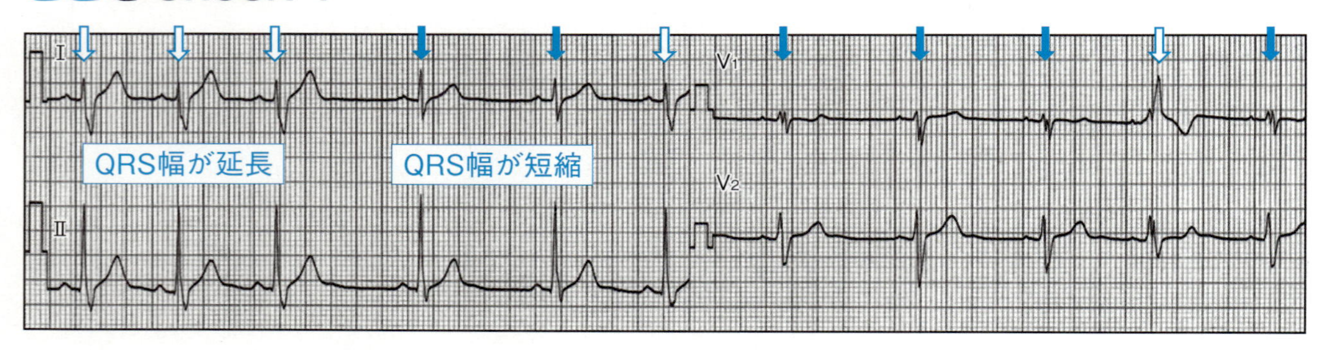

着目すべき心電図所見

心拍数：正常洞調律(60〜75/分)であるものの、洞不整脈が見られる　**PP 間隔・QRS 幅**：PP 間隔が 1 秒以下になると、QRS 幅は 0.13 秒と延長し(⇧)、完全右脚ブロックを呈する。PP 間隔が 1 秒以上に延長すると、QRS 幅は 0.10 秒と短縮し(⬆)、不完全右脚ブロックを呈する　**PQ 間隔**：変化なし

判読のポイント

- PP 間隔に依存して、不完全右脚ブロックと完全右脚ブロックが間欠的に見られる症例である。

発生のメカニズム―病態から診る

- 生理的に、右脚は左脚に比し不応期が長いため、本症例のように PP 間隔の短縮により心拍依存性の右脚ブロックを呈する場合がある。また、間欠性完全右脚ブロックは PP 間隔の変動のみならず、PQ 間隔の変動で起こる場合がある。すなわち、房室結節二重伝導路の遅延伝導路を伝幡するときには、PQ 間隔が延長すると、右脚の不応期が回復して正常〜不完全右脚ブロック波形を呈し、PQ 間隔が短縮すると、右脚が不応期のため完全右脚ブロック波形を呈する例(間欠性右脚ブロック)もある。

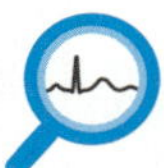

鑑別を要する心電図

- 心室期外収縮
- 間欠性 WPW 症候群
- 完全房室ブロック時の心室補充調律
- 心室固有調律

4. 完全左脚ブロック

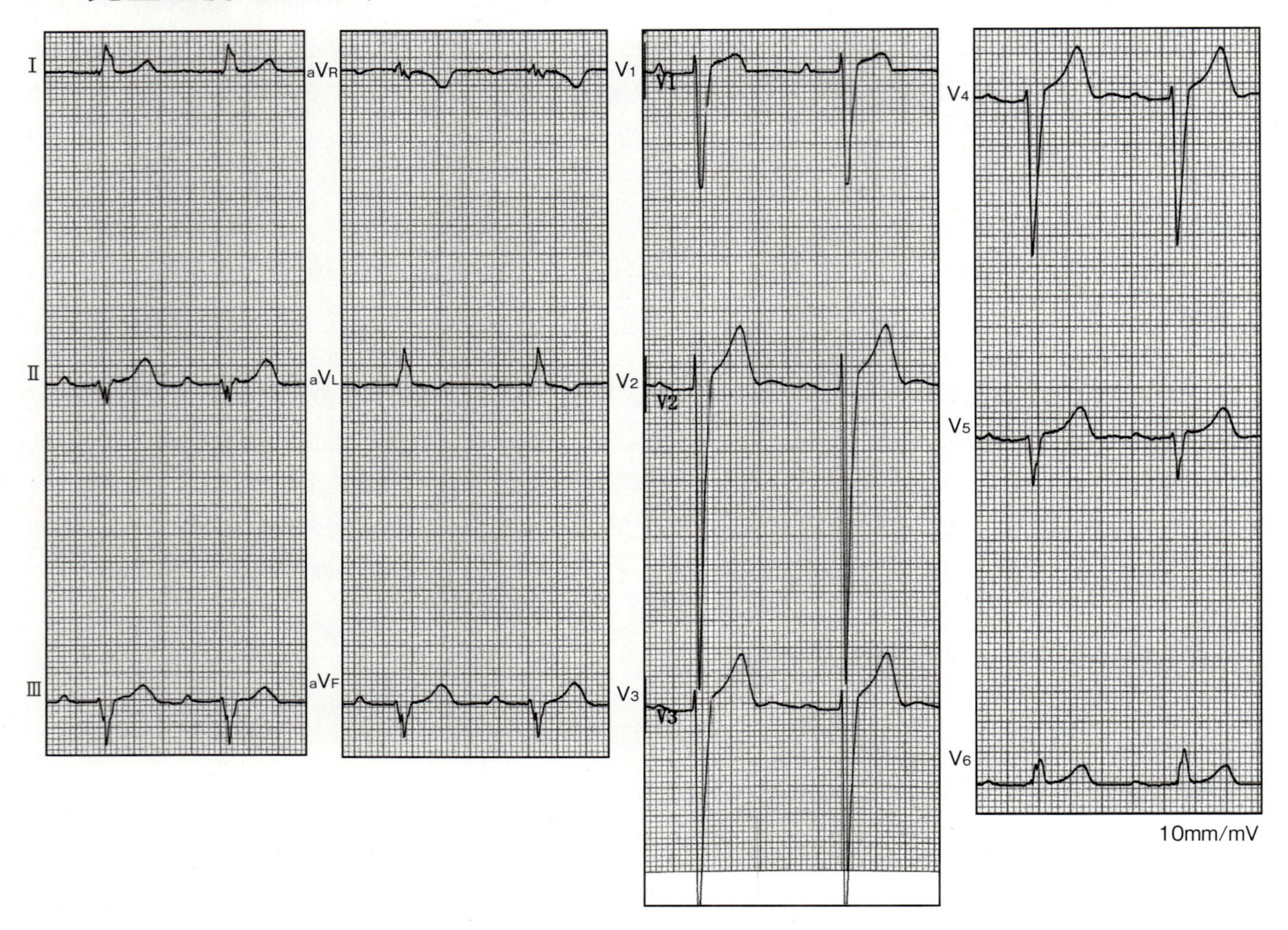

ここをCheck！

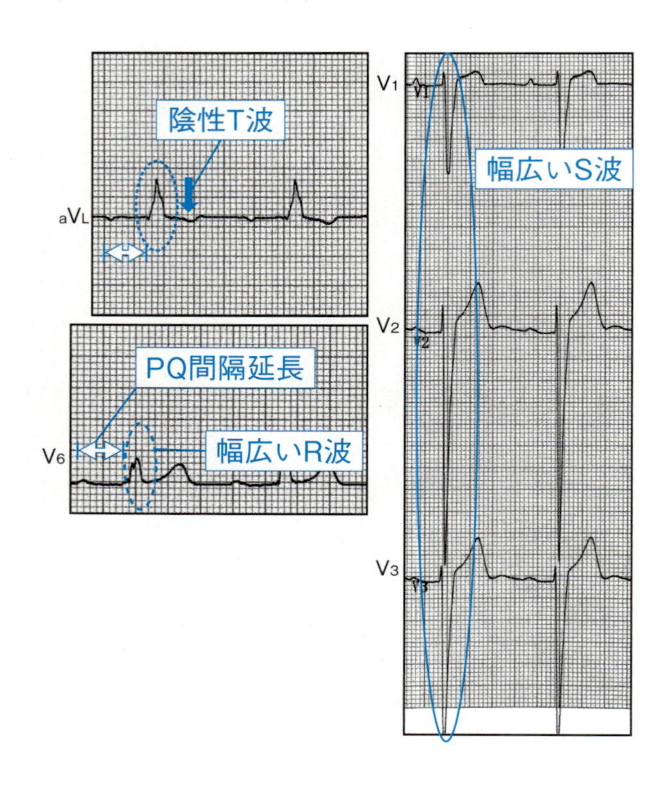

着目すべき心電図所見

電気軸：QRS 電気軸は－60°と、高度左軸偏位が見られる　**PQ 間隔**：0.26 秒と延長し(⟺)、1 度房室ブロックが見られる　**QRS 波**：0.14 秒と延長し、心室興奮時間(VAT)も 0.08 秒と延長している。Ⅰ・aV_L・V_6誘導で幅広い R 波を認め(◌)、前半成分と後半成分との間に notch が見られる。また、Ⅱ・Ⅲ・aV_F・V_1～V_5 誘導に幅広く深い S 波が見られる(◯)　**ST-T 部分**：aV_L誘導でわずかな ST 下降と陰性 T 波(⬆)を認める

判読のポイント

- QRS 幅が 0.12 秒以上延長し、左心室側誘導であるⅠ・aV_L・V_6誘導に幅広い R 波が認められ、左心室の興奮伝幡が遅れていることを反映している。二次性の ST-T 変化として、同部位で ST 下降および陰性 T 波が認められることがポイントである。

発生のメカニズム―病態から診る

- 心室中隔や右室の正常伝導の起電力は V_1～V_4誘導の幅の狭い小さな r 波に反映され、温存されている。その後の左室の伝導が遅延するため、Ⅱ・Ⅲ・aV_F・V_1～V_5誘導では幅広い S 波が、Ⅰ・aV_L・V_6誘導では幅広い R 波(R 波には notch)が見られる。

鑑別を要する心電図

- 前壁中隔の陳旧性心筋梗塞
  ⇒完全左脚ブロックでは、QRS 波の初期成分は消失しないため、V_1～V_4誘導に異常 Q 波は出現しないが、V_1～V_4誘導の R 波の増高が不良であることから、QS パターンに見える。
- ペースメーカ心電図(右心室ペーシング)
- WPW 症候群 type B、C

よくある患者背景

- 器質的心疾患(虚血性心疾患・心筋症・高血圧性心疾患など)に合併して発生することが多い。そのため、右脚ブロックより頻度は少ない。

さらにレベルアップ！　「完全左脚ブロック」

★心室内伝導障害時の QT 間隔には JT 間隔を用いる

左脚ブロックでは心室内伝導遅延があるため QT 間隔の延長が見られるが、再分極遅延は見られない。そのため、心室内伝導障害時の QT 間隔には QRS 部分を除いた JT 間隔(J 点：S 波と ST 部分の接合部)を用いる場合もある。

5．左脚前枝ブロック

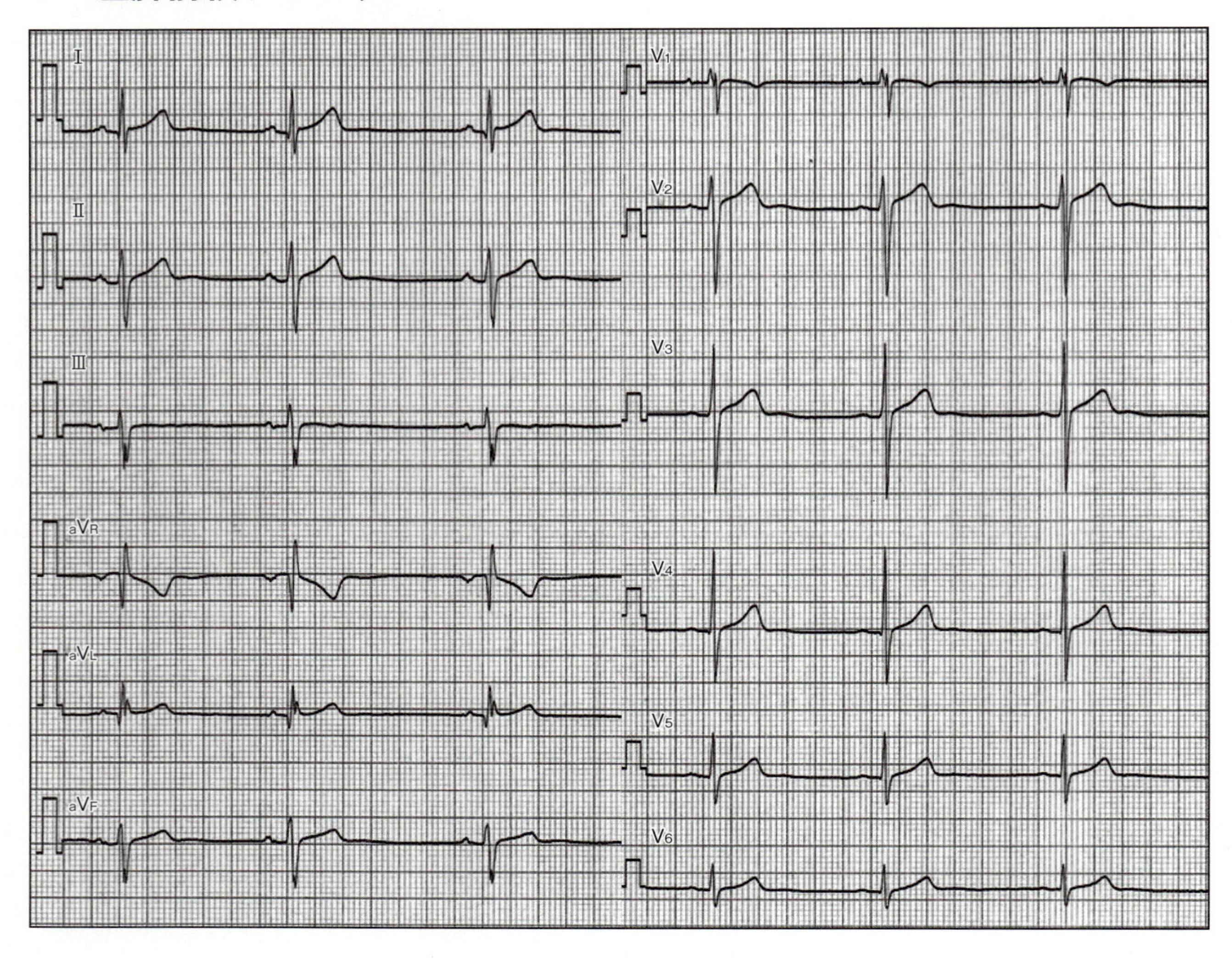

ここをCheck ！

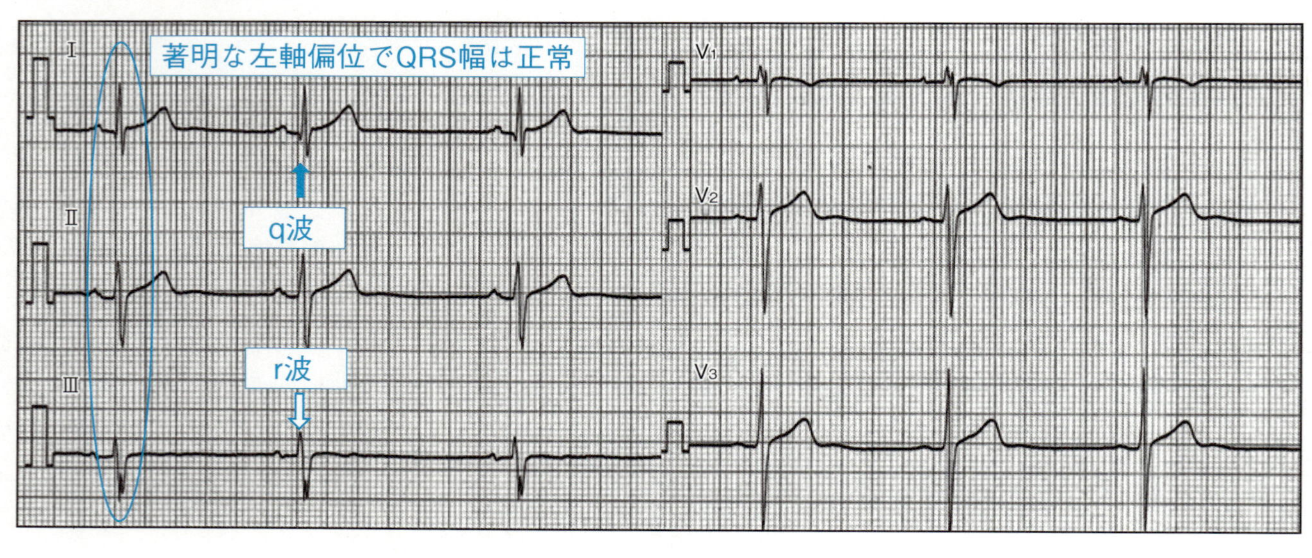

着目すべき心電図所見

電気軸：QRS 電気軸は－50° と、著明な左軸偏位である（◯）　**QRS 波**：QRS 幅は 0.10 秒と正常範囲である（◯）。Ⅰ誘導に小さな q 波（⬆）、Ⅲ誘導に小さな r 波がある（⇧）

判読のポイント

- 高度（－45° ～－90°）の著明な左軸偏位が存在する。
- QRS 波は、Ⅰ誘導で qR 型、Ⅲ誘導で rS 型が見られ、QRS 幅は正常である。

発生のメカニズム―病態から診る

- 左脚前枝のみに伝導障害が起こるため、QRS 幅は正常範囲内である。
- 左脚前枝は左室の前壁から側壁に分布する分枝であり、前枝支配領域は後枝からの刺激により興奮するため、QRS 終期ベクトルは左上方に向かい、著しい左軸偏位を示す。
- QRS 波の初期成分は消失しないため、異常 Q 波は出現しない。

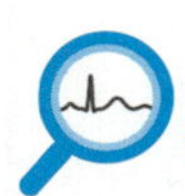

鑑別を要する心電図

- 左室肥大
- 下壁梗塞
- WPW 症候群 type C

よくある患者背景

- 重篤な器質的心疾患に併発する場合がある
  ⇒必ずしも併発するとは限らないが、左脚前枝は後枝に比べて細く傷害を受けやすいため、ブロックの進行の程度につき注意を要する。

6. 左脚後枝ブロック

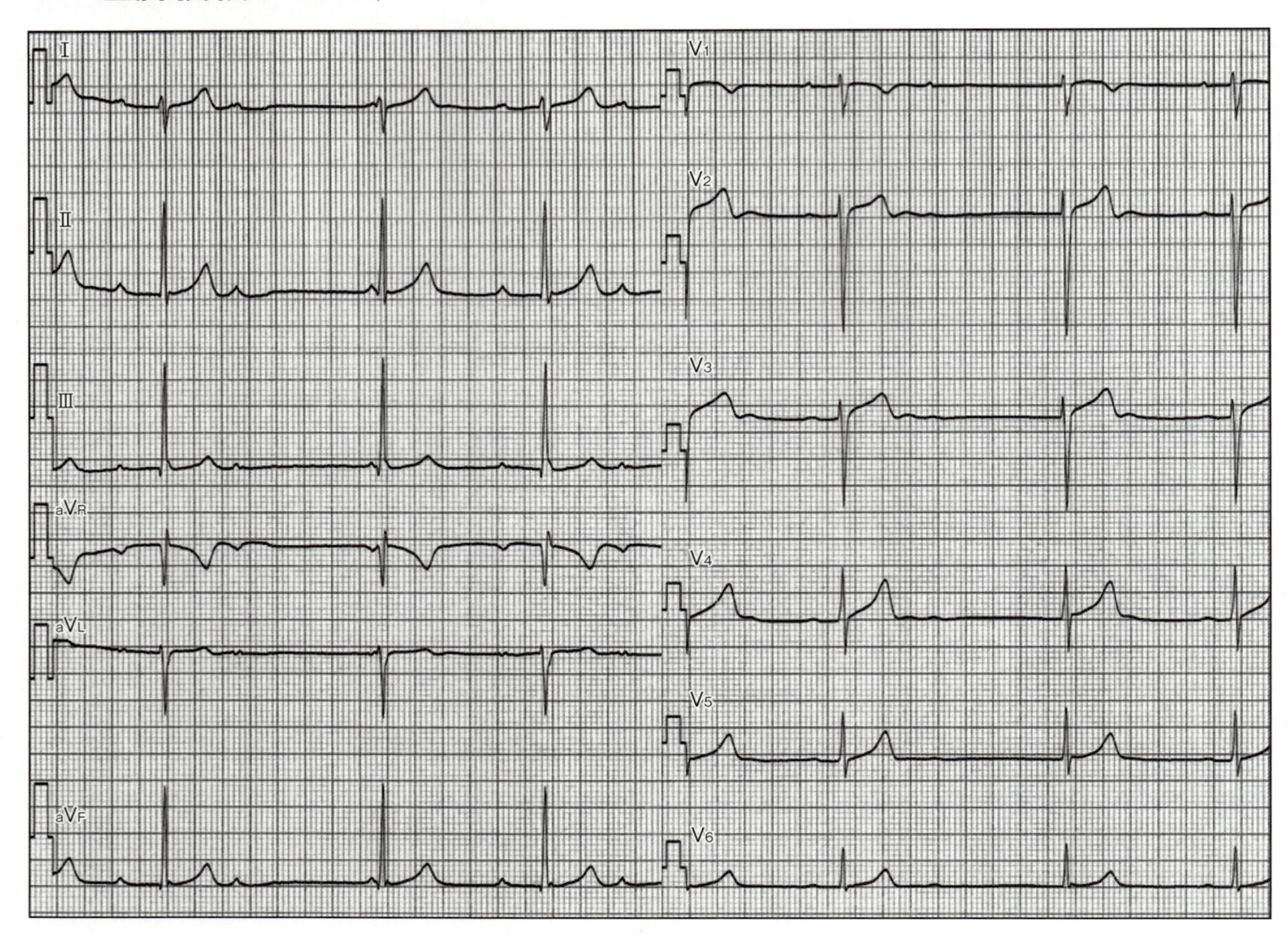

ここを Check ！

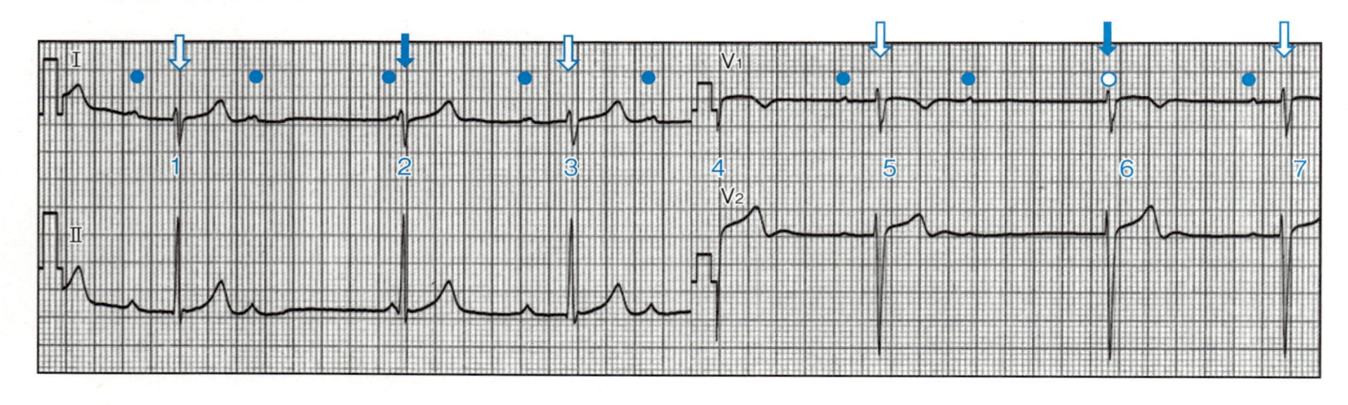

着目すべき心電図所見

リズム：洞調律(約 65/分)　**電気軸**：QRS 電気軸は＋120° で右軸偏位が見られる　**QRS 波**：第 2、6 拍目は接合部補充調律であり(⬆)、第 1、3、5、7 拍目は Wenckebach 型 2 度房室ブロックで(⇧)心室に伝わっている　**P 波**：約 60/分で規則正しく出現している(○、●)。○は QRS 波と重なって見えない

判読のポイント

- ＋120° ～＋180° の右軸偏位が見られる。
- QRS 波はⅠ・aVL 誘導では rS 型、Ⅱ・Ⅲ誘導では qR 型が見られる。
- QRS 幅は 0.12 秒以下で正常である。
- 本症例は、左脚後枝ブロックに加えて Wenckebach 型 2 度房室ブロックがあり、QRS 波がブロックされた後、接合部補充収縮が出現している。

発生のメカニズム―病態から診る

- 左脚後枝ブロックでは左室の一部に伝導遅延が起こるのみで、QRS 幅は正常範囲内である。
- 左脚後枝は左室の後壁から下壁に分布する分枝であり、その支配領域の心筋は左脚前枝からの刺激により興奮し、QRS 終期ベクトルは右下方に向かう。そのため、QRS 軸は著しい右軸偏位を示すようになる。
- QRS 波の初期成分は消失しないため、異常 Q 波は出現しない。

鑑別を要する心電図

- 右室肥大
- 肺性心
- 垂直心
- WPW 症候群 type A

よくある患者背景

- 右脚ブロックを有する患者

⇒まれな伝導障害であり単独で見られることは少なく、右脚ブロックと合併することが多い。

注：本症例は右脚ブロックではなく、Wenckebach 型 2 度房室ブロックを伴っている。

7．多枝ブロック

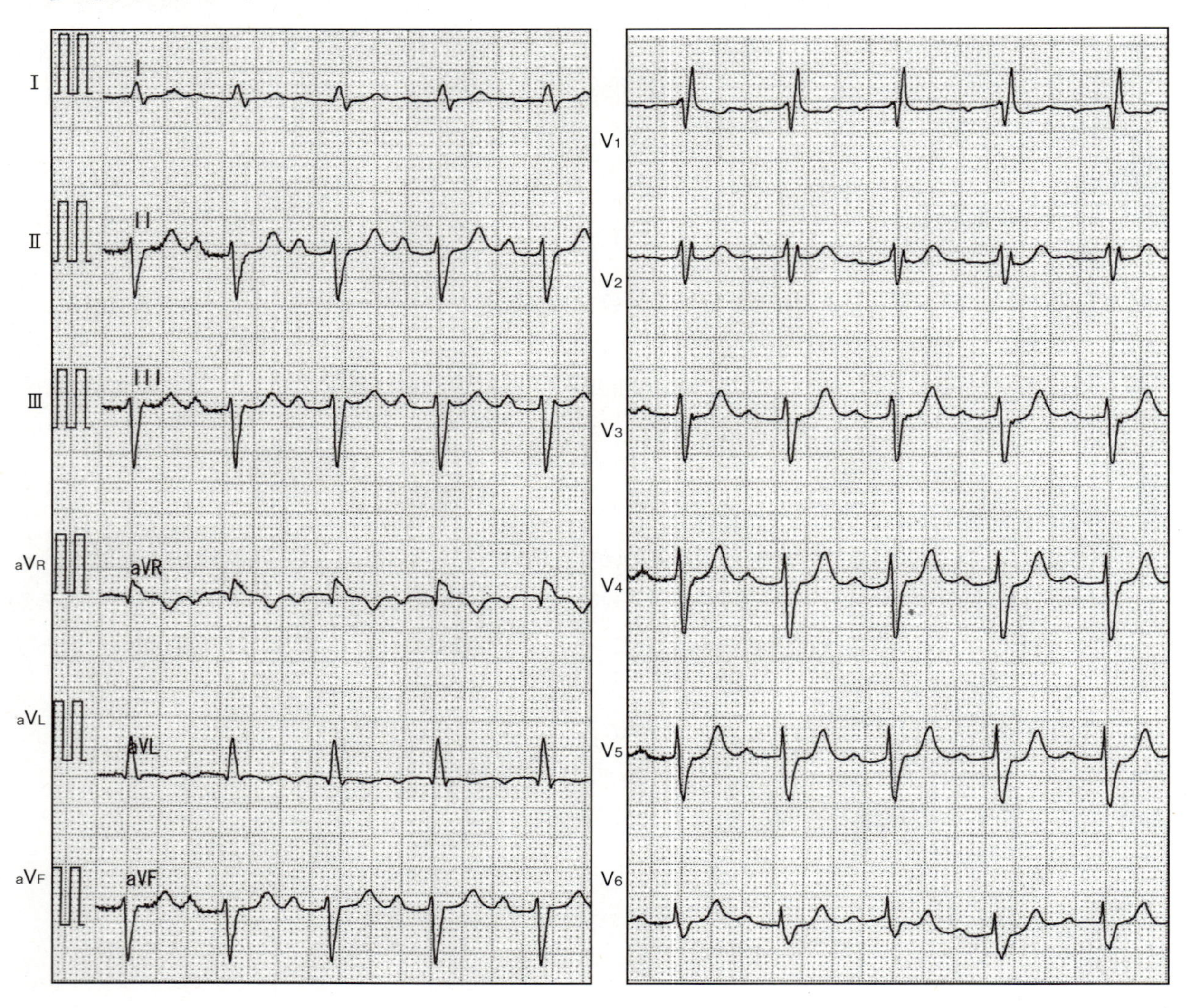

ここをCheck！

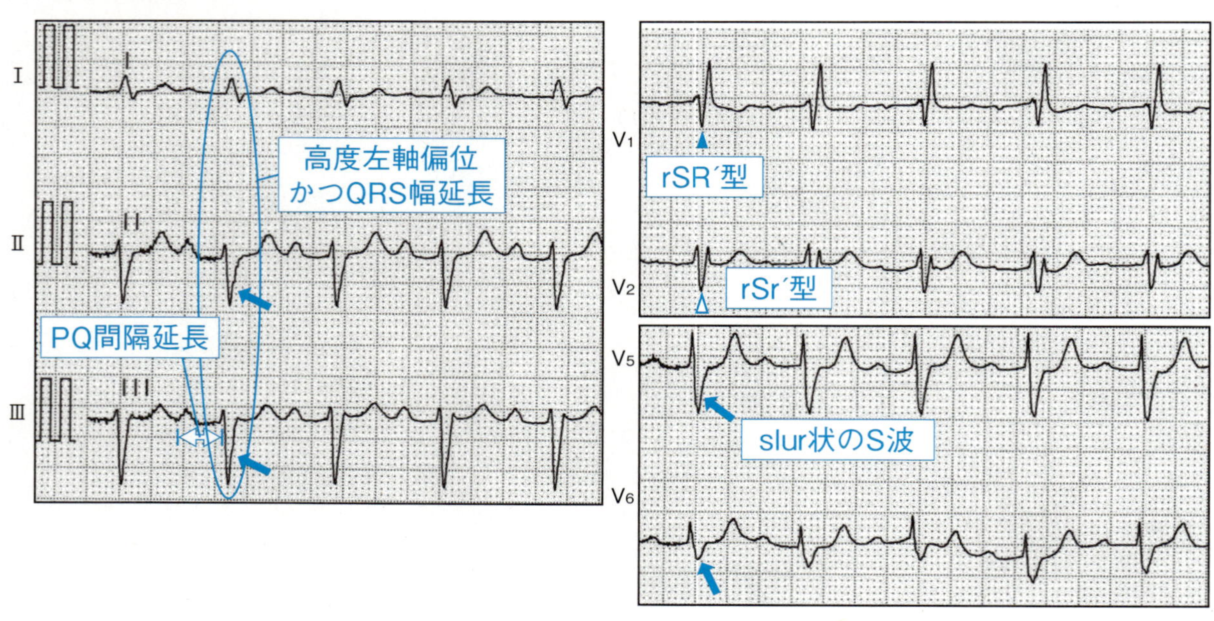

着目すべき心電図所見

電気軸：QRS電気軸は－60°で、高度左軸偏位である（○） **PQ間隔**：0.26秒と延長しており（⇔）、1度房室ブロックが見られる **QRS幅**：0.14秒と延長（○）、V_1誘導はrSR'型（▲）、V_2誘導はrSr'型を示している（△）。Ⅱ・Ⅲ・aV_F・V_4〜V_6誘導に幅広いslur状のS波を認める（⬆） **T波**：aV_L誘導に陰性T波を認める

判読のポイント

- 右脚ブロックに、左脚の脚枝（前枝もしくは後枝）ブロックと1度房室ブロックを合併した病態を多枝ブロック（不完全三枝ブロック）と呼ぶ。本症例は、①完全右脚ブロック（V_1誘導にrSR'型、Ⅱ・Ⅲ・aV_F・V_4〜V_6誘導に幅広いslur状のS波）、②左脚前枝ブロック（－60°の高度左軸偏位、QRS波はⅠ誘導で非常に小さなq波を伴うRs型、Ⅲ誘導でrS型）、③1度房室ブロックの特徴が見られる。

発生のメカニズム―病態から診る

- 完全三枝ブロック（右脚、左脚前枝および後枝）は、完全房室ブロックとなるため、いずれの脚部位におけるブロックかは診断困難となる。右脚ブロックに左脚前枝もしくは後枝ブロックを伴い、かつ1度房室ブロックが合併している場合に、不完全三枝ブロックとして心電図診断が可能である。1度房室ブロックが進行する場合は、完全房室ブロックに移行することもあるため、注意を要する。

鑑別を要する心電図

- ヘミブロックを伴わない完全右脚ブロック

よくある患者背景

- 何かしらの心筋障害を伴っていることが多く、慎重な経過観察が必要である。

1．洞徐脈

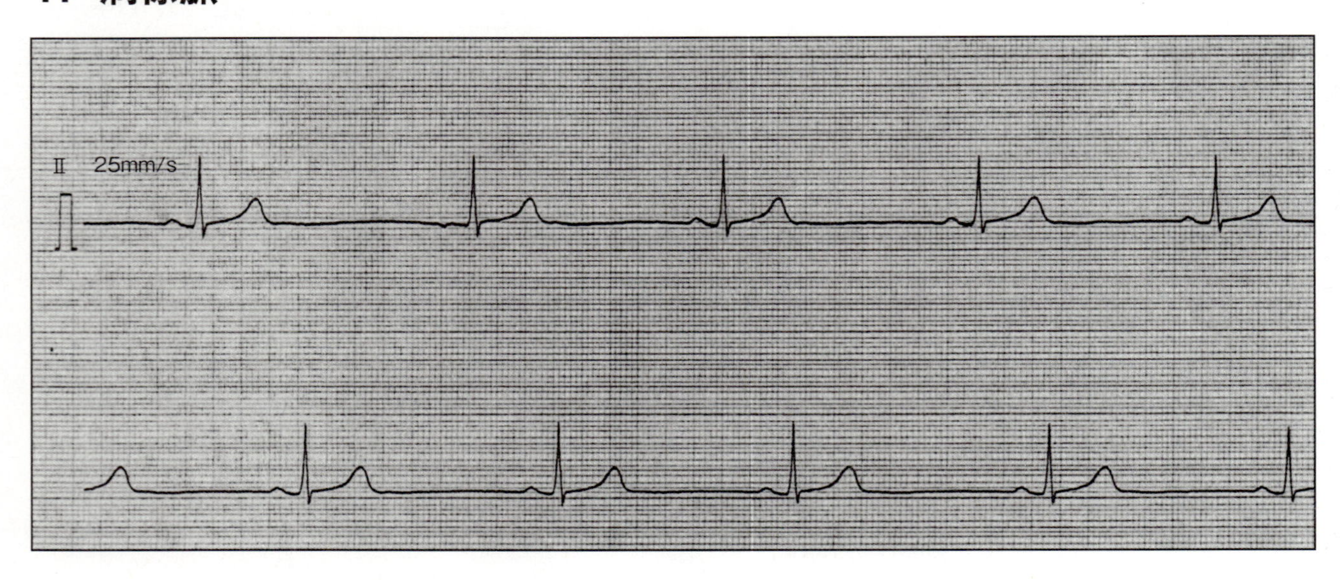

ここをCheck ！

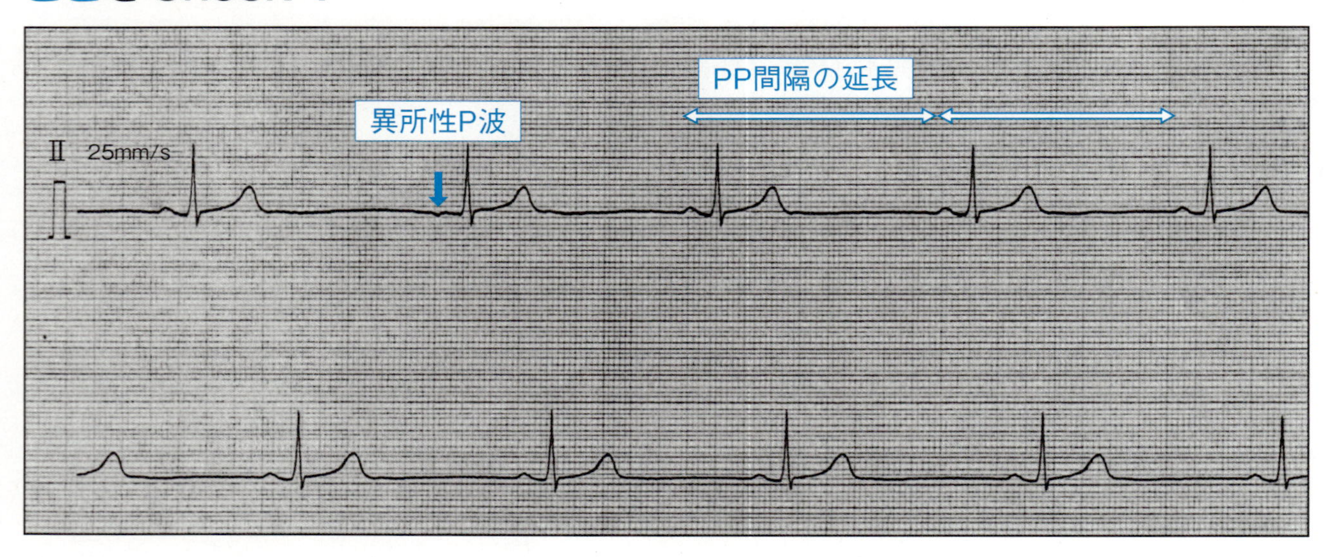

着目すべき心電図所見

リズム：整　**心拍数**：34/分　**P 波**：全体を通して P 波の形状と PP 間隔(⇔)は、ほぼ一定。ただし、2 拍目の P 波の形状はほかと異なり(⬆)、1 拍目と 2 拍目の PP 間隔もほかに比べて若干長いことから、2 拍目は心房補充収縮の可能性が高い　**PR(PQ)間隔**：正常　**QRS 波**：正常　**QT 間隔**：徐脈に伴って、0.46 秒と軽度の延長を認める

判読のポイント

- PP 間隔が 1.2 秒以上延長(心拍数 50/分以下)し、同時に RR 間隔も延長する。
- 臨床的に有意とするのは、1.5 秒以上の延長(心拍数 40/分以下)である。

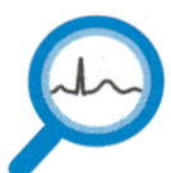

発生のメカニズム—病態から診る

- Rubenstein 分類では洞不全症候群の I 群に属する。
- 洞結節からの正常興奮が、単に遅く発せられるものである。
- 洞結節の刺激生成能の低下により生じる。

鑑別を要する心電図

- 交互性の洞房ブロック
- 2：1 型房室ブロック
- ブロックを伴う心房期外収縮の二段脈

よくある患者背景

- 高齢者
- 薬物(β 遮断薬・非ジヒドロピリジン系 Ca^{2+} 拮抗薬・ジギタリス製剤など)の使用

2. 洞(機能)不全症候群　洞停止

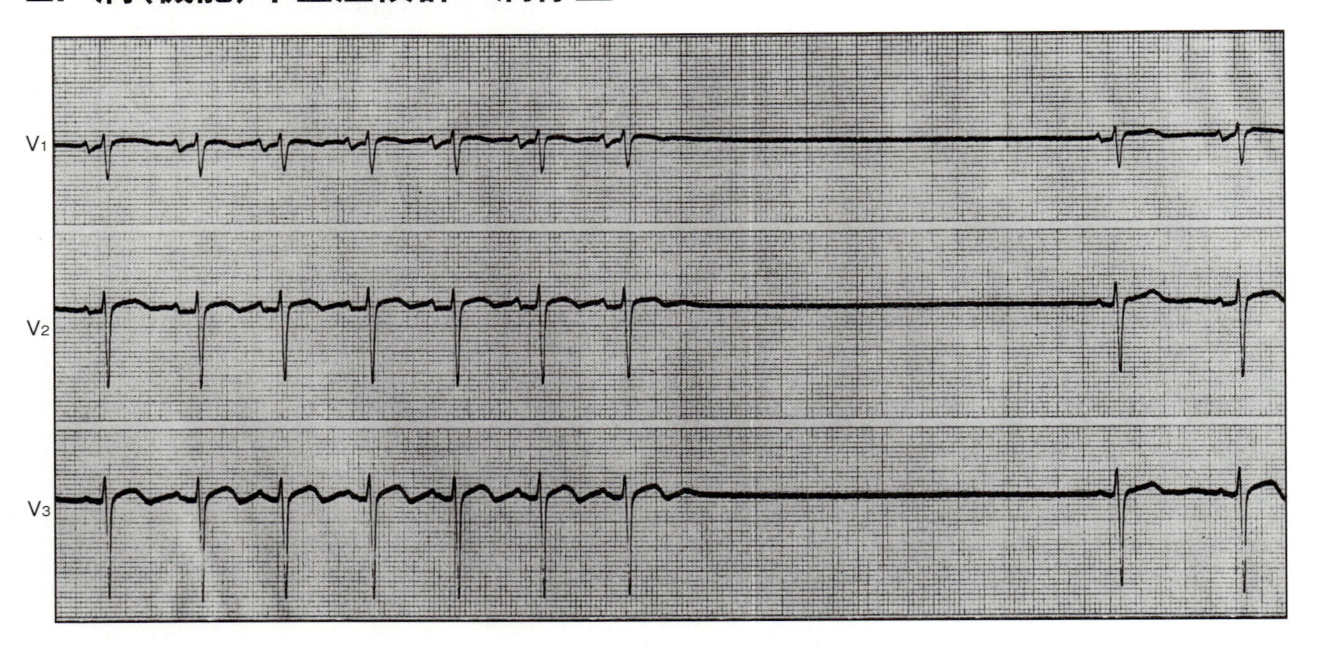

ここをCheck ！

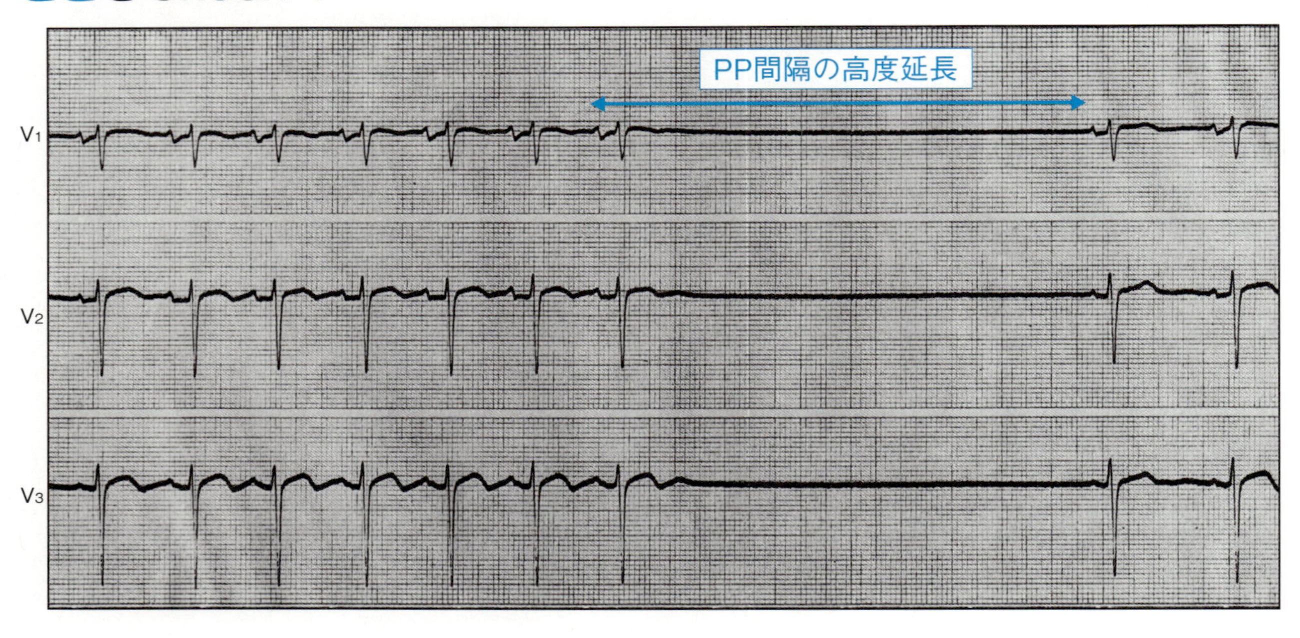

着目すべき心電図所見

リズム：不整　**P 波**：1〜7 拍目までの PP 間隔は一定で、8 拍目の P 波が脱落している。約 3.9 秒のポーズ(⟷)の後に P 波が再出現している。その後はポーズ前に比べてやや PP 間隔は延長しているものの一定であり、P 波の形状も正常である　**PR(PQ)間隔**：正常　**QRS 波**：正常　**QT 間隔**：正常

判読のポイント

- 正常洞調律において、突然に P 波が消失する。
- PP 間隔は 2 秒以上延長し、同時に RR 間隔も延長する。
- P 波の消失において、何ら規則性がない。
- 臨床的に問題となるのは、3 秒以上のポーズである。
- ポーズが長くなると、房室結節性あるいは心室性の補充収縮(調律)を認める。

発生のメカニズム―病態から診る

- Rubenstein 分類では、洞不全症候群のⅡ群に属する。
- 洞結節の刺激生成能低下、もしくは洞結節と周囲心房筋の間での伝導ブロックにより生じる。

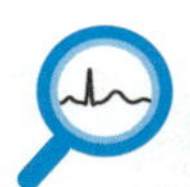

鑑別を要する心電図

- 洞房ブロック
- 徐脈頻脈症候群
- 高度房室ブロック

よくある患者背景

- 高齢者
- 薬物(β 遮断薬・非ジヒドロピリジン系 Ca^{2+} 拮抗薬・ジギタリス製剤など)の使用

3. 洞(機能)不全症候群　洞房ブロック

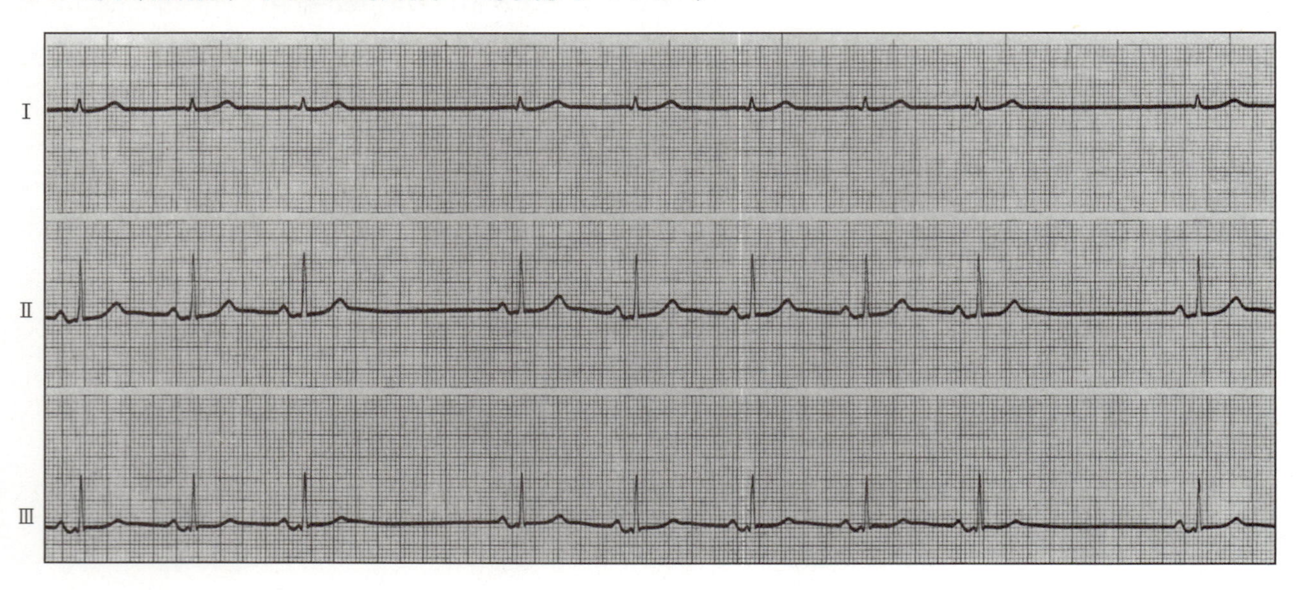

ここをCheck ！

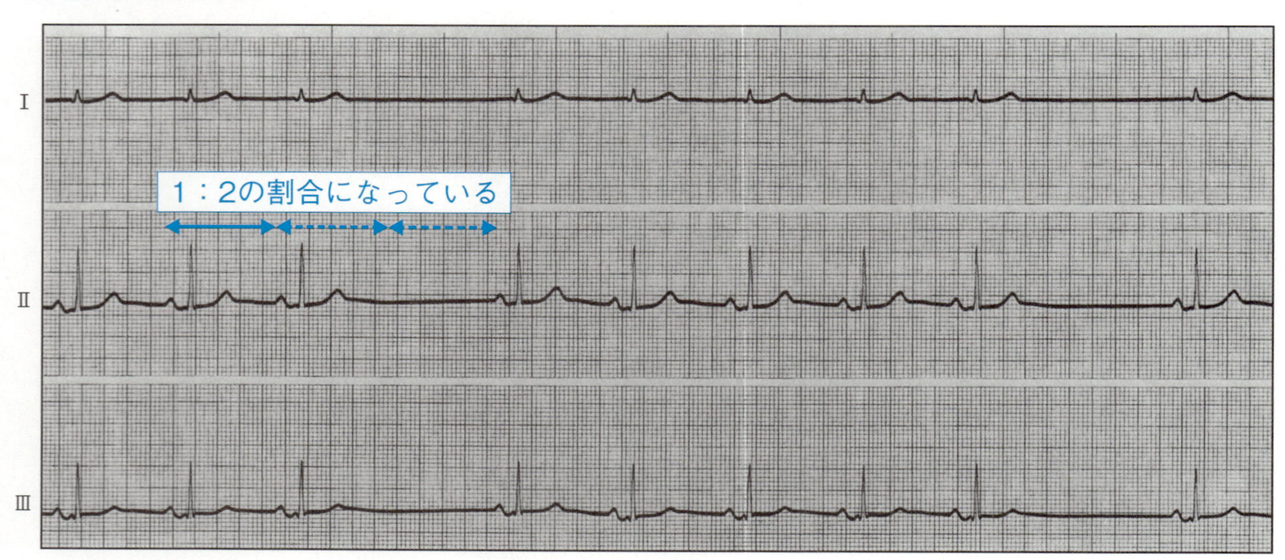

着目すべき心電図所見

リズム：不整　**心拍数**：58/分　**P 波**：1〜3 拍目までの PP 間隔は一定であるが、4 拍目の P 波が脱落している。約 2 秒のポーズの後に P 波が再出現し、5〜8 拍目までの PP 間隔が一定となった後、9 拍目の P 波が再び脱落している。P 波の形状は正常である　**PR(PQ)間隔**：正常　**QRS 波**：正常　**QT 間隔**：正常

判読のポイント

- 正常洞調律において、突然に P 波が 1 拍だけ消失する。
- P 波は 1 拍だけ脱落した後、正常の PP 間隔に復する。
- 脱落したときの前後の PP 間隔(←--→)は、正常に伝導しているとき(←→)の 2 倍になる。
- 脱落が頻回に生じると、高度の徐脈を呈する。

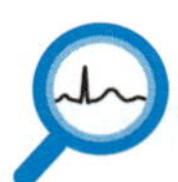

発生のメカニズム―病態から診る

- Rubenstein 分類では、洞不全症候群のⅡ群に属する。
- 洞結節と周囲心房筋の間での伝導途絶により生じる。

鑑別を要する心電図

- 洞徐脈
- 洞停止
- 2 度房室ブロック

よくある患者背景

- 高齢者(加齢)

4. 洞(機能)不全症候群　徐脈頻脈症候群

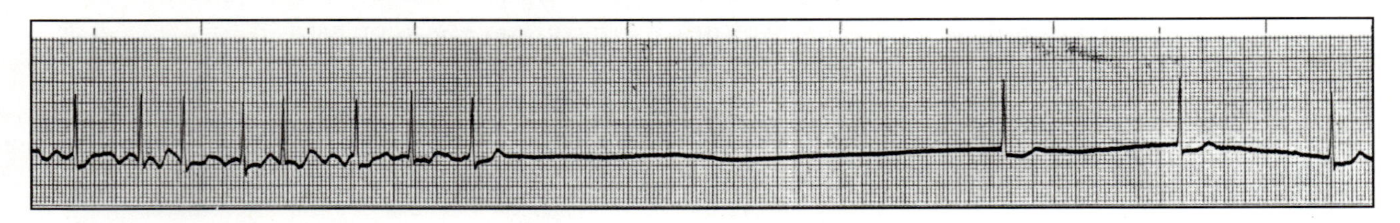

ここをCheck！

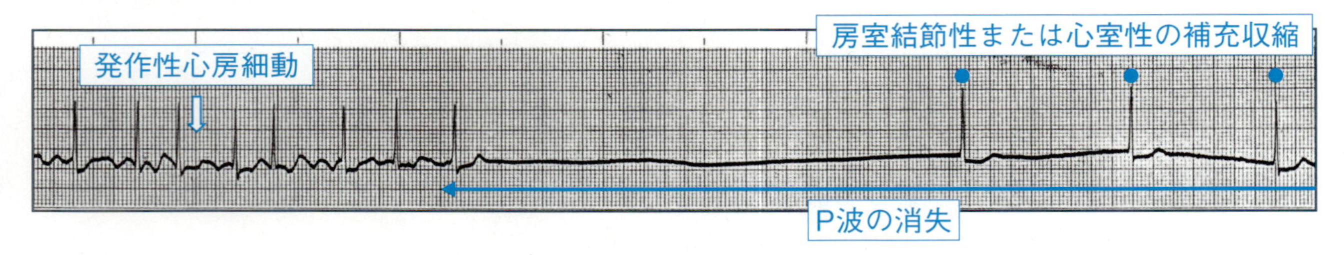

着目すべき心電図所見

リズム：不整　**P 波**：1〜8 拍目までは正常 P 波が認識できず、迅速で多形態の心房波が認められる。〔心房細動を呈している(⇧)〕。この心房細動が停止した後、心停止をきたしている。約 5 秒のポーズの後に QRS 波が補充収縮(●)として出現しているものの、P 波は認められず(⬆)、洞停止をきたしている　**QRS 波**：波形は正常であるが、心房細動中は RR 間隔が不均一である　**QT 間隔**：正常

判読のポイント

- 上室頻脈が停止した後に、P 波の出現が高度に遅延(洞停止)する。
- 原因となる頻脈としては、心房細動が最も多い。
- ポーズが長くなると、房室結節性または心室性の補充収縮(調律)を認める。

発生のメカニズム―病態から診る

- Rubenstein 分類では、洞不全症候群のⅢ群に属する。
- 心房細動などの上室性不整脈が一過性に生じると、その間は洞結節からの刺激生成が休止する。洞結節機能低下例では、上室性不整脈の停止後すぐに洞結節機能が回復せず、より顕著な洞停止を生じる。

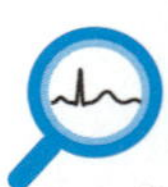

鑑別を要する心電図

- 徐脈性心房細動
- 洞停止
- 発作性房室ブロック

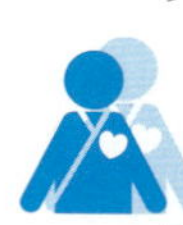

よくある患者背景

- 高齢者
- 薬物(β遮断薬・Na^{+}チャネル遮断薬・非ジヒドロピリジン系 Ca^{2+}拮抗薬・ジギタリス製剤など)の使用
- もともと洞機能が低下していた患者で、上室性不整脈を合併した場合に顕著となる。

MEMO

5. 1度房室ブロック

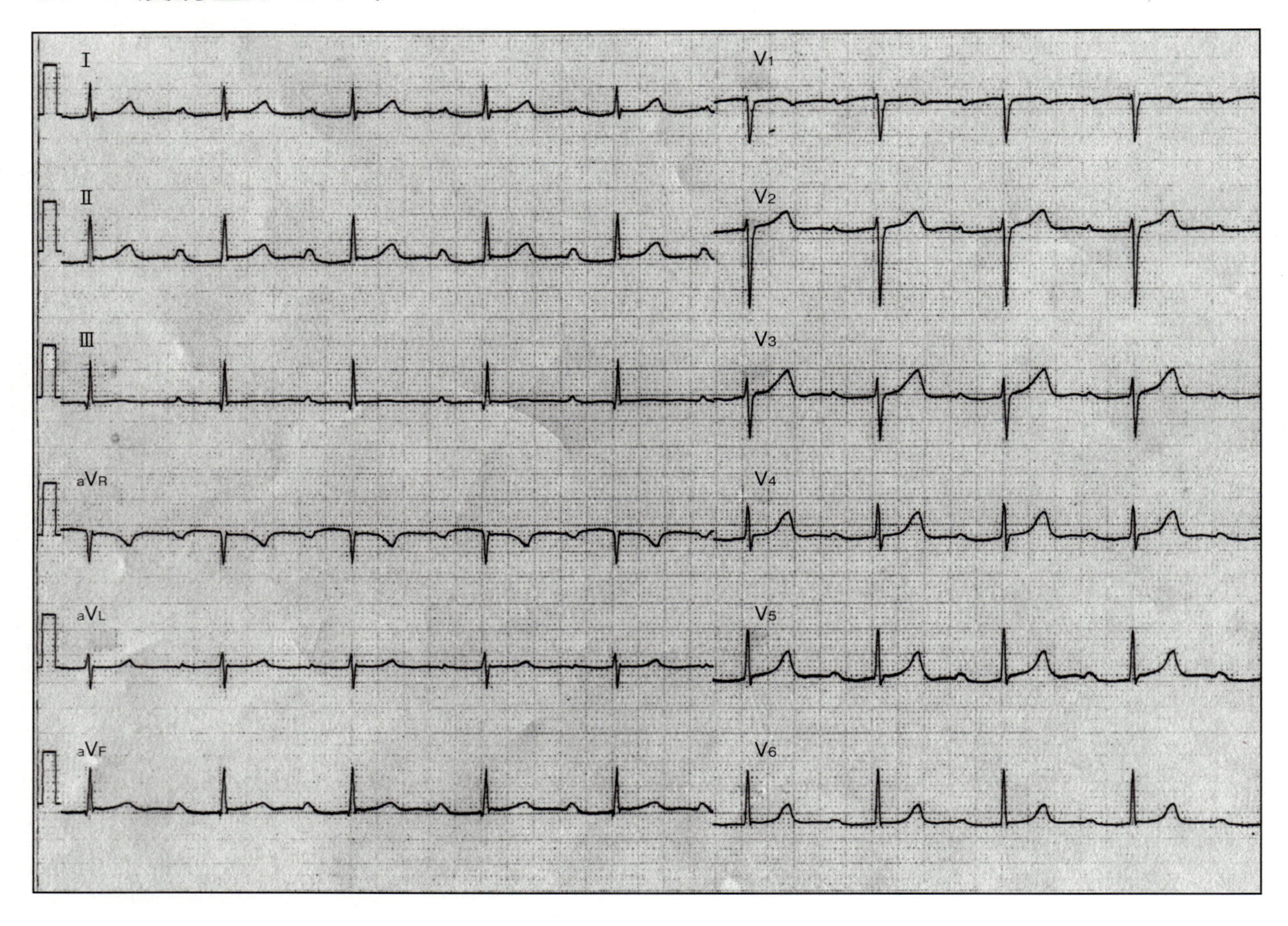

ここをCheck ！

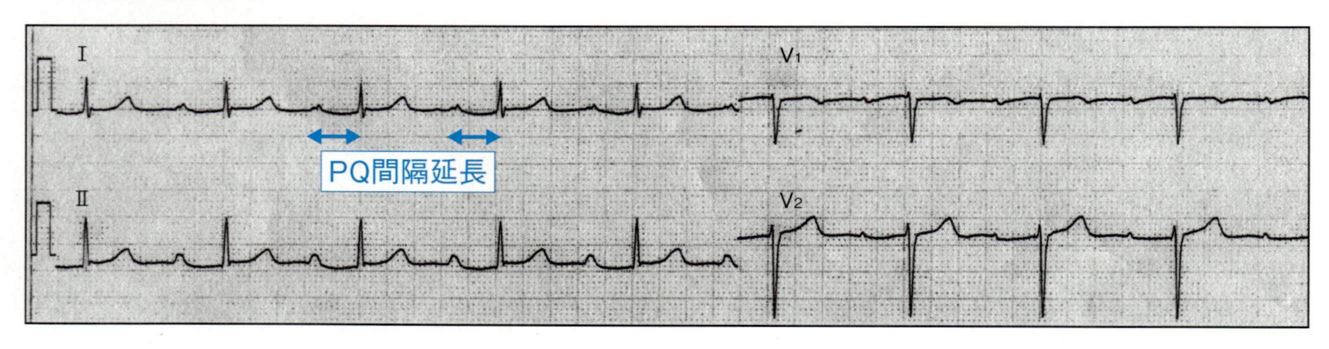

着目すべき心電図所見

リズム：整　心拍数：62/分　P 波：正常　PR(PQ)間隔：0.37 秒と延長(⟷)　QRS 波：正常
ST 部分：正常　T 波：正常　QT 間隔：正常

判読のポイント

- 正常洞調律において、PQ 間隔が単に延長(>0.20 秒)する。
- QRS 波の脱落は認めず、P 波と QRS 波は常に 1：1 で対応する。

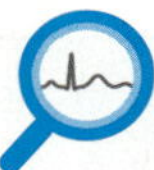

発生のメカニズム―病態から診る

- 房室接合部(房室結節と His 束)の伝導遅延により生じる。

鑑別を要する心電図

- 房室接合部調律
- 等頻度性房室解離
- (頻拍レートの遅い)発作性上室頻拍

よくある患者背景

- 高齢者(加齢)

6. Wenckebach(Mobitz Ⅰ)型２度房室ブロック

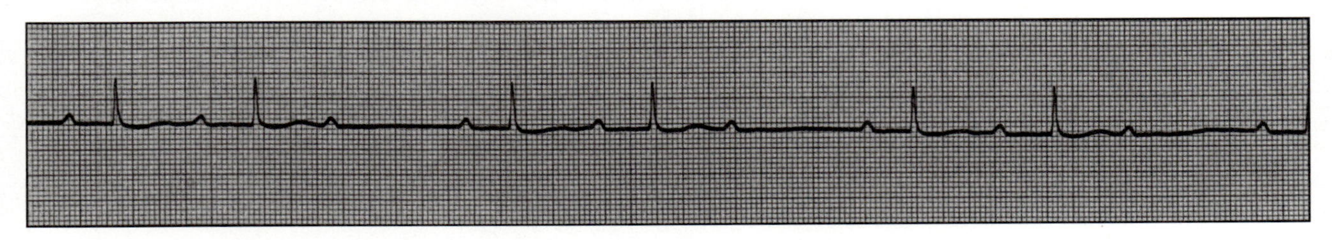

ここをCheck ！

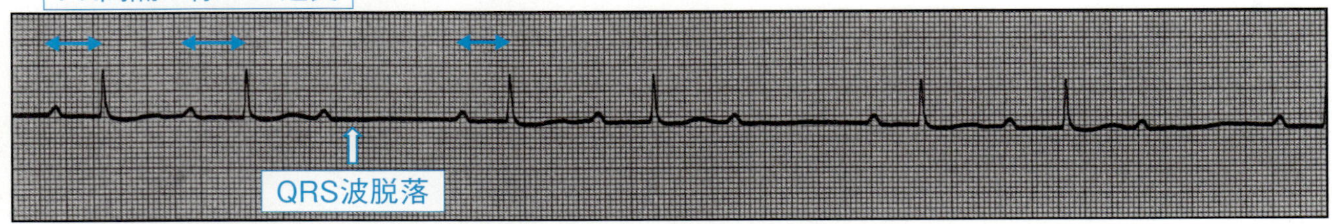

着目すべき心電図所見

リズム：不整　**心拍数**：(平均)40/分　**P 波**：正常　**PR(PQ)間隔**：徐々に延長して(⟷)、QRS 波が 1 拍脱落している(⇧)。その後すぐに P 波に追従して QRS 波が出現しているものの、同一の現象を繰り返している　**QRS 波**：正常　**QT 間隔**：正常

判読のポイント

- 正常洞調律において、QRS 波が時折脱落する。
- PR 間隔が漸次延長して、QRS 波が 1 拍だけ脱落する。
- 脱落後は P 波に追従して QRS 波が出現するが、再び PR 間隔が延長する。
- 脱落前後で PR 間隔に変化があり、脱落後のほうが短い。
- 頻回に脱落すると、2：1 房室ブロックと診断される。

発生のメカニズム―病態から診る

- 房室結節内の伝導遅延により生じる。
- 副交感(迷走)神経緊張による機能的変化に起因することが多い。

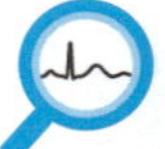

鑑別を要する心電図

- MobitzⅡ型２度房室ブロック
- 高度房室ブロック
- 洞停止

よくある患者背景

- 若年者

7. MobitzⅡ型２度房室ブロック

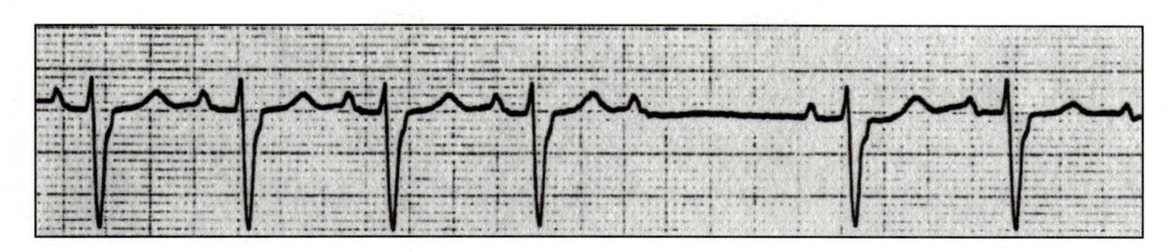

ここをCheck！

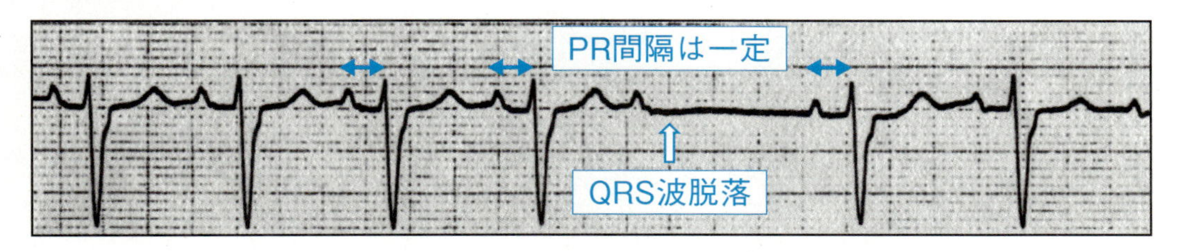

着目すべき心電図所見

リズム：不整　**心拍数**：92/分　**P波**：正常　**PR(PQ)間隔**：延長することなく一定であるが(⟷)、突然にQRS波が1拍脱落している(⇧)。その後すぐにP波に追従して、脱落前と同じPR間隔でQRS波が出現している　**QRS波**：正常　**QT間隔**：正常

判読のポイント

- 正常洞調律において、QRS波が突然脱落する。
- PR間隔が延長することなく、QRS波が1拍だけ脱落する。
- 脱落前後でPR間隔に変化はない。

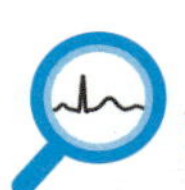

発生のメカニズム―病態から診る

- 房室接合部(房室結節とHis束)の伝導途絶により生じる。
- 器質的変化に起因することが多い。

鑑別を要する心電図

- Wenckebach(MobitzⅠ)型２度房室ブロック
- 高度房室ブロック
  ⇒2拍以上連続して、QRS波の脱落が見られる。
- 洞房ブロック

よくある患者背景

- 高齢者に多いが、若年者にも発現する

8. 2：1型2度房室ブロック

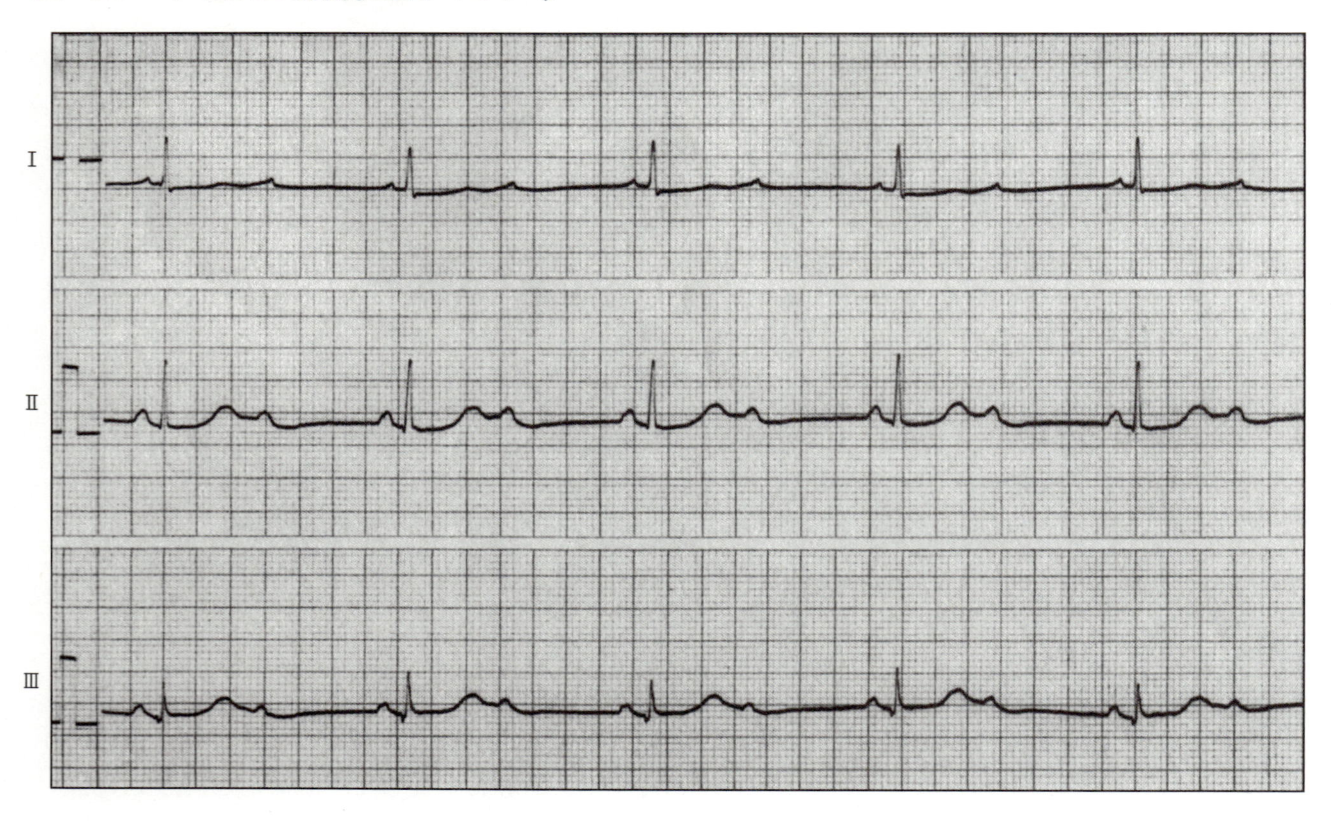

ここをCheck ！

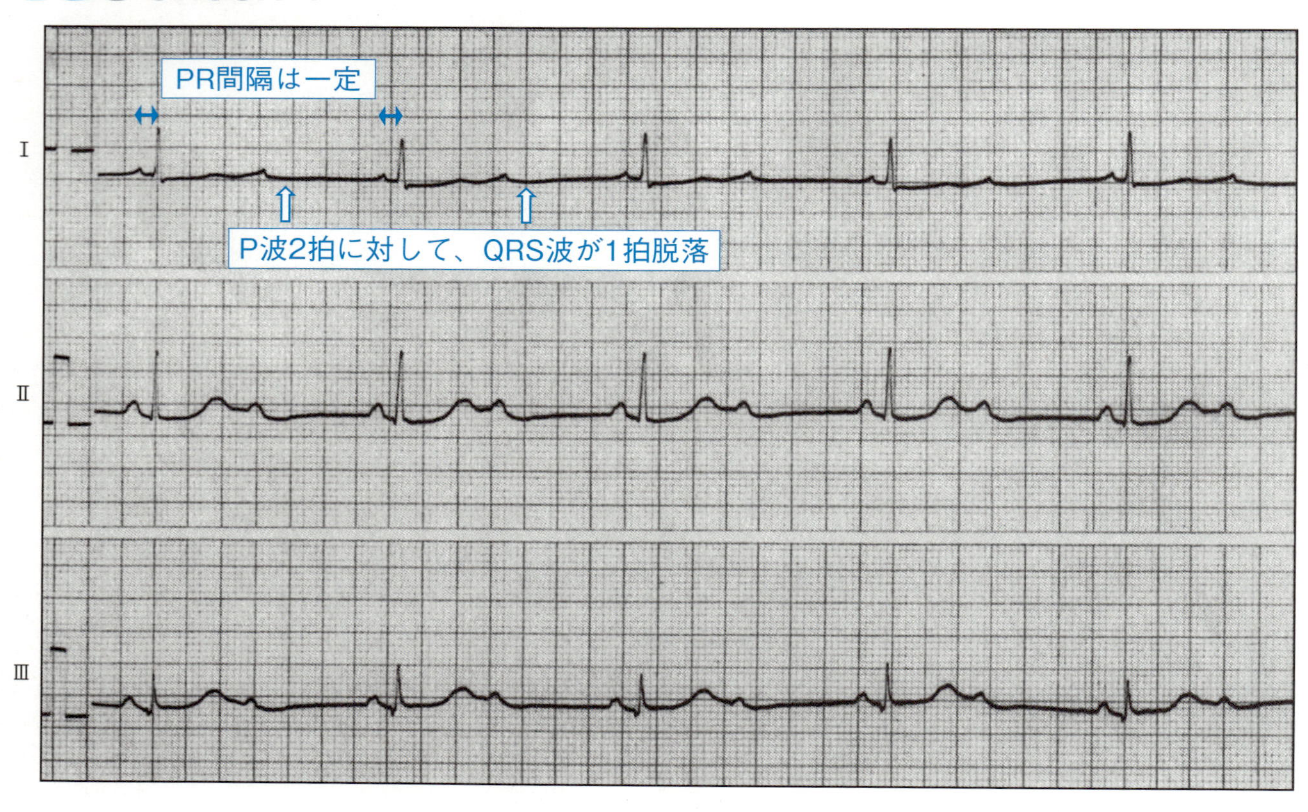

着目すべき心電図所見

リズム：整　**心拍数**：42/分　**P 波**：正常　**PR(PQ)間隔**：P 波 2 拍に対して、QRS 波が 1 拍脱落している。すなわち、2:1 の頻度で QRS 波の脱落を呈している(⇧)。P 波と QRS 波が 1:1 で対応している心拍では、PR 間隔は正常かつ一定である(⟷)　**QRS 波**：正常　**QT 間隔**：正常

判読のポイント

- 正常洞調律において、QRS 波が 2：1 の頻度で脱落する。
- P 波と QRS 波が 1：1 に対応する場合の PR 間隔は一定である。
- 経過中に、Wenckebach(Mobitz Ⅰ)型または MobitzⅡ型房室ブロックを認めることがある。

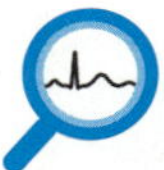

発生のメカニズム―病態から診る

- 房室接合部(房室結節と His 束)の伝導遅延または途絶により生じる。
- Wenckebach(Mobitz Ⅰ)型または MobitzⅡ型 2 度房室ブロックの進展により発現する(前者のほうが多い)。

鑑別を要する心電図

- 洞徐脈
- 高度房室ブロック
  ⇒2 拍以上連続して、QRS 波の脱落が見られる。
- 完全房室ブロック

よくある患者背景

- 高齢者
- 薬物(β遮断薬・非ジヒドロピリジン系 Ca^{2+}拮抗薬・ジギタリス製剤など)の使用

9. 高度房室ブロック

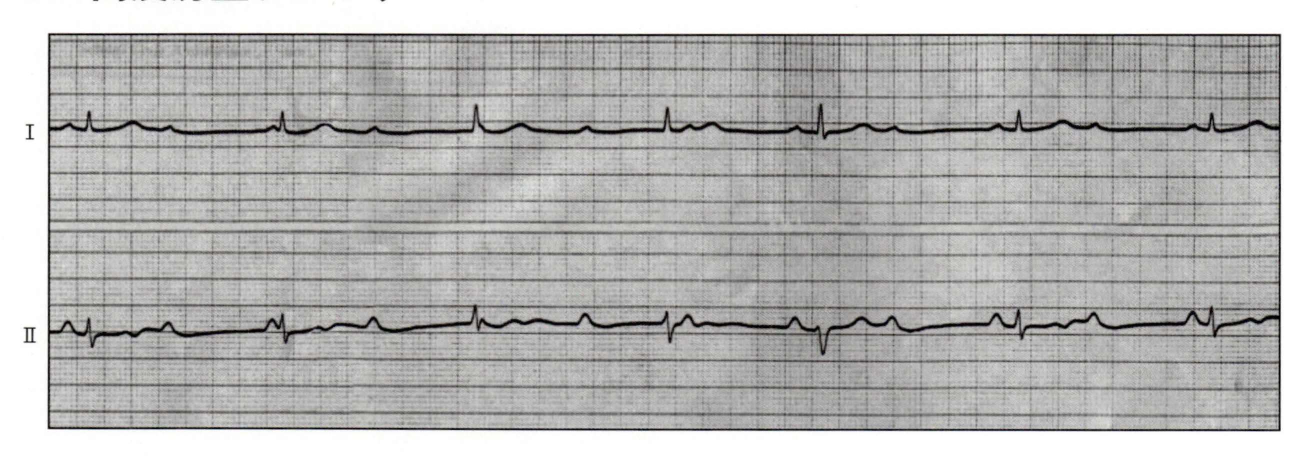

ここを Check ！

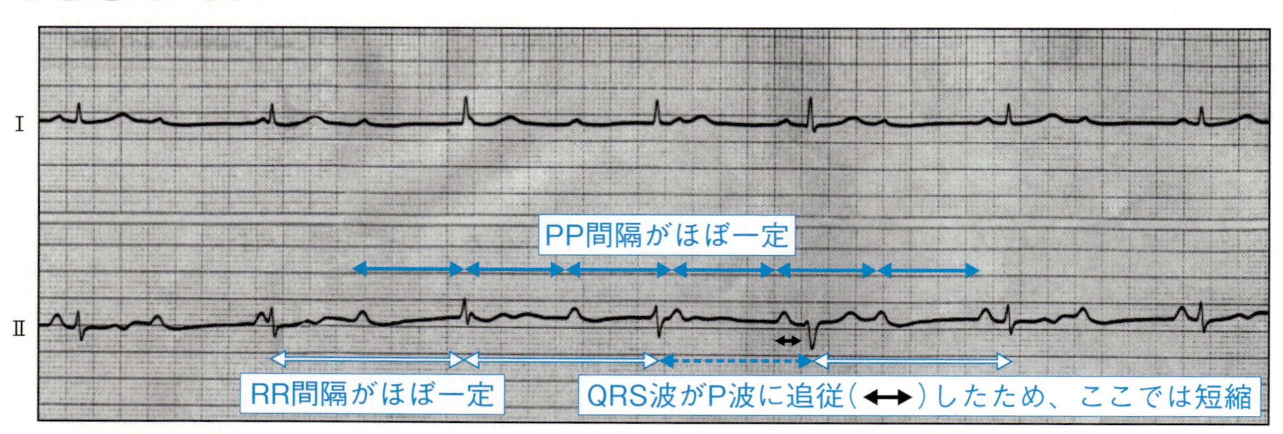

着目すべき心電図所見⇒「さらにレベルアップ！3度(完全)房室ブロック」参照(p.177)

リズム：不整　**心拍数**：42/分　**P波**：正常　**PP間隔**：ほぼ一定(心室時相性洞不整脈)(⟷)　**PR(PQ)間隔**：1拍目のP波とQRS波は1：1で対応しているが、2〜7拍目までのP波はQRS波と対応しておらず、完全房室ブロックを呈している。その間、心拍数約40/分の心室補充調律を認める。8拍目のP波はQRS波と対応しているため、そのときだけはRR間隔が短縮する(⇠⇢)　**QRS波**：4拍目のP波に対応したQRS波の形態はほかと異なり、このQRS波はP波に追従(⟷)したことを裏づけている。それ以外のQRS波は、P波に追従したQRS波と異なり、一定の間隔で遅く出現しているため、心室補充調律である　**QT間隔**：正常

判読のポイント

- 正常洞調律において、QRS波が3：1以上の頻度(2拍以上連続)で脱落する。
- 完全房室ブロックの時間帯があっても、時折、房室伝導が回復していれば、診断は高度房室ブロックとなる。

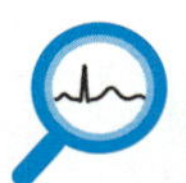

発生のメカニズム—病態から診る

- 房室接合部(房室結節とHis束)の伝導遅延または途絶により生じる。
- 器質的変化に起因することが多い。

鑑別を要する心電図

- 完全房室ブロック
  ⇒完全房室ブロックでは、P波とQRS波が完全に解離している。
- Wenckebach(Mobitz Ⅰ)型2度房室ブロック
  ⇒Wenckebach(Mobitz Ⅰ)型2度房室ブロックでは、QRS波脱落が1拍のみ。
- Mobitz Ⅱ型2度房室ブロック
  ⇒Mobitz Ⅱ型2度房室ブロックでは、QRS波脱落が1拍のみ。

よくある患者背景

- 高齢者
- 薬物(β遮断薬・非ジヒドロピリジン系Ca^{2+}拮抗薬・ジギタリス製剤など)の使用

10. 発作性房室ブロック

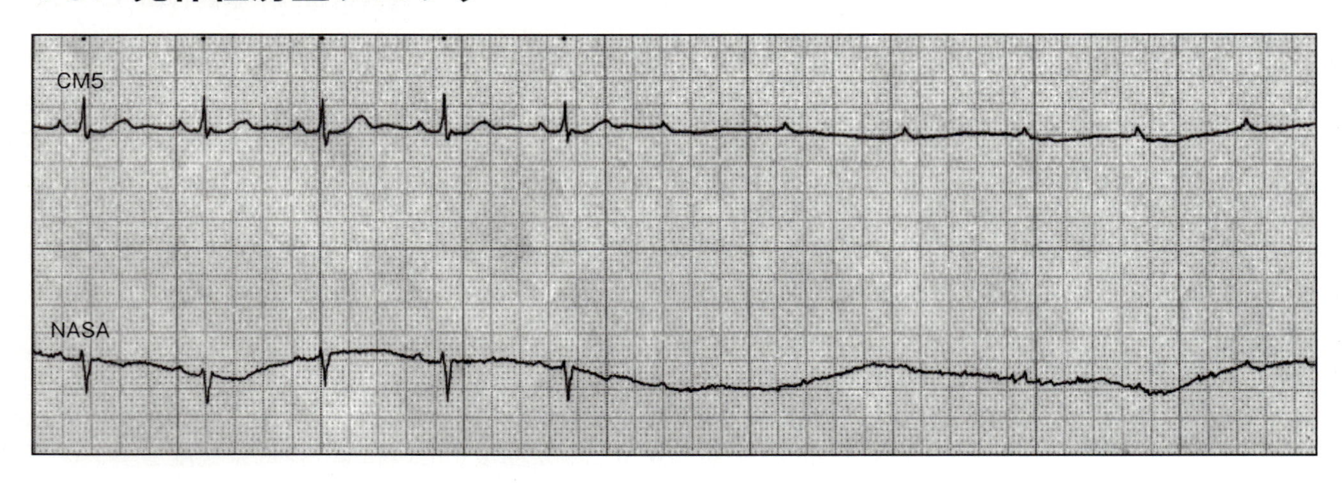

ここをCheck！

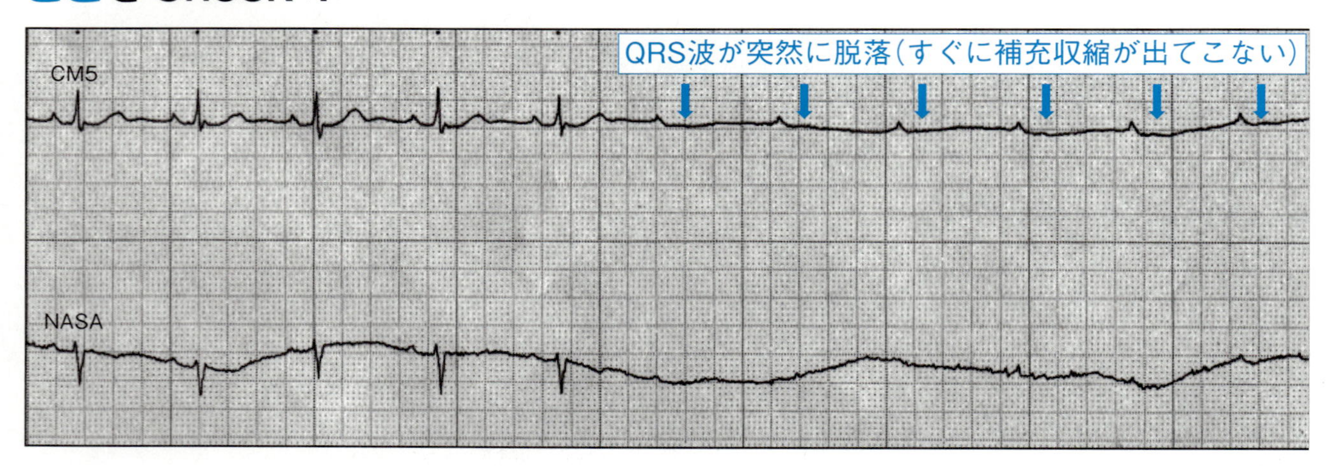

着目すべき心電図所見

リズム：不整　**P 波**：正常　**PR(PQ)間隔**：P 波と QRS 波が 1：1 で対応する調律において、突然に QRS 波が長時間にわたって脱落している(⬆)。ここでは提示されていないが、15 秒後に QRS 波が回復するまで心停止をきたしている　**QT 間隔**：正常　**QRS 波**：房室ブロックを呈するまでは正常

判読のポイント

- 正常洞調律において、突然に QRS 波が 10 秒前後〜数十秒にわたって長時間脱落する。
- QRS 波が脱落する直前の心拍で、頻脈型・徐脈型・無変動型の 3 つのタイプに分けられる。
- 房室伝導は完全にブロックされていないため、分類上は 2 度房室ブロックとなる。

発生のメカニズム—病態から診る

- 房室接合部(房室結節と His 束)の伝導途絶により生じる。
- 器質的変化に起因することが多い。
- 二枝ブロック(特に右脚ブロック＋左脚後枝ブロック)からの進展も多い。

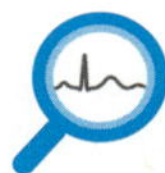

鑑別を要する心電図

- 洞停止
- 高度房室ブロック
  ⇒高度房室ブロックでは、QRS 波が 3：1 以上の頻度(2 拍以上連続)で数秒間だけ脱落、もしくは脱落中に補充収縮(調律)が見られる。
- 完全房室ブロック

よくある患者背景

- 高齢者に多いが、若年者にも発現する。

11．３度（完全）房室ブロック

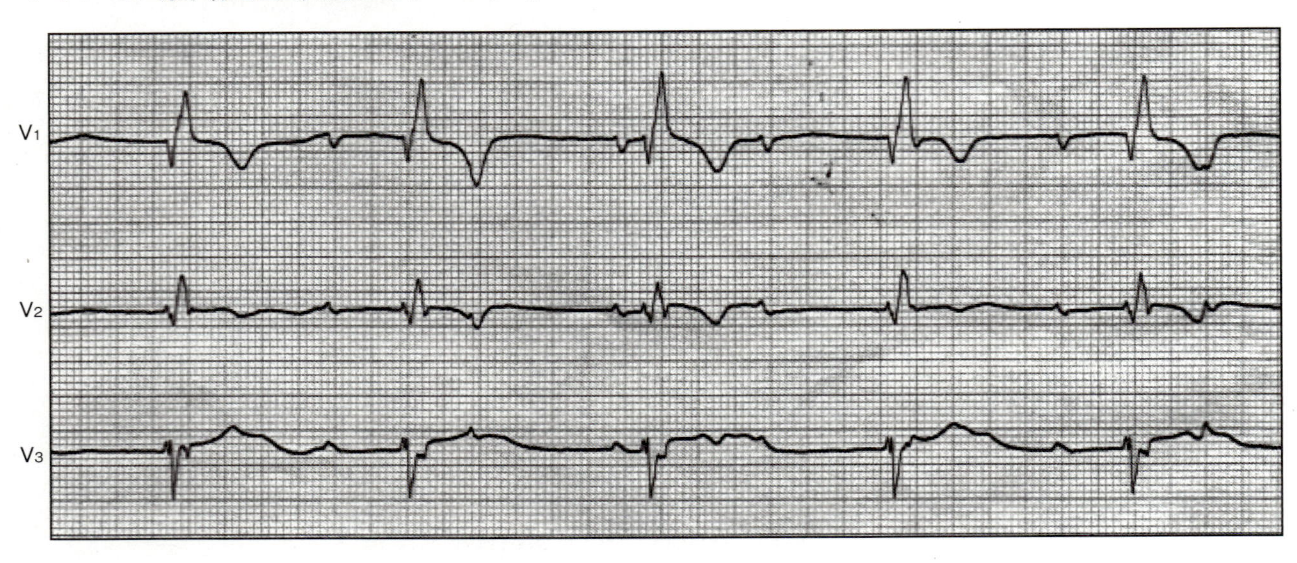

ここをCheck ！

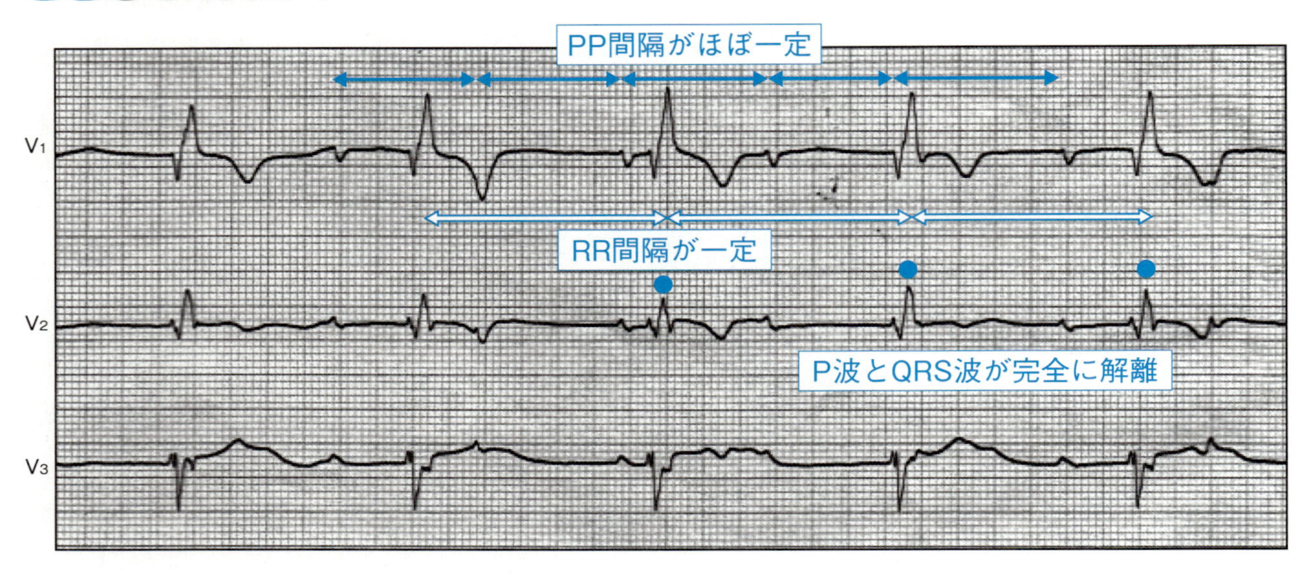

着目すべき心電図所見⇒「さらにレベルアップ！３度(完全)房室ブロック」参照

リズム：整　**心拍数**：46/分　**P 波**：正常　**PR(PQ)間隔**：P 波に QRS 波は対応しておらず、P 波と QRS 波は完全に解離している(●)。P 波の周期はほぼ一定(心室時相性洞不整脈)である(⟷)
QRS 波：幅が広く、心拍数 46/分と、徐脈で周期が一定のため(⇔)、心室補充調律を呈している

判読のポイント

- P 波と QRS 波が完全に解離する。
- 規則正しい徐脈を呈する。
- QRS 波周期(RR 間隔)は、P 波周期(PP 間隔)より明らかに長い。
- 補充調律が出現しなければ、心停止をきたす。

発生のメカニズム―病態から診る

- 房室結節あるいは His 束以下の伝導途絶で生じる。
- 器質的変化に起因することが多い。

鑑別を要する心電図

- 等頻度性房室解離
  ⇒PP 間隔と RR 間隔がほぼ等しい場合、等頻度性房室解離の可能性が高い。
- 高度房室ブロック
  ⇒時折、房室伝導が回復する時間帯があれば、高度房室ブロックと診断する。
- 洞徐脈

よくある患者背景

- 高齢者

さらにレベルアップ！　「3 度(完全)房室ブロック」

★心室時相性洞不整脈とは？

3 度(完全)房室ブロック、高度房室ブロック時の PP 間隔は、その間に QRS 波を挟むと短く、挟まないと長くなる場合がある。これを心室時相性洞不整脈(ventriculophasic sinus arrhythmia)と呼び、3 度(完全)房室ブロックの 40%に認められるとされている。心室収縮期の心房伸展刺激、洞結節動脈への血流増加により QRS 後の洞結節興奮が早く起こること、心室収縮期の頸動脈圧受容体を介する迷走神経刺激が次の心室拡張期の陰性変時作用をもたらして PP 間隔を延長させることなどが機序と推測されている。

〈参考〉3 度(完全)房室ブロックに伴う心室時相性洞不整脈

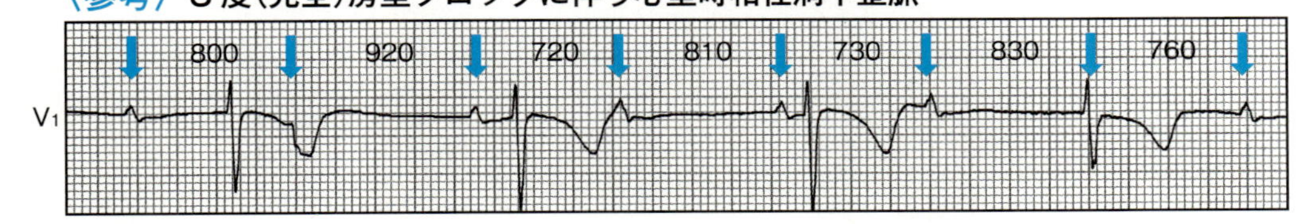

P 波(⬆)と QRS 波が解離していることから、3 度(完全)房室ブロックと診断できる。PP 間隔は、その間に QRS 波を挟むと短く、挟まないと長くなっており、この変動は心室時相性洞不整脈によるものと考えられる。

12. 心房細動を伴う３度(完全)房室ブロック

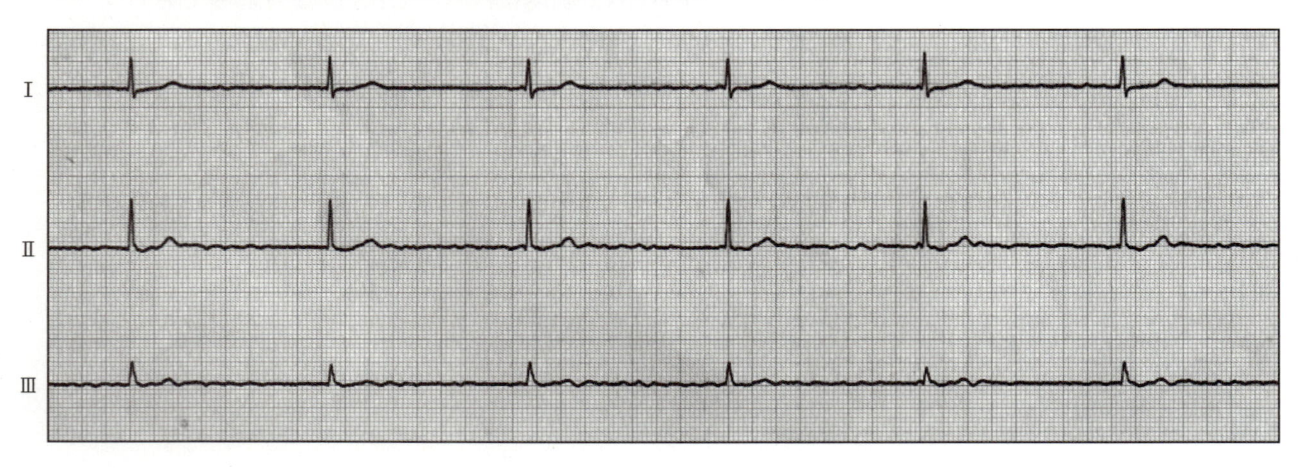

ここをCheck ！

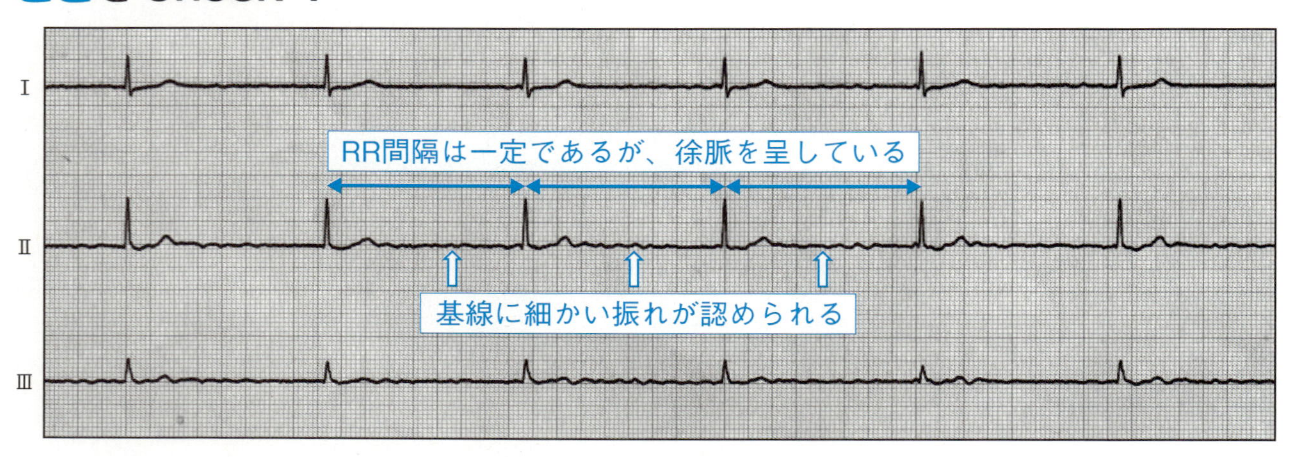

着目すべき心電図所見

リズム：整　**心拍数**：36/分　**P 波**：正常 P 波が認識できず、迅速で多形態の心房波が認められる〔心房細動(⇧)〕。**QRS 波**：幅が狭く、心拍数 36/分と徐脈で周期が一定(⟷)のため、房室接合部性の補充調律を呈している

判読のポイント

- 基本調律は心房細動である。
- 規則正しい明らかな徐脈を呈する。
- QRS 波の幅は、狭い場合もあれば広い場合もある。
- 補充調律が出現しなければ、心停止をきたす。

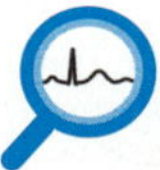

発生のメカニズム―病態から診る

- His 束あるいは His 束以下の伝導途絶により生じる。
- 器質的変化に起因することが多い。

鑑別を要する心電図

- 徐脈性心房細動
- 洞徐脈
- 心房細動に伴う高度房室ブロック
  ⇒時折、RR 間隔が短くなる。

よくある患者背景

- 高齢者

13. ペースメーカ心電図　AAI モードペースメーカ

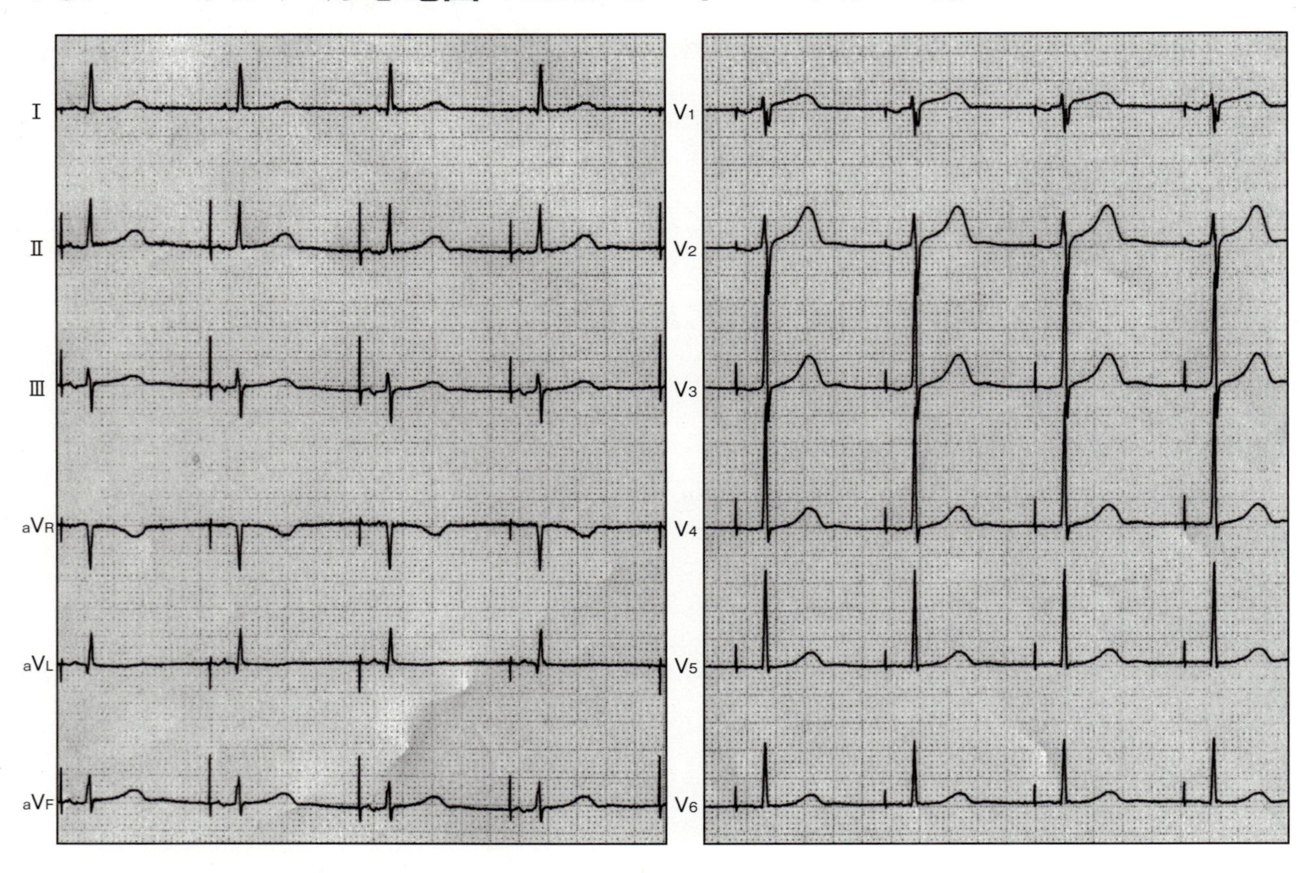

ここをCheck ！

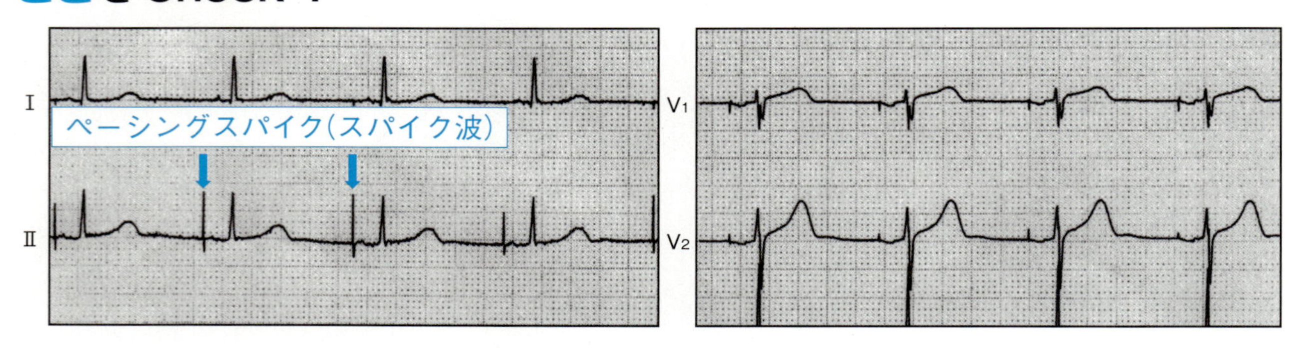

着目すべき心電図所見

リズム：整　**心拍数**：60/分　**PR(PQ)時間**：正常　**QRS波**：正常　**ST部分**：正常　**T波**：正常　**QT間隔**：正常　**P波**：ペーシングによるP波が認められる(⬆)

判読のポイント

- きわめて規則正しい調律を示す。
- すべての誘導で、P波の直前にスパイク波を認める。
- QRS波の直前にはスパイク波を認めない。

発生のメカニズム―病態から診る

- 洞結節機能低下例において刺激生成を補う目的でペースメーカを使用すると、このような心電図波形を呈する場合がある。

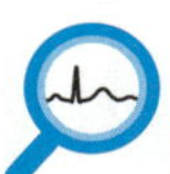

鑑別を要する心電図

- 洞頻脈
- 上室頻拍
- DDDモードペースメーカ

⇒本症例はAAIモードもしくはDDDモードのペースメーカ心電図と診断されるが、両モードの鑑別は困難である。自己のQRS波が出現しているため、DDDモードでも良好にセンシングできていれば、このような心電図になる。

よくある患者背景

- Adams-Stokes発作を有する洞不全症候群例でペースメーカを使用している患者

WORD

Adams-Stokes発作

心拍出量の急激な低下もしくは停止に伴い、脳の酸素濃度が低下することによって起こる発作。主な症状としては、めまい・意識消失(失神)・痙攣などがある。心電図検査および電気生理学的検査などによって診断され、徐脈が原因である場合は意識消失発作の予防のためにペースメーカが、心室細動や心室頻拍が危惧される場合には頻脈を停止させるために植込み型除細動器(ICD)が適用される。

14．ペースメーカ心電図　VVI モードペースメーカ

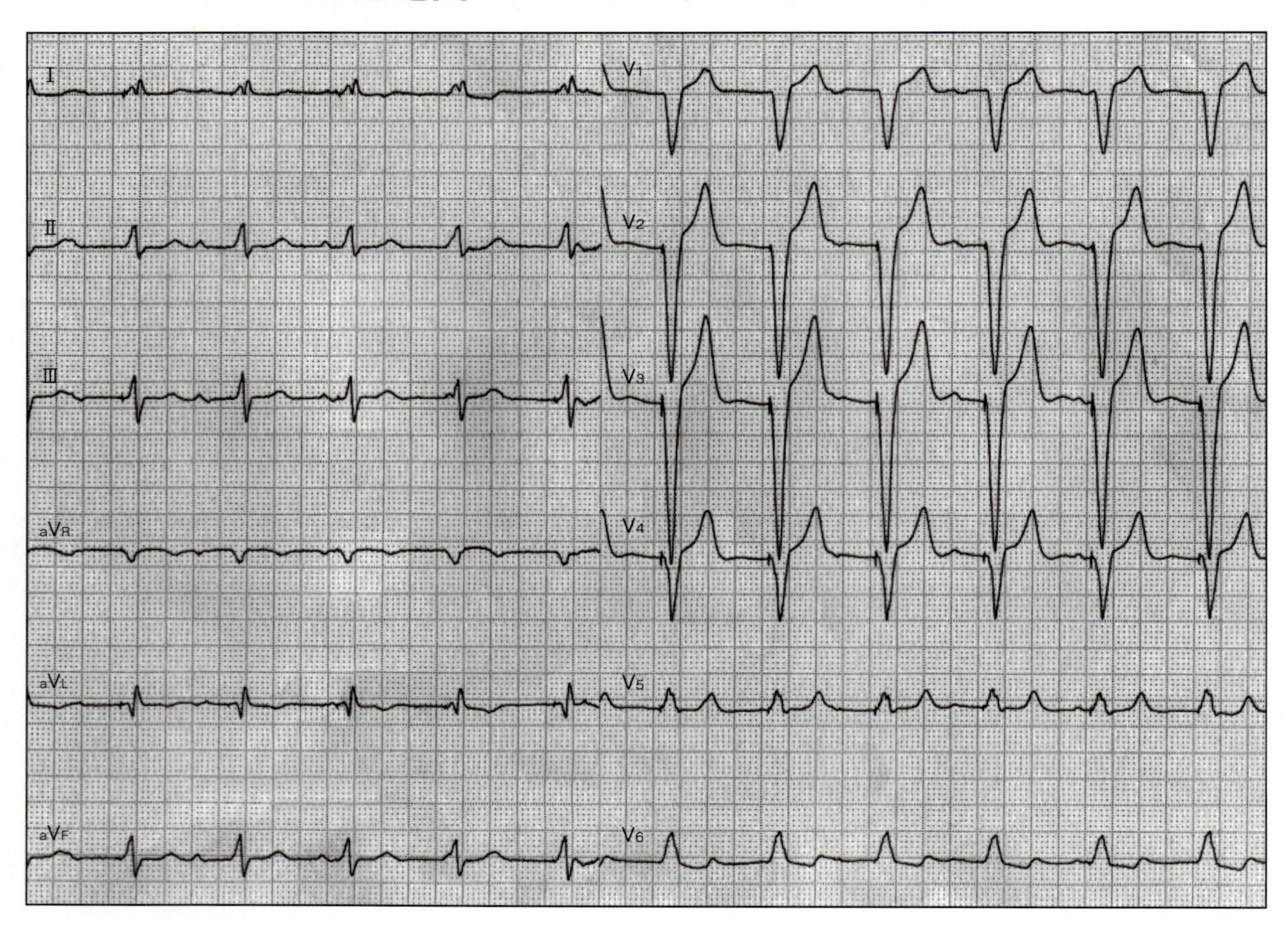

ここを Check ！

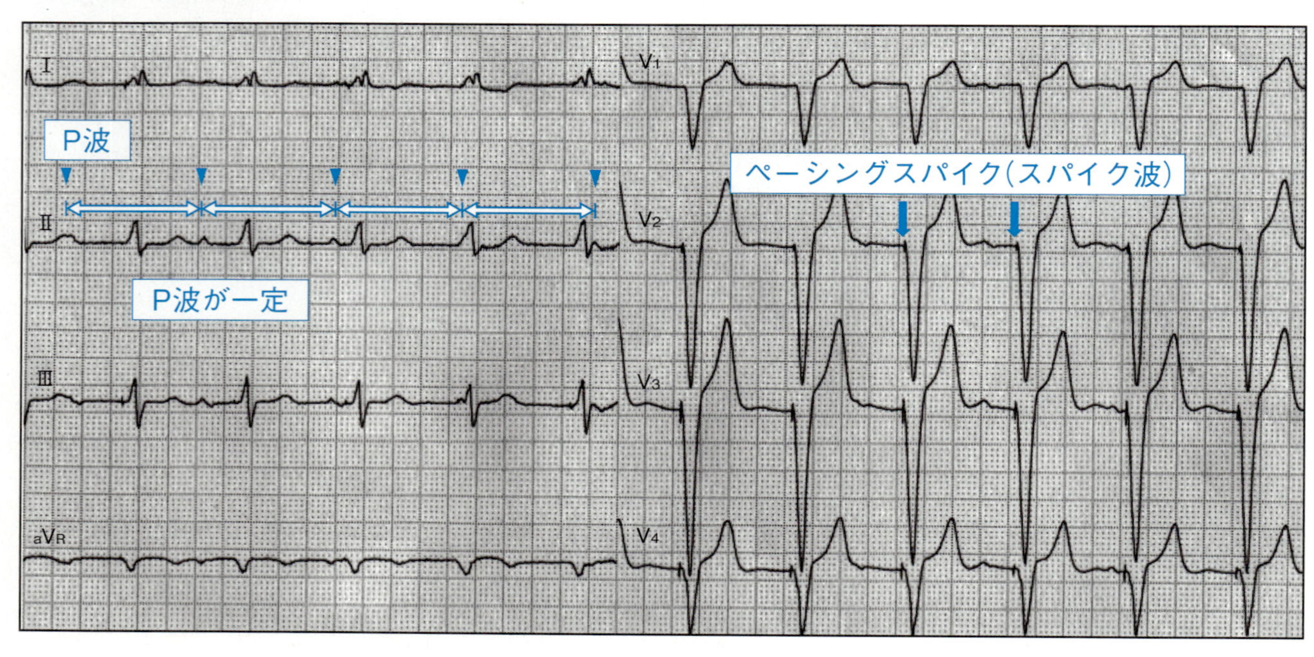

着目すべき心電図所見

リズム：整　**心拍数**：75/分　**PR(PQ)間隔**：正常　**P 波**：正常に一定の間隔で出現している(▼、⟺)　**QRS 波**：ペーシングによる QRS 波が認められる(⬆)

判読のポイント

- きわめて規則正しい調律を示す。
- すべての誘導で、QRS 波の直前にスパイク波を認める。
- P 波とは無関係にスパイク波(QRS 波)を認める。

発生のメカニズム―病態から診る

- 洞結節機能低下例または房室接合部(房室結節と His 束)障害例において、刺激伝導を補う目的でペースメーカを使用すると、このような心電図波形を呈する場合がある。

鑑別を要する心電図

- 心室頻拍
- 脚ブロック

よくある患者背景

- Adams-Stokes 発作を有する洞不全症候群例または房室ブロック例で、ペースメーカを使用している患者

15. ペースメーカ心電図　DDD モードペースメーカ

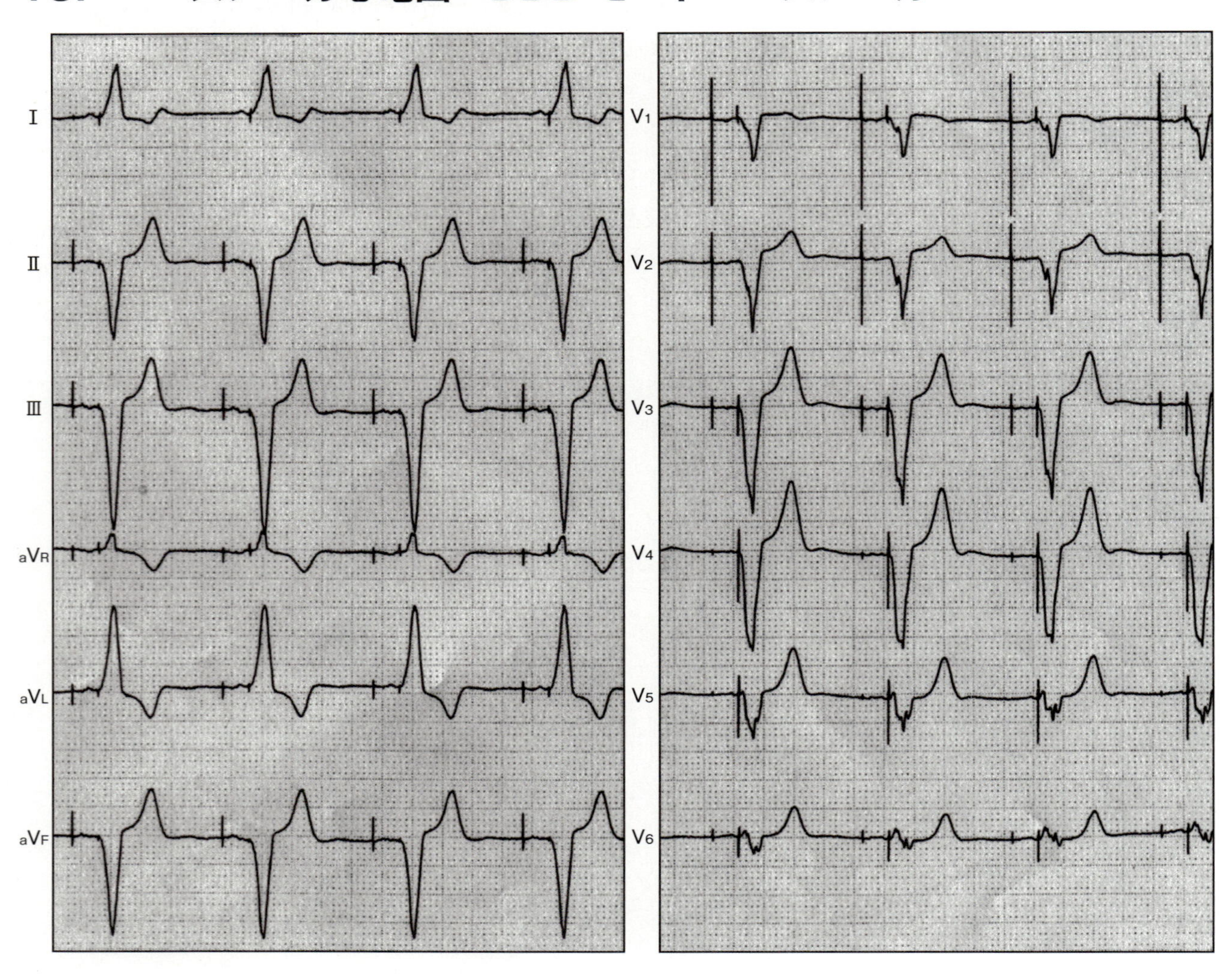

ここを Check ！

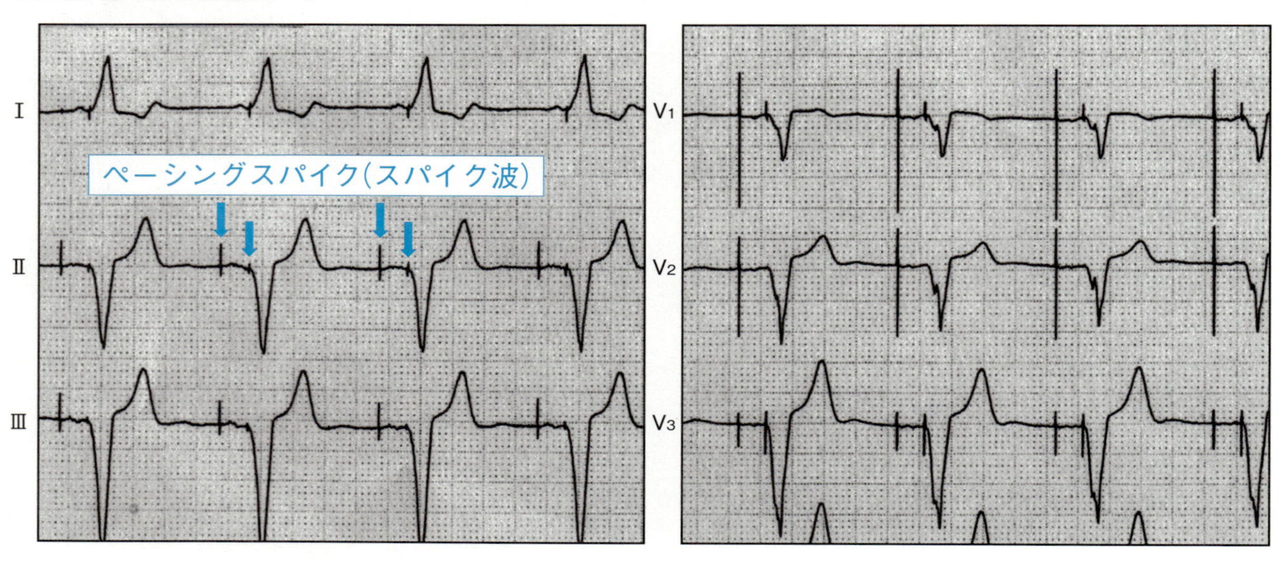

着目すべき心電図所見

リズム：整　**心拍数**：60/分　**P 波**：ペーシングによる P 波が認められる（⬆）　**PR（PQ）間隔**：常に一定で正常　**QRS 波**：ペーシングによる QRS 波が認められる（⬆）

判読のポイント

- きわめて規則正しい調律を示す。
- すべての誘導で、P 波の直前にスパイク波を認める。
- すべての誘導で、QRS 波の直前にスパイク波を認める。
- P 波と QRS 波が常に一定の間隔で出現している。

発生のメカニズム―病態から診る

- 房室接合部（房室結節と His 束）障害例において刺激伝導を補う目的でペースメーカを使用すると、このような心電図波形を呈する場合がある。また、洞結節機能低下例においても、将来的な房室接合部障害を見越して使用する場合があり、そのさいも同様の波形を呈しうる。

鑑別を要する心電図

- 心室頻拍
- 脚ブロック
- WPW 症候群

よくある患者背景

- Adams-Stokes 発作を有する房室ブロック例で、ペースメーカを使用している患者

さらにレベルアップ！　「ペースメーカモード」

★ペースメーカモードは、NBGコード(国際ペースメーカコード)で規定される

ペースメーカモードには、AAIモードやVVIモードなどがあるが、それらはNBGコード(国際ペースメーカコード)で規定されている。「A」や「I」、「V」などの文字にはそれぞれ意味がある。

①1文字目：刺激電極の位置(A：心房、V：心室、D：両方)
②2文字目：感知電極の位置(A：心房、V：心室、D：両方)
③3文字目：自己心拍を感知した際の応答(T：同期型、I：抑制型、D：両方))

★AAIモードペースメーカの解釈と適応

・設定されたレートよりも自己のP波が遅ければ心房を刺激する。
・設定されたレートよりも自己のP波が早く出現すれば、それを感知して心房刺激を抑制する。
・適応としては、(房室伝導が正常の)洞不全症候群である。

★VVIモードペースメーカの解釈と適応

・設定されたレートよりも自己のQRS波が遅ければ心室を刺激する。
・設定されたレートよりも自己のQRS波が早く出現すれば、それを感知して心室刺激を抑制する。
・適応としては、慢性心房細動に伴う房室ブロック、もしくは単に心停止を防ぐためにペースメーカ治療の適応となったすべての徐脈性不整脈である。

★DDDモードペースメーカの解釈と適応

・設定されたレートよりも自己のP波・QRS波が遅ければ心房・心室を刺激する。
・設定されたレートよりも自己のP波・QRS波が早く出現すれば、それを感知して心房・心室刺激を抑制・同期する。
・適応としては、完全房室ブロック、洞不全症候群で房室ブロックの合併が危惧される場合である。

MEMO

1. 心房細動

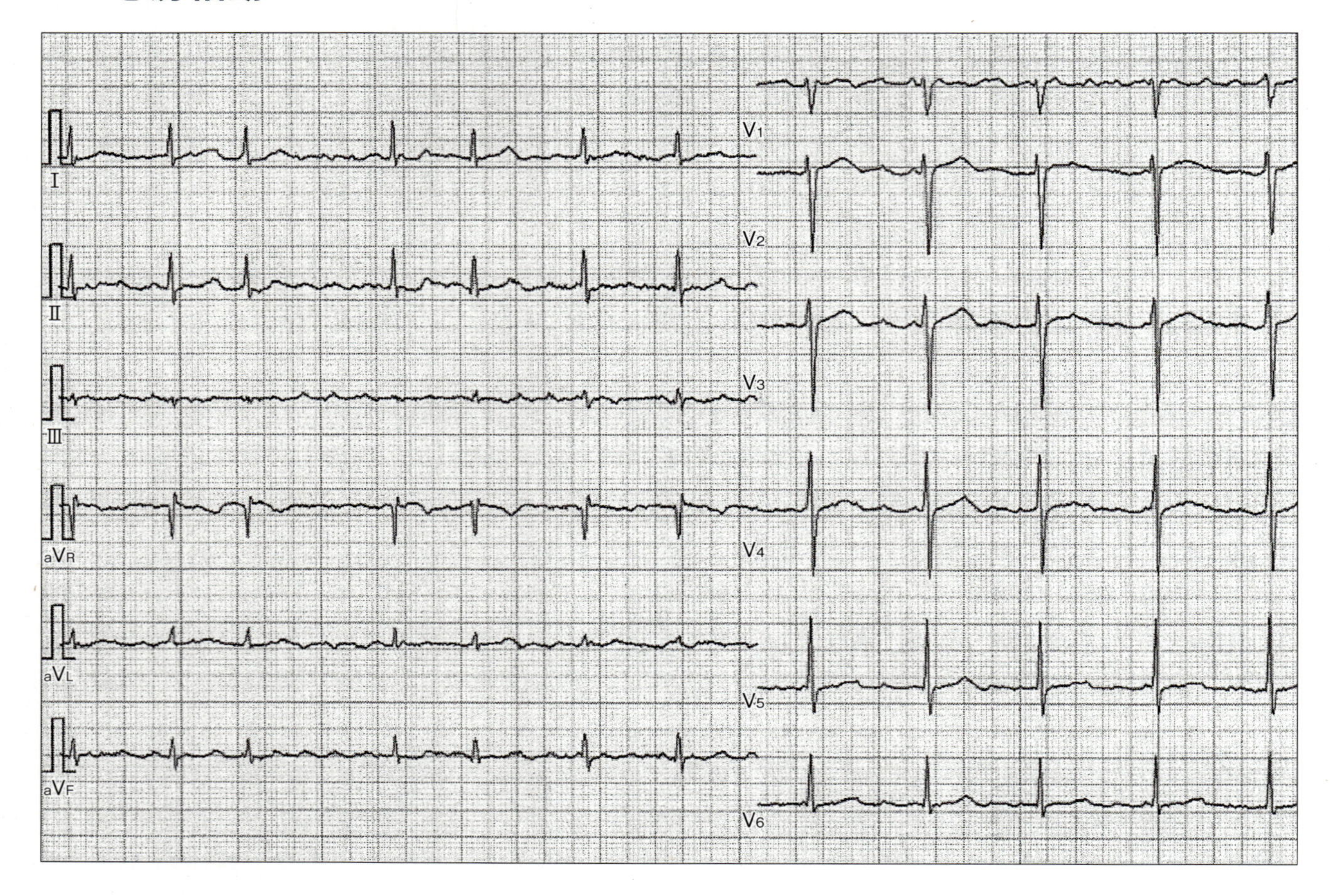

ここをCheck !

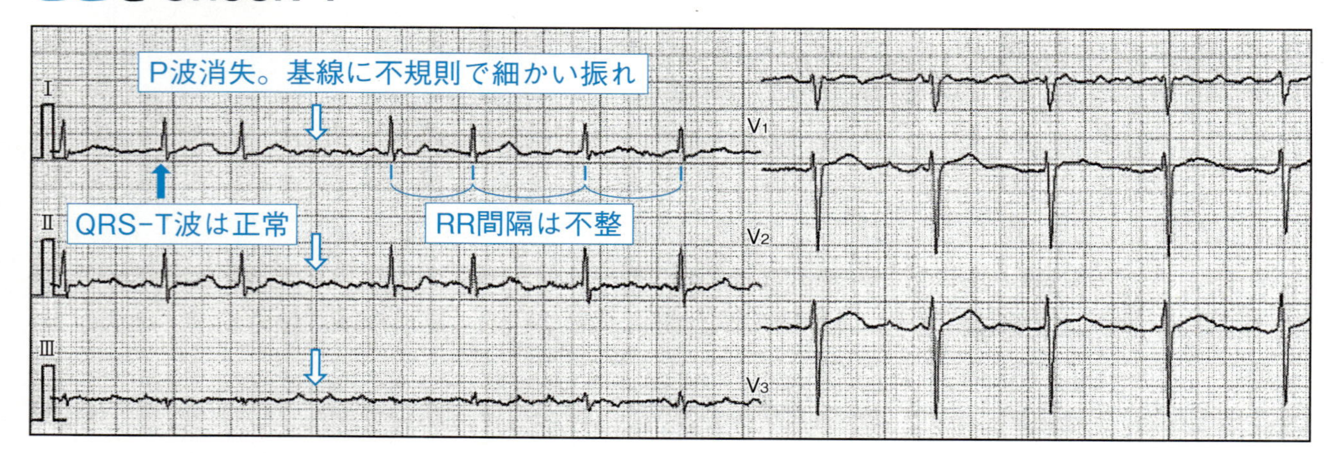

着目すべき心電図所見

心拍数：82/分　不整　**RR 間隔**：不整(絶対不整)　**P 波**：P 波が視認できず、基線に不規則で細かい振れ(細動波：f 波)が認められる(⇧)　**QRS-T 波**：正常(⬆)

判読のポイント

- 心房細動の 3 つの特徴が認められる。①P 波が消失し視認できない、②基線に不規則で細かい振れ(細動波：f 波)が認められる、③RR 間隔が不整でまったく規則性が認められない(絶対不整)。
- f 波は、P 波が観察されやすいⅡ・Ⅲ・aV_F・V_1〜V_2誘導でよく見られる。罹病歴の長い症例や心房に器質異常を伴う症例では、起電力が低下することにより f 波の振幅が小さくなるため、体表面心電図上で視認しにくくなる場合がある。
- QRS-T 波は正常(房室結節以下の伝導障害や基礎疾患に伴う心電図変化、あるいは副伝導路の関与を伴わない限り、正常)。

発生のメカニズム―病態から診る

- 心房細動とは、心房内に無秩序の興奮が複数同時に存在する病態であり、心房興奮頻度は 360〜600 拍/分におよぶ。一般に、左房-肺静脈移行部を起源とする心房期外収縮によって引き起こされ、無秩序な心房興奮は心房筋内における無秩序な興奮旋回(ランダムリエントリー)によって維持される。
- 心房の統一された興奮が消失するため P 波は形成されず、心房の不規則な興奮を反映した不規則な振れ(細動波：f 波)が生じる。
- 心拍数(心室興奮頻度)は、房室結節の伝導に依存する。房室結節への心房興奮入力は、不規則かつ頻回であるため、房室結節は不規則な伝導ブロックを生ずる。心室の興奮間隔は完全な不整となる(絶対不整)。
- 房室結節の伝導亢進(交感神経刺激など)は、心拍数を増加させる。
- 脚ブロック・心室内伝導障害・副伝導路伝導(WPW 症候群)が関与すると、QRS 波は変形し、wide QRS 波となる場合がある。

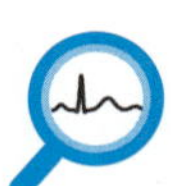

鑑別を要する心電図

- 発作性上室頻拍
- 心房期外収縮の頻発
- 雑音(特に、筋電図の混入)

よくある患者背景

- 弁膜症(特に僧帽弁疾患)・甲状腺機能亢進・高血圧
  ⇒心房細動の 3 大基礎疾患
- 加齢・心不全・慢性腎臓病・糖尿病・睡眠時無呼吸症候群・喫煙など
  ⇒発症の独立危険因子

2. 発作性心房細動

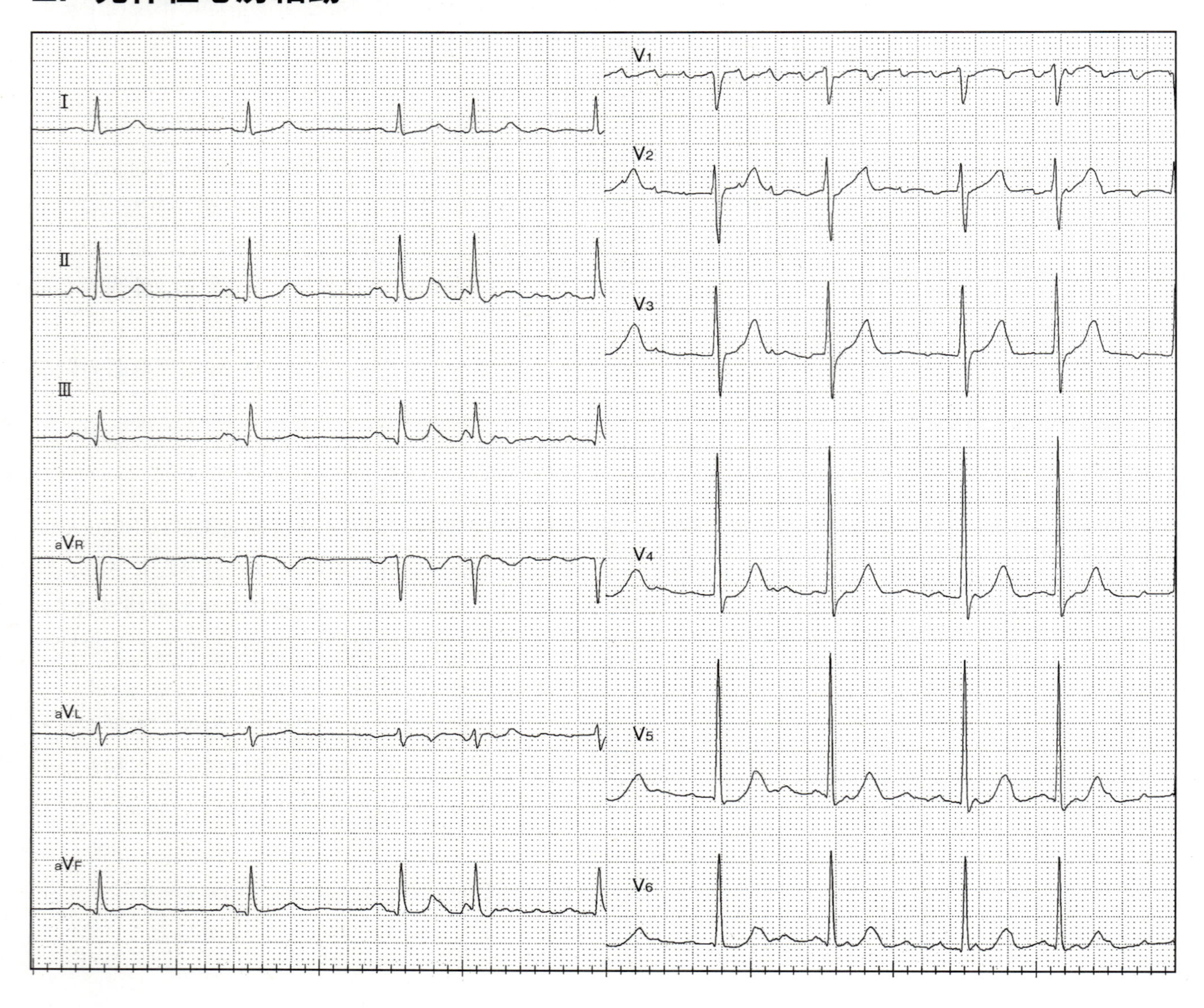

ここをCheck ！

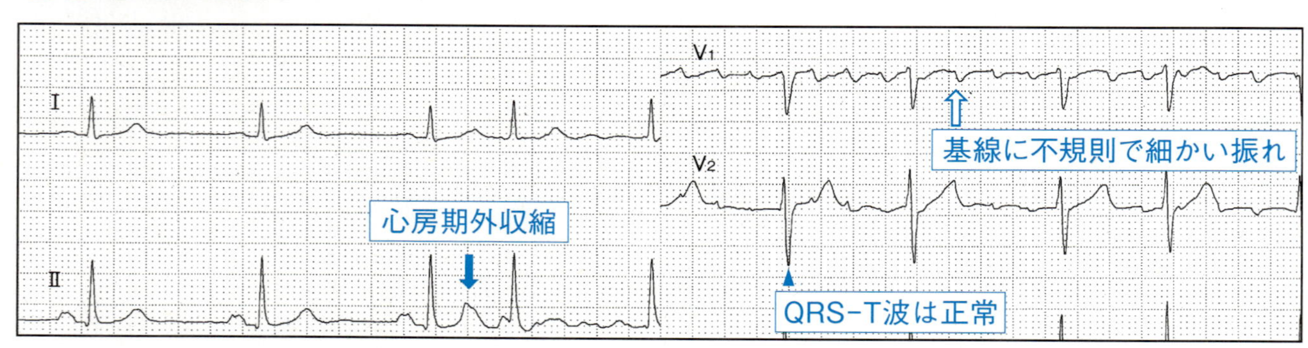

着目すべき心電図所見

リズム：最初の３拍は整、４拍目から不整　**心拍数**：84/分(頻拍開始後)　**T 波**：最初の３拍は正常。３拍目の T 波上に心房期外収縮があり(⬆)、その後頻拍が開始　**P 波**：４拍目以降、P 波は消失し視認できない。基線に不規則で細かい振れ(f 波)が認められる(⇧)　**QRS-T 波**：正常(▲)。５拍目以降も正常

判読のポイント

- 心房細動の３つの特徴が認められる(P 波消失・f 波・絶対不整)
- 最初の３拍は正常洞調律であるが、４拍目以降は心房細動の特徴を有している。
- 本症例では、３拍目の T 波の時相で生じた心房期外収縮によって、心房細動が誘発されたと考えられる。一般に心房期外収縮の P 波は異所性であるため、洞調律時の P 波形と異なっていることが多いが、本症例では P 波が先行心拍の T 波に重なっているため(PonT)、波形の変化を確認するのは難しい。
- QRS-T 波は正常(房室結節以下の伝導障害や基礎疾患に伴う心電図変化、あるいは副伝導路の関与を伴わない限り、正常)。

発生のメカニズム―病態から診る

- 自然に発症と停止を繰り返す心房細動を発作性心房細動と呼ぶ。多くの場合、心房細動発症後の早期に認められ、徐々に持続性、永続性心房細動へ移行していく。
- 左房と肺静脈移行部から出現する連結期の短い心房期外収縮によって誘発されることが多く、契機となる心房期外収縮は先行する心拍の T 波に重なる(PonT)。PonT を契機とする心房細動は、肺静脈周辺に対する基本的なアブレーションが有効であり、根治する可能性が高い。

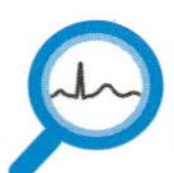

鑑別を要する心電図

- 発作性上室頻拍
- 心房期外収縮の頻発
- 雑音(特に、筋電図の混入)

よくある患者背景

- 弁膜症(特に僧帽弁疾患)・甲状腺機能亢進・高血圧
  ⇒心房細動の３大基礎疾患
- 基礎疾患をもたない
  ⇒孤立性心房細動
- 30～40 歳代の比較的若年層
  ⇒若年性心房細動

3. 変行伝導を伴う心房細動

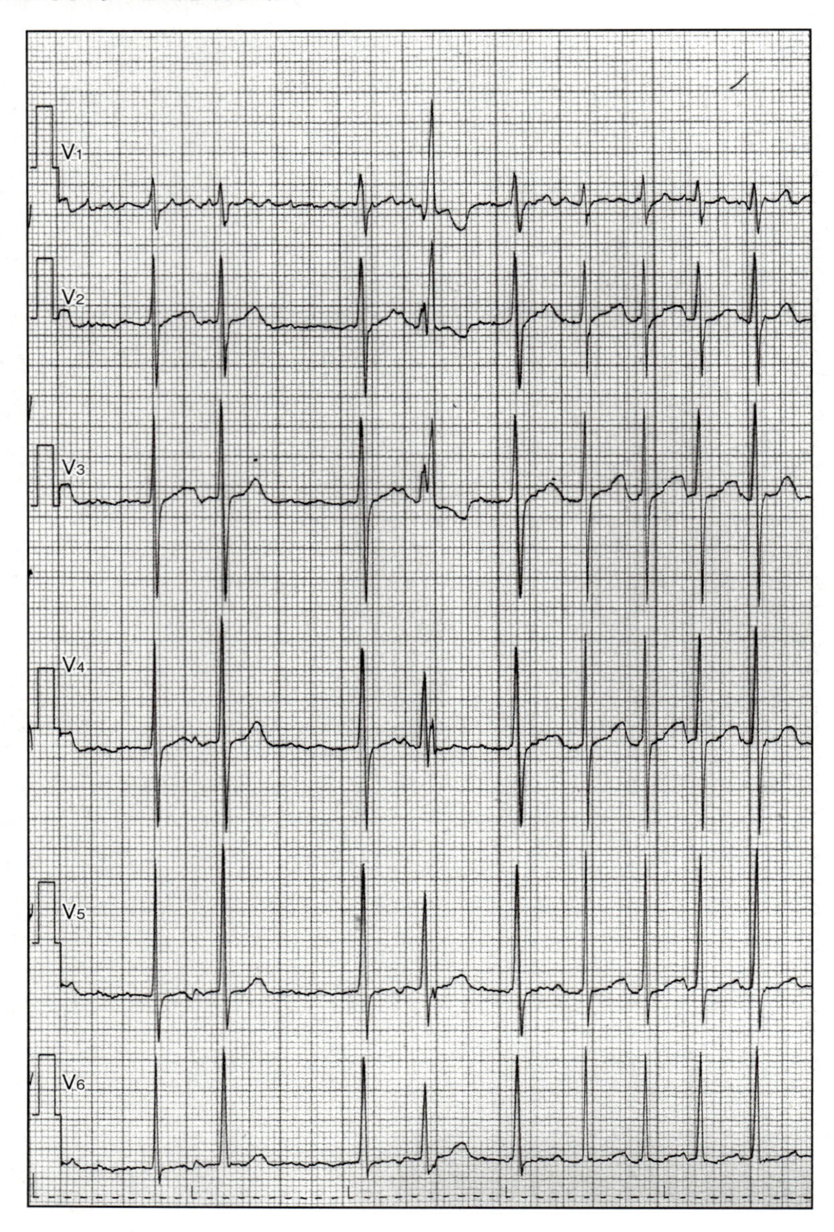

ここをCheck！

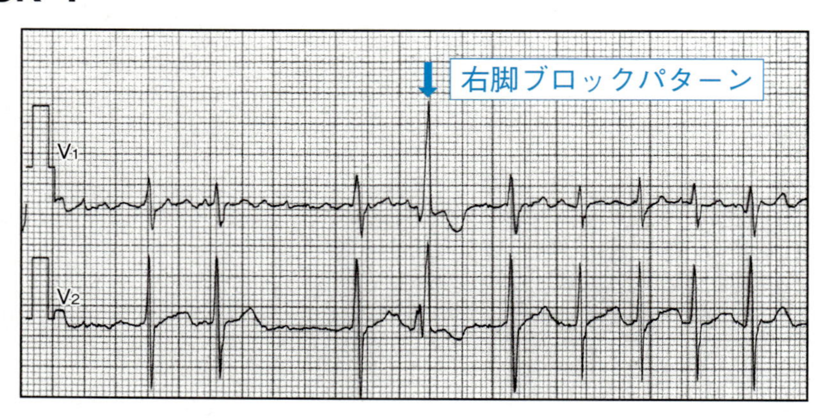

着目すべき心電図所見

心拍数：118/分、不整(胸部誘導のみ提示)　**QRS波**：4拍目のQRS波は変形し、wide QRS波を呈する(QRS幅0.11秒)。4拍目のQRS波は、V_1誘導で後半のR波が増大、V_5誘導でslur状のS波を認める〔右脚ブロックパターン(⬆)〕　**QRS-T波**：4拍目以外は正常　**RR間隔**：絶対不整

判読のポイント

- 心房細動の3つの特徴が認められる(P波の消失、f波、絶対不整)。
- QRS-T波は正常だが、4拍目のみ右脚ブロックパターンを呈している。
- 2拍目と3拍目のRR間隔がほかに比して長く、3拍目と4拍目のRR間隔(連結期)は短い。このように長いRR間隔の後に短い連結期で房室伝導すると、機能的に脚ブロックを起こす場合がある。これを変行伝導(Ashman現象)と呼ぶ。
- 最短のRR間隔は7拍目と8拍目の間であるが、8拍目はnarrow QRSである。

発生のメカニズム—病態から診る

- 変行伝導は右脚ブロックによって生ずるため、心電図上はQRS幅が増大し、V_1誘導で後半成分の大きなR波、V_5誘導でslur状のS波を認める(右脚ブロックパターン)。
- 心房細動では房室結節に頻回な心房の興奮が侵入しているため、変行伝導を生じやすく、連発することもある。

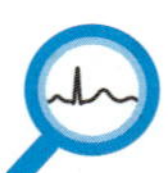

鑑別を要する心電図

- 心室期外収縮
- 右脚ブロック・心室内伝導障害

よくある患者背景

- 心拍数調節の不十分な症例
  ⇒連結期の短い心拍で、変行伝導が生じやすい。しかし、先行するRR間隔が変行伝導の成立に関与しており、連結期のみでは判定できない。

4．心房粗動　通常型反時計回転

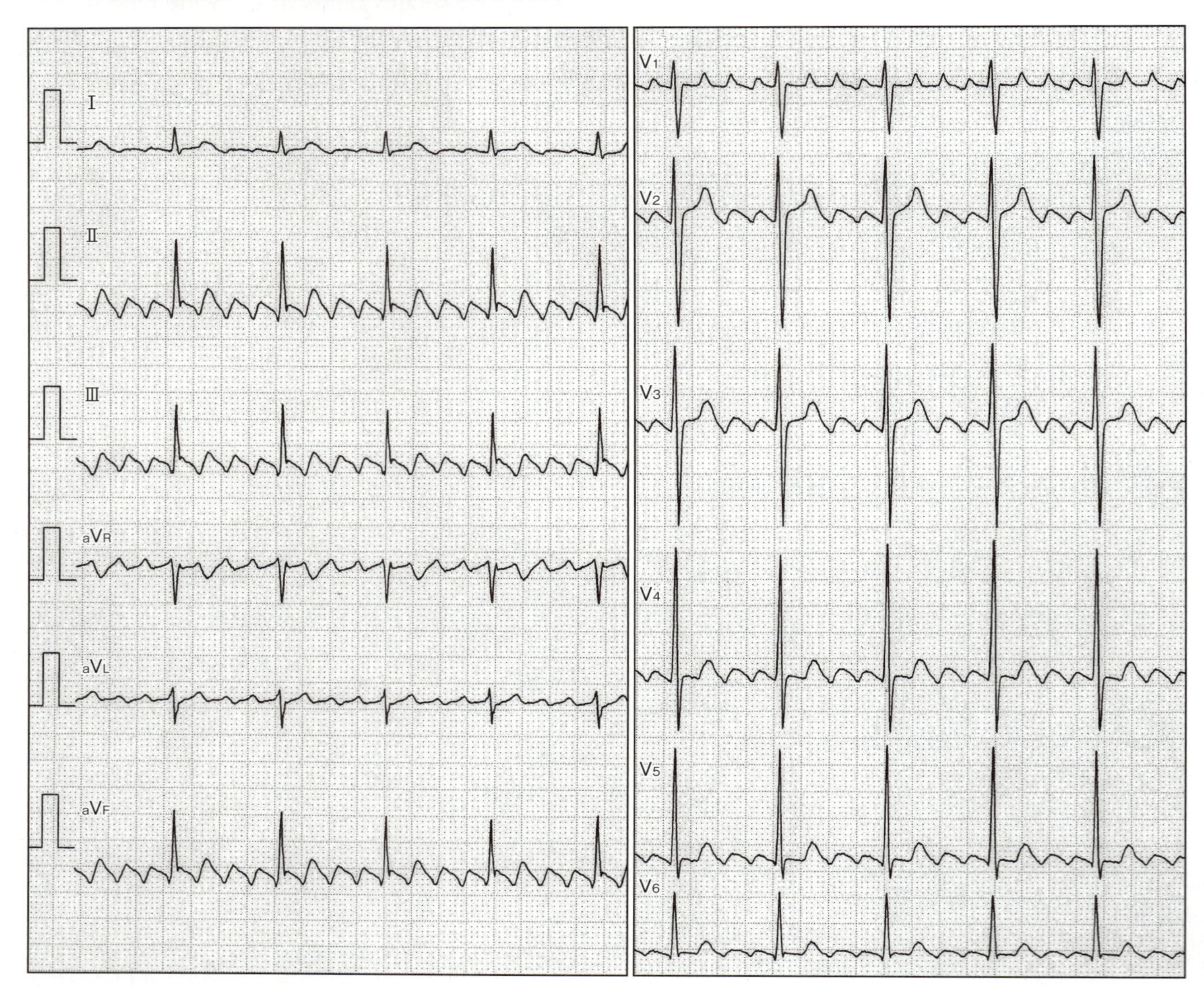

ここをCheck ！

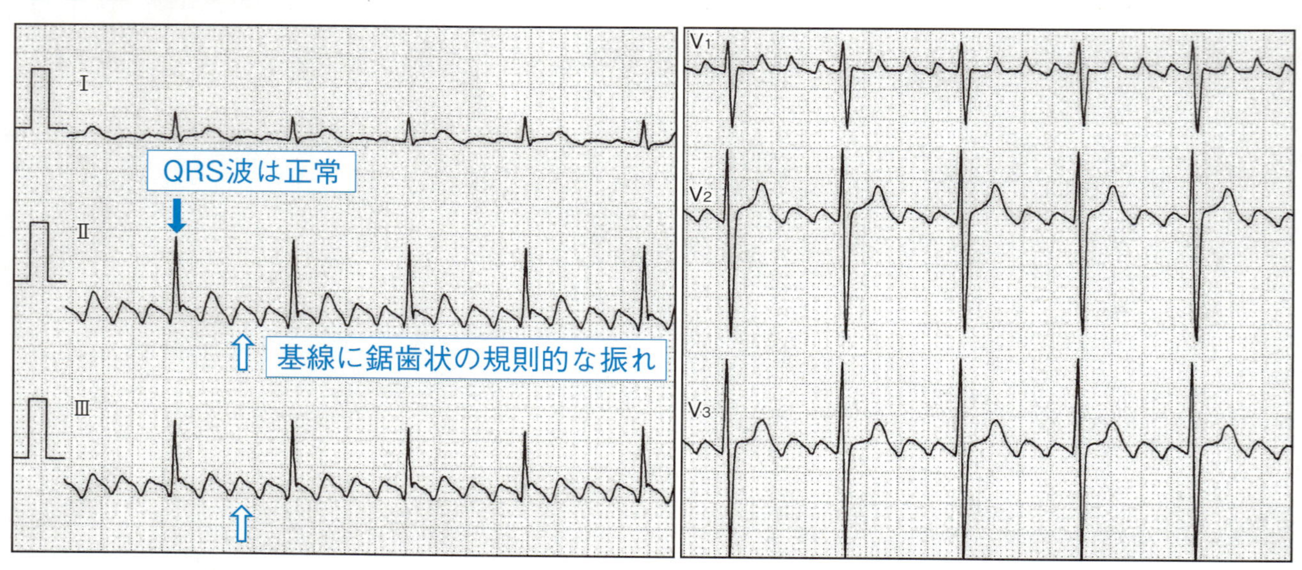

着目すべき心電図所見

心拍数：72/分、整　**P 波**：消失し視認できない。Ⅱ・Ⅲ・aVF誘導の基線に鋸歯状の規則的な振れ(粗動波：F 波)が認められる(⇧)　**F 波**：Ⅱ・Ⅲ・aVF誘導で、下向きに尖鋭な波形を呈している(下向き F 波)。心房拍数(F 波の心拍数)は 290/分　**QRS 波**：正常(⬆)　**T 波**：F 波のため判読困難

判読のポイント⇒さらにレベルアップ！「通常型反時計回転と通常型時計回転の相違」(p.201 参照)

- 心房粗動の 2 つの特徴が認められる。①P 波が消失し視認できない、②Ⅱ・Ⅲ・aVF誘導の基線に鋸歯状の規則的な振れ(粗動波：F 波)が認められる。
- F 波の極性は陰性(下向きに尖鋭)。
- QRS-T 波は正常(房室結節以下の伝導障害や基礎疾患に伴う心電図変化、あるいは副伝導路の関与を伴わない限り、正常)。
- RR 間隔は整で、FF 間隔の整数倍(4 倍)。
- 心拍数(QRS 拍数)は心房拍数の 1/4(4：1 伝導)。

発生のメカニズム―病態から診る

- 心房粗動は、心房内に安定した比較的大きな興奮旋回(マクロリエントリー)がひとつ存在する病態で、心房興奮頻度は 240～360/分(規則的)である。心房のいずれかが随時興奮するため、P 波は形成されず、心房の連続的興奮を反映した F 波が記録される。
- 発症頻度の最も高い通常型心房粗動は、右房自由壁と心房中隔を含む興奮旋回である。右房自由壁を下行し、心房中隔を上行するリエントリーで(尾側からみて反時計回転)、左房も心房中隔同様に尾側から興奮が伝導するため、心電図上ではⅡ・Ⅲ・aVF誘導に下向きの大きな F 波が記録される。
- 心房細動のリズム治療で Ic 群抗不整脈薬を用いると、不規則で小さなリエントリーは抑制されるが、大きな心房粗動リエントリーが安定してしまう場合がある。これを Ic 粗動(Ic flutter)と呼ぶ。
- 心拍数(心室興奮頻度)は、房室結節の伝導に依存する。伝導比が規則正しければ、RR 間隔は FF 間隔の整数倍となる。伝導比が不定の場合は、RR 間隔も不整となる。

鑑別を要する心電図

- 発作性上室頻拍・心房頻拍
- 心房細動
- 雑音(特に、筋電図の混入)

よくある患者背景

- 先天性心疾患術後など、心臓の器質的疾患および障害のある患者
  ※注：器質的疾患がなく生じる場合もある。

5．心房粗動　通常型時計回転

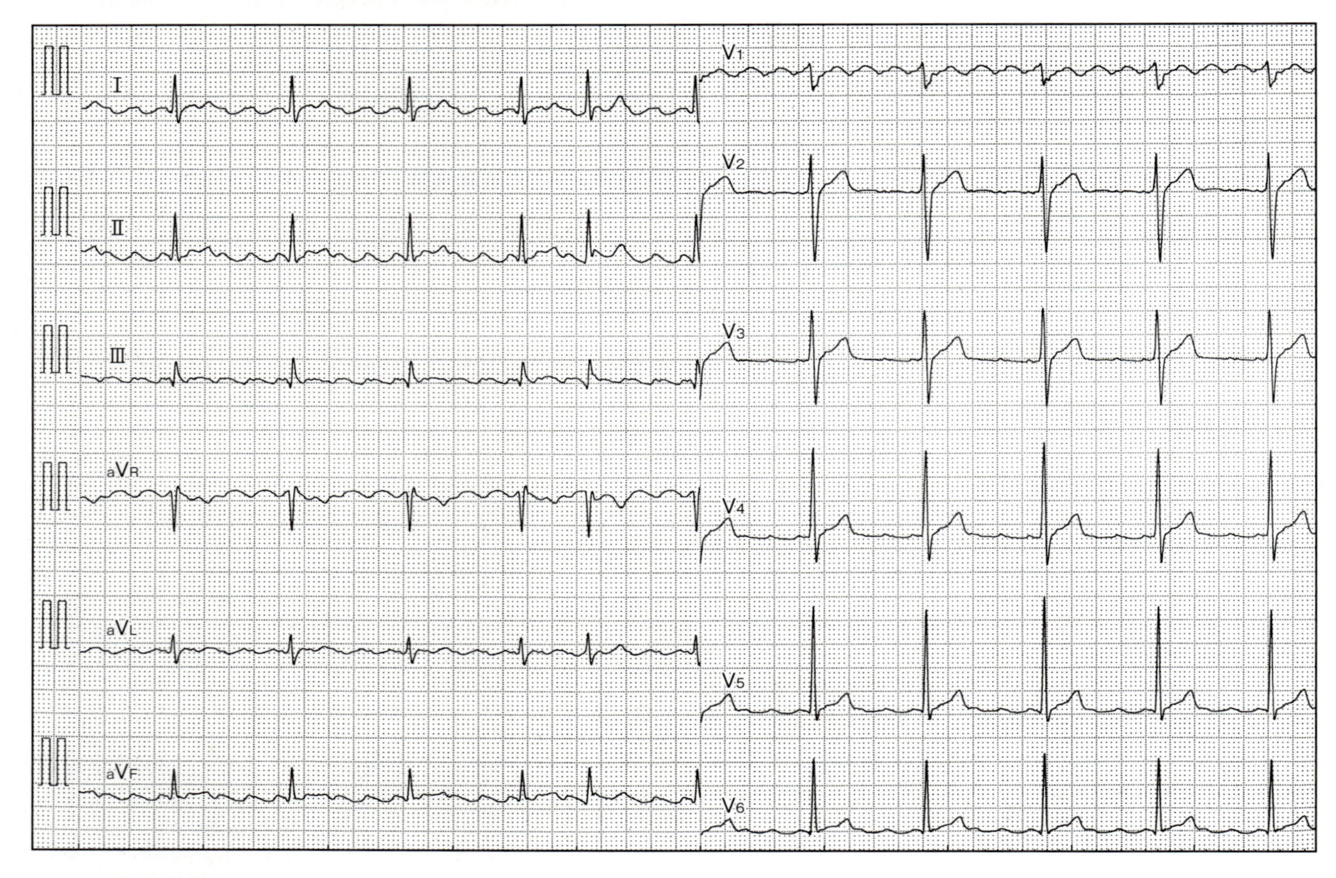

ここをCheck！

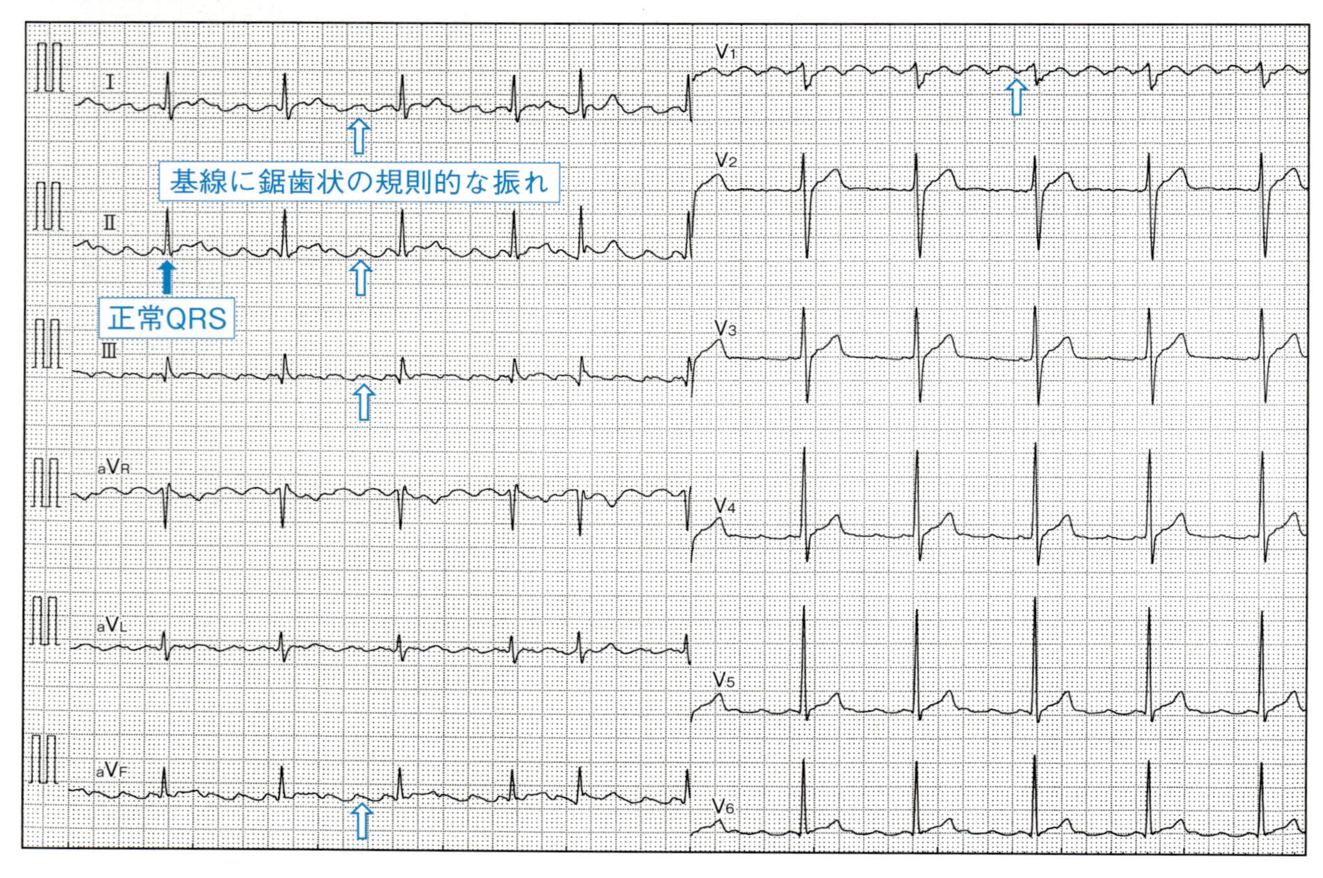

着目すべき心電図所見

心拍数：65/分、整　**P 波**：消失し視認できない。Ⅰ・Ⅱ・Ⅲ・aV_F・V_1誘導の基線に鋸歯状の規則的な振れ（F 波）が認められる（⇧）　**F 波**：Ⅱ・Ⅲ・aV_F誘導で上向きに尖鋭な波形を呈している（上向き F 波）。心房拍数（F 波の心拍数）は 60/分。基本的には 4：1 房室伝導し、5 拍目のみ 2：1 房室伝導している　**QRS 波**：正常（⬆）　**T 波**：F 波のため判読困難

判読のポイント⇒さらにレベルアップ！「通常型反時計回転と通常型時計回転の相違」(p.201 参照)

- 心房粗動の 2 つの特徴が認められる（P 波の消失、F 波）。
- F 波の極性は陽性（上向きに尖鋭）。
- QRS 波は正常（房室結節以下の伝導障害や基礎疾患に伴う心電図変化、あるいは副伝導路の関与を伴わない限り、正常）。
- RR 間隔はほぼ整で FF 間隔のほぼ整数倍（4 倍）。
- 心拍数（QRS 拍数）は心房拍数の 1/4（4：1 伝導）。
- Ⅱ・Ⅲ・aV_F誘導で陽性の鋸歯状波、Ⅰ誘導は陽性波、V_1誘導は陰性の鋸歯状波を呈している。
- 左側胸部誘導は陽性波を呈している。

発生のメカニズム―病態から診る

- 心房粗動は、心房内に安定した比較的大きな興奮旋回（マクロリエントリー）がひとつ存在する病態で、心房興奮頻度は 240～360/分（規則的）である。心房のいずれかが随時興奮するため P 波は形成されず、心房の連続的興奮を反映した F 波が記録される。
- 発症頻度の最も高い通常型心房粗動は、右房自由壁と心房中隔を含む興奮旋回である。通常型反時計回転の心房粗動と回路は共通であるが、興奮旋回が逆回り（右房自由壁を上行路、心房中隔を下行路とするリエントリー）であり（尾側からみて時計回転）、心電図上ではⅡ・Ⅲ・aV_F誘導に上向きの大きな F 波が記録されるものの、F 波極性は陽性となる。
- 心房細動のリズム治療でIc群抗不整脈薬を用いると、不規則で小さなリエントリーは抑制されるが、大きな心房粗動リエントリーが安定してしまう場合がある（Ic 粗動：Ic flutter）。
- 心拍数（心室興奮頻度）は、房室結節の伝導に依存する。伝導比が規則正しければ、RR 間隔は FF 間隔の整数倍となる。伝導比が不定の場合は RR 間隔も不整となる。

鑑別を要する心電図

- 発作性上室頻拍・心房頻拍
- 心房細動
- 雑音（特に、筋電図の混入）

よくある患者背景

- 先天性心疾患術後など、心臓の器質的疾患および障害のある患者
  ※器質的疾患がなく生じる場合もある。

6. 心房粗動　2：1 伝導

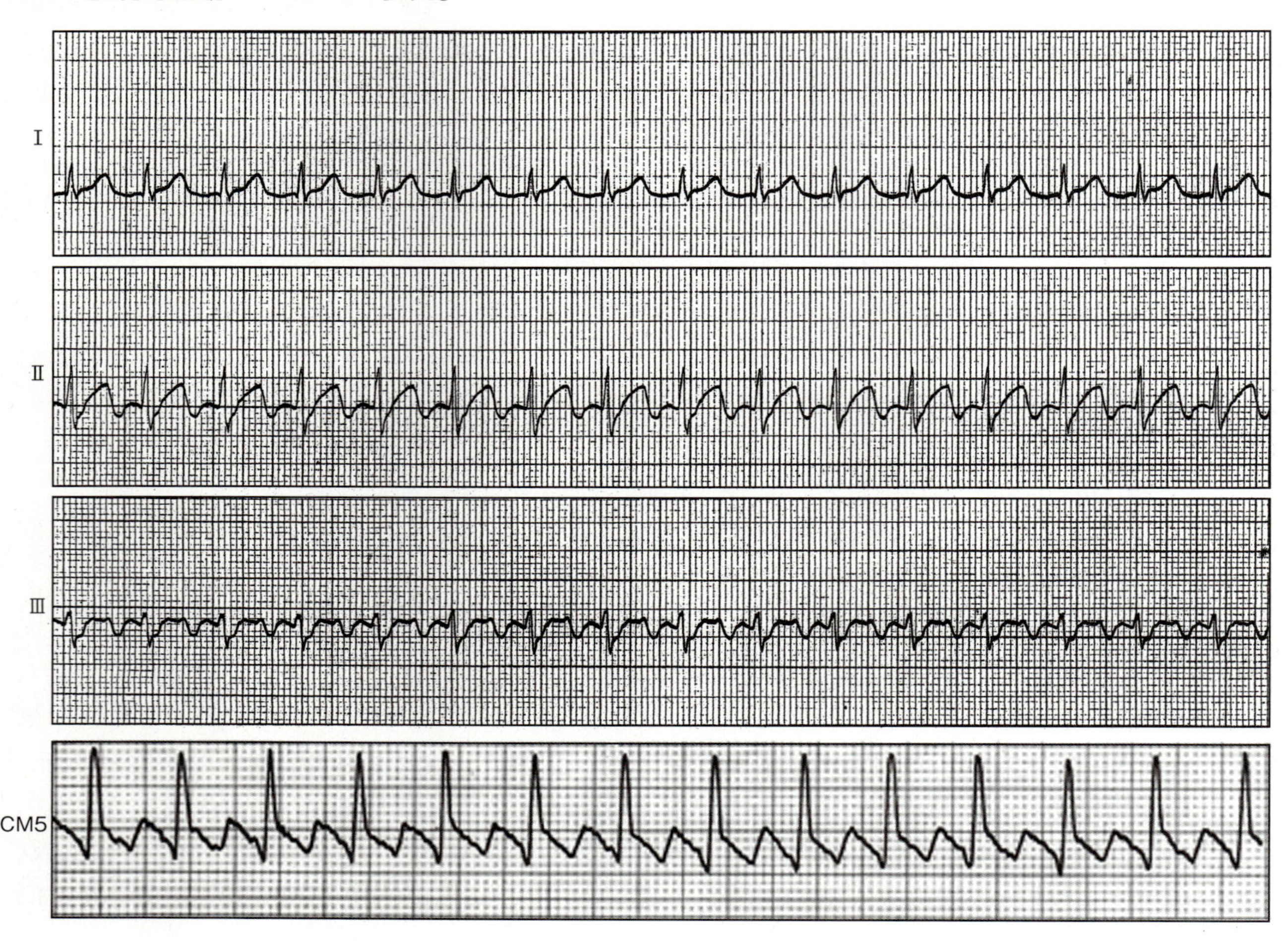

ここを Check ！

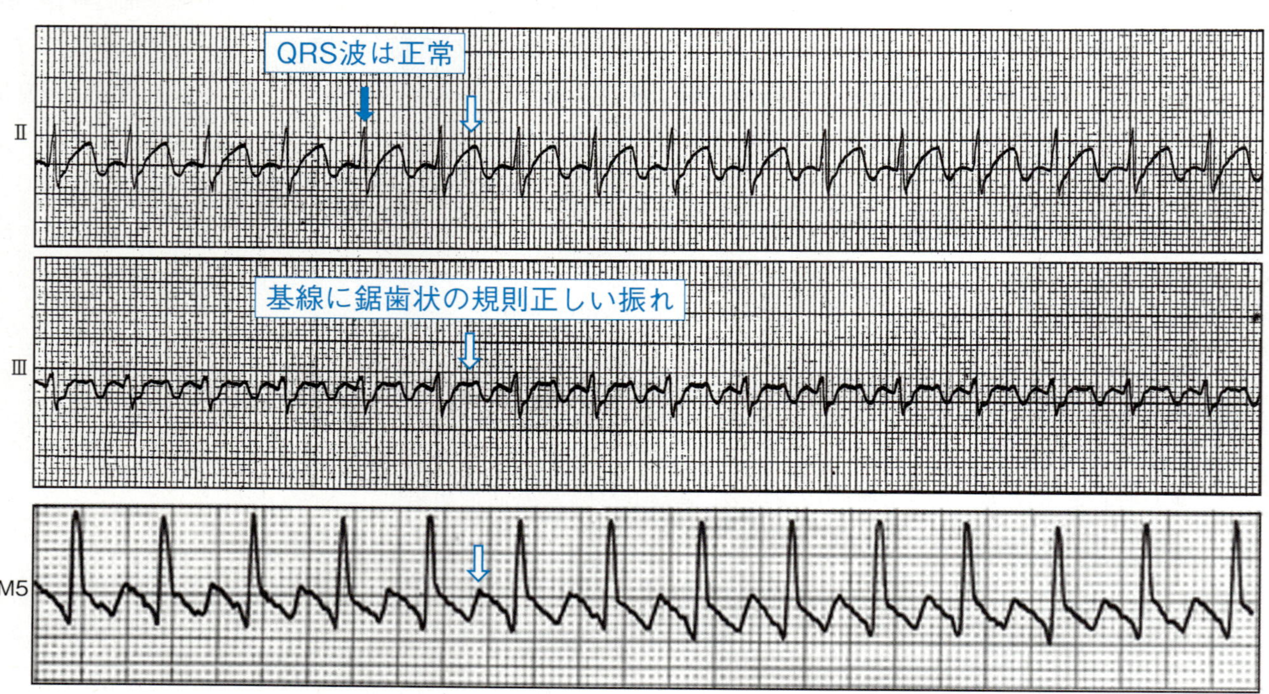

着目すべき心電図所見

心拍数：125/分、整（Ⅰ・Ⅱ・Ⅲ誘導とモニター心電図の CM_5 誘導のみ提示）　**P 波**：P 波は消失し視認できない　**F 波**：Ⅱ・Ⅲ・CM_5 誘導の基線に鋸歯状の規則正しい振れ（F 波）が認められる（⇧）。心房拍数（F 波の心拍数）は 280/分。F 波の極性は、QRS-T 波のため判別困難　**QRS 波**：正常（⬆）
T 波：F 波のため判読困難

判読のポイント

- 心房粗動の 2 つの特徴が認められる（P 波の消失、F 波）。
- QRS-T 波は正常（房室結節以下の伝導障害や基礎疾患に伴う心電図変化、あるいは副伝導路の関与を伴わない限り、正常）。
- RR 間隔は整で FF 間隔の 2 倍。心拍数（QRS 拍数）は心房拍数の 1/2 である（2：1 伝導）。
- QRS-T 波と F 波が重なり、誘導によっては F 波の判別が困難となるため、慎重な診断を要する。

発生のメカニズム―病態から診る

- 心房粗動は、心房内に安定した比較的大きな興奮旋回（マクロリエントリー）がひとつ存在する病態で、心房興奮頻度は 240～360/分（規則的）である。心房のいずれかの部分が随時興奮するため、P 波は形成されず、心房の連続的興奮を反映した F 波が記録される。
- 心房粗動の 2：1 伝導は、房室結節の伝導亢進または F 波の興奮頻度が低いときに認められる。

鑑別を要する心電図

- 発作性上室頻拍
  ⇒発作性上室頻拍では基線が認められるが、心房粗動では基線が鋸歯状（F 波）となる。特に、モニター心電図で F 波が視認しにくい場合には、発作性上室頻拍との鑑別が重要。
- 心房頻拍
- 心房細動
- 雑音（特に、筋電図の混入）

よくある患者背景

- 急に血行動態が悪化した患者
  ⇒伝導比の低い心房粗動が 2：1 伝導もしくは 1：1 伝導に変化すると、急に血行動態が悪化する場合があるため、注意を要する。

さらにレベルアップ！ 「心房細動」

★心房細動の分類

心房細動には、自然に発生と停止を繰り返す発作性心房細動、基礎疾患を伴わない孤立性心房細動、リウマチ性僧帽弁膜症によらない非弁膜症性心房細動、自然停止せず、1週間以上1年未満持続する持続性心房細動、1年以上持続する長期持続性心房細動、洞調律復帰できない永続性心房細動がある。臨床的に初めて記録された心房細動は、その時点では上記の臨床病型が診断できないため、初発心房細動と呼ばれる。

★心房細動の治療―心拍数調節とリズム治療―

心房細動の症候を軽減するため、β遮断薬・Ca拮抗薬・ジギタリスなどを使用して房室結節の伝導を抑制し、心拍数の低下を試みる。これを心拍数調節(レートコントロール)と呼ぶ。抗不整脈のうち、心房筋の不応期を延長させるⅢ群抗不整脈薬(アミオダロンなど)や、心房筋の伝導速度を低下させるIa群もしくはIc群抗不整脈薬(ジソピラミド・シベンゾリン・ピルシカイニドなど)は、心房筋内のランダムリエントリーを停止させることにより心房細動の洞調律化が期待できる。これをリズム治療(リズムコントロール)と呼ぶ。

さらにレベルアップ！ 「心房粗動」

★心房粗動のリエントリー

心房粗動のリエントリーは、心房の解剖学的障壁の周囲を旋回する。右房自由壁と心房中隔を通って三尖弁輪周囲に形成される回路による場合を通常型心房粗動、大静脈・肺静脈・心耳などの周囲で形成される回路による場合を稀有型(非定型的)心房粗動と呼ぶ。前者はリエントリー回路が大きいため周期長も長く、安定性が高い。心房拍数は240～300拍/分程度であり、下大静脈-三尖弁輪間の狭路(isthmus)をカテーテルアブレーションすることで根治が期待できる。後者はリエントリー回路が小さいため周期長も短く不安定で、心房拍数は300～360拍/分程度である。

★心房粗動の薬物治療における注意点―奇異性心拍数上昇―

心房粗動を停止するために、Ia群もしくはIc群抗不整脈薬が用いられる。これらの作用により粗動周期長が延長して心房拍数が低下し、逆に房室結節伝導比の上昇に伴い心拍数が増加する場合があり、これを奇異性心拍数上昇と呼ぶ。そのため、Ia群もしくはIc群抗不整脈薬を伝導比の高い心房粗動に用いる際には、β遮断薬やCa拮抗薬を使用して房室結節の伝導抑制を図る必要がある。

WORD

カテーテルアブレーション治療

鼠径部や鎖骨下などの静脈もしくは動脈から、カテーテルを挿入して心内に進め、高周波電流を流して不整脈の発生源となる心筋を焼灼する治療法である。頻脈性不整脈(心房頻拍・心房粗動・心房細動・心室頻拍など)の治療として行われ、根治も期待される。近年では、不整脈発生源となる心筋を冷凍凝固するクライオアブレーションなども登場している。

さらにレベルアップ！「通常型反時計回転と通常型時計回転の相違」

★通常型反時計回転と通常型時計回転は、対照的な波形を呈す！

心房粗動は、三尖弁下大静脈間の解剖学的な峡部を頻拍の必須伝導路とする。その多くは三尖弁輪を反時計方向に旋回するリエントリーであるが、一部は三尖弁輪を時計方向に旋回する。この両者は心電図上対照的な波形となる。反時計回転ではⅡ・Ⅲ・aV_F誘導で陰性の鋸歯状波、Ⅰ誘導はnotch状の陰性波、V_1誘導はnotch状の陽性波を呈し、左側胸部誘導は陰性波となる(⇧)。一方、時計回転では、Ⅱ・Ⅲ・aV_F誘導で陽性の鋸歯状波、Ⅰ誘導は陽性波、V_1誘導は陰性の鋸歯状波を呈し、左側胸部誘導は陽性波となる(⬆)。

〈参考〉通常型反時計回転と通常型時計回転の心電図

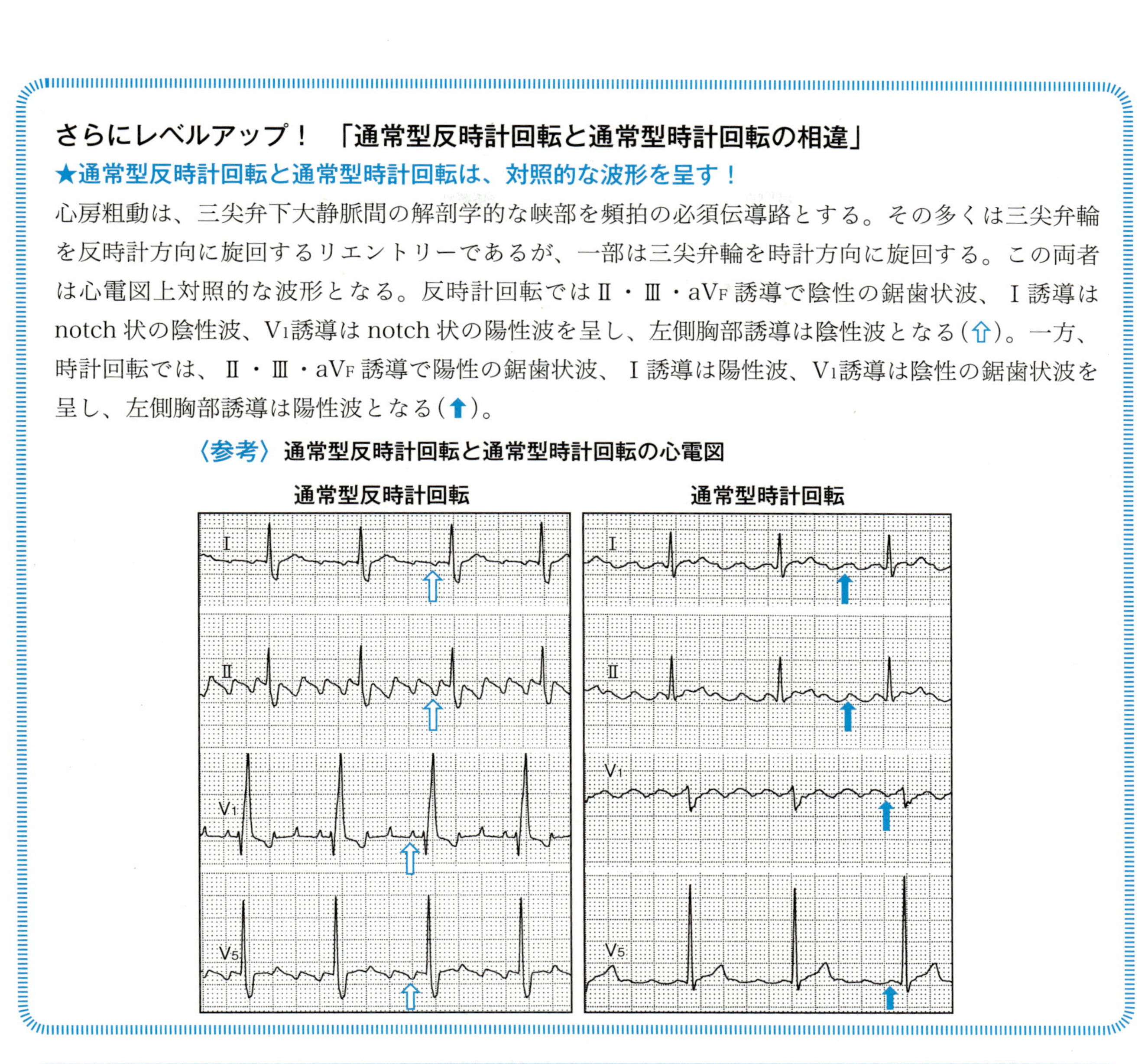

WORD

抗不整脈薬の分類

抗不整脈薬は、Ⅰ群(Na^+チャネル遮断薬)、Ⅱ群(交感神経β受容体遮断薬)、Ⅲ群(K^+チャネル遮断薬)、Ⅳ群(Ca^{2+}チャネル遮断薬)の4つに分類され(Vaughan-Williams分類)、Ⅰ群薬はその活動電位持続時間に対する作用から、Ia、Ib、Icに細分類される(表19)。

表19 抗不整脈薬の分類

分類		作用	代表薬
Ⅰ群	Ⅰa	Na^+チャネル遮断薬。活動電位持続時間を延長させる	キニジン、プロカインアミド、ジソピラミド、シベンゾリン、ピルメノール
	Ⅰb	Na^+チャネル遮断薬。活動電位持続時間を短縮させる	リドカイン、メキシレチン、アプリンジン※
	Ⅰc	Na^+チャネル遮断薬。活動電位持続時間に対しては不変	フレカイニド、プロパフェノン、ピルシカイニド
Ⅱ群		交感神経β受容体遮断薬	プロプラノロール、他
Ⅲ群		K^+チャネル遮断薬。活動電位持続時間を延長させる	アミオダロン、ソタロール、ニフェカラント
Ⅳ群		Ca^{2+}チャネル遮断薬	ベラパミル、ベプリジル※※

※例外的に、アプリンジンは活動電位持続時間に対しては不変。
※※もともとCa^{2+}チャネル遮断薬として開発されたが、複数のチャネルをブロックすることがわかっている(マルチチャネルブロッカー)。

7. 心房期外収縮

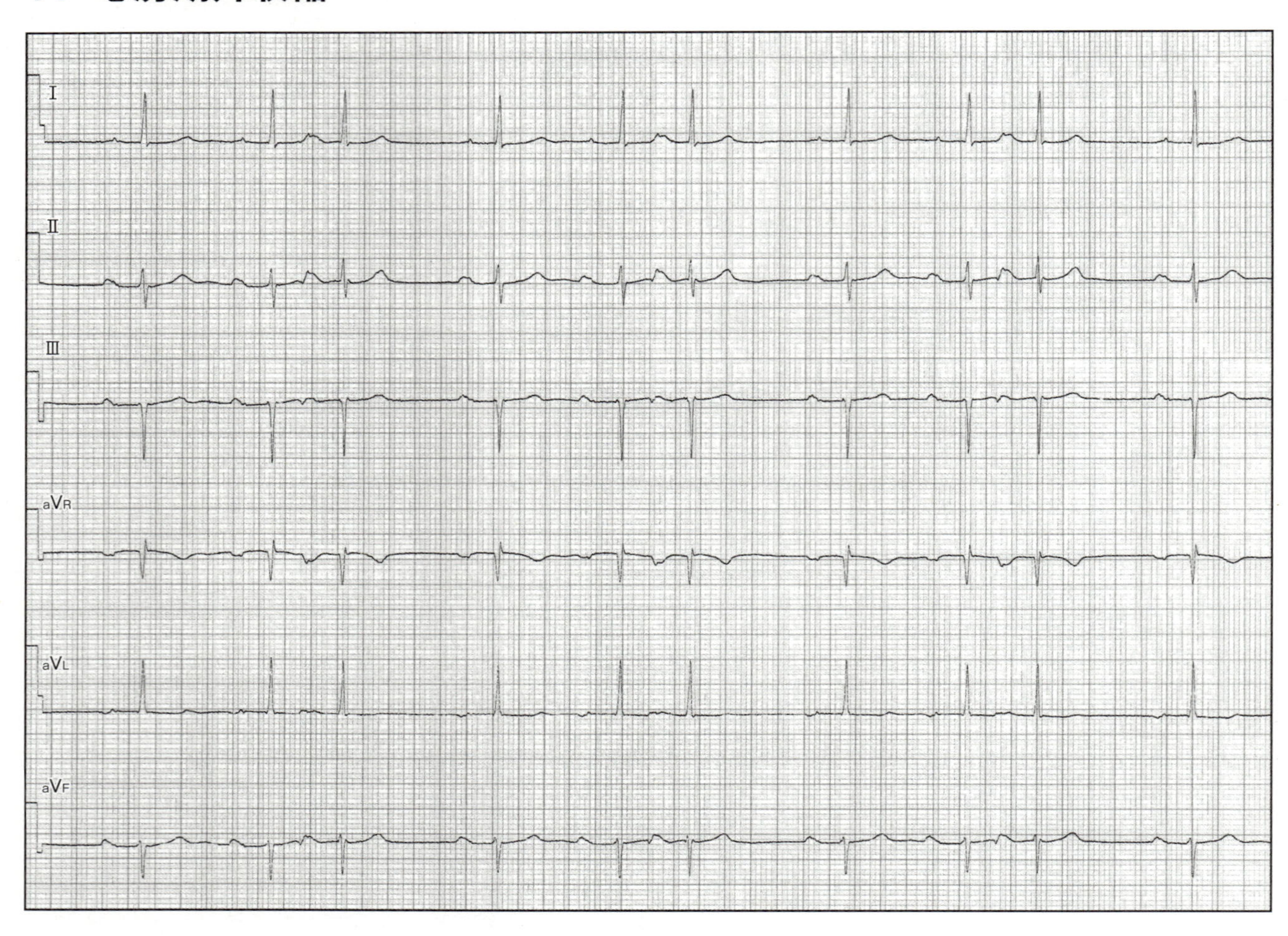

ここをCheck！

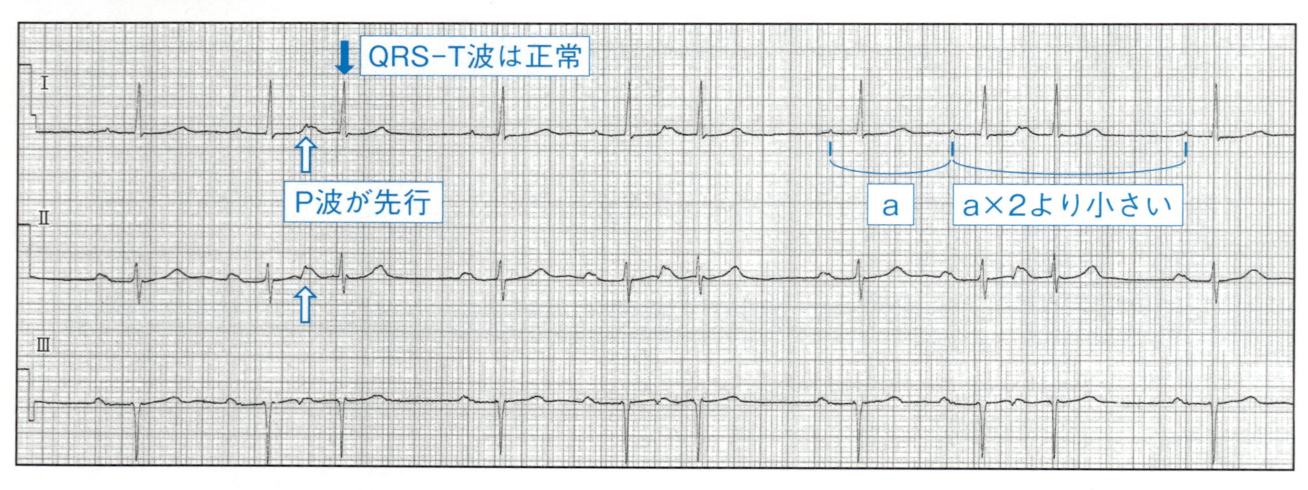

着目すべき心電図所見

心拍数：54/分、不整(肢誘導のみ提示)　**QRS-T 波**：早期に出現する心拍(第 3、6、9 拍)の QRS-T 波は正常(⬆)　**T 波・P 波**：先行する心拍の T 波に変形が認められ(⇧)、P 波が T 波に重なって記録されているものと考えられる　**PP 間隔**：早期出現する心拍前後の PP 間隔(第 2〜4 拍間、第 5〜7 拍間など)は、正常拍の PP 間隔(第 1〜2 拍間、第 4〜5 拍間など)の 2 倍より小さい　**その他**：3 拍ごとに心拍が早期に出現している

判読のポイント

- 第 3、6、9 拍は基本調律(おそらく洞調律)より早期に出現しているが、続く心拍で基本調律に復帰している。
- 早期に出現する心拍の QRS-T 波には変形を認めず、P 波が先行している。
- P 波は先行する心拍の T 波に重なっているため、波形の詳細な判別は困難であるが、aVL誘導などにおいて基本調律とは変形していることから、異所性の心房興奮と考えられる。
- 本症例では 3 回に 1 回心房期外収縮が見られることから、三段脈の期外収縮である。
- 心房期外収縮後の基本調律が、予測される時相より早期に出現していること(第 2〜4 拍の PP 間隔が、第 1〜2 拍の PP 間隔の 2 倍より小さい)から、期外収縮は基本調律の自動興奮をリセットしていると推測される。これは心房期外収縮の特徴である。

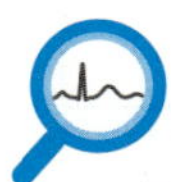

発生のメカニズム―病態から診る

- 心房期外収縮は、基本調律(一般に洞調律)より早期に出現する異所性の心房興奮によって生じる不整脈である。
- 心房興奮起源が異所性であることを反映して、P 波は基本調律とは異なるが、先行する心拍の T 波に重なる場合は判別が困難となる。
- 先行する心拍の T 波に重なる連結期の短い心房期外収縮(PonT)は、左房-肺静脈移行部を起源とする場合があり、心房細動を誘発しやすい。
- 心房期外収縮は連発することもある(ショートラン)。
- 心房期外収縮が基本調律の自動能をリセットすると、期外収縮に引き続く P 波は早期に出現する。リセットの有無は、先行心拍に対する期外収縮の時相によって規定される。

鑑別を要する心電図

- 接合部期外収縮
- 心室期外収縮
- 心房補充収縮
- 洞不整

よくある患者背景

- 器質的疾患のない症例でも、非特異的に認められる場合がある。

8. 変行伝導を伴う心房期外収縮

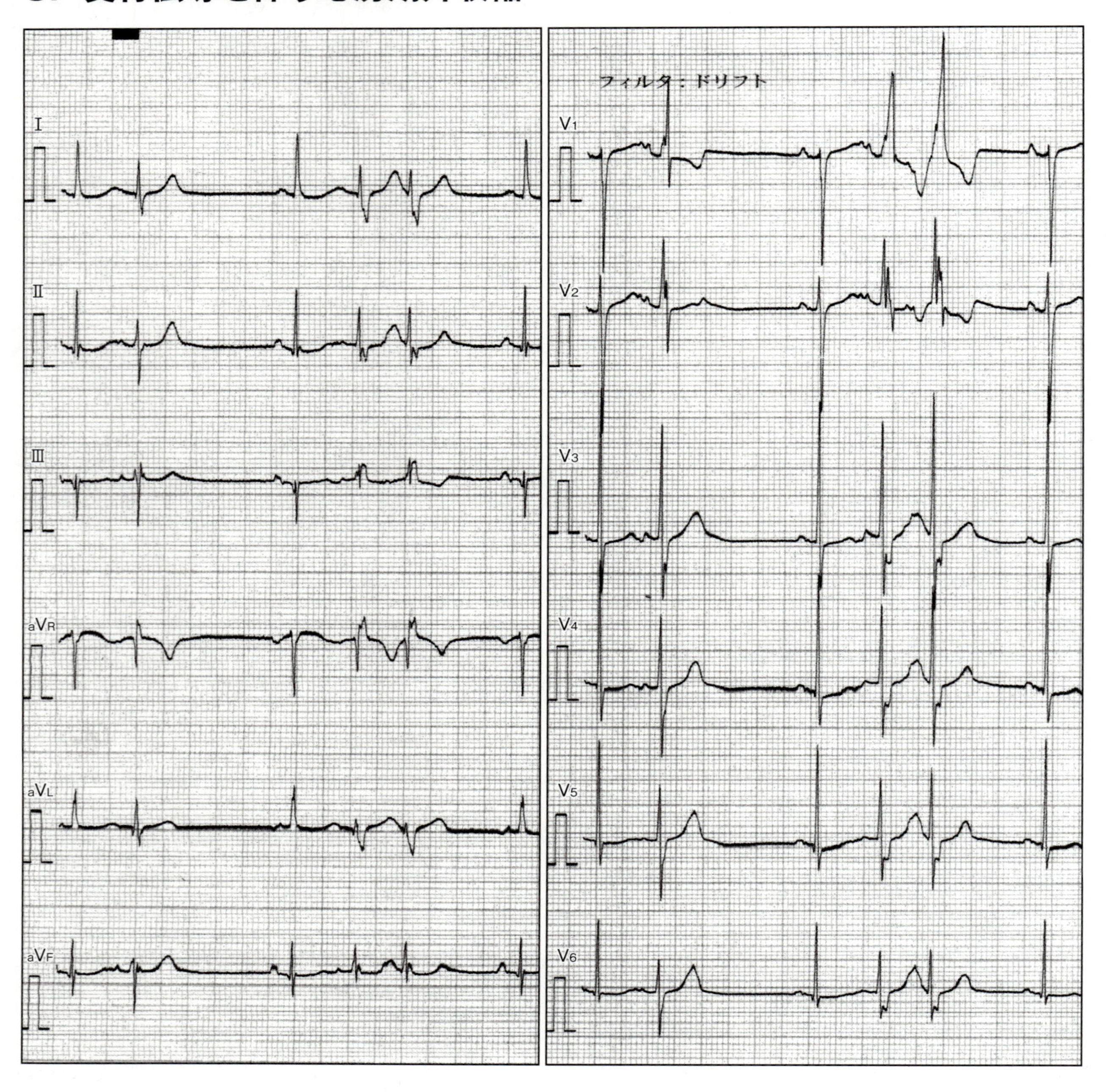

ここをCheck ！

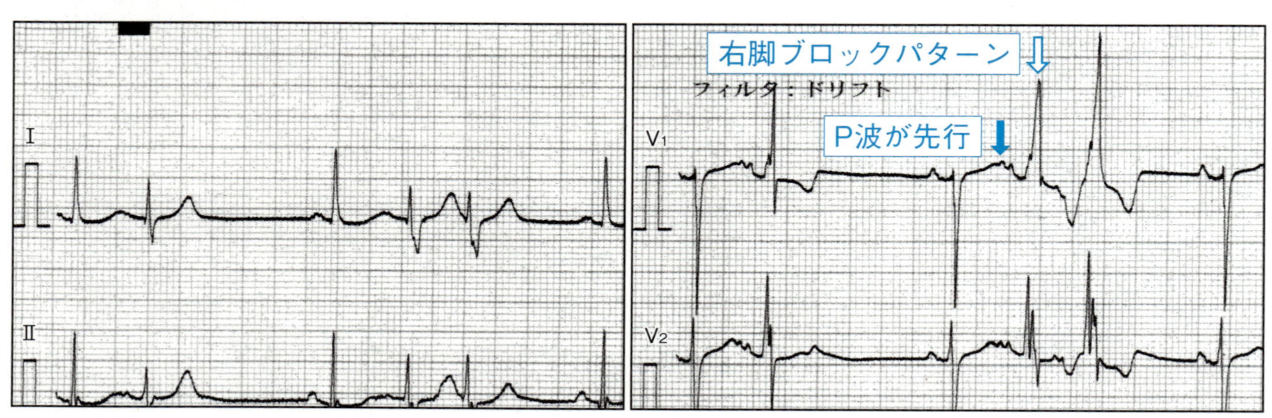

着目すべき心電図所見

心拍数：72/分、不整　**QRS 波**：早期に出現する心拍の QRS 波は変形し、wide QRS 波を呈する（QRS 幅 0.16 秒）　**R 波・T 波**：V_1誘導で後半の R 波が増大、V_5誘導で slur 状の S 波が認められ、右脚ブロックパターンを呈する（⇧）　**T 波・P 波**：早期出現した心拍に先行する T 波に変形が認められ、P 波が T 波に重なって記録されているものと考えられる（⬆）　**その他**：第 2、4、5、8、10、11 拍目の心拍が早期に出現している

判読のポイント

- 第 2、4、5、8、10、11 拍は基本調律より早期に出現しているが、数拍で基本調律に復帰している。
- 早期に出現する心拍には、P 波が先行している。
- 第 4、5 拍と第 10、11 拍の早期興奮が連続して出現している（期外収縮の 2 連発）。
- 早期に出現する心拍の QRS 波は変形し、wide QRS 波を呈する。V_1誘導で後半の R 波が増大、V_5誘導で slur 状の S 波を認める（右脚ブロックパターン）。
- 連結期が短縮した際に wide QRS 波となり、P 波が先行していることから、心室内伝導障害（変行伝導）と考えられる。

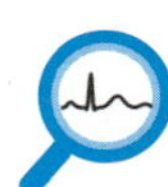

発生のメカニズム―病態から診る

- 心室内の刺激伝導系である Purkinje 線維は、生理的に左脚より右脚の不応期が長いため、心房期外収縮などの早期興奮侵入があると、右脚のみ伝導ブロックを呈する場合がある（変行伝導）。変行伝導は右脚ブロックによって生ずるため、心電図上では QRS 幅が増大し、V_1誘導で後半成分の大きな R 波、V_5誘導で slur 状の S 波を認める（右脚ブロックパターン）。
- 変行伝導に伴って心室の興奮パターンが変化するため、二次性の T 変化をきたし、T 波の平低や陰転化を認める。
- 変行伝導は、連発して生ずることもある。

鑑別を要する心電図

- 接合部期外収縮
- 心室期外収縮

よくある患者背景

- 器質的疾患のない症例でも非特異的に認められることがあり、変行伝導も生理的脚ブロックとして認められることが多い。

9. 非伝導性心房期外収縮

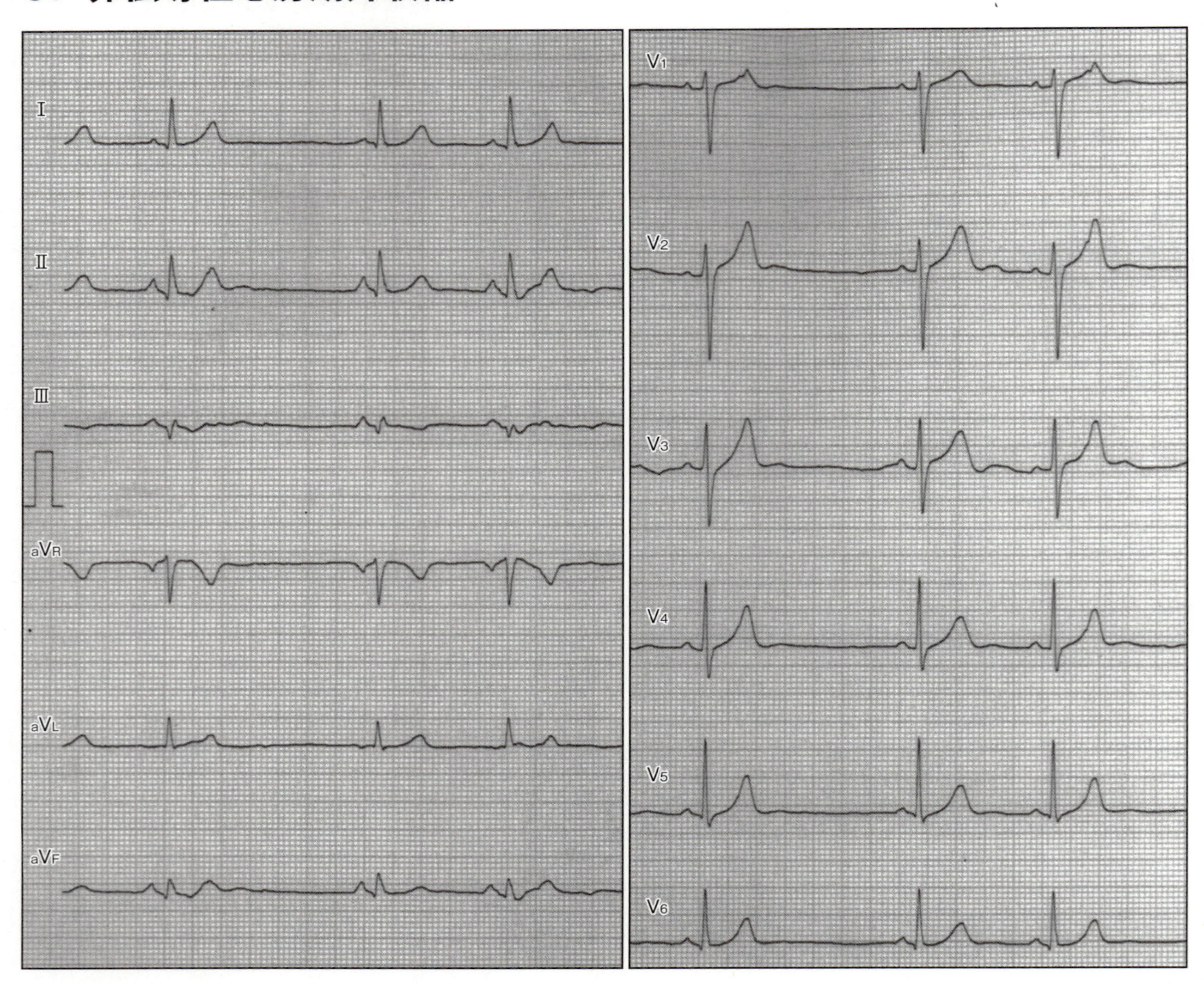

ここをCheck ！

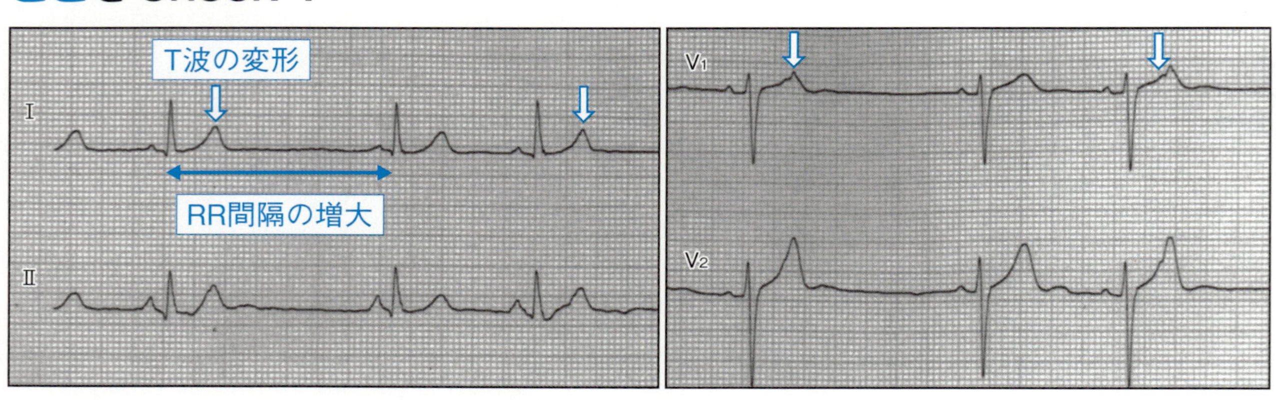

着目すべき心電図所見

心拍数：52/分、不整　**RR 間隔**：第 1〜2 拍間、第 4〜5 拍間の RR 間隔が増大している(⟷)

T 波・P 波：第 1、3、4、6 拍の T 波は変形しており(⇧)、P 波が重なっていると推定される

判読のポイント

- 第 1〜2 拍間、第 4〜5 拍間の RR 間隔が増大している。
- RR 間隔が増大する前の心拍の T 波は変形しており、心房期外収縮の P 波が重なっていると推定される。
- 心房期外収縮に引き続く QRS 波が認められないことから、心房期外収縮に対して房室ブロックが生じていると考えられる。

発生のメカニズム―病態から診る

- 非伝導性心房期外収縮とは、房室結節の不応期のため、心房期外収縮が房室ブロックを起こし、それに対応する QRS-T 波が欠損する病態である(Blocked APC)。
- 非伝導性心房期外収縮は、心房期外収縮の早期性(短い連結期)と房室結節の伝導性(延長した不応期)に依存して出現する。
- 心房細動の原因となる左房-肺静脈移行部起源の心房期外収縮は連結期が短いため、単発で出現すると非伝導性心房期外収縮をきたしやすい。

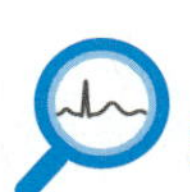

鑑別を要する心電図

- 洞不全症候群(洞房ブロック・洞停止)
  ⇒非伝導性心房期外収縮は連結期が短く洞結節へ進入することは困難であるため、洞調律興奮は影響を受けず、心房期外収縮前後の PP 間隔は洞調律興奮周期の 2 倍になることが多い。これは洞房ブロックに類似した所見となるため、先行心拍の T 波に重なった P 波の判別が重要である。また、T 波に重なる心房期外収縮の P 波を見逃すと、P 波が欠損しているとの誤った診断をする恐れがあるため、洞不整や洞房ブロックとの鑑別が重要である。
- 上室補充収縮

よくある患者背景

- ジギタリス服用患者
  ⇒ジギタリスは房室結節伝導を抑制するが、ジギタリス中毒ではこの伝導抑制がさらに強調されるとともに心房の興奮性が上昇することから、心房期外収縮が生じやすくなる。ジギタリス内服中に心房期外収縮が頻発する場合、中毒を考慮して検査を進める必要がある。

10. 上室補充収縮

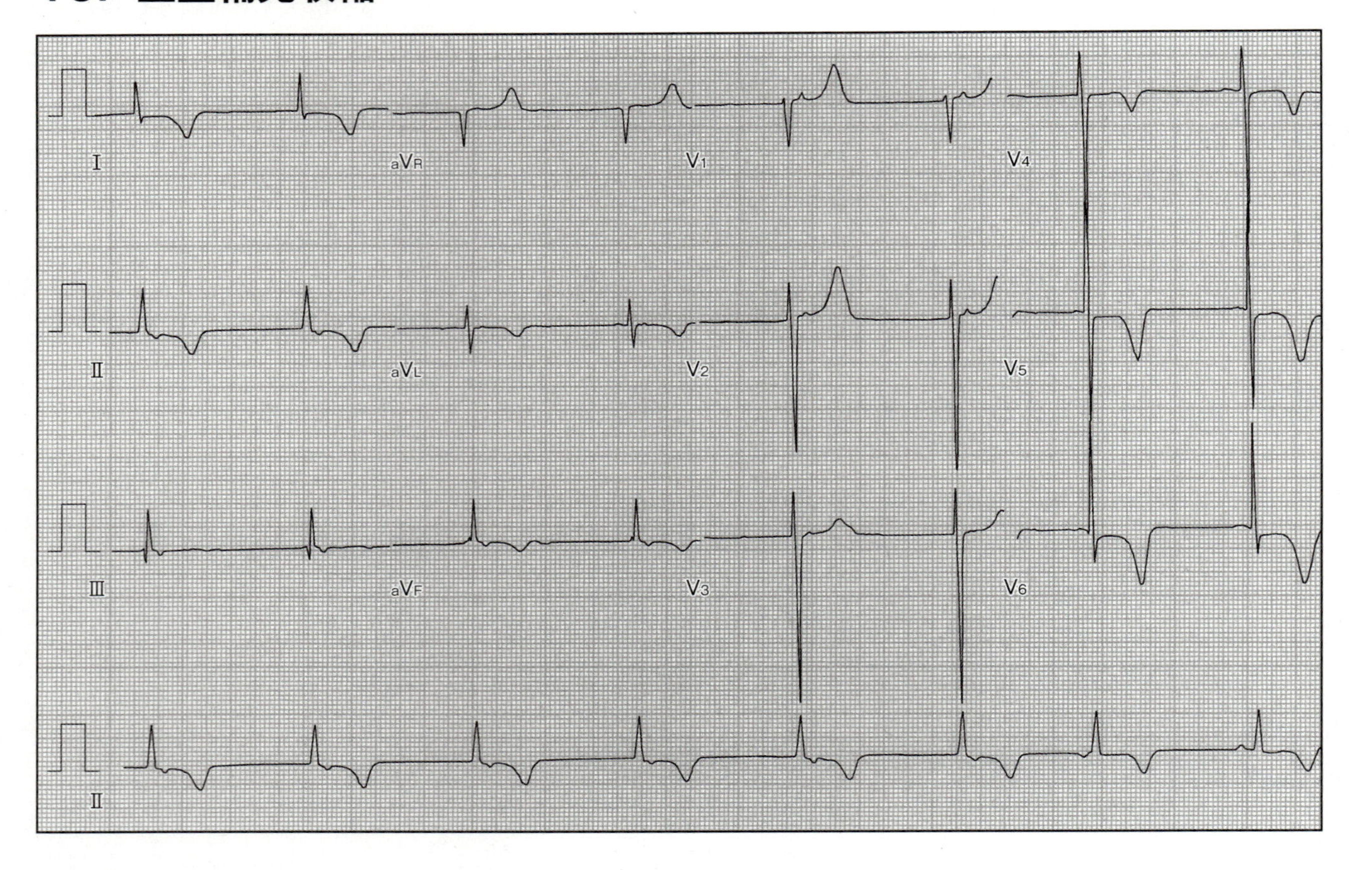

ここをCheck ！

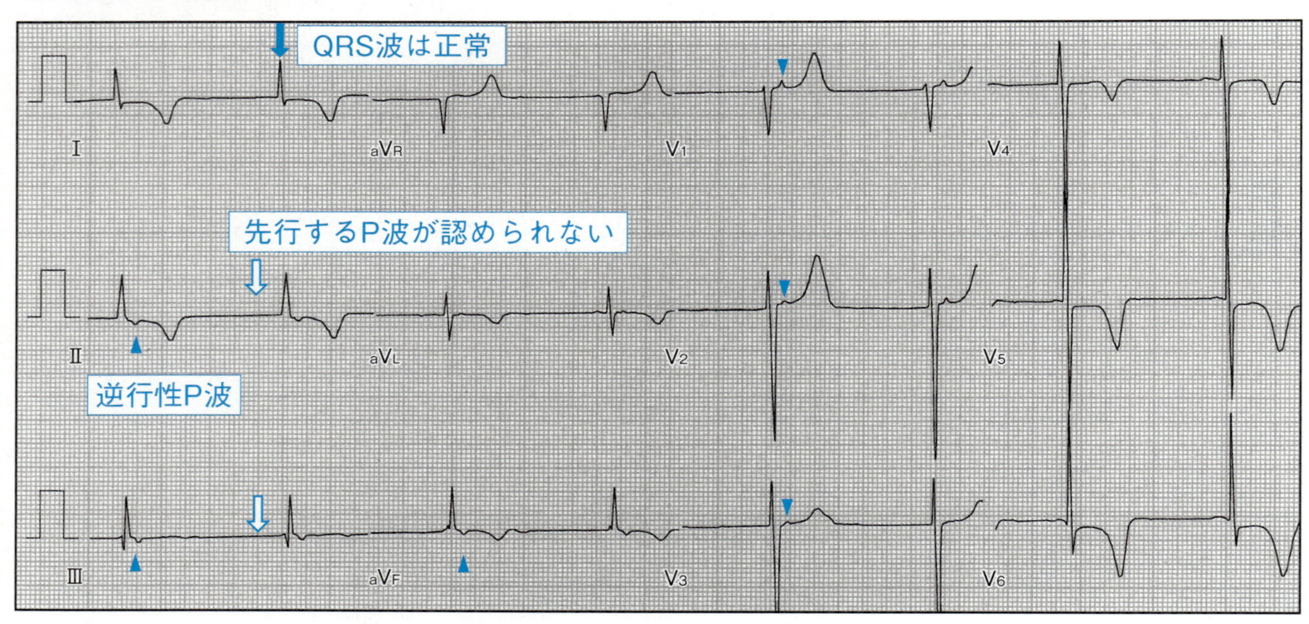

着目すべき心電図所見

心拍数：48/分、整　**QRS 波・P 波**：QRS 波に先行する P 波が認められない（⇧）。QRS 波に引き続いて notch 状の逆行性 P 波（▲）を認める（Ⅱ・Ⅲ・aVF・V1〜V3誘導など）　**QRS-T 波**：正常（⬆）
その他：T 波陰転に伴い、下壁誘導と側壁誘導に二次性と考えられる ST 下降を認める

判読のポイント

- QRS-T 波は正常で規則的に出現しているが、先行する P 波が認められない。
- 心室興奮パターンの変化を認めないことから、房室結節などの His-Purkinje 系より上位の興奮と考えられる（接合部調律）。
- QRS 波に引き続き notch 状の P 波を認めることから、下位興奮によって心房が刺激された逆行性 P 波と考えられる。
- 調律自体が徐脈であることから、背景に洞徐脈（洞不全症候群）が存在すると推定される。
- 本症例における下壁誘導と側壁誘導の ST-T 変化は、心肥大などによる二次性の変化と考えられる。

発生のメカニズム―病態から診る

- 補充収縮は、洞不全症候群・房室ブロック・非心房期外収縮など、上位調律が欠落する病態を前提に出現する。
- 補充収縮は上位からの心拍（上位調律）が到達しない場合の下位の補助調律であるため、その出現頻度は起源ごとに一定している。
- 本症例では、洞不全症候群を背景とした連続的な洞調律興奮の欠如に伴い、房室結節において補充収縮が心拍を担っているもの（補充調律）と推定される。房室結節の興奮が心房に逆伝導して心房を興奮させると、逆行性 P 波が記録される。

鑑別を要する心電図

- 接合部期外収縮・心房期外収縮、心室補充調律、心室補充収縮
  ⇒期外収縮は早い連結期、補充調律は長い連結期で心拍が出現し、心室補充収縮は一般的に QRS 幅が広くなる。

よくある患者背景

- 洞不全症候群などの徐脈性疾患（心拍が欠落する病態）

さらにレベルアップ！　「上室補充収縮（房室接合部補充収縮を含む）」

★補充収縮の分類

基本心拍よりも長い連結期で心拍が出現する現象を補充収縮、補充収縮が心拍を担うことを補充調律と呼ぶ。補充収縮は出現する起源によって、心房性・接合部性・心室性に分類され、心房性と接合部性を総称して上室性とも呼ぶ。

11．促進房室接合部調律

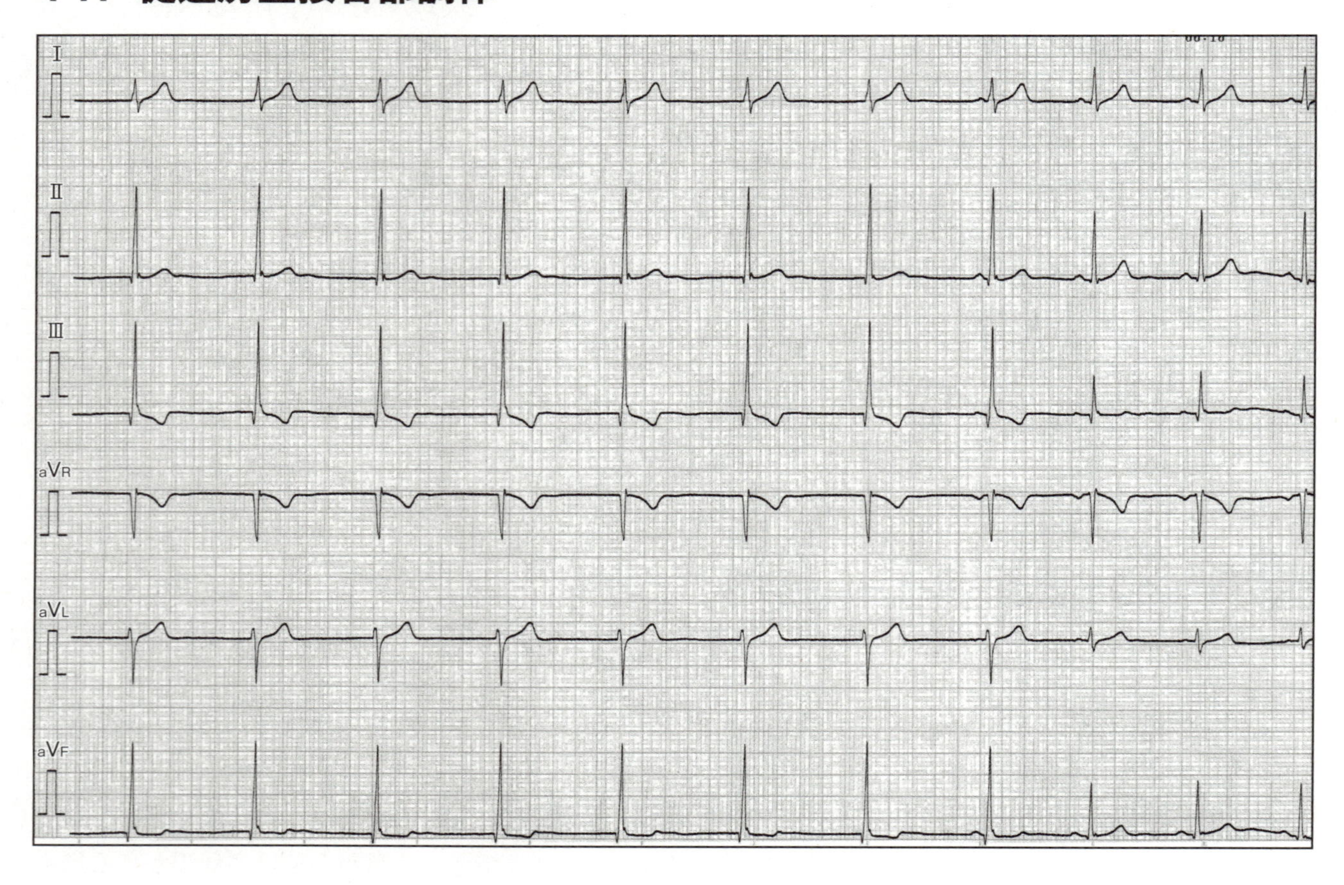

ここをCheck ！

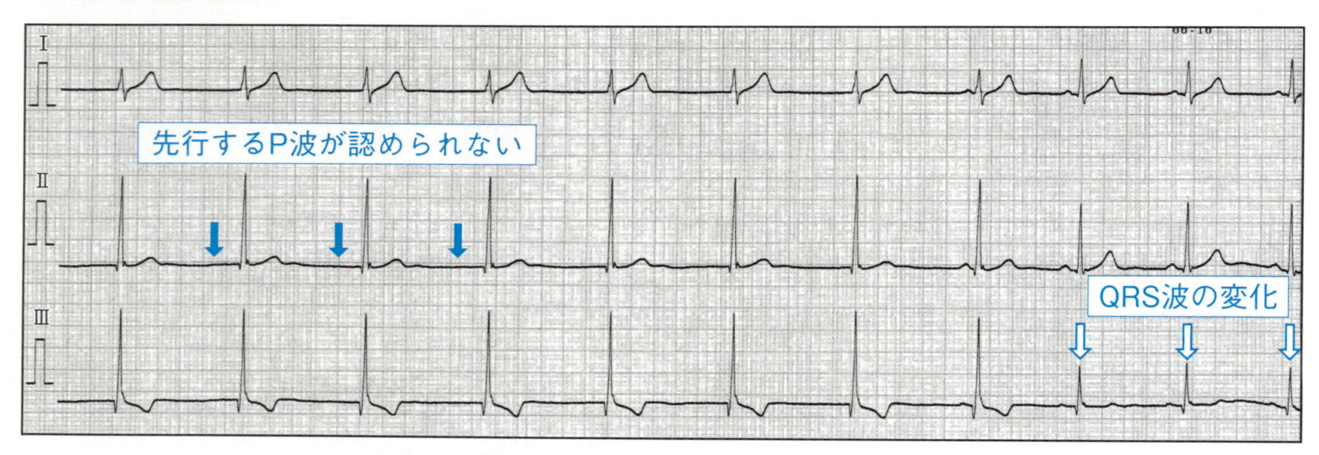

着目すべき心電図所見

心拍数：56/分、整(肢誘導のみ提示)　**P 波**：第 1〜7 拍に先行する P 波が認められない(⬆)。第 8〜11 拍には先行する P 波を認める　**QRS 波**：QRS 波は正常幅だが、Ⅲおよび aV_F誘導で T 波陰転を伴う。第 9〜11 拍の QRS 波は、第 1〜7 拍に比して若干変化している(⇧)。**PQ 間隔**：第 8 拍の PQ 間隔は短縮(0.10 秒)しているが、第 9〜11 拍の PQ 間隔は正常(0.14 秒)

判読のポイント

- QRS 波は正常で規則的に出現しているが、先行する P 波が認められない。
- 心室興奮パターンの変化を認めないことから、房室結節などの His-Purkinje 系より上位の興奮と考えられる(接合部調律)。
- 調律の心拍数は 56/分と正常であり、接合部調律が上位調律(洞調律)を凌駕していると考えられる(促進房室接合部調律)。
- 第 1〜7 拍と第 9〜11 拍の QRS 波が異なるのは、前者が房室接合部起源の興奮、後者が洞調律の房室結節経由興奮であるためと考えられる。第 8 拍は P 波が先行しているが PQ 間隔が短縮し、QRS 波も第 1〜7 拍と同一であることから、接合部調律と考えられる。

発生のメカニズム―病態から診る

- 補充収縮が上位調律の欠落を前提に出現するのに対し、促進調律は上位調律が正常であるにもかかわらず、それを凌駕して出現する。
- 結節性調律の QRS 波は、正常の His-Purkinje 系を経由した興奮で形成されるため、上位調律の房室結節経由興奮と同一である症例が多いが、房室結節の下部起源の症例では QRS 波が若干変化する場合がある。本症例では、第 1〜8 拍が接合部起源の興奮、第 9〜11 拍が上位調律の房室結節経由興奮であると考えられる。
- 本症例では、第 8〜11 拍の P 波の心拍数が 56/分と正常であることから、洞不全症候群などの異常な徐脈は存在しないと考えられる。

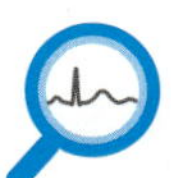

鑑別を要する心電図

- 接合部頻拍
- 発作性上室頻拍
- P 波の減高した洞調律
- 促進心室調律

よくある患者背景

- 交感神経の過緊張状態、交感神経刺激作用をもつ薬物使用中の患者

⇒交感神経は自動能の亢進に深いかかわりがあり、促進補充収縮は接合部が生理的にもつ自動能が亢進することにより発症する。

さらにレベルアップ！ 「心房期外収縮」

★期外収縮の分類

基本心拍よりも早期に心拍が出現し、再び基本心拍へ復帰する現象を期外収縮と呼ぶ。期外収縮は出現する起源によって心房性・接合部性・心室性に分類される。心房性と接合部性を総称して上室性とも呼ばれる。

★洞房伝導時間の算出方法

心房期外収縮は、出現する時相によって基本調律(一般に洞調律)をリセットする場合としない場合がある。期外収縮が洞結節に進入せず、洞調律に影響しない場合、期外収縮の前後のPP間隔は、ほかの基本調律時のPP間隔(洞結節興奮の周期長)の2倍となる。期外収縮が洞調律をリセットする場合、期外収縮後の洞調律P波は期外収縮のP波から洞結節興奮周期長より若干遅れた時相で出現する。この時相の遅れは、期外収縮興奮が洞結節に進入する時間と、洞結節興奮が心房に出現するまでに要する時間の和であり、これらを用いて洞房伝導時間が算出できる。

洞房伝導時間×2＝(期外収縮後PP間隔)－(洞調律PP間隔)

さらにレベルアップ！ 「促進房室接合部調律」

★促進調律と補充調律

心拍数が100拍/分以上の場合を頻拍、それ以下の頻度の興奮を促進調律と呼ぶ。房室結節やHis-Purkinje系は、上位心拍中枢が停止すると補充的に心拍を産生する補充調律機能を有している。通常、これら下位の調律興奮頻度は洞結節の興奮頻度より低いため、上位からの興奮に受動的に追従している。促進調律は、下位中枢の調律興奮頻度が何かしらの理由により頻回に興奮を示すようになる病態であり、洞結節の興奮を凌駕する。なお、上位調律の欠如もしくは興奮頻度低下を前提として出現する補充調律とは区別される。

★接合部調律の逆行性P波

接合部調律の逆行性P波は、QRS波終末部もしくはST部分に認められることが多い。しかし、調律中枢部が心房に近い組織であるなど、逆行性P波がQRS波に先行する場合があり、逆行性P波と異常に近接したQRS波が記録される。

MEMO

12. 心房頻拍　その1

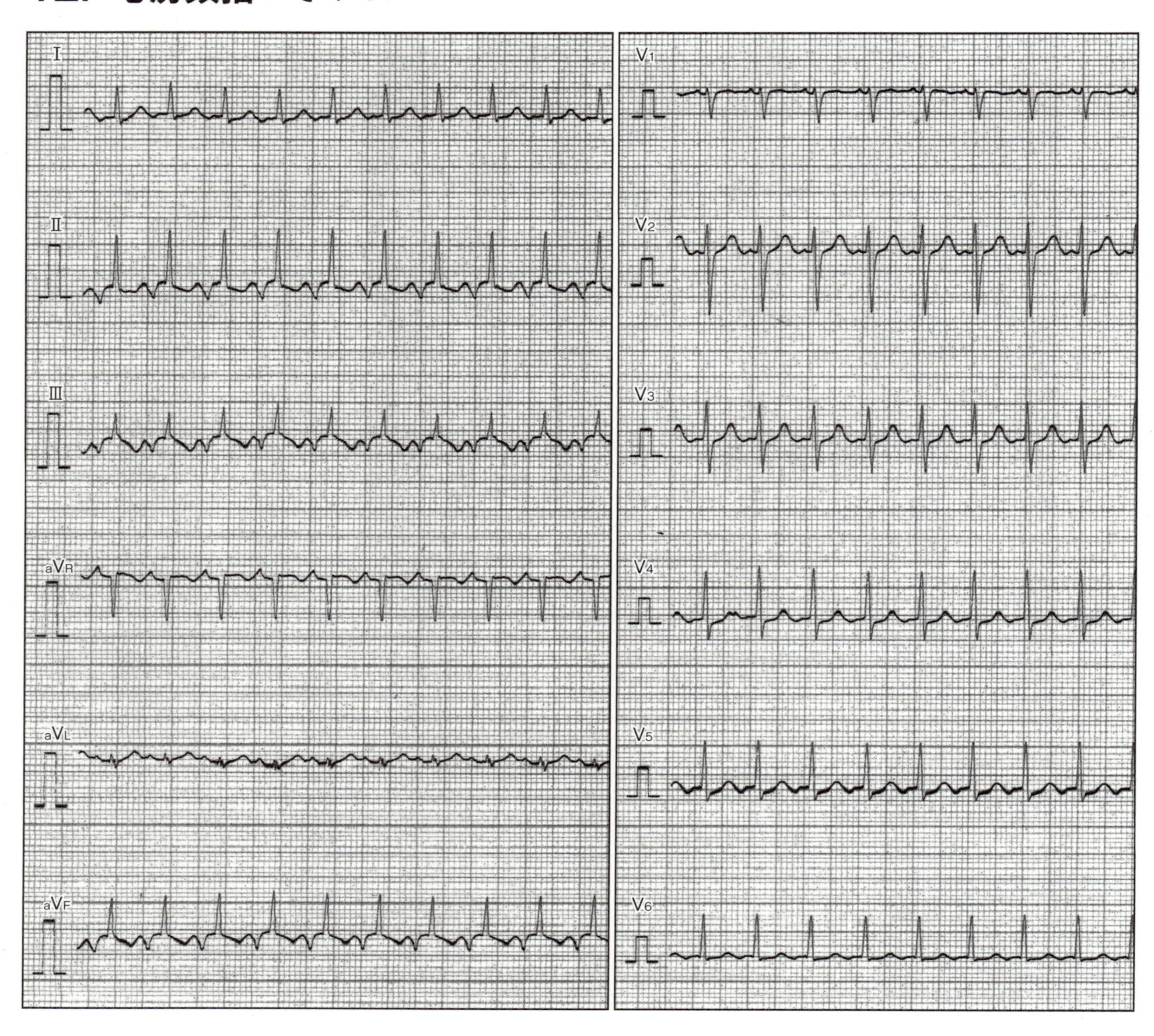

ここをCheck！

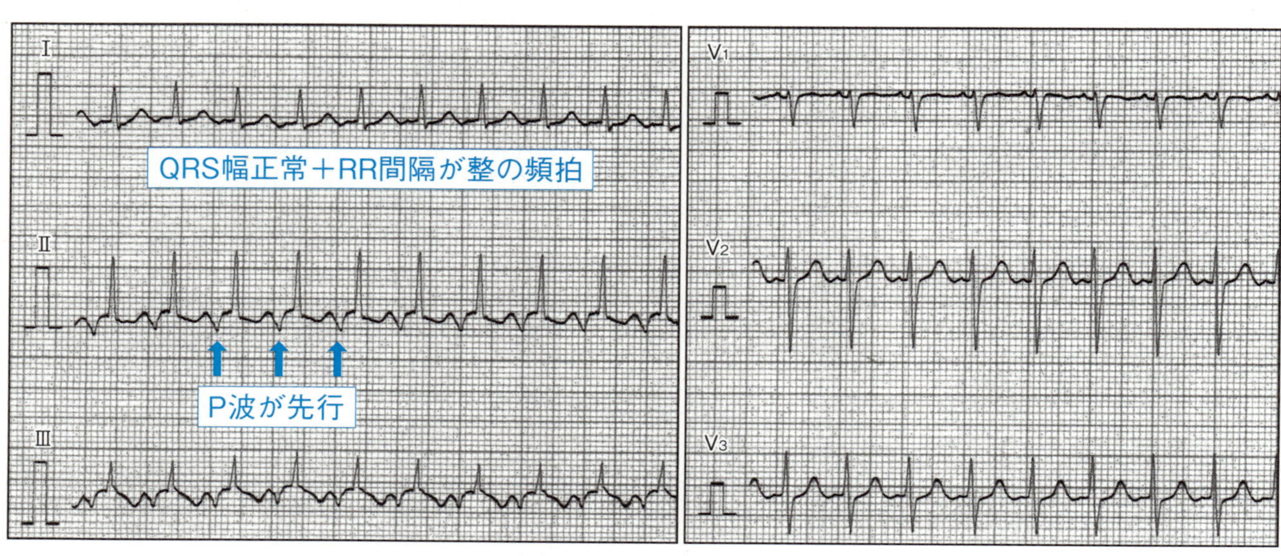

着目すべき心電図所見

心拍数：184/分、整　**QRS 波・P 波**：QRS 波に先行して、Ⅱ・Ⅲ・aVF誘導で陰性の P 波が認められる（⬆）　**QRS-T 波**：正常

判読のポイント

- QRS 幅が正常で、RR 間隔が整の頻拍である（narrow QRS regular）。
- QRS 波に P 波が先行しており（long RP 頻拍）、心房頻拍と考えられる。
- P 波が洞調律と異なっており、異所性心房頻拍と考えられる。

発生のメカニズム―病態から診る

- 心房頻拍は、異所性（心房筋）自動能亢進、もしくは局所的な興奮旋回（リエントリー）を機序として発生する。
- 房室結節以下の興奮は正常であり、洞調律と同様の正常 QRS-T 波を呈する。
- 心房の興奮が心室に伝達されるため、QRS 波に P 波が先行するパターン（PR<RP パターン）を呈する。
- 本症例では、P 波がⅡ・Ⅲ・aVF誘導で陰性であることから、下部心房を起源とする異所性頻拍であると推定される。

鑑別を要する心電図

下記が挙げられるが、12 誘導心電図のみから鑑別するのは困難であるため、他の検査も行い慎重に診断すべきである。

- 洞頻脈
  ⇒P 波が洞調律と同一。
- 通常型房室結節リエントリー頻拍
  ⇒P 波と QRS 波の興奮時相がほぼ一致するため、P 波の視認が困難となる。
- 非通常型房室結節リエントリー頻拍
- 心房粗動（伝導比固定）
- WPW 症候群における順方向性房室回帰頻拍
  ⇒P 波と QRS 波の興奮時相がやや異なるため、QRS 波の後に逆行性 P 波が確認できる。

よくある患者背景

- 交感神経の過緊張状態、交感神経刺激作用をもつ薬物使用中の患者
  ⇒交感神経は自動能の亢進に深いかかわりがあり、心房頻拍は異所性（心房筋）の自動能が亢進することにより発症する。
- Ia 群もしくは Ic 群抗不整脈薬治療中の患者
- 心房細動アブレーション後、開心術後の患者

13. 心房頻拍　その２

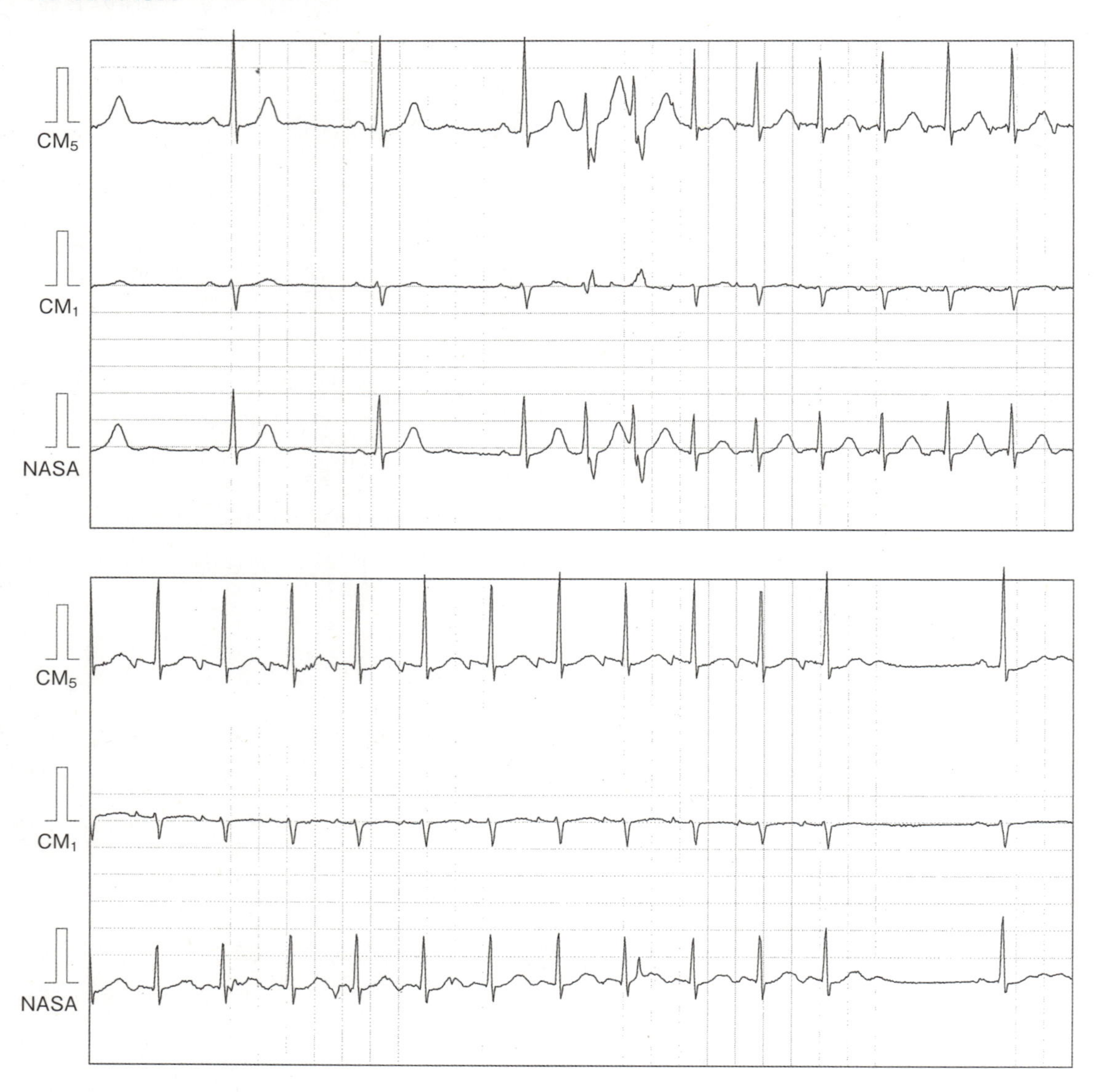

ここを Check ！

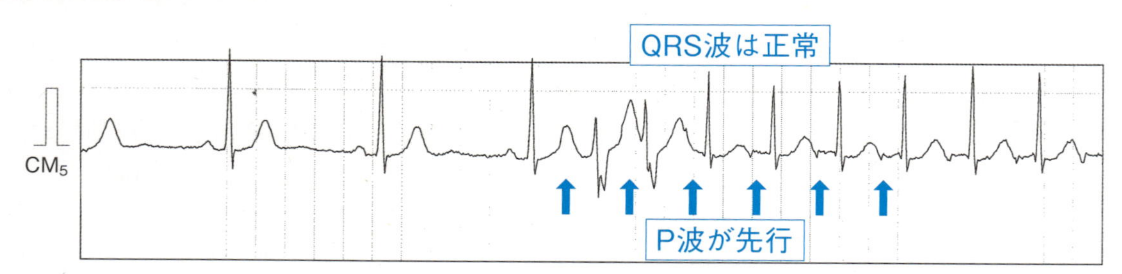

着目すべき心電図所見

心拍数：155/分、不整　**QRS 波・T 波・P 波**：頻拍中の QRS 波は正常。ただし、第 5 拍と第 6 拍は先行心拍の T 波に重なっているため、判定困難。QRS 波に、変形した P 波が先行している（⬆）

その他：4 拍目から頻拍が開始し、自然停止している（2 段目）

判読のポイント

- 頻拍開始後は、QRS 幅が正常で RR 間隔が整の頻拍である（narrow QRS regular）。
- QRS 波に P 波が先行しており、心房頻拍と考えられる。
- P 波が洞調律と異なっており、異所性心房頻拍と考えられる。
- 頻拍の停止時に、心拍数が徐々に減少する現象（cool down 現象）を認める。

発生のメカニズム―病態から診る

- 心房頻拍は、異所性（心房筋）自動能亢進もしくは局所的な興奮旋回（リエントリー）を機序として発生する。異所性自動能亢進による場合、頻拍の開始時に徐々に心拍数が上昇する現象（warm up 現象）や停止に先立って徐々に心拍数が減少する現象（cool down 現象）が認められる。局所的な興奮旋回（リエントリー）による場合、心拍数は頻拍開始直後から一定である。本症例では、cool down 現象が認められることから、頻拍の機序は異所性（心房筋）自動能亢進と推定される。
- 房室結節以下の興奮は正常であり、洞調律と同様の正常 QRS-T 波を呈する。
- 心房の興奮が心室に伝達されるため、QRS 波に P 波が先行するパターン（PR<RP パターン）を呈する。

鑑別を要する心電図

- 洞頻脈
  ⇒P 波が洞調律と同一。
- 非通常型房室結節リエントリー頻拍
- 通常型房室結節リエントリー頻拍
  ⇒P 波と QRS 波の興奮時相がほぼ一致するため、P 波の視認が困難となる。
- 心房粗動（伝導比固定）
- WPW 症候群における順方向性房室回帰頻拍
  ⇒P 波と QRS 波の興奮時相がやや異なるため、QRS 波の後に逆行性 P 波が確認できる。

よくある患者背景

- 交感神経の過緊張状態、交感神経刺激作用をもつ薬物使用中の患者
  ⇒交感神経は自動能の亢進に深いかかわりがあり、心房頻拍は異所性（心房筋）の自動能が亢進することにより発症する。
- Ia 群もしくは Ic 群抗不整脈薬治療中の患者
- 心房細動アブレーション後、開心術後の患者

14. 通常型房室結節リエントリー頻拍

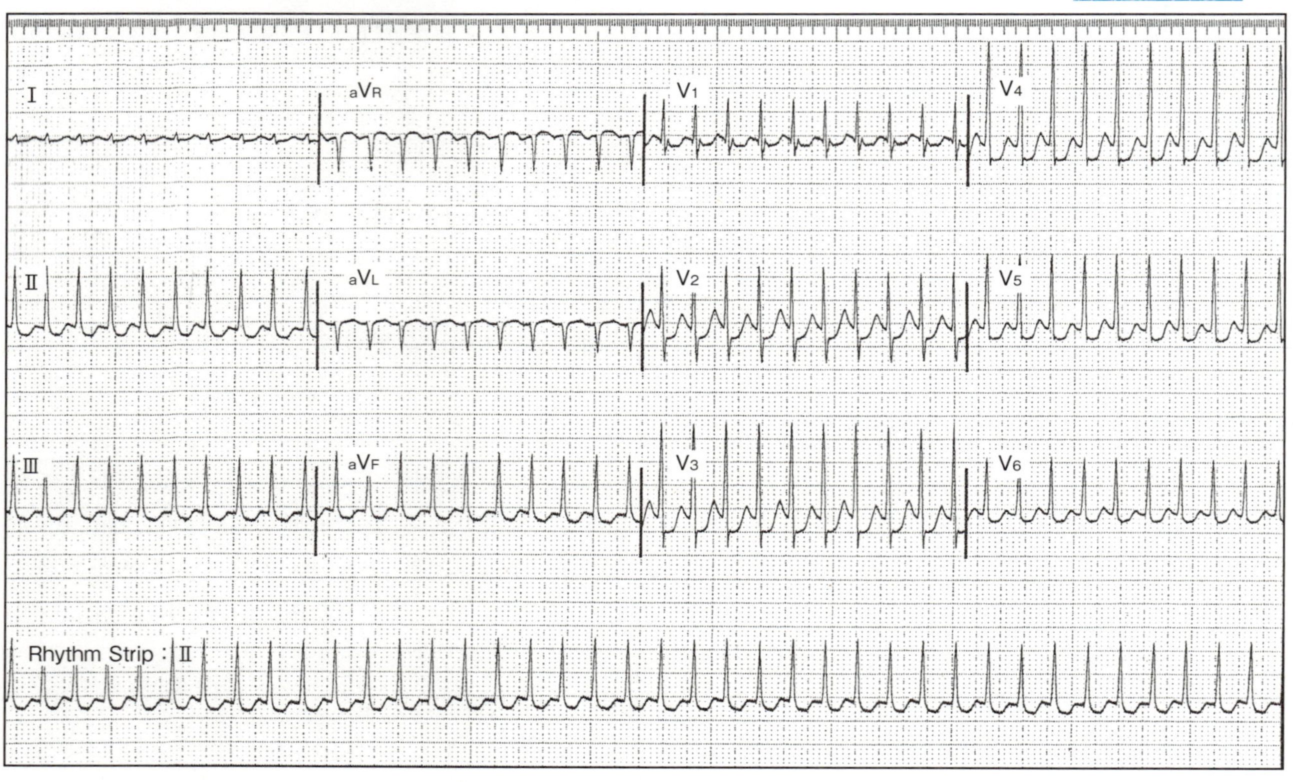

ここをCheck ！

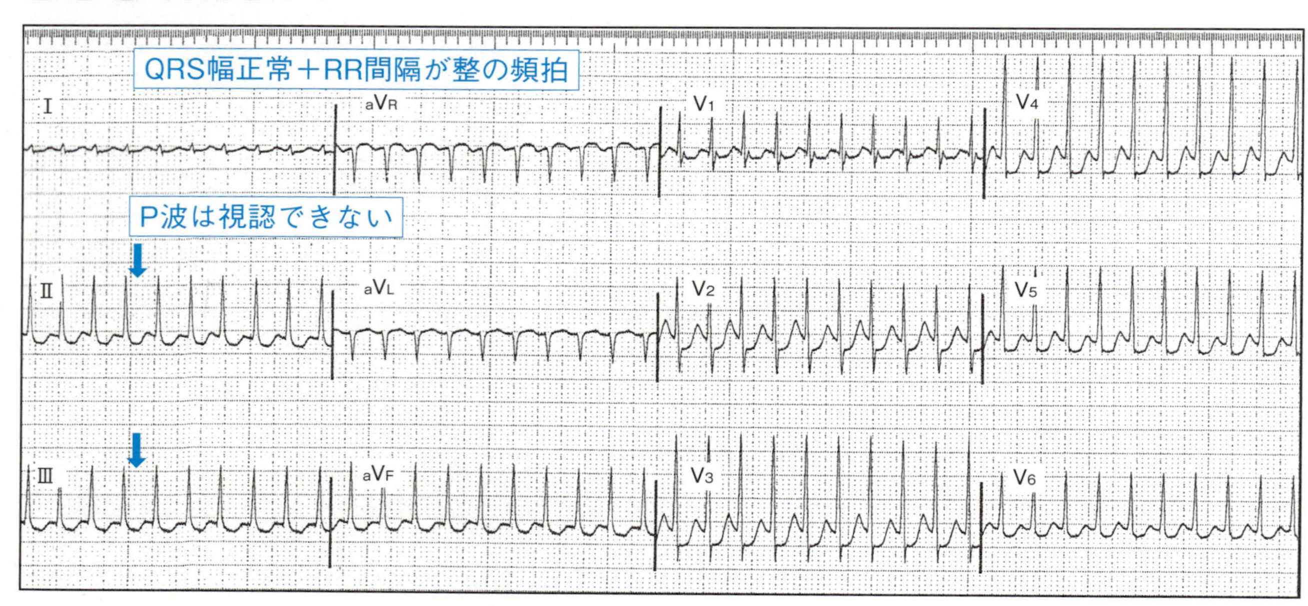

着目すべき心電図所見

心拍数：216/分、整　**QRS 波**：正常　**RR 間隔**：整　**P 波**：視認できない（↑）

判読のポイント

- QRS 幅が正常で、RR 間隔が整の頻拍である（narrow QRS regular）。
- P 波は視認できない。
- P 波が QRS 波と同時相であるために、記録上判別できないと考えられることから、通常型房室結節リエントリー頻拍と推測される。

発生のメカニズム―病態から診る

- 房室結節リエントリー頻拍は、房室結節を含む房室伝導組織内で興奮旋回（リエントリー）が形成されることにより発生する頻拍である。
- 興奮波は、古典的房室結節（compact AV node）を速伝導路、後方から扇形に入力する線維を遅伝導路として、両者の間を旋回する。
- 通常型房室結節リエントリー頻拍では、興奮波が速伝導路を逆行、遅伝導路を順行する（slow-fast 型）。この場合、心房と心室の興奮時相はほぼ一致するため、P 波は QRS 波に重なり、視認困難となる。

鑑別を要する心電図

- 洞頻脈
- 心房頻拍
- WPW 症候群における順方向性房室回帰頻拍
- 非通常型房室結節リエントリー頻拍
  ⇒通常型とは興奮旋回が逆方向となり、P 波と QRS 波の興奮時相が一致しないため、QRS 波の間に逆行性 P 波が視認できる。
- 心房粗動（伝導比固定）

よくある患者背景

- 若年時から頻拍発作を繰り返し、加齢とともに発作頻度が増加する場合もある。

さらにレベルアップ！　「上室頻拍」

★遅伝導路は不要の伝導路？

遅伝導路は生理的にも存在するが、速伝導路の機能に問題がなければ不要の伝導路といえる。頻拍は、遅伝導路を焼灼することで根治可能である。

★頻拍中の ST 下降では冠動脈疾患を疑う症候に注意！

頻拍中に認められる ST 下降は、必ずしも虚血性心疾患を示さず、非特異的であることが多い。しかし、胸痛など冠動脈疾患を疑う症候があれば、精査を要する。

15. 非通常型房室結節リエントリー頻拍

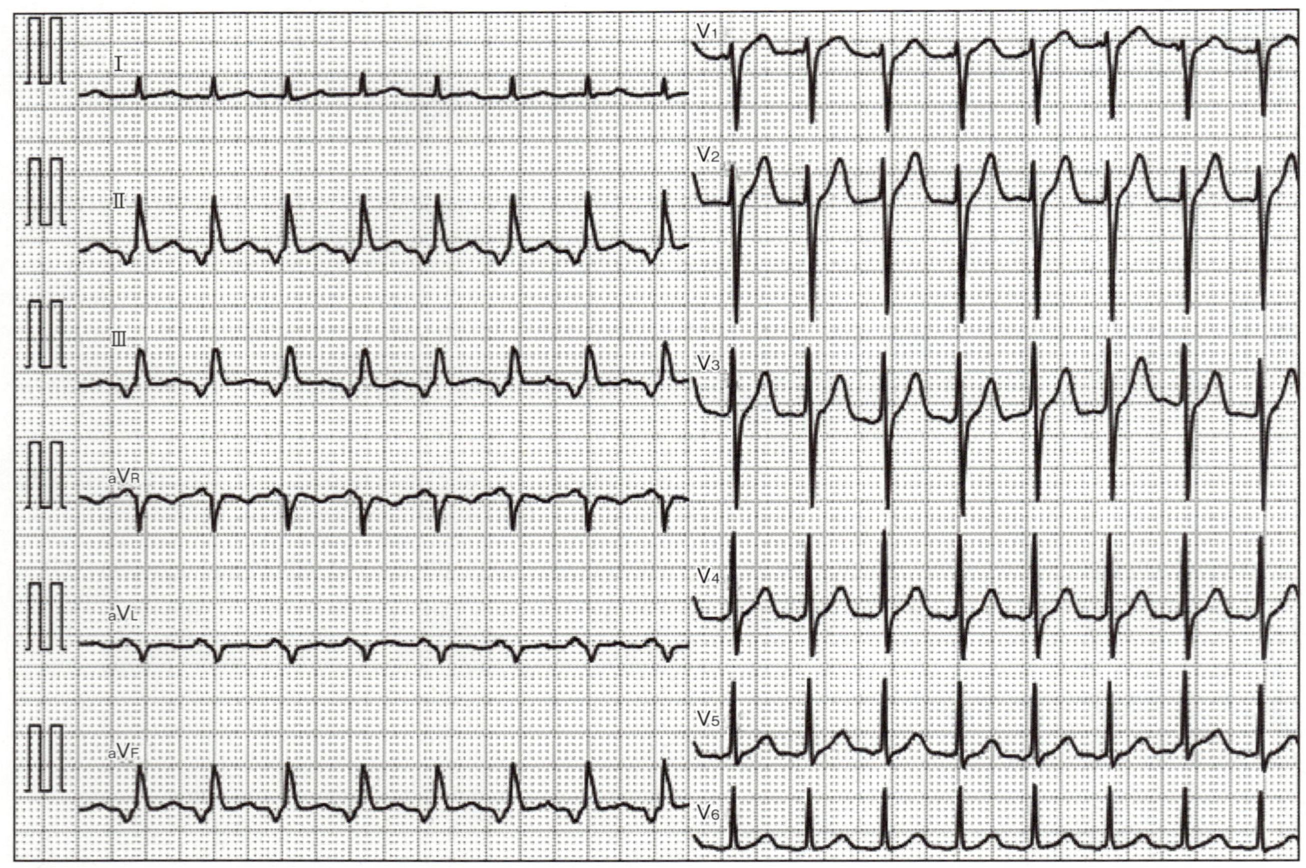

ここをCheck ！

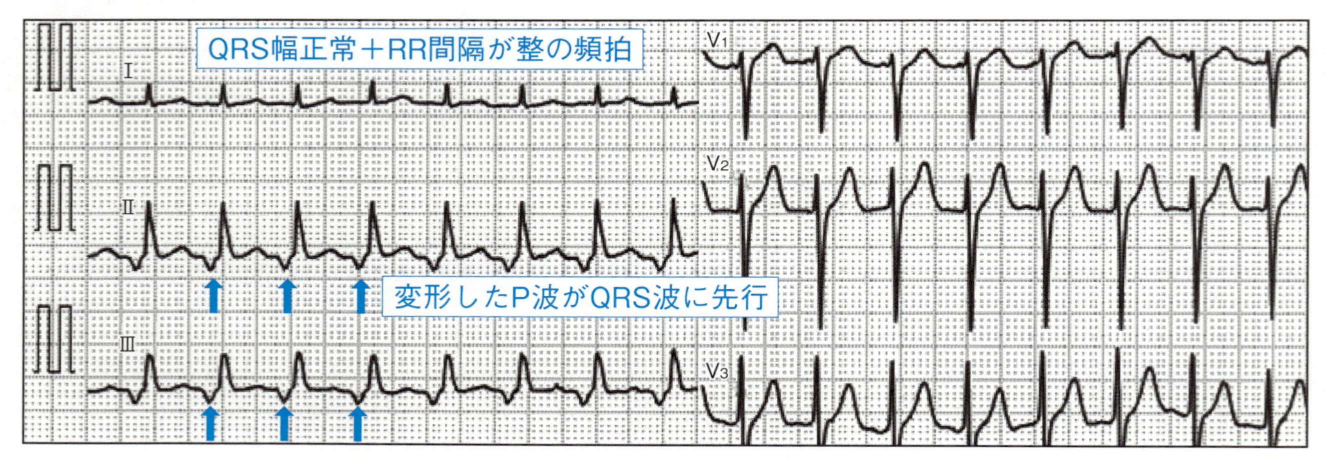

着目すべき心電図所見

心拍数：142/分、整　**QRS波・P波**：正常。QRS波に先行して変形したP波が認められる（⬆）　**RR間隔**：整

判読のポイント

- QRS幅が正常で、RR間隔が整の頻拍である（narrow QRS regular）。
- QRS波形に先行して、変形したP波が認められる。
- P波は下壁誘導（Ⅱ・Ⅲ・aVF誘導）で陰性であることから、心房下方からの心房興奮と推定される。非通常型房室結節リエントリー頻拍に伴う逆行性P波として矛盾しないが、この所見のみでは下部心房起源の心房頻拍（心房異所性頻拍）は鑑別できない。

発生のメカニズム—病態から診る

- 房室結節リエントリー頻拍は、房室結節を含む房室伝導組織内で興奮旋回（リエントリー）が形成されることで発生する頻拍である。
- 興奮波は、古典的房室結節（compact AV node）を速伝導路、後方から扇形に入力する線維を遅伝導路として、両者の間を旋回する。
- 非通常型房室結節リエントリー頻拍では興奮波が速伝導路を順行、遅伝導路を逆行する（fast-slow型）。この場合、心房の興奮時相は心室の興奮時相と大きく異なり、心電図上QRS波とQRS波の間にP波が視認される。P波は逆行性P波であるが、時相的にはQRS波に先行するように見えるため、心房頻拍との鑑別が重要になる。
- 複数の遅伝導路間の興奮旋回（リエントリー）により発生する場合もある。

鑑別を要する心電図

- 洞頻脈
- 心房頻拍
  ⇒P波の時相や形のみでは鑑別できないこともあり、自動能亢進の心房頻拍ではwarm up現象などが参考になる。確定診断のために、電気生理学的検査を要する場合も多い。
- WPW症候群における順方向性房室回帰頻拍
  ⇒QRS波とP波の興奮時相がやや異なるため、QRS波の後に逆行性P波が確認できる。
- 通常型房室結節リエントリー頻拍
  ⇒非通常型とは興奮旋回が逆方向となり、P波とQRS波の興奮時相がほぼ一致するため、P波の視認が困難となる。
- 心房粗動（伝導比固定）

よくある患者背景

- 若年時から頻拍発作を繰り返し、加齢とともに発作頻度が増加する場合もある。

16. 早期興奮症候群　WPW 症候群　type A

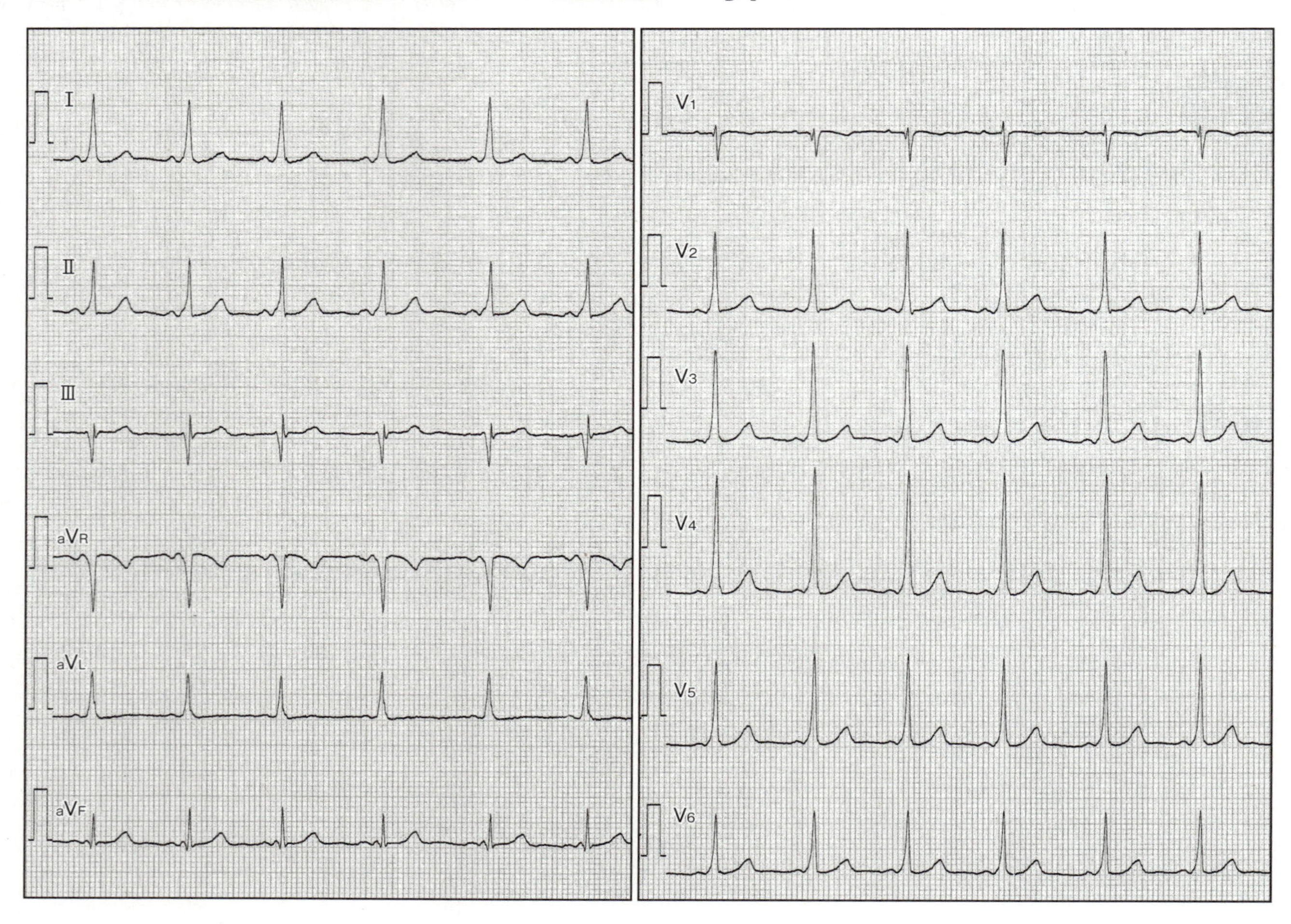

ここを Check ！

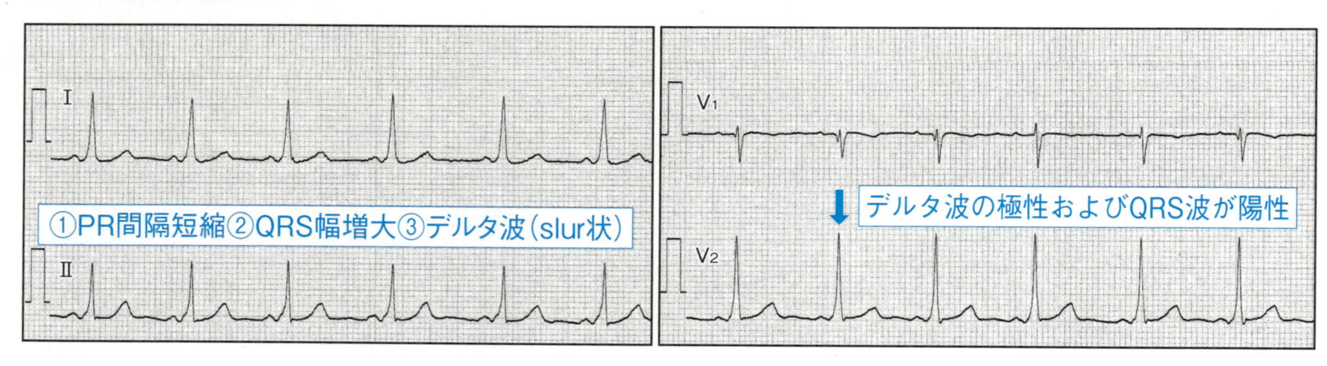

着目すべき心電図所見

心拍数：80/分、整　**PR 間隔**：0.08 秒と短縮　**QRS 波・P 波**：QRS 幅 0.14 秒、P 波に引き続いて slur 状の初期波形（デルタ波）を認める（⬆）　**R 波**：胸部誘導は V_2誘導から R 波が高く、反時計方向回転を示す　**ST-T 波**：異常を認めない

判読のポイント

- 基本調律は洞調律である。
- WPW 症候群の 4 つの特徴のうち、①～③の 3 つが認められる。①PR（PQ）間隔の短縮、②QRS 幅の増大、③QRS 波の初期成分に slur 状の初期波形（デルタ波）、④ST-T 異常。
- 心室興奮の一部が正常と異なることから、再分極過程の異常を反映した ST-T 異常を認める場合があるが、本症例では認められない。
- V_2誘導で高い R 波を認めることから、副伝導路は左側にあると推定される。ケント束の局在を判定する際に、前胸部誘導では V_1 誘導の波形を参照するのが基本である。本例では V_1 誘導波形でデルタ波が判別困難であるため、代用として V_2 誘導での判断を説明している。特定誘導の波形が典型的でない場合、隣接する誘導の波形を参考にするのは少なくない。

発生のメカニズム―病態から診る⇒ 「さらにレベルアップ！早期興奮症候群」参照（p.238）

- WPW 症候群は、心房-心室間に存在しないはずの伝導路が存在する病態である。この異常伝導路を副伝導路と呼ぶ。WPW 症候群における副伝導路はケント束と呼ばれ、心房-心室間を直接連結する。
- 副伝導路は房室結節のような伝導遅延を示さないため、心室の一部は早期に異常な方向から興奮する。心室の興奮は、この副伝導路経由の興奮と房室結節経由の興奮の融合となるため、QRS 波の初期成分だけが変形し、QRS 幅の増大するデルタ波を形成する。
- 心室の一部が His-Purkinje 系とは異なる様式で興奮するため、再分極過程に異常を生じ、二次性の ST-T 変化をきたす場合がある（注：本症例では認められない）。心室期外収縮における ST-T 変化と同様に病的意義は乏しい。
- デルタ波および QRS 波の極性は、ケント束の局在に規定される。本症例では V_2誘導で陽性のデルタ波を認め、R 波も増高していることから、副伝導路経由の興奮は右側へ向かっていると考えられ、ケント束は左側にあるものと推定される。

鑑別を要する心電図

- 右室肥大
- 右脚ブロック
  ⇒QRS 波は、WPW 症候群では初期成分、脚ブロックや心室内伝導障害では後半成分が変化する。
- 陳旧性後壁梗塞
  ⇒WPW 症候群では、陰性を示したデルタ波が異常 Q 波様に見える場合がある。

よくある患者背景

- 1/1,500～2,000 の頻度で偶然に発生。
- まれに遺伝性も報告されるが、大部分は孤発例である。

17．早期興奮症候群　WPW 症候群　type B

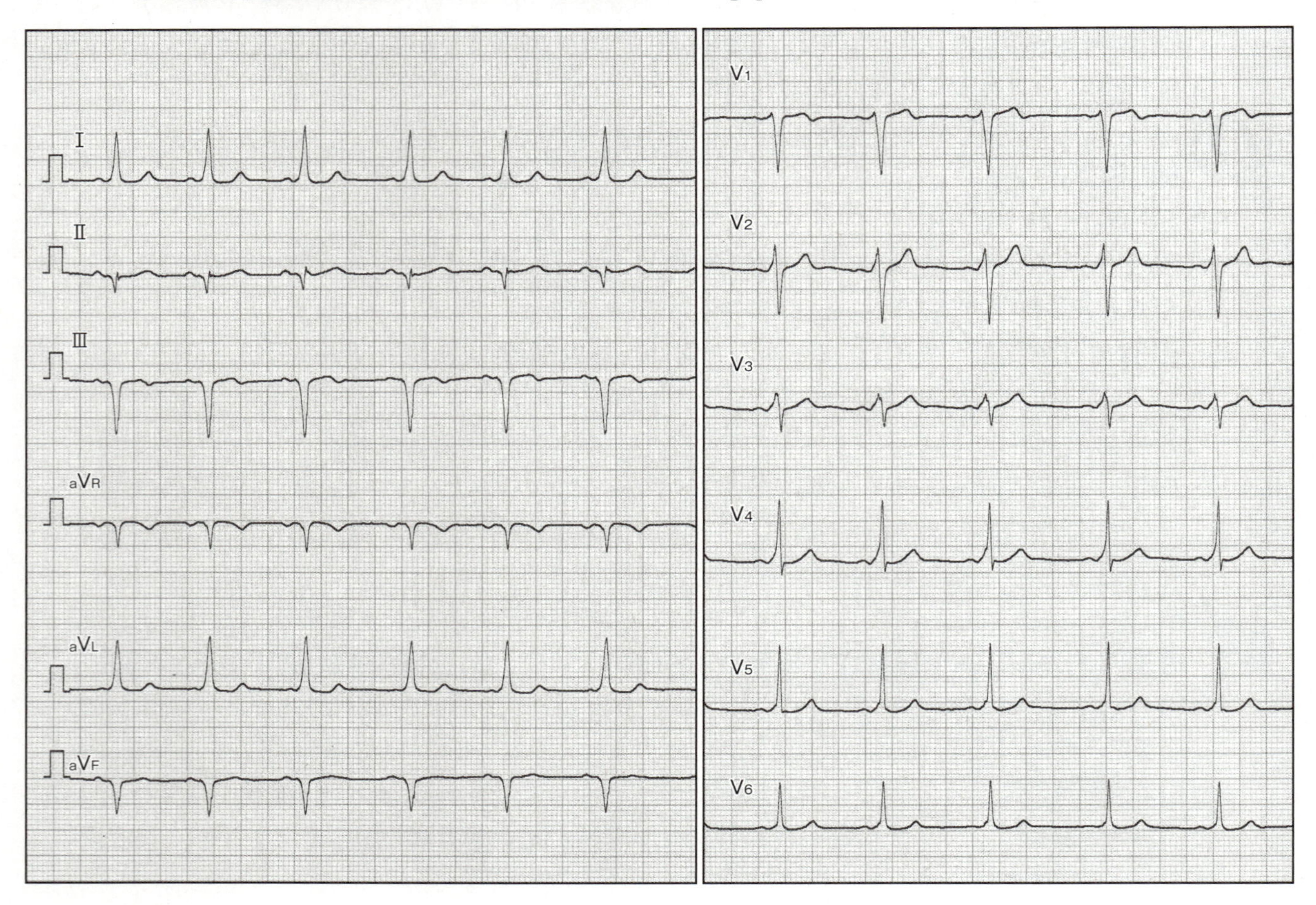

ここをCheck ！

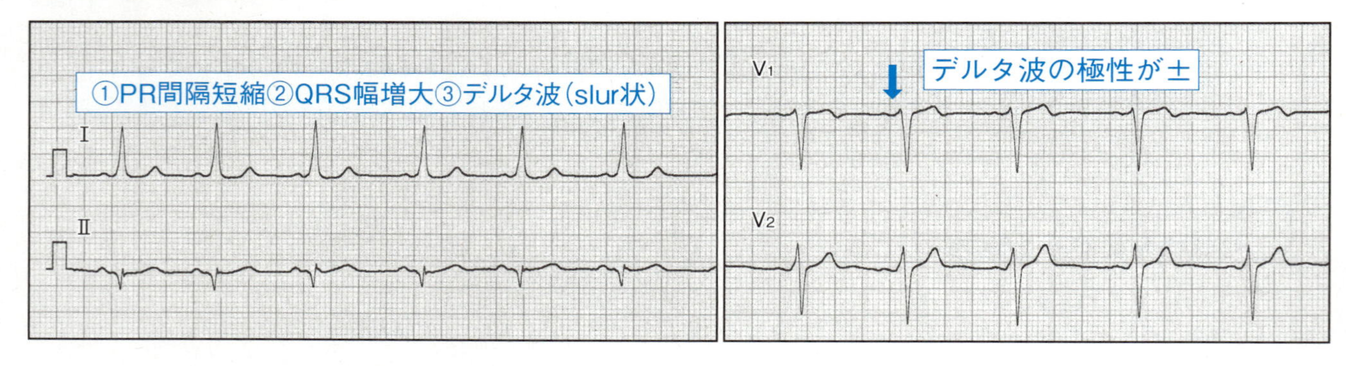

着目すべき心電図所見

心拍数：78/分、整　**PR 間隔**：0.09 秒と短縮　**QRS 波・P 波**：QRS 幅 0.15 秒、P 波に引き続いて slur 状の初期波形(デルタ波)を認める(⬆)　**T 波**：下壁誘導(Ⅱ・Ⅲ・aV_F誘導)で T 波平低を認める

判読のポイント

- 基本調律は洞調律である。
- WPW 症候群の 4 つの特徴が認められる。①PR(PQ)間隔の短縮、②QRS 幅の増大、③QRS 初期成分に slur 状の初期波形(デルタ波)、④ST-T 異常(本症例では、下壁誘導の T 波平低として認められる)。
- V_1誘導で、深い S 波と QRS 波の rS パターンを認め、デルタ波の極性は±である。副伝導路は右側にあるものと推定される。

発生のメカニズム—病態から診る⇒「さらにレベルアップ！早期興奮症候群」参照(p.238)

- WPW 症候群は、心房-心室間に存在しないはずの伝導路(副伝導路)が存在する病態である。WPW 症候群における副伝導路はケント束と呼ばれ、心房-心室間を直接連結する。
- 副伝導路は房室結節のような伝導遅延を示さないため、心室の一部は早期に異常な方向から興奮する。心室の興奮は、この副伝導路経由の興奮と房室結節経由の興奮の融合となるため、QRS 波の初期成分だけが変形し、QRS 幅の増大するデルタ波を形成する。
- 心室の一部が His-Purkinje 系とは異なる様式で興奮するため、再分極過程に異常を生じ、二次性の ST-T 変化をきたす場合がある。心室期外収縮における ST-T 変化と同様に病的意義は乏しい。
- デルタ波および QRS 波の極性は、ケント束の局在に規定される。本症例では V_2〜V_3誘導で R 波の減高、加えて±極性のデルタ波を認めることから、副伝導路経由の興奮は左側へ向かっていると考えられ、ケント束は右側にあるものと推定される。

鑑別を要する心電図

- 左脚ブロック
  ⇒QRS 波は、WPW 症候群では初期成分、脚ブロックや心室内伝導障害では後半成分が変化する。
- 陳旧性前壁中隔梗塞
  ⇒WPW 症候群では、陰性を示したデルタ波が異常 Q 波様に見える場合がある。

よくある患者背景

- 1/1,500〜2,000 の頻度で偶然に発生。
- まれに遺伝性も報告されるが、大部分は孤発例である。

18. 早期興奮症候群　WPW 症候群　type C

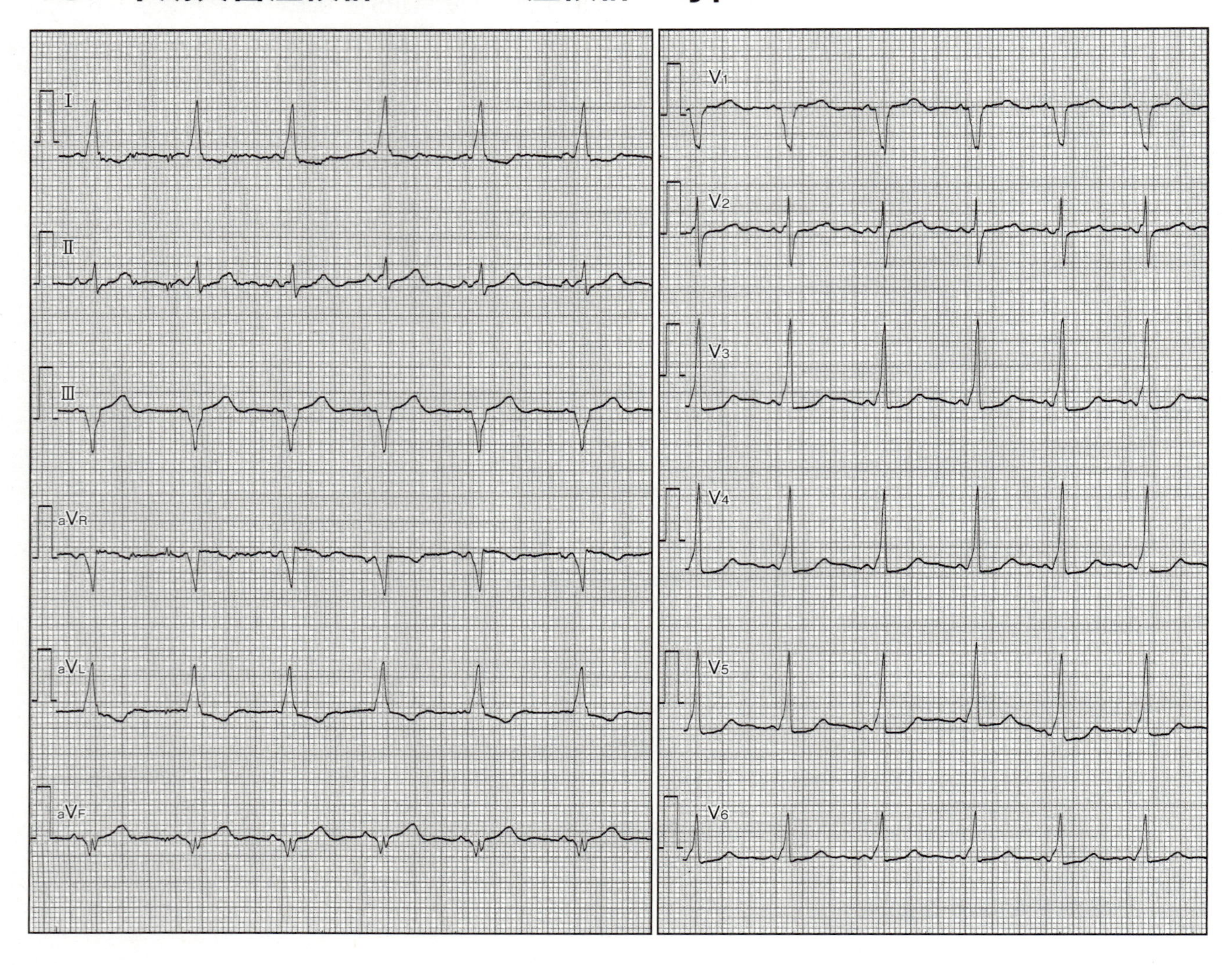

ここを Check ！

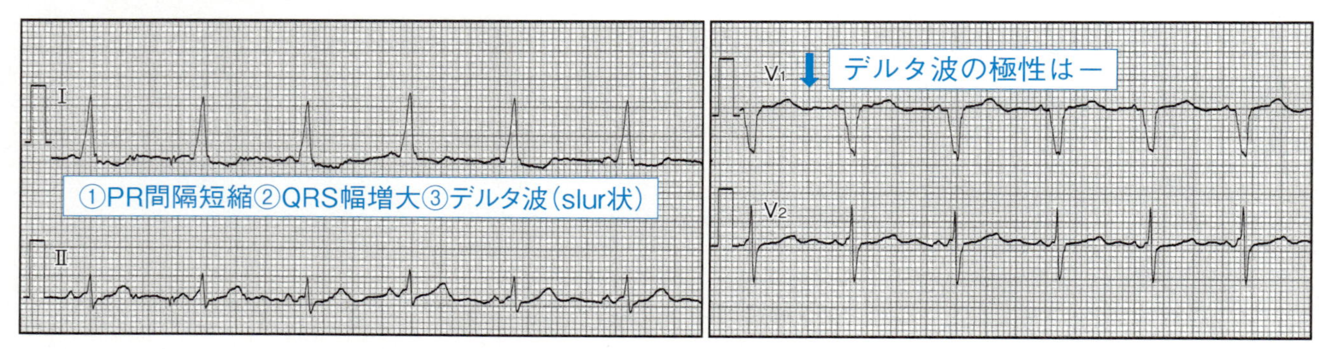

着目すべき心電図所見

心拍数：86/分、整　**PR 間隔**：0.08 秒と短縮　**QRS 波・P 波**：QRS 幅 0.19 秒、P 波に引き続いて slur 状の初期波形(デルタ波)を認める(⬆)　**T 波**：側壁誘導(Ⅰ・aV_L誘導)で T 波の陰転を認める

判読のポイント

- 基本調律は洞調律である。
- WPW 症候群の 4 つの特徴が認められる。①PR(PQ)間隔の短縮、②QRS 幅の増大、③QRS 初期成分に slur 状の初期波形(デルタ波)、④ST-T 異常(本症例では、側壁誘導の T 波陰転として認められる)。
- V_1誘導で深い S 波と QRS 波の QS パターンを認め、デルタ波の極性は－である。副伝導路は中隔にあるものと推定される。

発生のメカニズム—病態から診る⇒「さらにレベルアップ！早期興奮症候群」参照(p.238)

- WPW 症候群は、心房-心室間に存在しないはずの伝導路(副伝導路)が存在する病態である。WPW 症候群における副伝導路はケント束と呼ばれ、心房-心室間を直接連結する。
- 副伝導路は房室結節のような伝導遅延を示さないため、心室の一部は早期に異常な方向から興奮する。心室の興奮は、この副伝導路経由の興奮と房室結節経由の興奮の融合となるため、QRS 波の初期成分だけが変形し、QRS 幅の増大するデルタ波を形成する。
- 心室の一部が His-Purkinje 系とは異なる様式で興奮するため、再分極過程に異常を生じ、二次性の ST-T 変化をきたす場合がある。心室期外収縮における ST-T 変化と同様に、病的意義は乏しい。
- デルタ波および QRS 波の極性は、ケント束の局在に規定される。本症例では V_1誘導で、深い S 波と QRS 波の QS パターンを認め、デルタ波の極性は－であることから、副伝導路経由の興奮は両側心室へ広く伝搬しており、ケント束は中隔にあるものと推定される。
- 中隔の副伝導路では、His 束などの正常刺激伝導系の近くに存在することから、アブレーション治療が困難になる場合がある。

鑑別を要する心電図

- 左脚ブロック
  ⇒QRS 波は、WPW 症候群では初期成分、脚ブロックや心室内伝導障害では後半成分が変化する。
- 陳旧性前壁中隔梗塞
  ⇒WPW 症候群では、陰性を示したデルタ波が異常 Q 波様に見える場合がある。

よくある患者背景

- 1/1,500～2,000 の頻度で偶然に発生。
- まれに遺伝性も報告されるが、大部分は孤発例である。

19．早期興奮症候群　間欠性 WPW 症候群

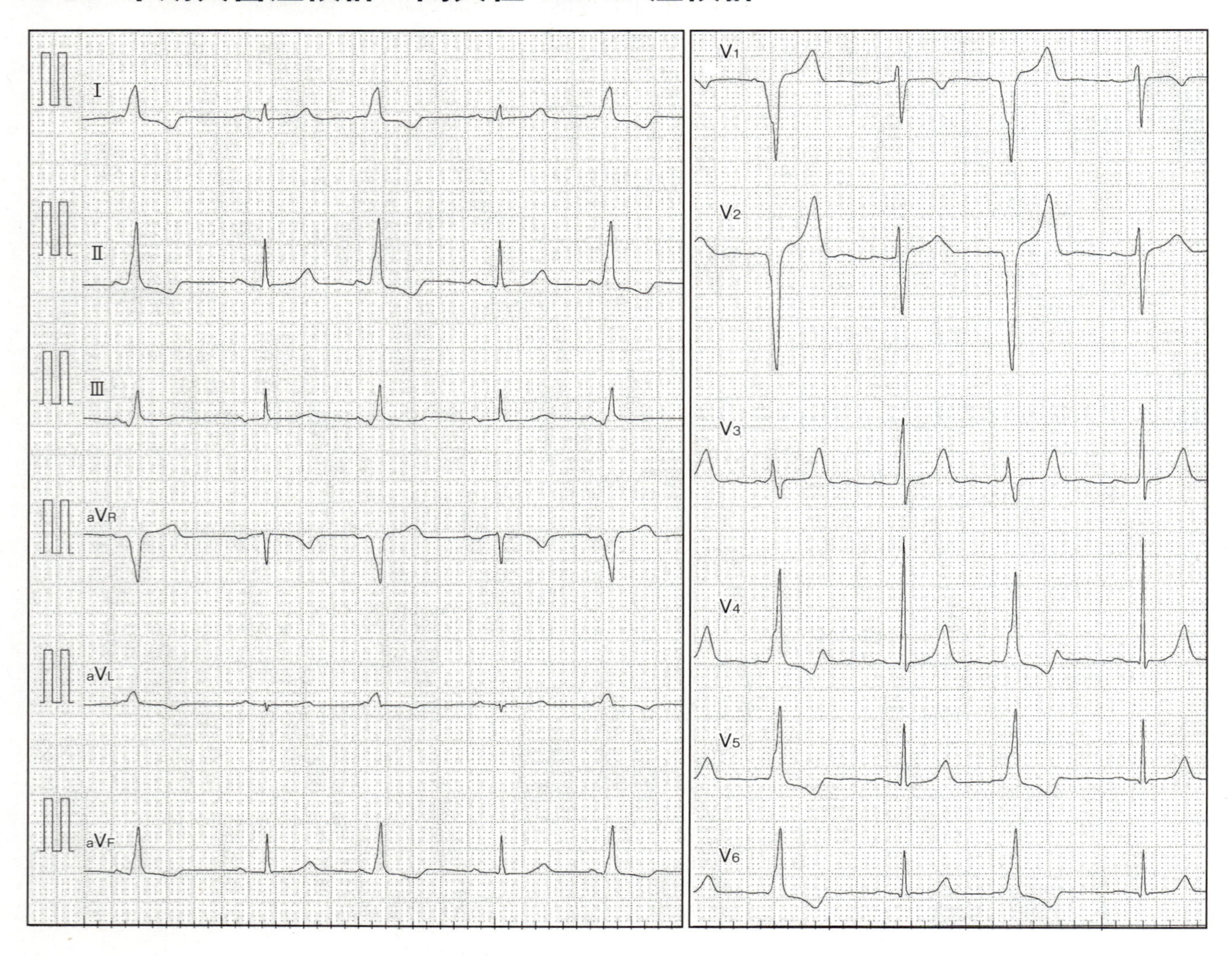

ここを Check ！

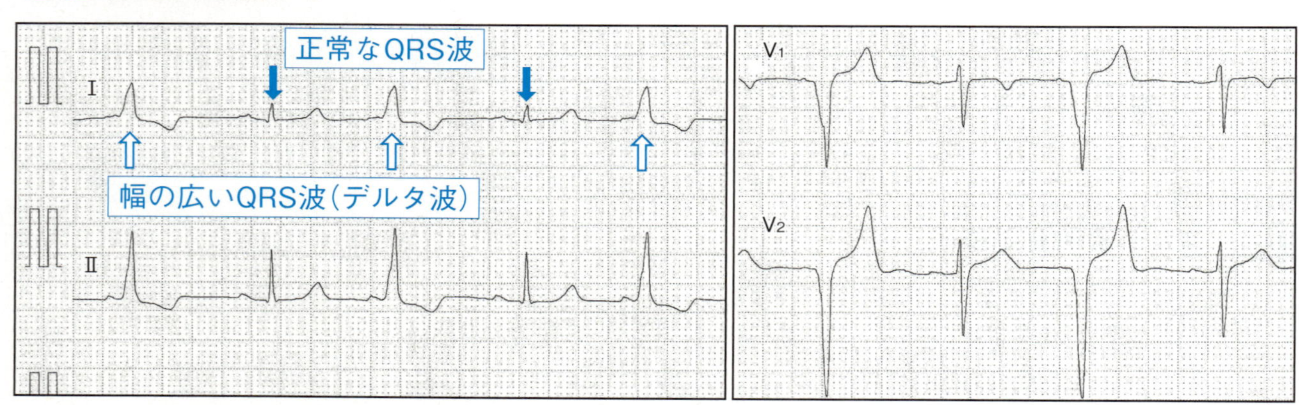

着目すべき心電図所見

心拍数：64/分、整　**QRS 波**：正常な QRS 波(⬆)と幅の広い QRS 波(デルタ波)(⇧)を交互に繰り返している。**その他**：第 2、4、7、9 拍の PQ 間隔は 0.18 秒、QRS 幅 0.10 秒、ST-T 波に異常なし。第 1、3、5、6、8 拍の PQ 間隔は 0.09 秒と短縮、QRS 幅 0.14 秒、広範な誘導で T 波の陰転とストレイン型 ST 下降を認める

判読のポイント

- 基本調律は洞調律である。
- 第 1、3、5、6、8 の心拍で、WPW 症候群の 4 つの特徴が認められる。①PR(PQ)間隔の短縮、②QRS 幅の増大、③QRS 初期成分に slur 状の初期波形(デルタ波)、④ST-T 異常(本症例では、広範な誘導で T 波の陰転とストレイン型 ST 下降を認める)。
- デルタ波の認められる心拍では、V_1誘導で深い S 波と QRS 波の QS パターンを認め、デルタ波の極性は－である。副伝導路は中隔にあるものと推定される。
- デルタ波の出現が間欠的であることから、間欠性 WPW 症候群と診断される。

発生のメカニズム―病態から診る⇒「さらにレベルアップ！早期興奮症候群」参照(p.238)

- WPW 症候群は、心房-心室間に存在しないはずの伝導路(副伝導路)が存在する病態である。WPW 症候群における副伝導路はケント束と呼ばれ、心房-心室間を直接連結する。
- 副伝導路が不安定な場合、その伝導が一過性に消失ないし出現する場合がある。心電図上では、デルタ波のある波形とデルタ波のない正常波形が混在することになる(間欠性 WPW 症候群)。
- 伝導が間欠的となる機序は明らかではないが、自律神経緊張や神経体液因子の影響を受けるといわれている。
- 間欠的な出現パターンは、本症例のように 1 拍ごとの場合もあるが、一定時間のみ認められる場合もある。
- 間欠性であっても、頻拍の原因になる可能性は一般の WPW 症候群と同等である。

鑑別を要する心電図

- 心室期外収縮
- 間欠性脚ブロック
  ⇒QRS 波は、WPW 症候群では初期成分、脚ブロックや心室内伝導障害では後半成分が変化する。
- 房室解離・心室固有調律

20. 早期興奮症候群　LGL 症候群

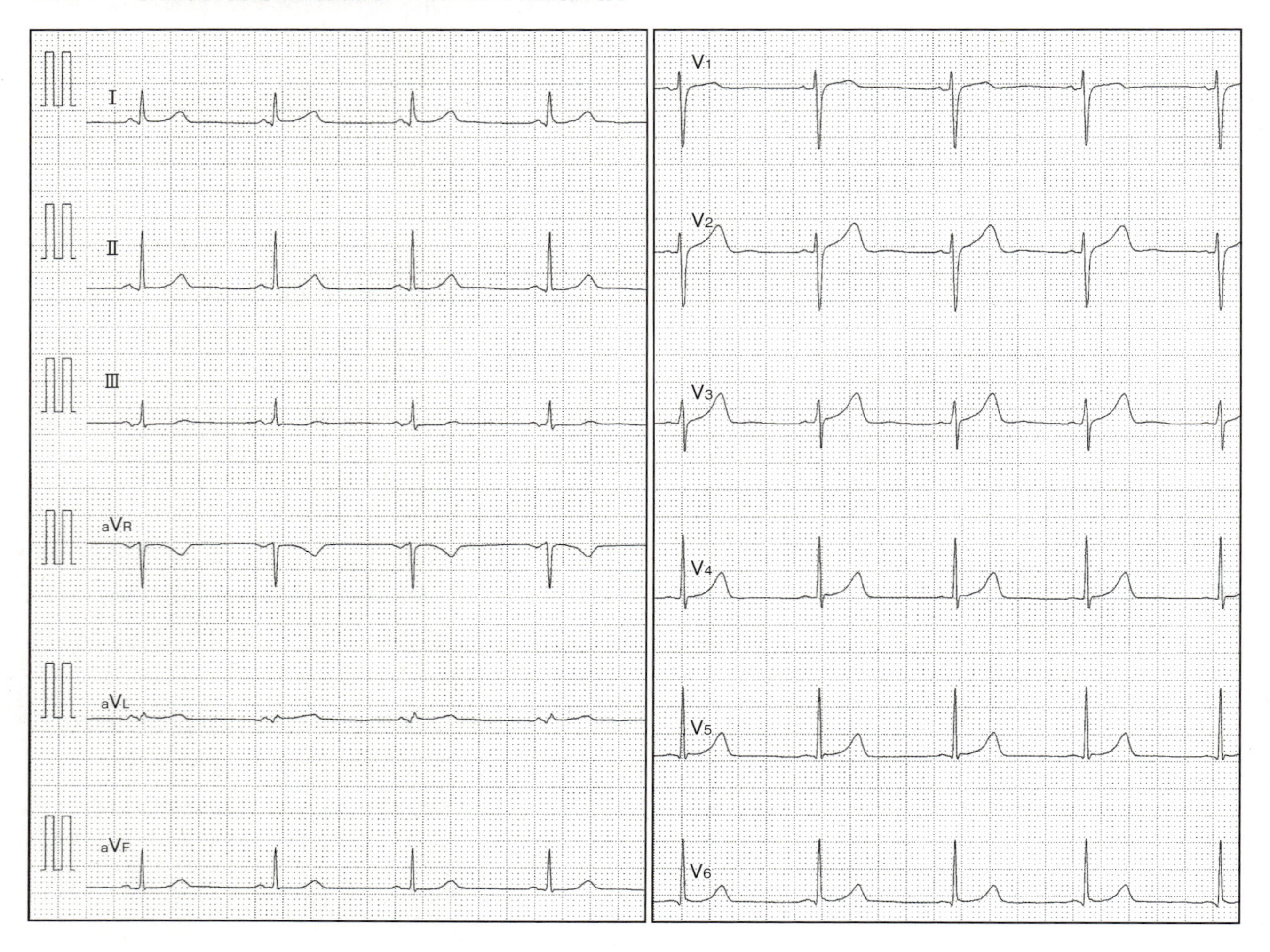

ここをCheck ！

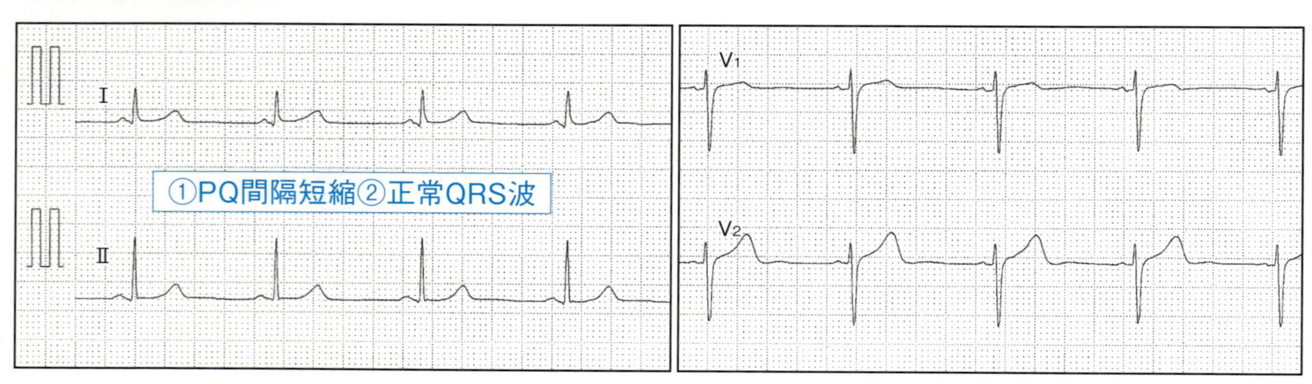

着目すべき心電図所見

心拍数：64/分、整　**PQ 間隔**：0.09 秒と短縮　**QRS 波**：幅・形態・振幅に異常なし。異常 Q 波なし　**ST-T 波**：異常なし

判読のポイント

- 基本調律は洞調律である。
- WPW 症候群の 4 つの特徴のうち、PQ(PR)間隔の短縮のみ(0.09 秒)を認めることから、LGL 症候群と考えられる。

発生のメカニズム―病態から診る⇒「さらにレベルアップ！早期興奮症候群」参照(p.238)

- LGL 症候群は、刺激伝導系に存在しないはずの短絡路(副伝導路)が存在する病態である。LGL 症候群における副伝導路は、心房と His 束以下の刺激伝導系を短絡し、ジェームズ束と呼ばれる。
- ジェームズ束経由の興奮は、房室結節を短絡することから心室の早期興奮が起こるものの(PQ 間隔短縮)、心室の興奮は His 束以下の刺激伝導系を経由して起こるため、QRS-T 波の異常波は出現しない。
- WPW 症候群と同様に、LGL 症候群も副伝導路と正常刺激伝導系の間でリエントリーを形成する場合があり、発作性上室頻拍の原因になる可能性がある。
- LGL 症候群では、PQ 間隔短縮ないし P 波終末と QRS 波形の連続性を認めるが、QRS 幅は正常で初期成分にデルタ波も認められない。
- QRS 波の変形を伴わない PQ 間隔の短縮は、速線維の副伝導路による心房と His 束以下の刺激伝導系の短絡と考えられる。

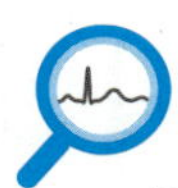

鑑別を要する心電図

- 移動性ペースメーカ
- 異所性心房調律
  ⇒心房下部などの房室結節近傍の異所性調律では、P 波形成から房室結節までの到達時間が短いため、見かけ上で PQ 間隔が短縮する。
- 房室接合部調律

よくある患者背景

- 偶然に発生する先天性異常であり、有病率は 1/2,500～5,000 である。

21．早期興奮症候群　WPW症候群における順方向性房室回帰頻拍

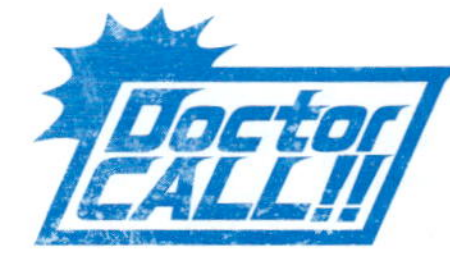

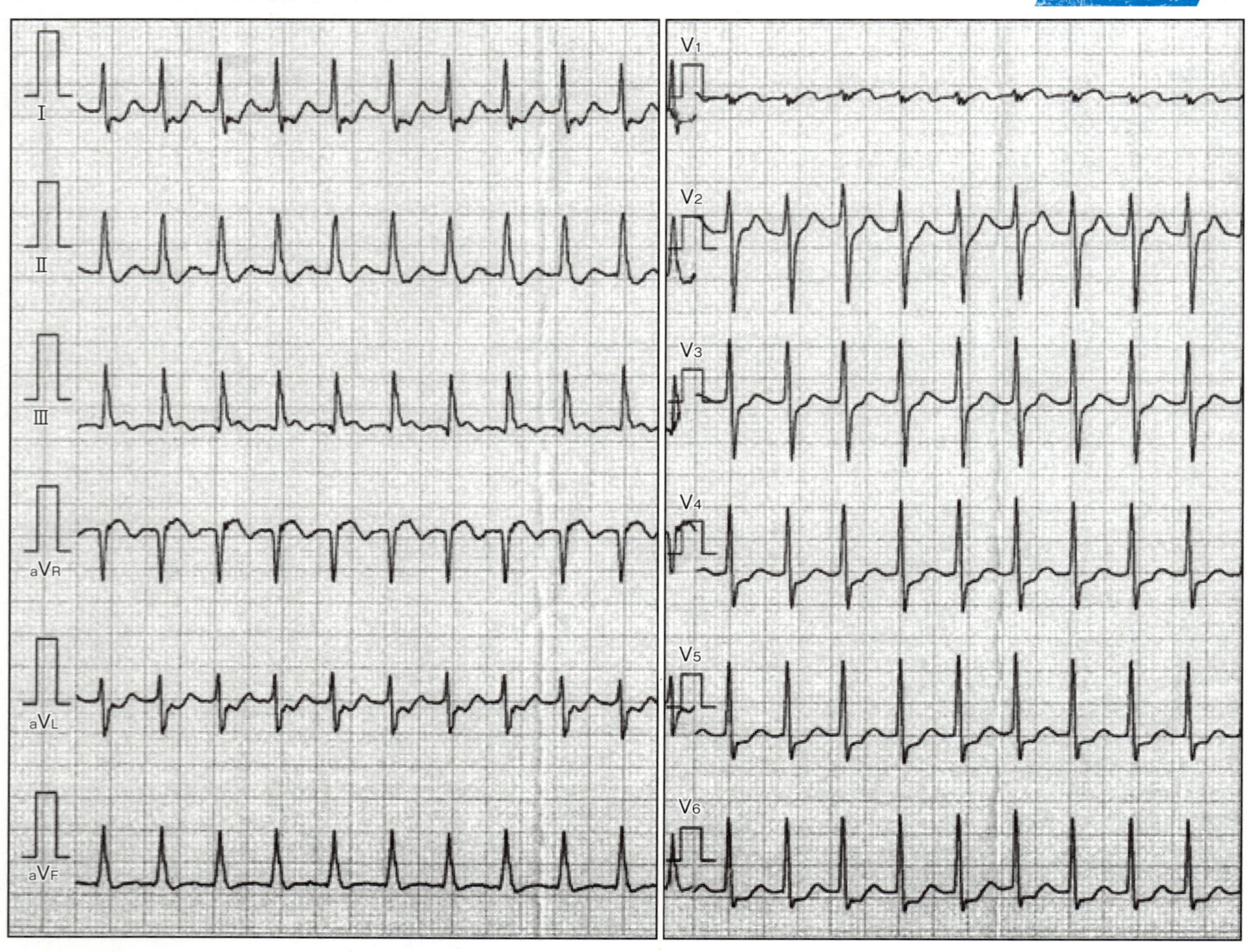

ここをCheck ！

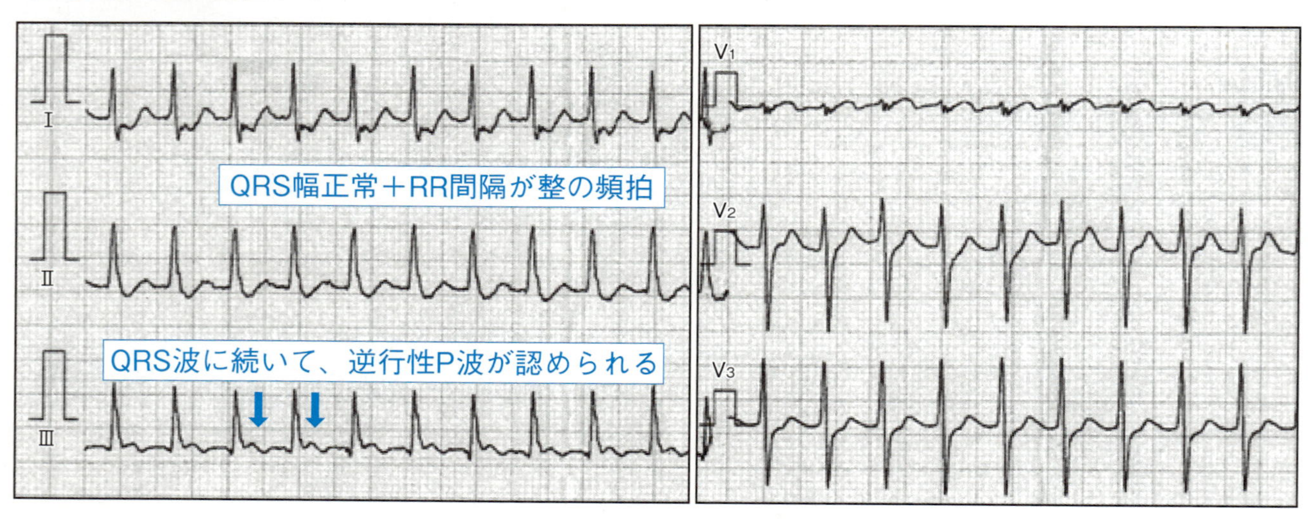

着目すべき心電図所見

心拍数：164/分、整　**QRS 幅**：正常　**RR 間隔**：整の頻拍　**QRS 波・P 波**：QRS 波に引き続き、変形した P 波(逆行性 P 波)が認められる(⬆)　**ST 部分**：V_3〜V_6誘導で ST 下降が認められる

判読のポイント

- QRS 幅が正常で RR 間隔が整の頻拍である(narrow QRS regular)。
- QRS 波に引き続き、変形した P 波(逆行性 P 波)が認められる。
- QRS 波に引き続き、逆行性 P 波が認められることから、WPW 症候群における順方向性房室回帰頻拍と考えられる。

発生のメカニズム—病態から診る

- WPW 症候群における順方向性房室回帰頻拍は、心房-房室結節-心室-副伝導路に形成される興奮旋回(リエントリー)によって発生し、WPW 症候群のなかで最もよく見られる頻拍発作である。副伝導路(ケント束)の順行伝導がなく逆行伝導のみ存在する場合(潜在性 WPW 症候群)にも発生しうるため、確定診断には電気生理学的検査を要する。リエントリー回路が肉眼サイズであり、マクロリエントリーの代表例である。
- 興奮旋回(リエントリー)が房室結節を順行し、副伝導路(ケント束)を逆行することから、順方向性と呼ばれる。
- 心室興奮は、房室結節経由で正常の刺激伝導系を使用することから、QRS 波は正常であり、narrow QRS 波を呈する。
- 心房の興奮は心室と交互に発生するが、房室伝導(房室結節)より室房伝導(副伝導路)が短いため、P 波は QRS 波に引き続く時相に記録される。逆行性 P 波は下部心房起源波形と同様(下壁誘導で陰性極性)であるが、ST-T 波と同時相になるため、判別が困難な場合がある。

鑑別を要する心電図

- 洞頻脈
- 心房頻拍
- 房室結節リエントリー頻拍(通常型/非通常型)
- 心房粗動(伝導比固定)

WORD

電気生理学的検査

鼠径部や鎖骨下などの静脈もしくは動脈から数本のカテーテルを挿入して、心臓内の各部位に留置し、心腔内の詳細な電気活動を記録したり頻拍を誘発したりして不整脈の機序を解明し、診断の一助を担う検査法である。また、不整脈に対する薬物効果などを評価し、治療法の選択に利用する場合もある。

22. 早期興奮症候群 WPW症候群における逆方向性房室回帰頻拍

頻拍時心電図

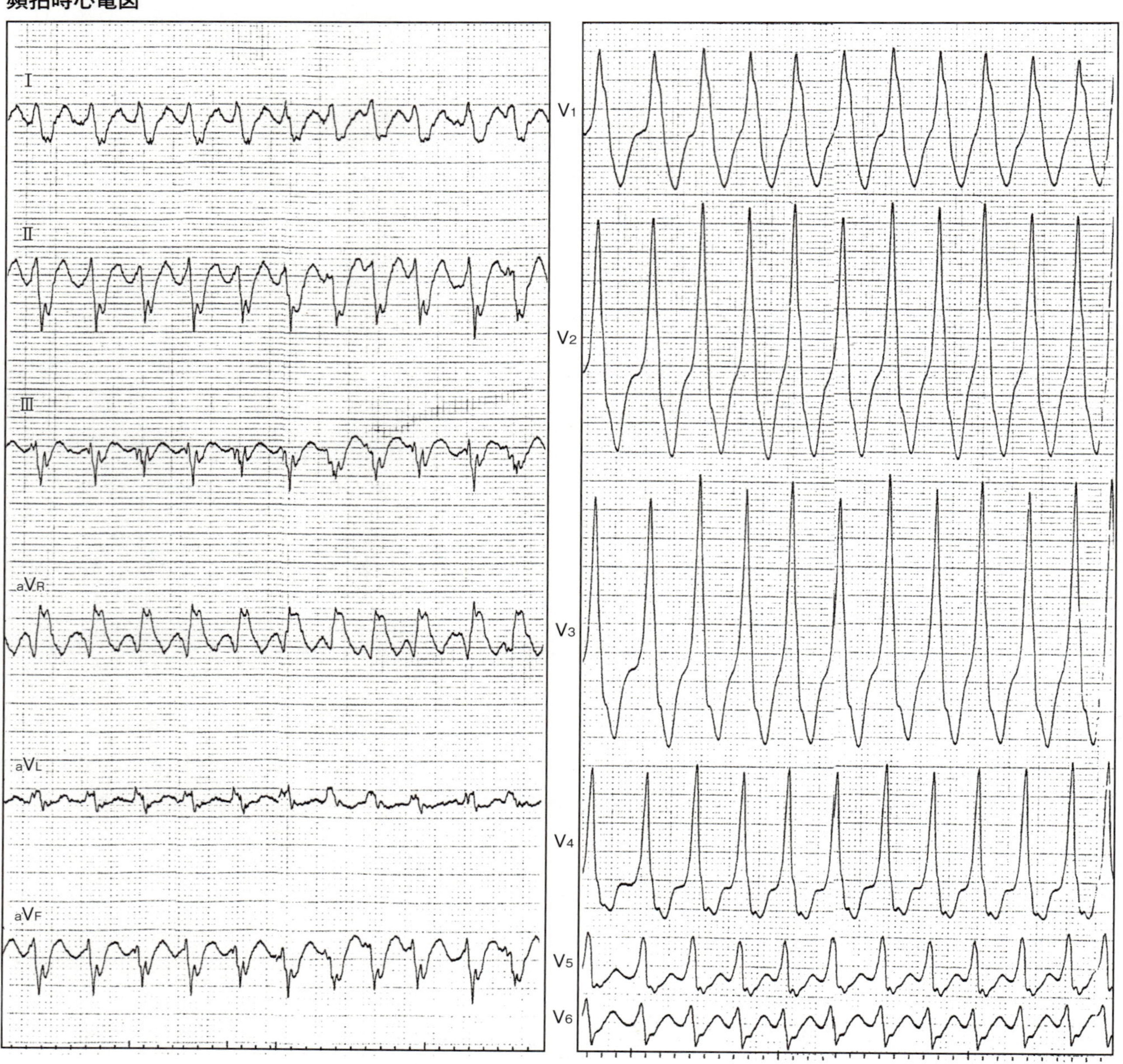

ここをCheck ！

頻拍時心電図

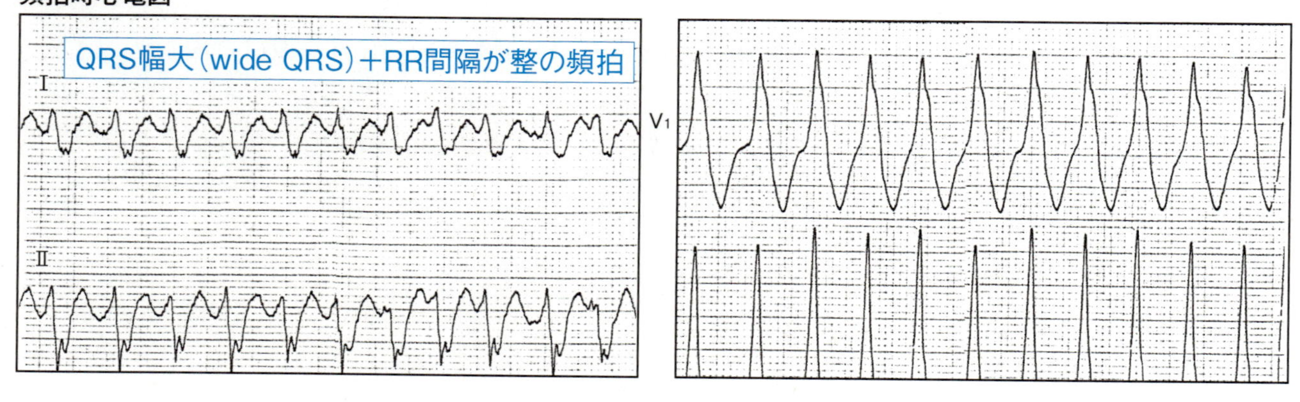

頻拍停止後心電図

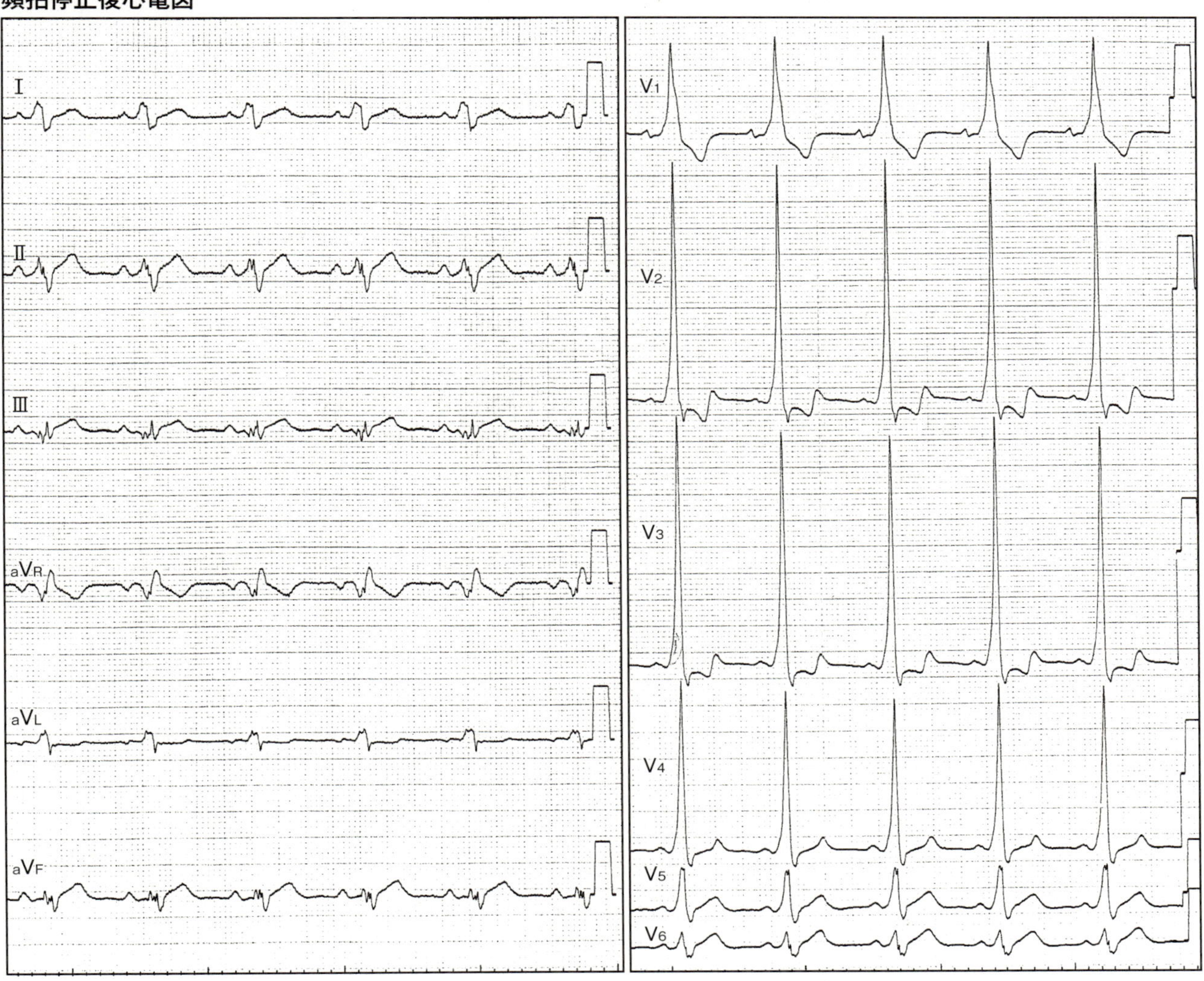

ここをCheck ！

頻拍停止後

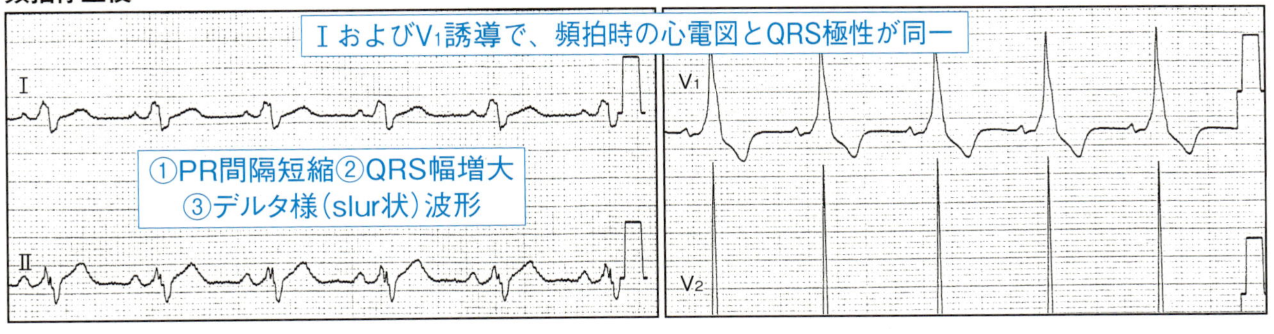

着目すべき心電図所見

◆頻拍時心電図◆

心拍数：212/分、整　**QRS 幅**：0.18 秒　**RR 間隔**：整

◆頻拍停止後心電図◆

心拍数：82/分、整　**PR 間隔**：0.08 秒と短縮　**QRS 波・P 波**：QRS 幅 0.14 秒、P 波に引き続いてslur 状の初期波形(デルタ波)を認める　**R 波**：胸部誘導は V_1誘導に陽性極性のデルタ波を認め、R 波が高い Rs パターンを呈する　**T 波**：V_1～V_3誘導で T 波の陰転を認める

判読のポイント

- wide QRS で RR 間隔が整の頻拍である。
- QRS 波と T 波が連続しているため、P 波は視認できない。
- 頻拍停止後心電図は、典型的な WPW 症候群 type A の特徴〔①PR(PQ)間隔の短縮、②QRS 幅の増大、③QRS 初期成分にデルタ様(slur 状)の初期波形、④ST-T 異常〕を呈している。
- 頻拍時心電図の QRS 波と、頻拍停止後心電図のデルタ波の極性が一致している。頻拍中はケント束の伝導が顕在化したものと考えられる。

発生のメカニズム―病態から診る

- WPW 症候群における逆方向性房室回帰頻拍は、心房-副伝導路-心室-房室結節に形成される興奮旋回(リエントリー)によって発生する。
- 興奮旋回が房室結節を逆行し、副伝導路(ケント束)を順行することから、逆方向性と呼ばれる。
- 心室はケント束経由で興奮するため、ケント束付着部位から発生する心室頻拍と同一の wide QRS 頻拍を呈する。
- 順方向性房室回帰頻拍と同様に逆行性 P 波が記録されるが、変形した QRS-T 波と同時相に記録されるため、判別困難な場合が多い。

鑑別を要する心電図

- 単形性心室頻拍
  ⇒単形性心室頻拍では QRS 波と P 波の解離が起こりうるため、P 波の判別が有用。
- 脚ブロック、心室内伝導障害を伴う上室頻拍
  ⇒QRS 波は、WPW 症候群では初期成分、脚ブロックや心室内伝導障害では後半成分が変化する。
- WPW 症候群における発作性心房細動
  ⇒RR 間隔は、WPW 症候群における逆方向性房室回帰頻拍では整、WPW 症候群における発作性心房細動では不整となる。

MEMO

さらにレベルアップ！　「早期興奮症候群」

★WPW 症候群の分類

早期興奮症候群とは、心房または房室結節を含む刺激伝導系が心室と余剰な伝導路(副伝導路)で短絡されることによる病態である。順行伝導をもち洞調律中にデルタ波を認めるものを顕性 WPW 症候群、逆行伝導のみを有するものを潜在性 WPW 症候群、デルタ波が自然に消失・出現を繰り返すものを間欠性 WPW 症候群と呼ぶ。現在、ケント束伝導が間欠的になる要因は明らかではないが、心拍数の上昇に伴って、伝導が間欠的になる場合を頻度依存性ブロックと呼ぶ。順行伝導が間欠的でも、逆行伝導が安定していれば順方向性房室回帰頻拍が成立するため、発作性上室頻拍の原因となりうる。また、頻拍を呈さない WPW 症候群を無症候性 WPW 症候群と呼ぶ。

★副伝導路の分類

副伝導路は、ケント束・ジェームズ束・マハイム束の 3 つに分類される(**図 45**)。

副伝導路	概要	PQ 間隔	デルタ波	PS 間隔
ケント束	心房と心室を直接短絡する伝導路で、WPW 症候群を呈する。心房筋に類似した電気生理学的特性の心筋で形成され、早期刺激時にも伝導遅延を認めない。発生学的には、中胚葉由来の心筋筒が捻れて房室線維輪が形成される際の心筋遺残と考えられている。	短縮	＋	短縮
ジェームズ束	心房と His 束を短絡する伝導路であり、LGL 症候群を呈する。心房筋に類似した電気生理学的特性の心筋で形成され、早期刺激時にも伝導遅延を認めない。ジェームズ束経由の興奮は His 束以下の正常伝導系に接続するため、心室興奮は正常となり、QRS 波は変化しない。心電図では PQ 間隔短縮のみを認める。	短縮	−	短縮
マハイム束	房室結節の途中と心室を短絡する伝導路(古典的マハイム)、または遅線維(早期刺激時に伝導遅延をきたす線維＝房室結節様)を含んだ心房-心室の短絡路で、WPW 症候群に準ずる心電図所見を呈する。	正常	＋	正常

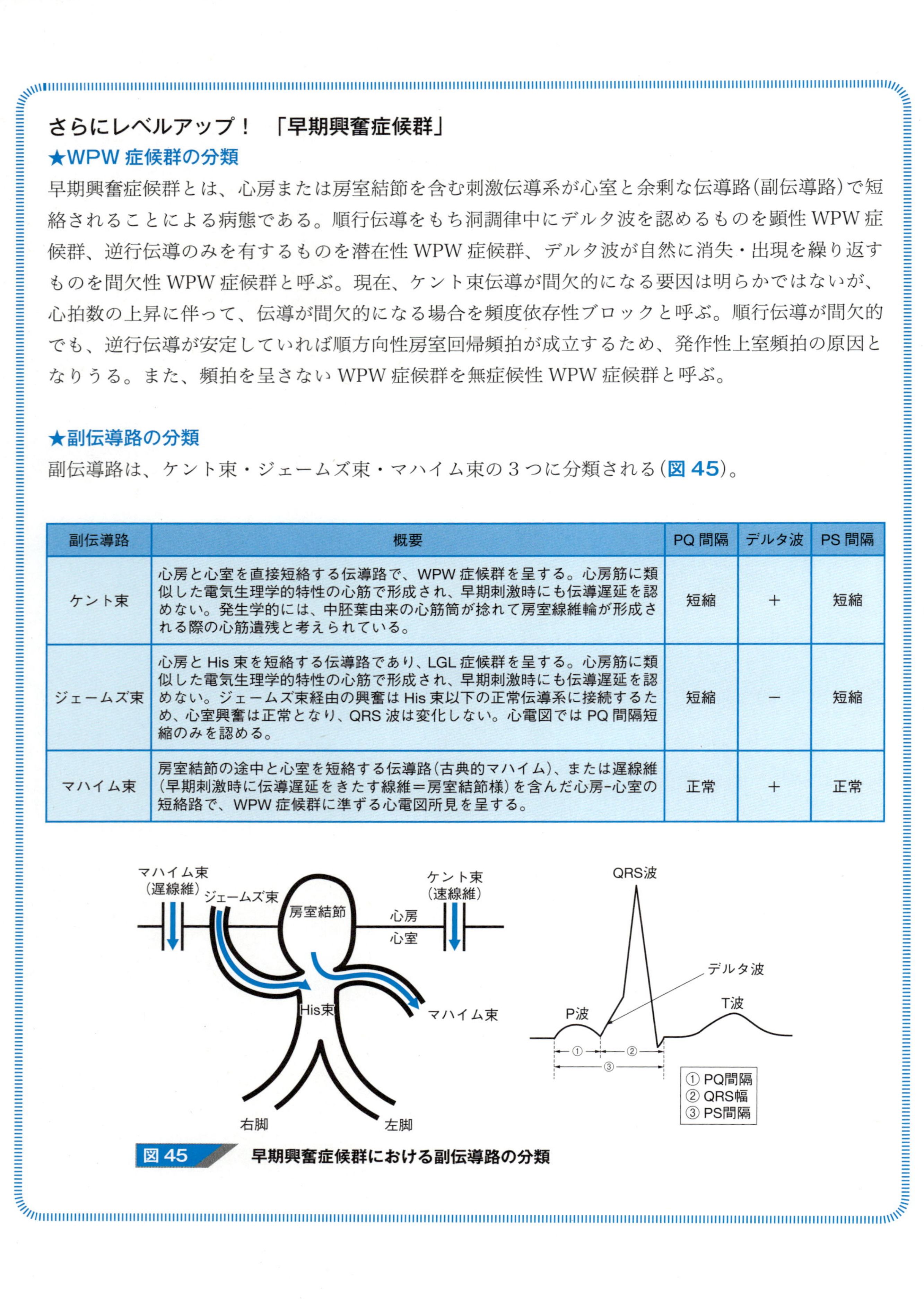

図 45　早期興奮症候群における副伝導路の分類

★ケント束の付着部位によるデルタ波の極性

心室の興奮はケント束の付着部位から開始するため、頻拍中の QRS 波はデルタ波と極性が一致する(**表 20**)。

表 20　WPW 症候群におけるケント束の付着部位によるデルタ波の極性

分類	ケント束の局在	デルタ波の極性
type A	左室もしくは後壁側	早期興奮のベクトルが右前方へ向かうため、V_1および V_2誘導で陽性のデルタ波が見られる。また、R 波が増高し、Rs パターンを示す。
type B	右室もしくは前壁側	早期興奮のベクトルが左後方へ向かうため、V_1および V_2誘導で陰性のデルタ波が見られる。また、R 波が減高し、rS パターンを示す。
type C	中隔	早期興奮のベクトルが左側へ向かうため、V_1および V_2誘導では Qs ないし Qr パターンを示す。Type C は type B から細分類したもので、心室の早期性が高いため、特に QRS 幅の延長が著しい。

注：上記は早期興奮が QRS 波形に及ぼした結果をもとに分類したものであり、洞調律中のケント束経由興奮の早期性が低い場合(房室結節の伝導亢進、後側壁ケント束の場合など)は QRS 波のベクトル(極性)への影響が少なく、必ずしも一致するわけではない。そのさいには、デルタ波のベクトル(極性)をもとにケント束の局在を診断する。一般にデルタ波極性が、Ⅱ・Ⅲ・aV_F 誘導で陽性の場合は前壁、陰性の場合は後壁、V_1 および V_2 誘導で陽性の場合は左側、陰性もしくは不明瞭な場合は右側または中隔と診断される。

1．心室期外収縮

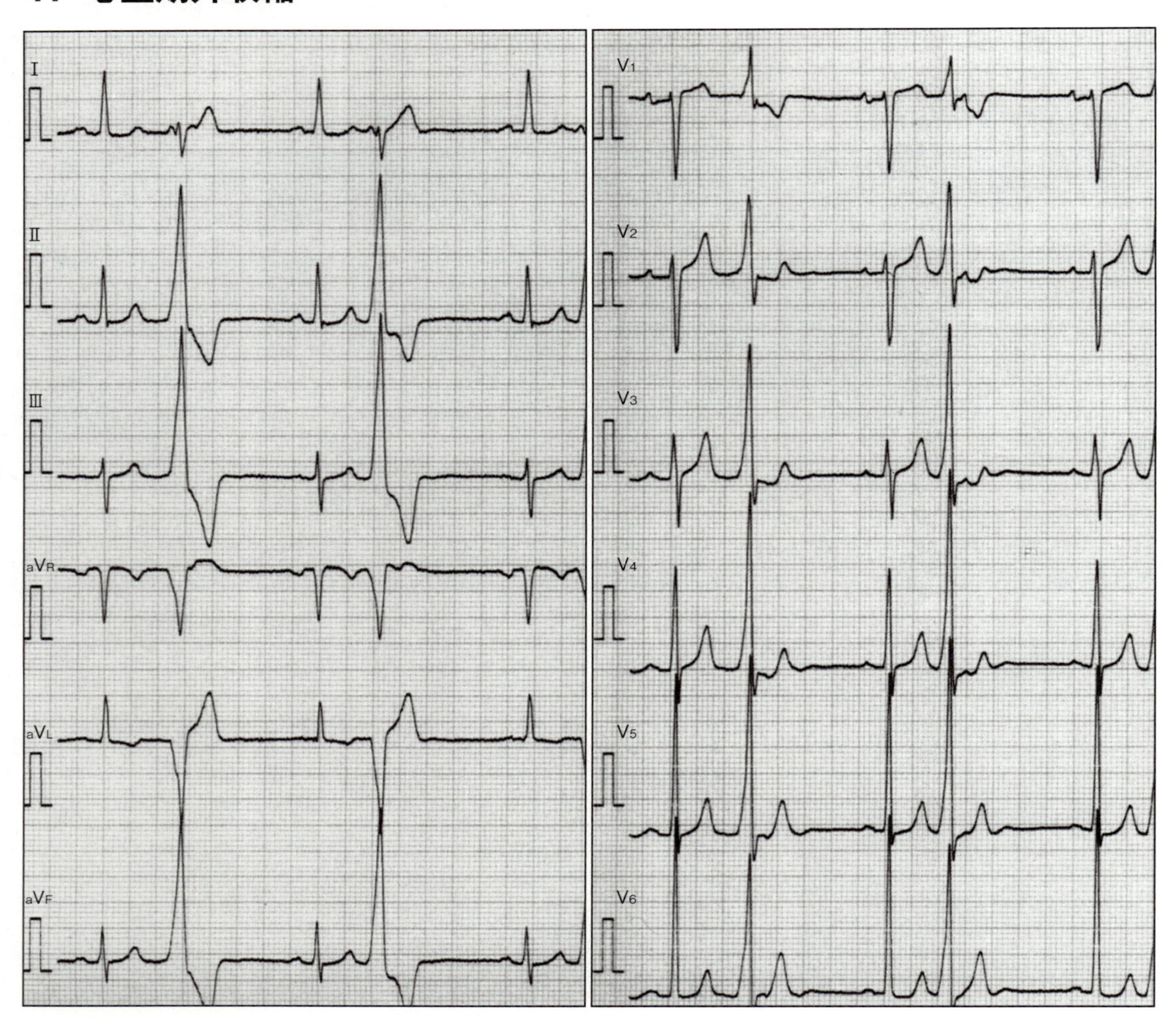

ここをCheck ！

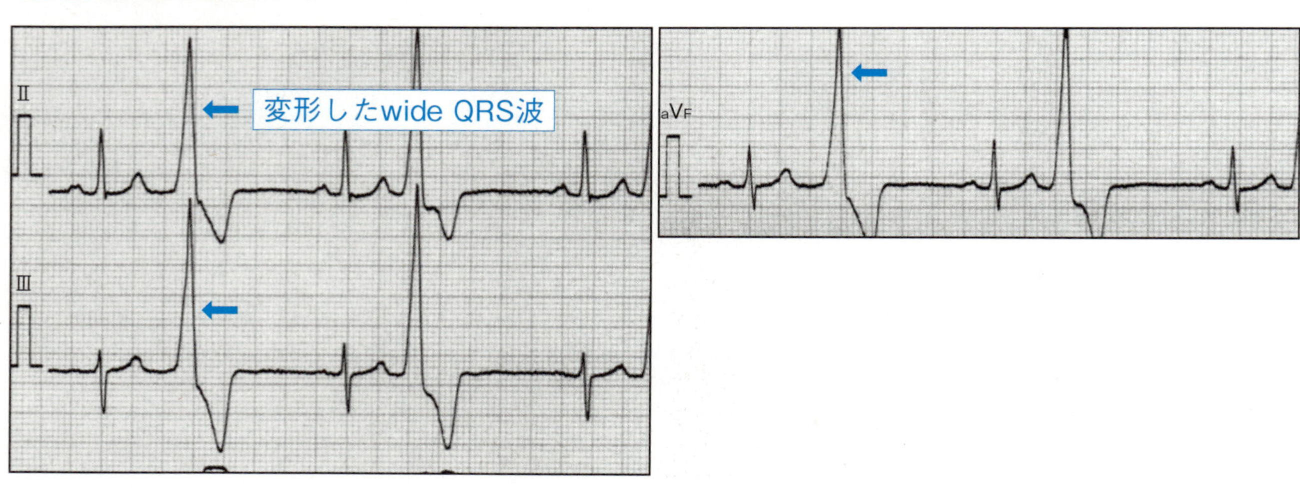

着目すべき心電図所見

リズム：不整　**QRS 波**：洞調律の narrow QRS 波と心室期外収縮による wide QRS 波（⬆）の、2 種類の QRS 波が認められる　**P 波**：先行する P 波がない　**その他**：洞調律と心室期外収縮が交互に認められ、心室期外収縮の二段脈の状態である（3 拍に 1 回心室期外収縮を認める場合は、三段脈）

判読のポイント

- 心室期外収縮は、先行する P 波を伴わず、幅広い QRS 幅（≧0.12 秒）が早期に出現することが特徴である。また、QRS 波の形は洞調律と異なる。
- 基本調律は洞調律であるが、リズムは不整で wide QRS 波の期外収縮が認められる。
- 先行する P 波がなく、V_1誘導で QRS 波の終末部に逆行性 P 波と考えられる notch がある。
- 心室起源の期外収縮が一定の連結期間で出現している。

発生のメカニズム—病態から診る

- 心室期外収縮の機序は、①興奮が一定の回路を旋回するリエントリー、②早期刺激や頻脈がきっかけで、早期後脱分極ないし遅延後脱分極による異常興奮が起こる撃発活動（triggered activity）、③自発興奮の興奮性が異常に高まる異常自動能の 3 つが考えられる。期外収縮の起源は、①脚ブロック、②電気軸、③胸部誘導から推定できる。それぞれ、①右脚ブロック型では左室起源、左脚ブロック型では中隔または右室起源、②上方軸では下壁起源、③V_3〜V_5誘導が R 波優位では心室基部起源、S 波優位であれば心尖部起源と推定できる（**図 46**）。また、His 束よりも遠位からの興奮、特に作業心筋から興奮が始まる場合は、刺激伝導系よりも伝導速度が遅いことから、QRS 幅が広くなる。心室興奮の受攻期は T 波の終末期であり、このタイミングで心室期外収縮が生じると、心室細動が生じやすくなるので注意を要する。

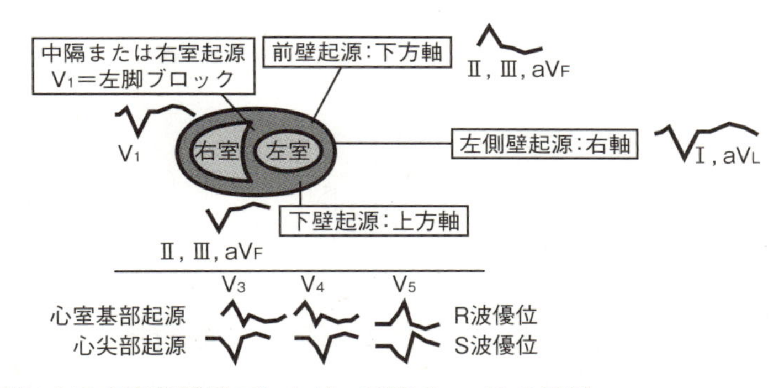

図 46　**QRS 波形による心室頻拍リエントリー回路の exit の予測**

（副島京子：陳旧性心筋梗塞の単形性心室頻拍．不整脈学（井上　博，村川裕二編），p.536，南江堂，東京，2012 より許諾を得て改変し転載）

鑑別を要する心電図

- 変行伝導を伴う心房期外収縮
  ⇒変行伝導を伴う心房期外収縮では、先行する P 波が認められる。心房期外収縮であっても、心室内変行伝導により wide QRS 波を呈することがある。

よくある患者背景

- 器質的心疾患の有無にかかわらず出現。頻度が高い場合は心機能に影響を及ぼすことがあるため、心機能を評価する必要がある。

2. 心室期外収縮　R on T 型

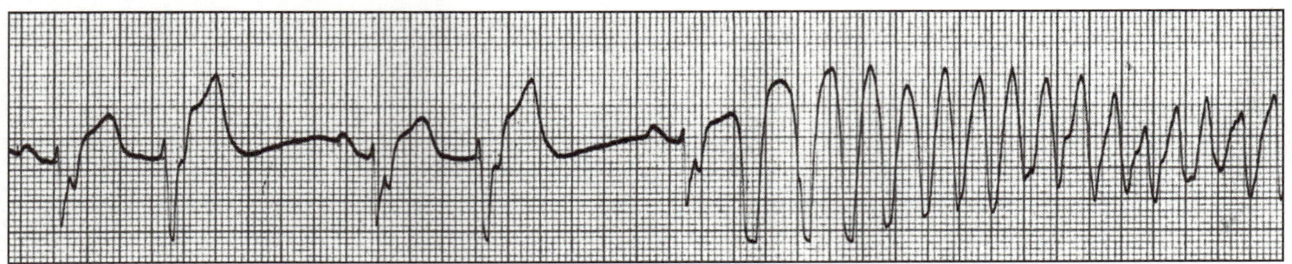

ここを Check ！

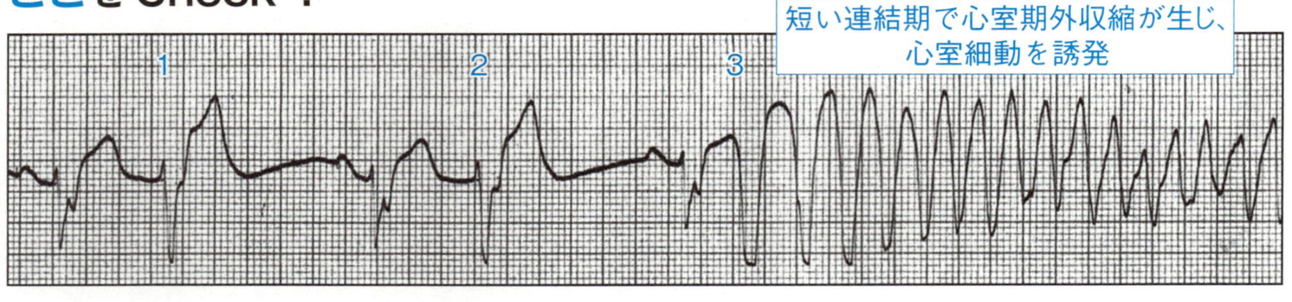

着目すべき心電図所見

リズム：不整　**その他**：長い連結期の心室期外収縮が 2 回（1、2）出現、3 回目（3）は連結期が極端に短く（R on T 型）、それに続いて心室細動に移行している

判読のポイント

- 洞調律中に、心室期外収縮の二段脈になっている。
- 長い連結期の心室期外収縮（1、2 回目）のあと、3 回目では極端に短い連結期の心室期外収縮が生じたことにより、心室細動に移行している。QRS 波と T 波が重なって出現する心室期外収縮を R on T 型と呼ぶ。
- 1、2 回目の心室期外収縮の QRS 波は同じ形であるが、3 回目はやや異なる波形を呈している。
- 心室興奮の受攻期は T 波の終末期である。このタイミングで心室期外収縮を生じると心室細動を生じやすい。

鑑別を要する心電図

- 雑音

よくある患者背景

- 二次性 QT 延長（薬剤・虚血・徐脈などによる）に伴う心室期外収縮を認める患者に多い。

3. 心室期外収縮 2 連発

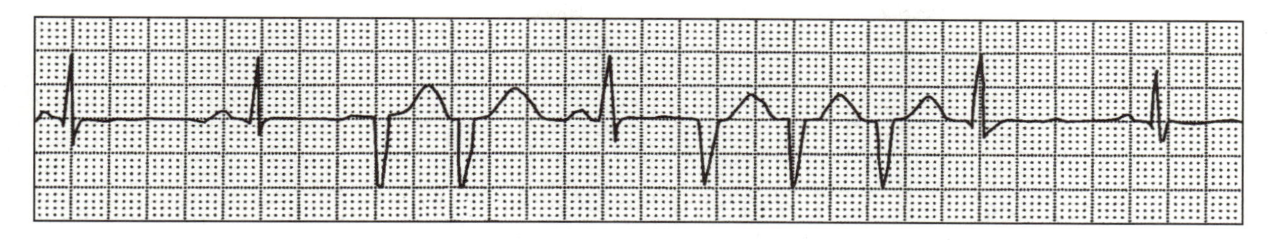

ここを Check ！

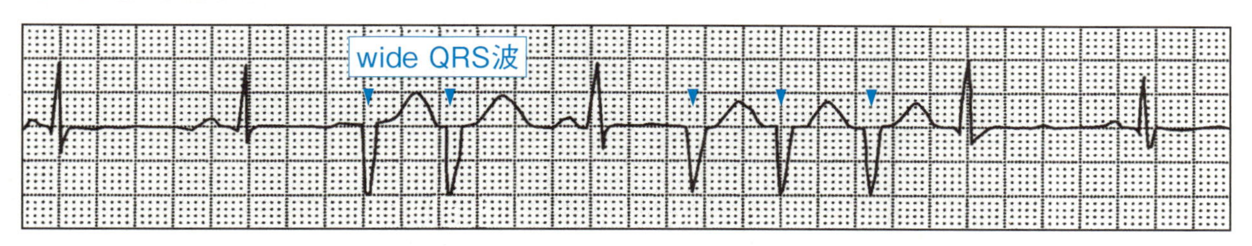

着目すべき心電図所見

リズム：不整　**QRS 波**：洞調律と異なる wide QRS 波が出現している（▲）。2 連発（couplet）の後、1 拍の洞調律をはさんで 3 連発（triplet）を生じている　**P 波**：wide QRS 波に先行する P 波はない

判読のポイント

- 洞調律と異なる wide QRS 波が 2 拍（couplet）続いた後に、1 拍の洞調律をはさんで 3 拍（triplet）続いている。
- モニター心電図であるが、QRS 波は一致しているため、単一の起源から生じている可能性が高い。また、QRS 波に先行する P 波もないことから、心室期外収縮であると考えられる。
- 洞調律に比較して QRS 幅が広く、QRS 波の軸も異なっている。

発生のメカニズム―病態から診る

- 発生の機序には、①撃発活動、②リエントリー、③異常自動能があげられる。刺激伝導系から生じる期外収縮は伝導速度が速く、作業心筋から生じる場合は伝導速度が遅い。そのため、作業心筋から生じる場合は QRS 幅が広くなる。

鑑別を要する心電図

- 変行伝導を伴う上室期外収縮
  ⇒変行伝導を伴う上室期外収縮では、先行する P 波が認められる

よくある患者背景

- 急性心筋梗塞、心不全、心筋炎など。
- 先天性心疾患や心筋症などを合併する場合もあるが、器質的心疾患のない特発性の場合も多数ある。

4. 多形性心室期外収縮

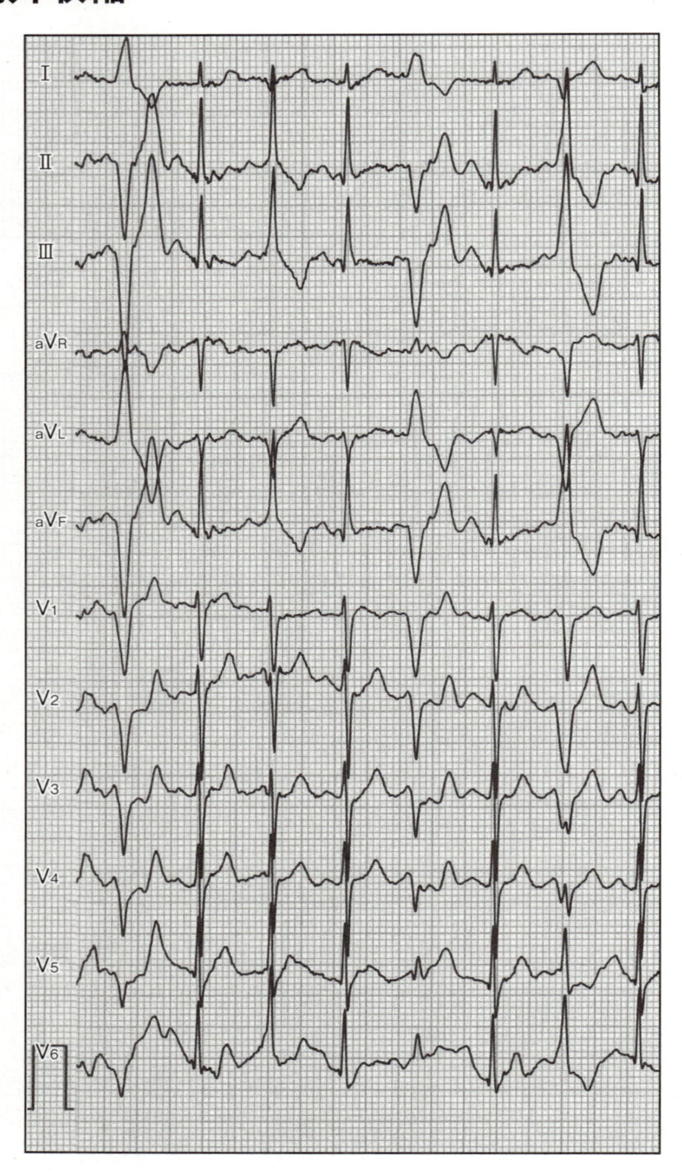

ここをCheck ！

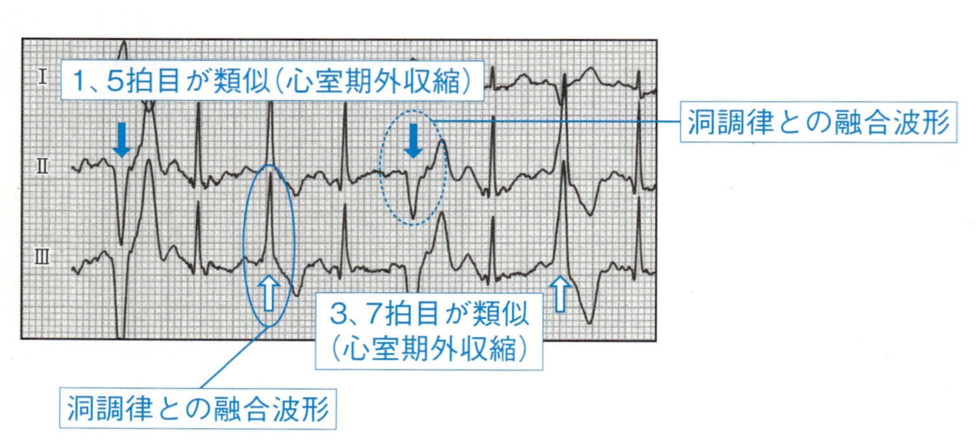

着目すべき心電図所見

QRS 波：1 拍目と 5 拍目は類似しており（⬆）、5 拍目は洞調律の QRS 波との融合波形（◌）と思われる。3 拍目と 7 拍目は異なる起源の心室期外収縮（⇧）であるが、3 拍目は洞調律の QRS 波との融合波形（◯）である

判読のポイント

- 幅広い QRS 波が複数種類出現している。これらが変行伝導を伴う上室期外収縮ではないこと、副伝導路を介した興奮ではないこと、先行 P 波がないことから、多形性心室期外収縮と診断できる。

発生のメカニズム―病態から診る

- 虚血や心筋炎などでは、心室期外収縮は複数の起源から起こる可能性があるため、確認を要する。

鑑別を要する心電図

- 心房細動
  ⇒異なる幅広い QRS 波が記録される場合は、副伝導路を介して心室興奮が生じている可能性がある。

さらにレベルアップ！　「心室期外収縮」

★心室期外収縮を評価する「Lown 分類」とは？

心室期外収縮は Lown 分類（**表 21**）により、その重症度が評価される。ただし、この分類は急性心筋虚血に合併した場合にのみ該当する。通常の心室期外収縮の予後は、器質的心疾患の有無と心機能により評価される。

表 21　心室期外収縮の重症度評価に用いられている Lown 分類

Grade	心室期外収縮の所見
0	期外収縮なし
1	単形性、稀発（< 30/時間）
2	単形性、頻発（≧ 30/時間）
3	多形性
4a	2 連発（couplet）
4b	3 連発以上（salvo, triplet）
5	R on T 型

5. 副収縮

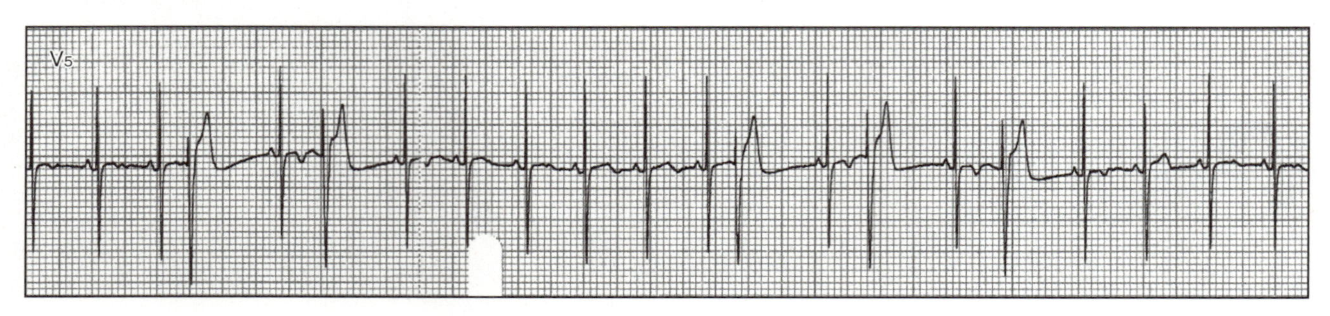

ここをCheck ！

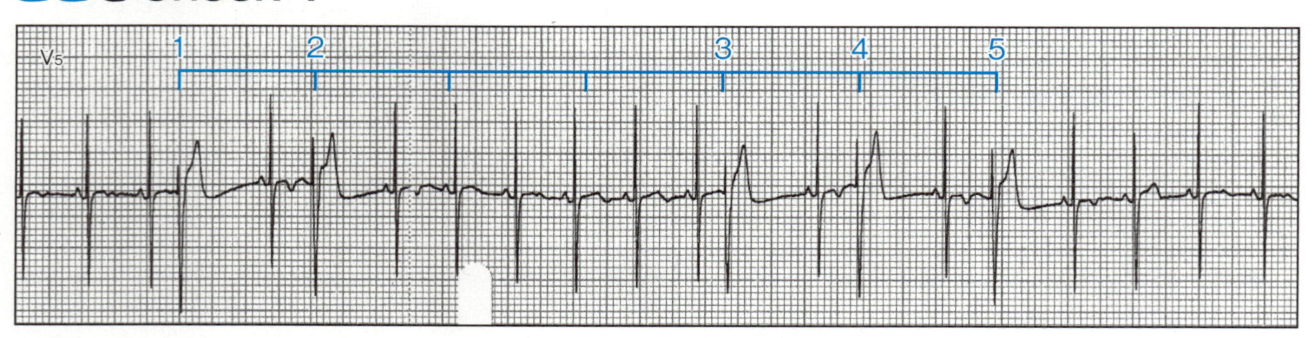

着目すべき心電図所見

リズム：不整　QRS波：連結期の異なる複数の心室期外収縮が認められる

判読のポイント

- 連結期が異なる心室期外収縮が複数生じている。
- 期外収縮が一定間隔の倍数で生じている。本症例では、1と2、3と4、4と5の間隔は同様で、2と3の間隔はその3倍である。

発生のメカニズム―病態から診る

- 副収縮とは、洞結節以外に自動能を有する組織があり、心房および心室が二重支配を受けている状態をいう。副収縮が成立するためには、①副収縮の起源が周囲の心筋興奮によって脱分極されない保護ブロック、②副収縮の基本リズムに相当した時点において先行収縮からの不応期から脱していると考えられるにもかかわらず、副収縮の興奮が認められない進出ブロックの、2つの機序が必要である。異常自動能、または撃発活動(triggered activity)により発生し、間隔が異なる出現は進出ブロックによるものと考えられる。

鑑別を要する心電図

- 副収縮以外の機序による心室期外収縮
  ⇒心室期外収縮を認める、連結期が変動しているなどの場合は、心室期外収縮の間隔を測定し、倍数になっているか否かを確認する。

MEMO

6. 促進心室固有調律

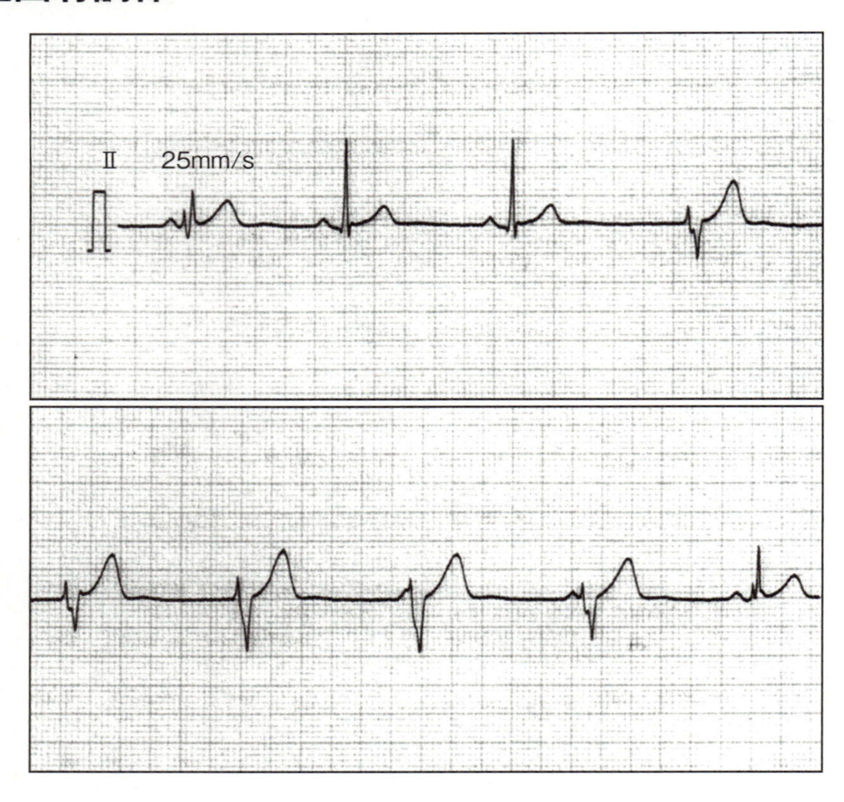

ここをCheck ！

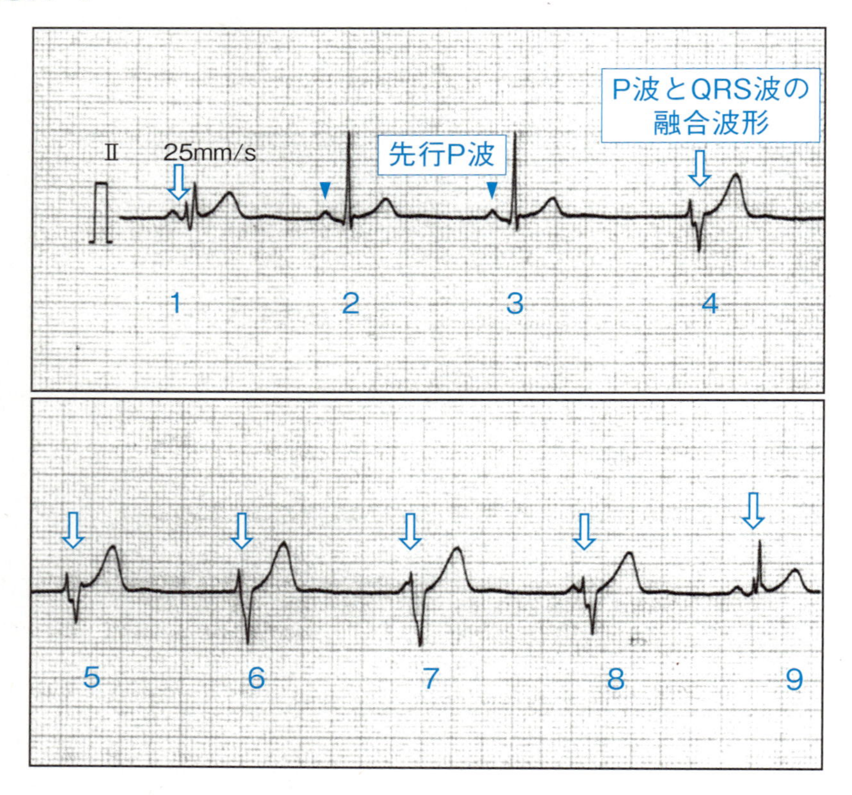

着目すべき心電図所見

リズム：整　**心拍数**：50/分　**QRS 波**：2 拍目と 3 拍目は QRS 波に P 波が先行しているが、4 拍目から wide QRS 波の調律が出現しており、1、4、5、6、7、8、9 拍目は洞調律による P 波と QRS 波との融合波形（⇧）となっている

判読のポイント

- 促進心室固有調律とは 50/分以上 100/分未満の頻度で心室から発生する調律で、しばしば洞調律が遅くなった際に現れる。
- 2 拍目と 3 拍目は QRS 波に P 波が先行しているが、1 拍目と 4〜9 拍目では P 波が遅れ、一部は QRS 波に重なる融合波形を示している。

発生のメカニズム―病態から診る

- 心室筋や His-Purkinje 系の自動能の亢進が機序と考えられている。心筋虚血・代謝異常・心筋障害などにより生じる場合もある。

鑑別を要する心電図

- 間欠性 WPW 症候群
  ⇒促進心室固有調律では先行 P 波はなく、間欠性 WPW 症候群では先行 P 波がある。

よくある患者背景

- 若年者（加齢とともに消失）
- 急性心筋梗塞の再灌流後

7. 特発性心室頻拍　右脚ブロック型、上方軸

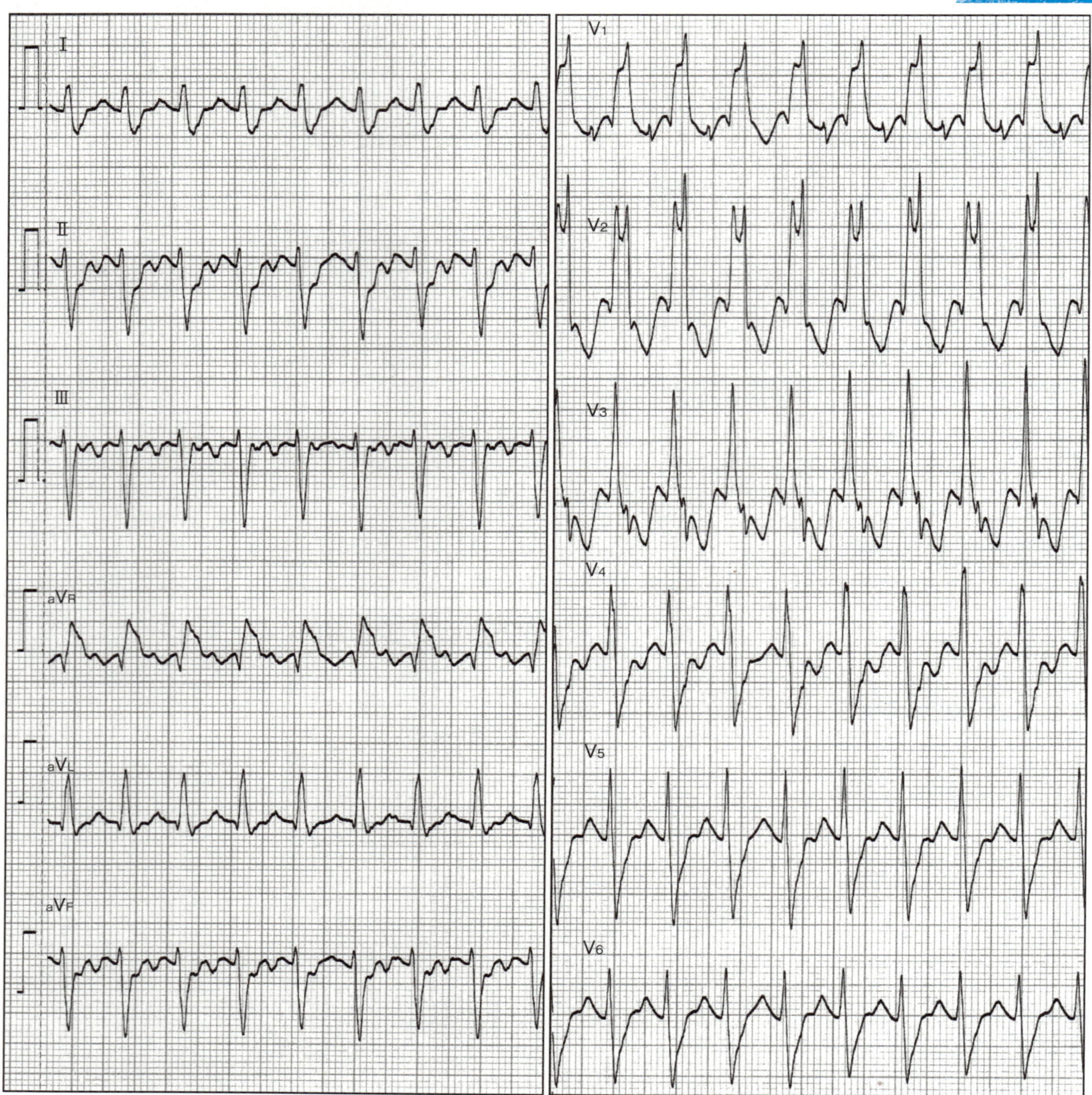

ここをCheck ！

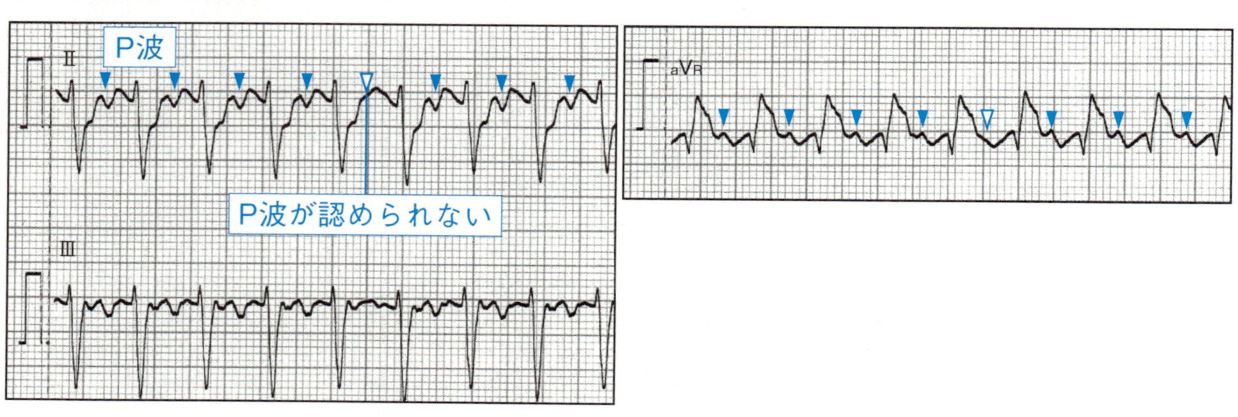

着目すべき心電図所見

リズム：整　**心拍数**：200/分　**P 波**：不明瞭であるが、多くの心拍では QRS 波と 1：1 で出現しているようである(▲)。5 拍目では P 波が認められない(△)　**QRS 波**：wide QRS 波で右脚ブロック型、上方軸

判読のポイント⇒「さらにレベルアップ！心室頻拍」参照(p.253)

- 頻拍中の洞捕捉、房室解離、突然の P 波の脱落などの所見がある場合、心室頻拍と診断できる。本症例では 5 拍目で突然に P 波が脱落している。
- 右脚ブロック型もしくは左脚ブロック型 QRS 波で、RR 間隔が一定の極端な頻拍を呈するのが特徴である。本症例では P 波と QRS 波が 1：1 で出現しており、心房への逆行伝導と考えられる。
- 房室結節を逆行性に伝導すると、本症例のように P 波と QRS 波が 1：1 で出現する場合がある。
- 右脚ブロック型で上方軸になる場合は、特発性心室頻拍である可能性が高い。

発生のメカニズム—病態から診る

- 心室頻拍の起源は、①脚ブロックのパターンの有無、②Ⅱ・Ⅲ・aVF 誘導で上方軸、下方軸のいずれを示しているか、により推定できる。原則的に、右室起源であれば左室の興奮が遅れるために左脚ブロック型、左室起源であれば右室の興奮が遅れるために右脚ブロック型を呈する。
- 本症例は左脚後枝の Purkinje 線維のリエントリー性心室頻拍(Purkinje リエントリー頻拍・ベラパミル感受性心室頻拍)と考えられ、治療にはベラパミルが有効である。
- 一般的に血行動態は安定していることが多く、Purkinje 線維の伝導が迅速であることから、比較的 narrow QRS 波を呈することが多い。

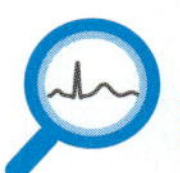

鑑別を要する心電図

- 変行伝導を伴う上室頻拍

よくある患者背景

- 器質的心疾患のない場合に多くみられる
- 男性

8. 特発性心室頻拍　左脚ブロック型、下方軸

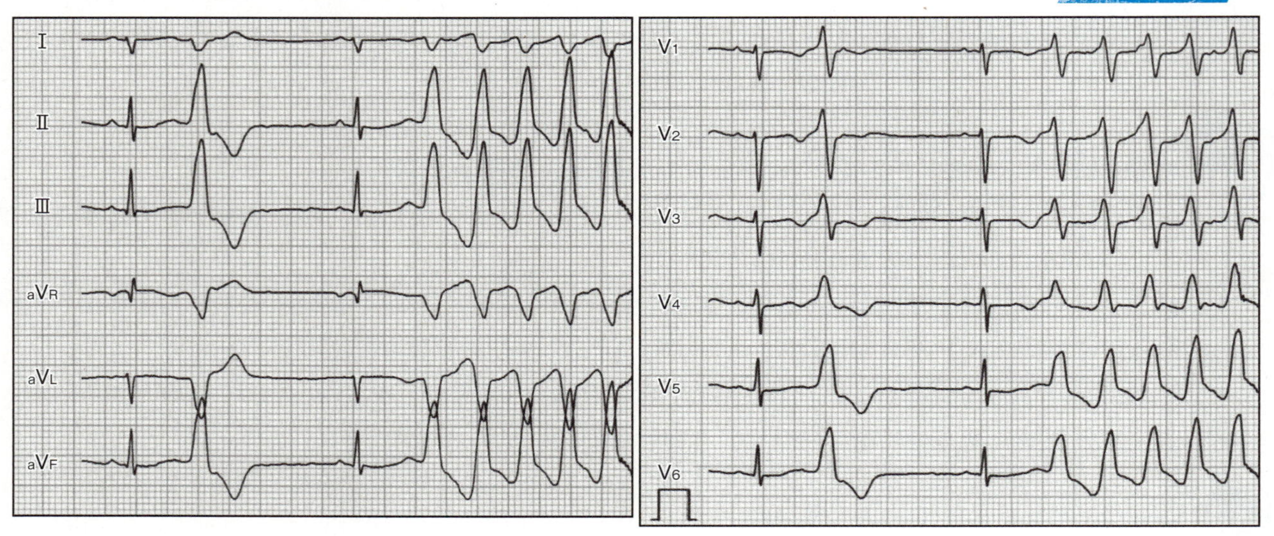

ここを Check ！

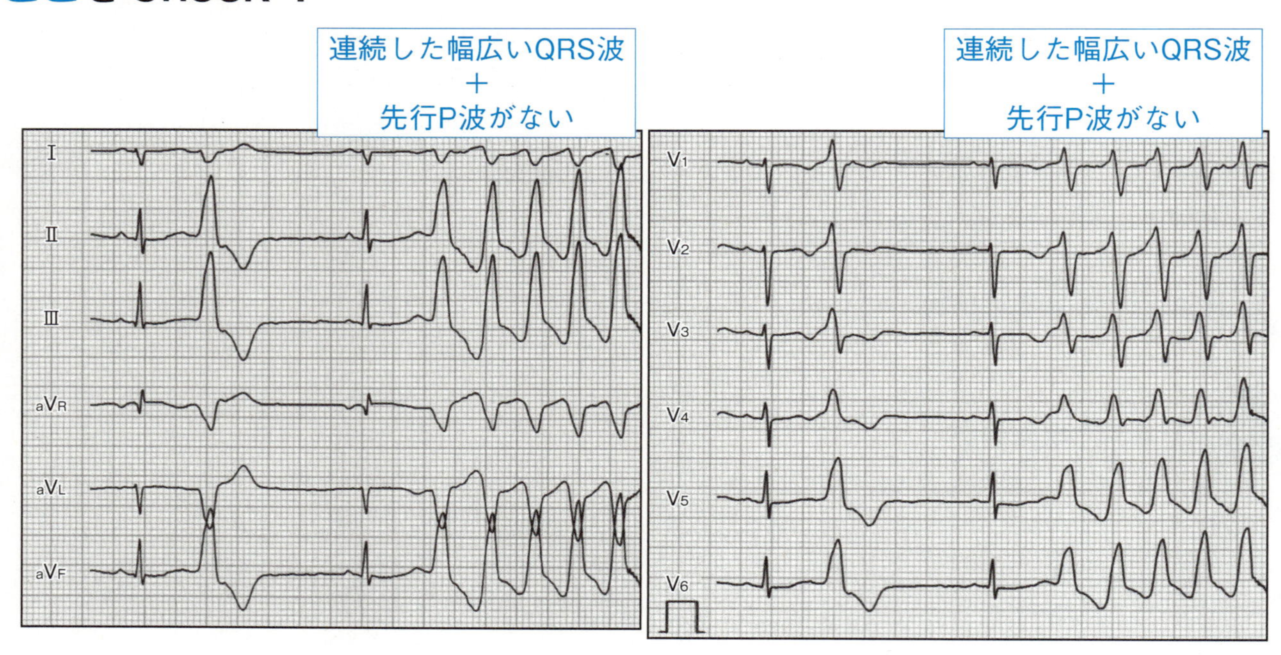

着目すべき心電図所見

QRS 波：幅広い QRS 波が連続して出現し、先行 P 波がない

判読のポイント

- 下方軸で、右心室の流出路から頻拍が出現していると考えられる。
- 前胸部誘導の移行帯が V_1・V_2誘導にある場合は、左室流出路起源である可能性が高い。
- 頻繁に連発で出現する場合は、医師への連絡を要する。

発生のメカニズム―病態から診る

- 異常自動能および撃発活動(triggered activity)が機序と考えられている。
- 交感神経の興奮が関連する場合が多く、運動やストレスなどにより生じる。

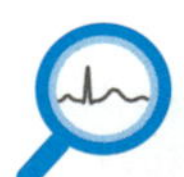

鑑別を要する心電図

- 変行伝導を伴う上室頻拍
- 副伝導路を介した伝導

よくある患者背景

- 若年者
- 器質的心疾患のない患者

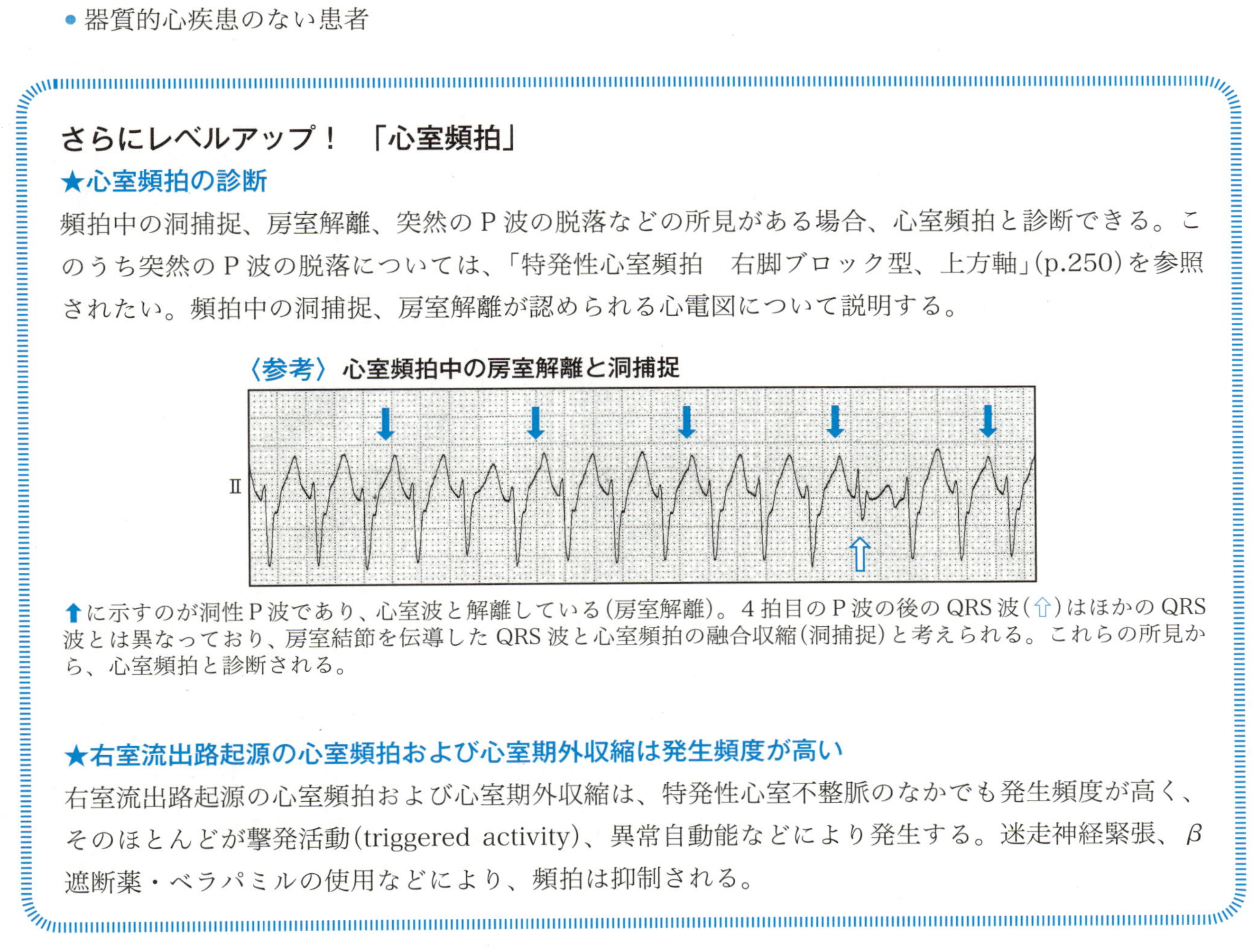

さらにレベルアップ！ 「心室頻拍」

★心室頻拍の診断

頻拍中の洞捕捉、房室解離、突然の P 波の脱落などの所見がある場合、心室頻拍と診断できる。このうち突然の P 波の脱落については、「特発性心室頻拍　右脚ブロック型、上方軸」(p.250)を参照されたい。頻拍中の洞捕捉、房室解離が認められる心電図について説明する。

〈参考〉心室頻拍中の房室解離と洞捕捉

⬆に示すのが洞性 P 波であり、心室波と解離している(房室解離)。4 拍目の P 波の後の QRS 波(⇧)はほかの QRS 波とは異なっており、房室結節を伝導した QRS 波と心室頻拍の融合収縮(洞捕捉)と考えられる。これらの所見から、心室頻拍と診断される。

★右室流出路起源の心室頻拍および心室期外収縮は発生頻度が高い

右室流出路起源の心室頻拍および心室期外収縮は、特発性心室不整脈のなかでも発生頻度が高く、そのほとんどが撃発活動(triggered activity)、異常自動能などにより発生する。迷走神経緊張、β遮断薬・ベラパミルの使用などにより、頻拍は抑制される。

9. 非持続性心室頻拍

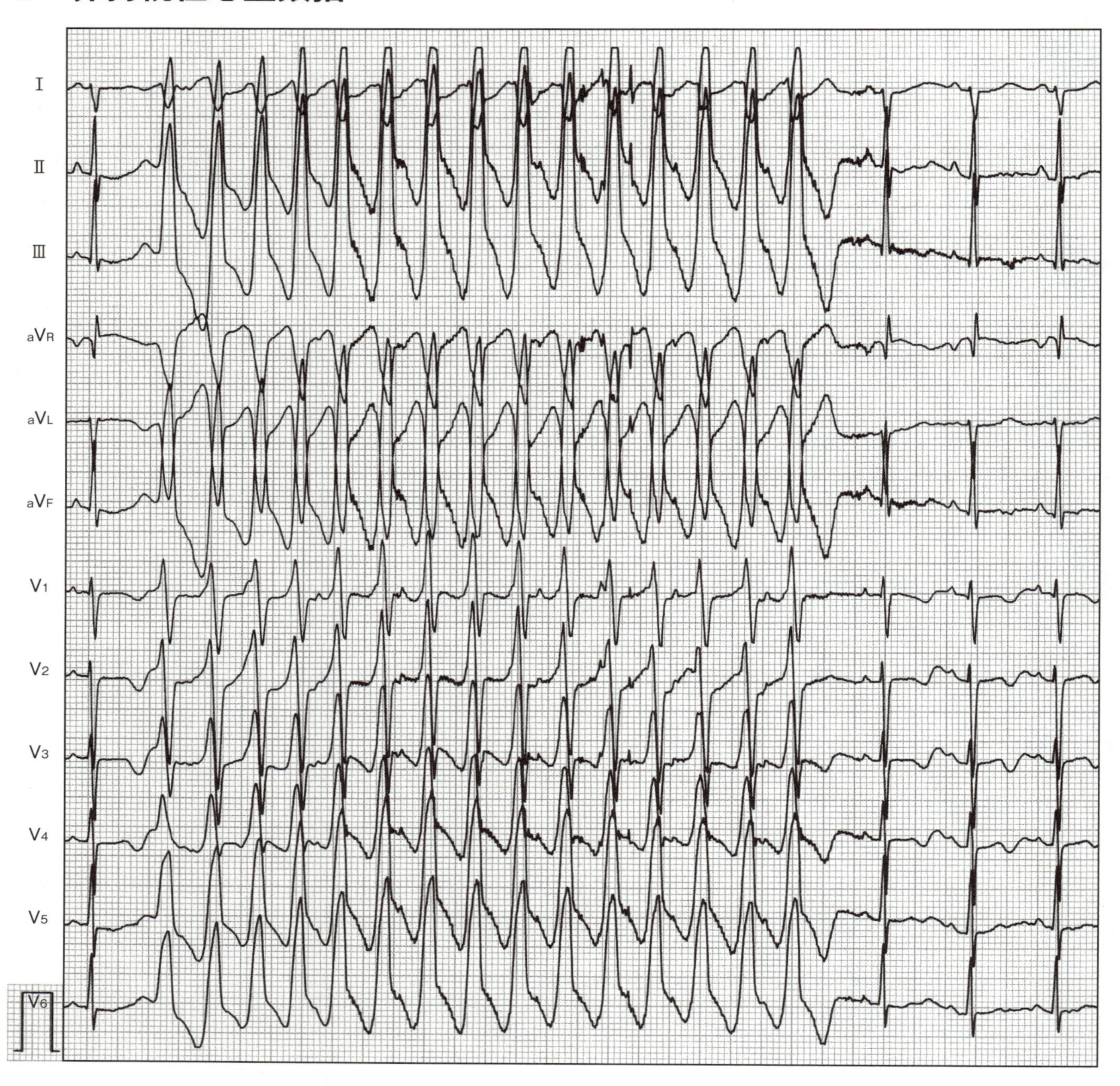

ここを Check ！

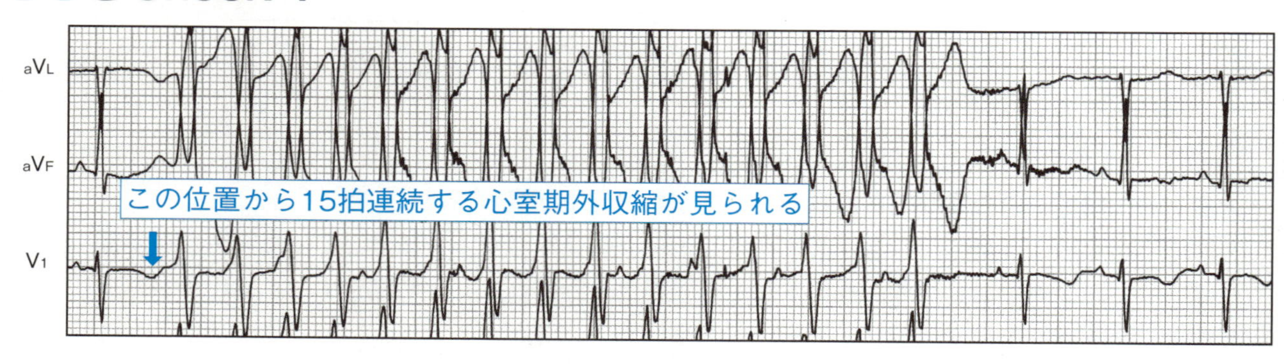

着目すべき心電図所見

リズム：不整　**心拍数**：180/分　**QRS 波**：wide QRS 波　**その他**：wide QRS 波が短い間隔で連続して出現している〔非持続性心室頻拍(ショートラン)〕(⬆)

判読のポイント

- 心室期外収縮が 3 拍以上(本症例では 15 拍)連続して出現している。この間、先行する P 波がない。
- 非持続性心室頻拍の特徴は、① 3 拍以上の連続する心室期外収縮、② ①の間の心拍数は 120/分以上、③ 持続時間は 30 秒以内である。

発生のメカニズム―病態から診る

- 機序には、① リエントリー、② 撃発活動(triggerd activity)、③ 異常自動能の 3 つが考えられる。
- そのほか、緊張やストレスといった可逆的な要因・電解質異常・虚血・低酸素血症・薬物の使用(β 刺激薬など)・心不全などにより発生する場合がある。

鑑別を要する心電図

- 変行伝導を伴う上室頻拍
  ⇒変行伝導を伴う上室頻拍では、先行する P 波が認められる。
- 副伝導路を有する疾患
  ⇒上室頻拍が副伝導路を順行性に伝導するため、先行する P 波が認められる。

よくある患者背景

- 電解質異常・虚血・低酸素血症・心不全を有する患者
- β 刺激薬などの薬物を使用している患者
- 器質的心疾患なく、緊張やストレスなどにより生じる場合もある。

10. 二方向性心室頻拍

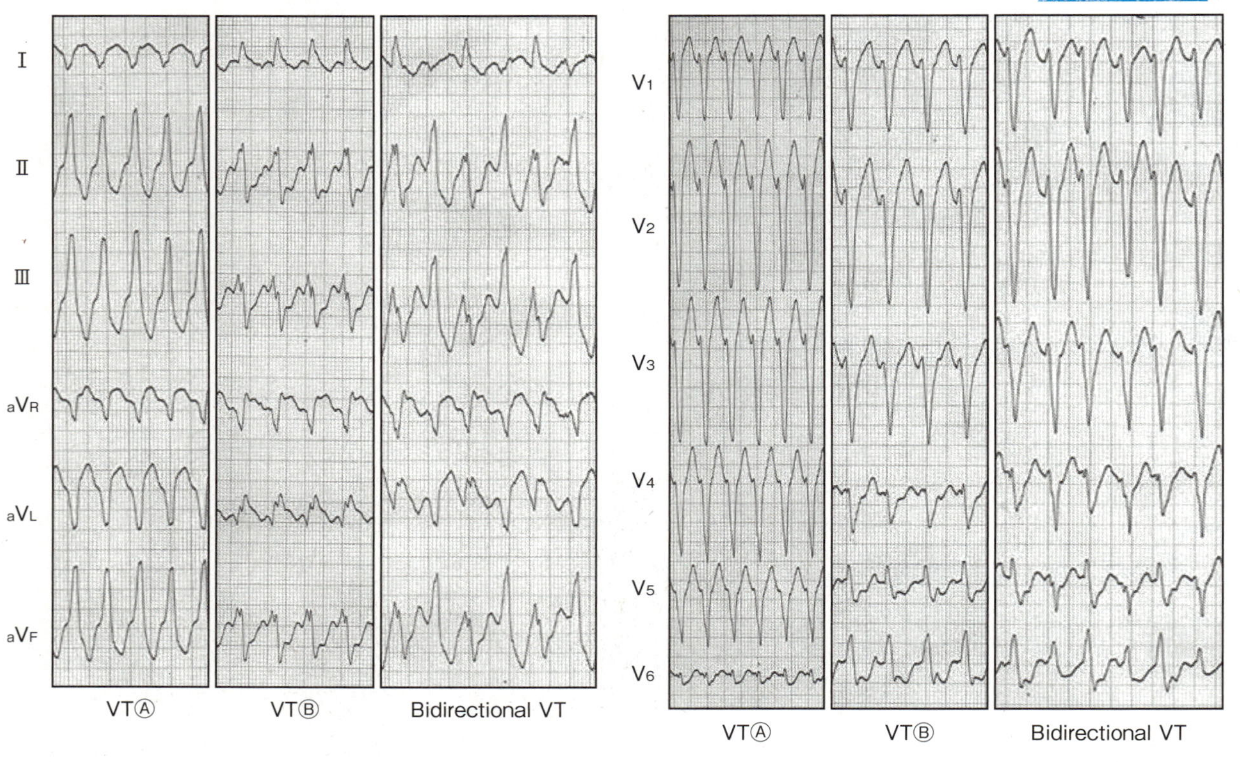

ここを Check ！

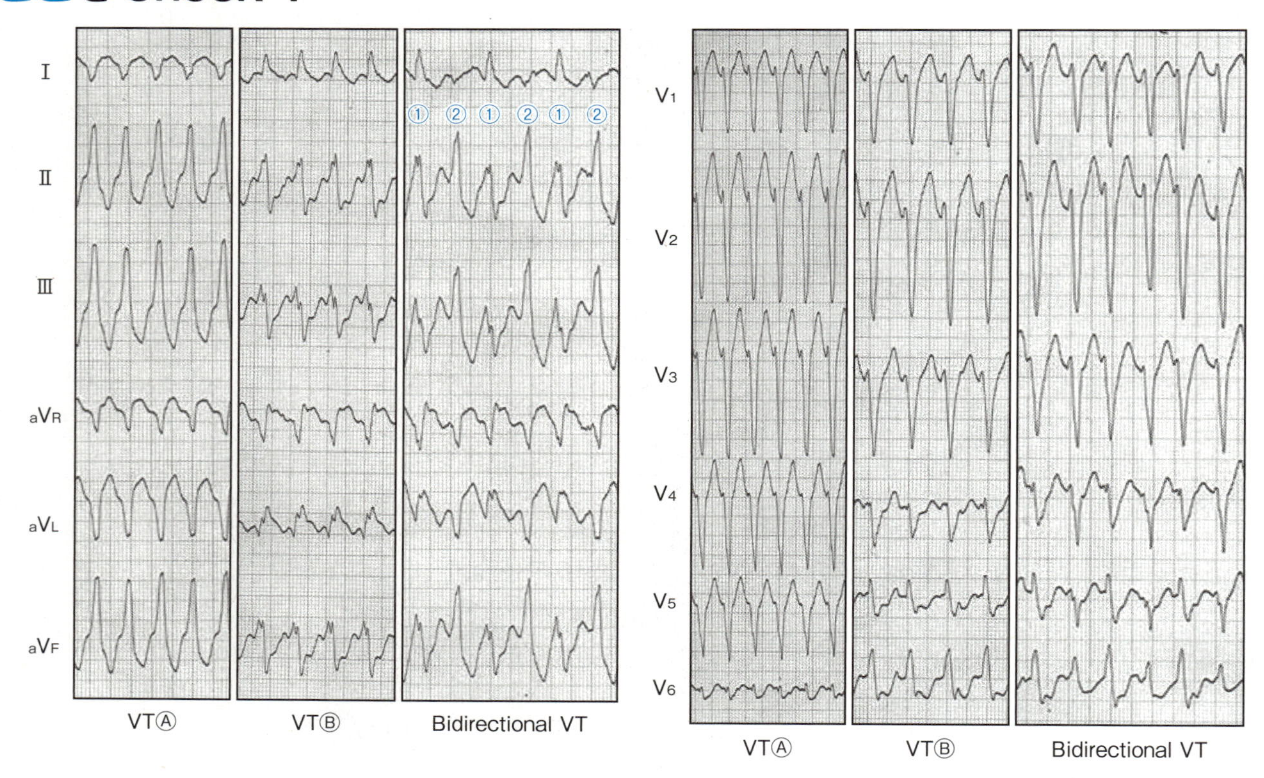

着目すべき心電図所見

リズム：整　QRS 波：一拍ごとに変形している（①、②）

判読のポイント

- 異なる QRS 波を呈する wide QRS 頻拍である。典型的な左脚ブロック型で、四肢誘導で右軸偏位と左軸偏位が交互に現れる。
- 本症例では、VTⒶと VTⒷの波形が交互に生じている。VTⒶは左脚ブロックかつ下方軸（Ⅱ・Ⅲ・aVF 誘導で QRS 波が陽性）で、VTⒷは左脚ブロックかつ上方軸（Ⅰ・aVL 誘導で QRS 波が陽性）である。心拍は一定であることが多い。

よくある患者背景

- ジギタリス中毒
  ⇒ジギタリス中毒の際の心室頻拍は異常自動能によることが多く、QRS波がしばしば多形性である。
- Andersen-Tawil 症候群
- カテコラミン誘発多形性心室頻拍

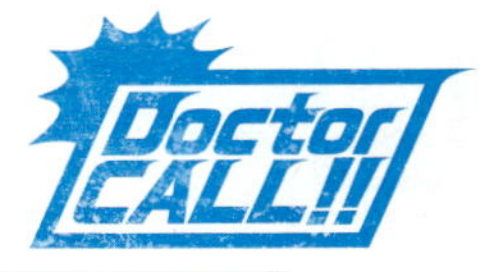

11．多形性心室頻拍

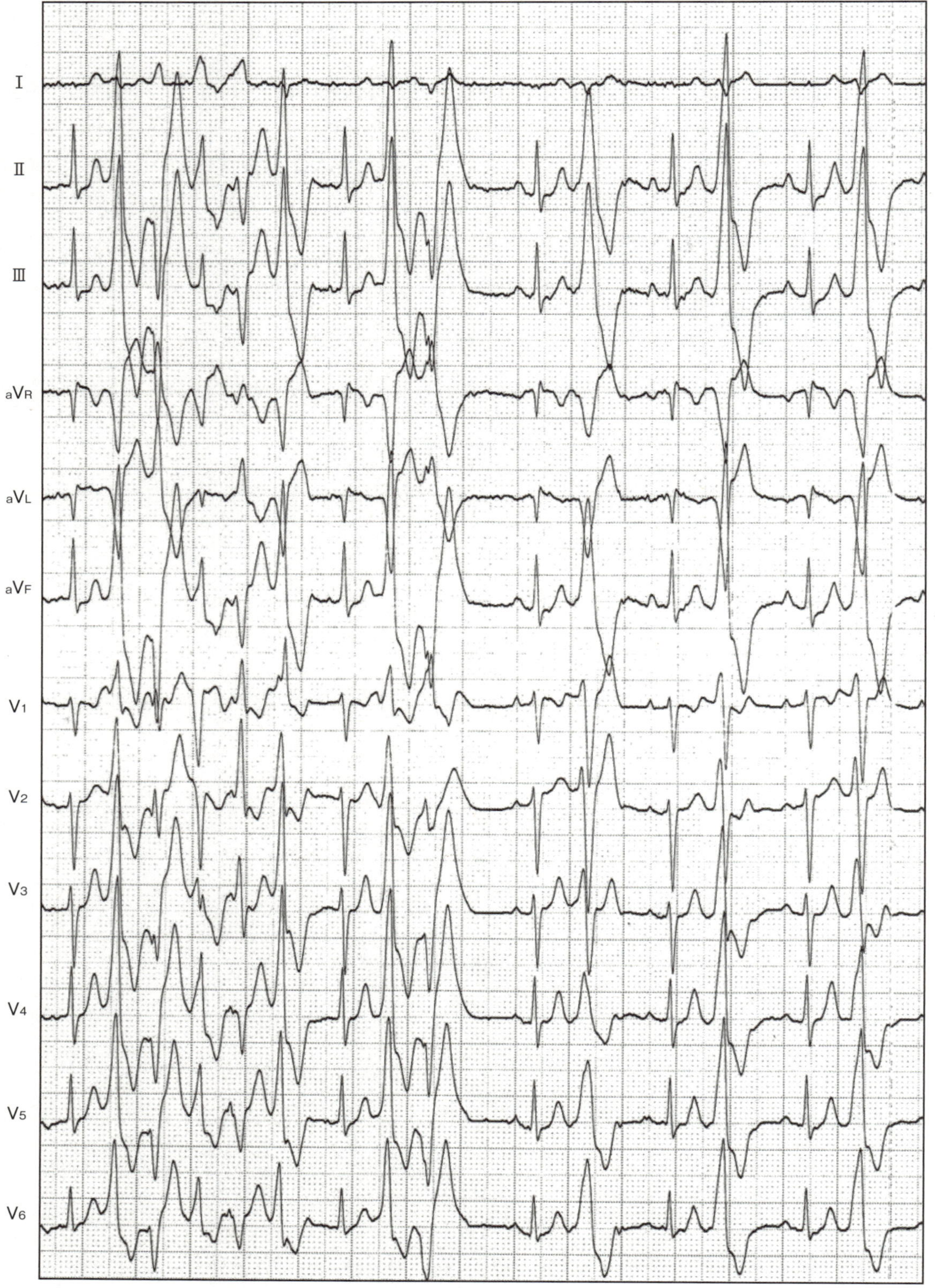

ここをCheck！

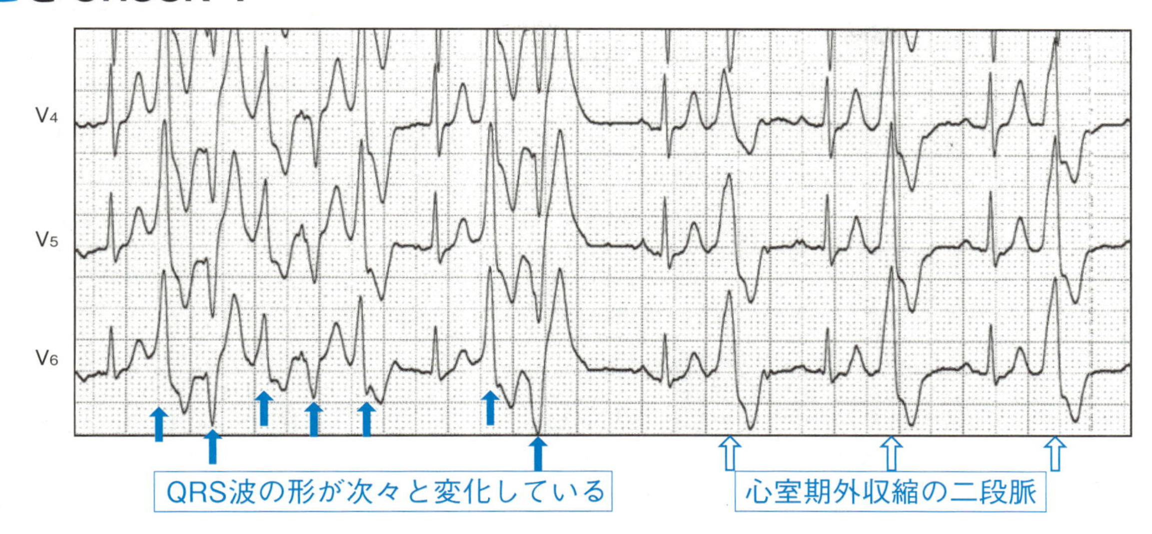

着目すべき心電図所見

リズム：不整　**心拍数**：123/分　**P波**：電気軸＋90°、幅0.08秒　**PR(PQ)間隔**：0.12秒　**QRS波**：電気軸＋90°、幅0.08秒　**ST部分**：運動負荷後で不鮮明であるが、ほぼ正常　**T波**：正常　**QT間隔**：0.28秒、補正QT間隔(QTc)は、Bazett式で0.40秒　**その他**：心室期外収縮および心室頻拍が多発している

判読のポイント

- 最初の洞調律後に、QRS波形が1拍ごとに変化する5連発の多形性心室頻拍を認める(⬆)。1拍の洞調律をはさみ、多形性心室期外収縮の2連発を認める(⬆)。その後、心室期外収縮の二段脈(⇧)となるが、心室期外収縮の波形もすべて異なっている。

発生のメカニズム―病態から診る

- 本症例は、カテコラミン誘発多形性心室頻拍の運動負荷回復期の心電図である〔詳細は「カテコラミン誘発多形性心室頻拍」(p.260)参照〕。このような多形性心室頻拍は、虚血性心疾患・心筋症・心筋炎などでも認められる場合があり、注意すべき所見である。

鑑別を有する心電図

- WPW症候群に心房細動を合併した偽性心室頻拍
- 脚ブロックを合併した心房細動
- QT延長症候群に伴うtorsade de pointes

12. カテコラミン誘発多形性心室頻拍

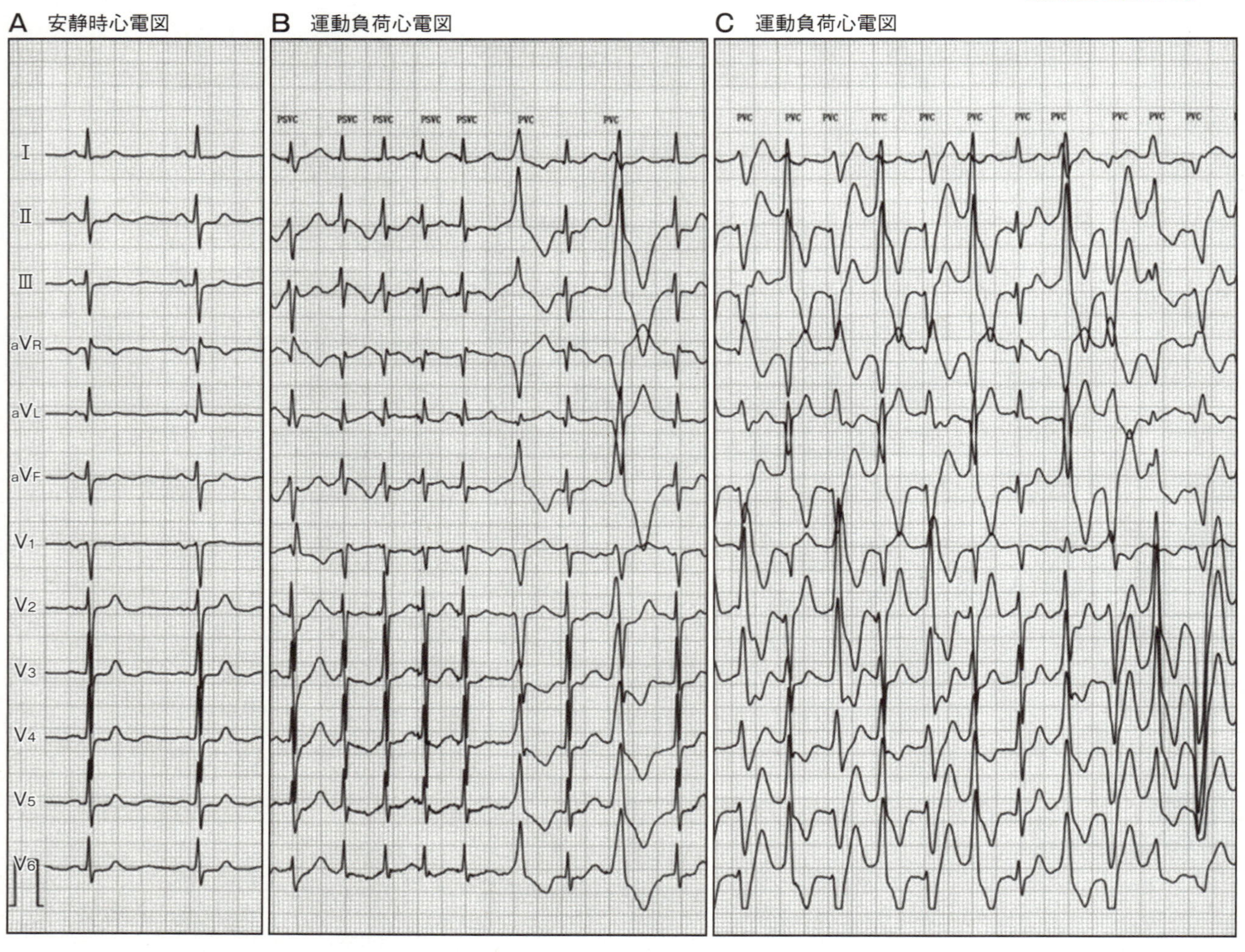

ここを Check ！

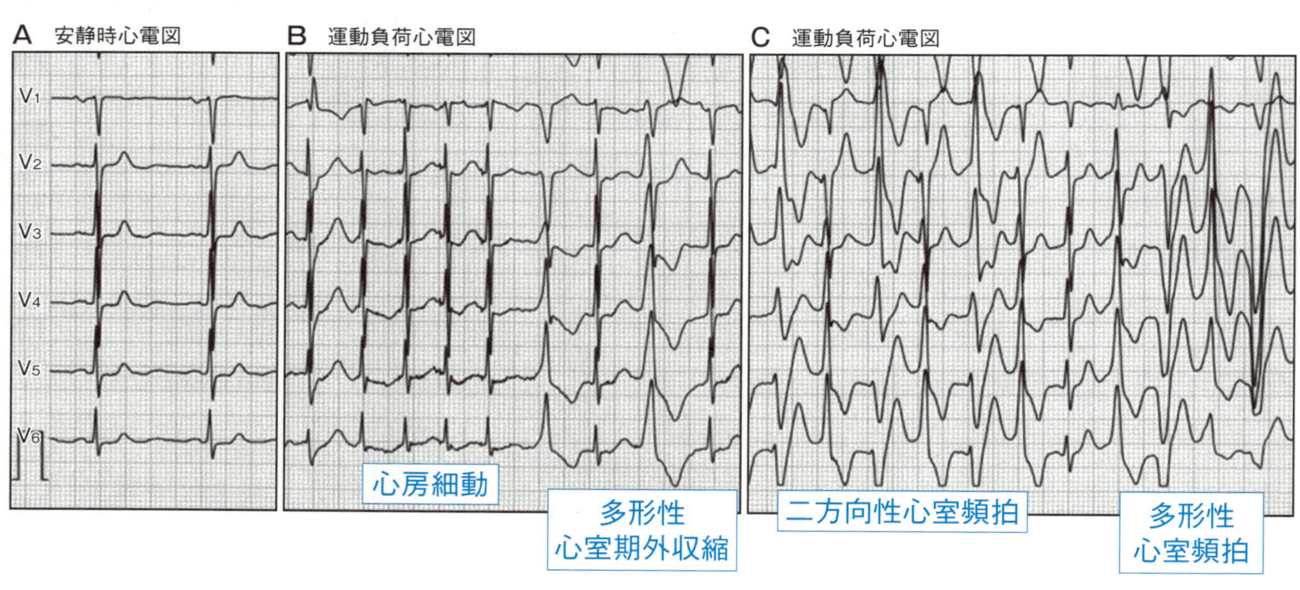

着目すべき心電図所見

◆安静時心電図◆

リズム：整　**心拍数**：57/分　**P 波**：電気軸＋45°、幅 0.12 秒、高さ 0.15 mV（Ⅱ誘導）、V_1誘導で二相性　**PR（PQ）間隔**：0.16 秒　**QRS 波**：電気軸－30°、幅 0.09 秒、SV_1＝0.9 mV、RV_5＝0.9 mV　**ST 部分**：V_5、V_6 誘導で 0.05 mV の ST 下降　**T 波**：正常　**QT 間隔**：0.32 秒、補正 QT 間隔（QTc）は Bazett 式で 0.32 秒、Fridericia 式で 0.32 秒

判読のポイント

- 安静時心電図（A）では、軽度の徐脈および左軸偏位を認めるものの、それ以外では大きな異常を認めない。しかし、運動負荷をかけると、B に示すように心房細動や多形性心室期外収縮が誘発され、さらに運動を続けると、C に示すように、二方向性心室頻拍（QRS 電気軸が 1 拍ごとに交互に変化する）や多形性心室頻拍が誘発される。そのまま運動を続けると心室細動に移行する場合があり、非常に危険である。

発生のメカニズム—病態から診る

- 心筋細胞内に存在するリアノジン（*RyR2*）受容体は、筋小胞体からの Ca^{2+} の放出を担う受容体である。*RyR2* 変異により筋小胞体から過剰な Ca^{2+} が放出され、Na^+/Ca^{2+} 交換系（NCX）の forward mode が活性化されると、一過性内向き電流（I_{Ti}）の亢進により、遅延後脱分極が惹起される。本疾患では、遅延後脱分極により心室性不整脈が発生するといわれている。

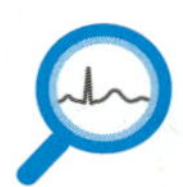

鑑別を要する心電図

- Andersen-Tawil 症候群（LQT7）

  ⇒ともに二方向性心室頻拍を認めるが、カテコラミン誘発多形性心室頻拍では運動負荷により心室期外収縮が増加し、多形性心室頻拍→二方向性心室頻拍→心室細動と徐々に重篤な不整脈に移行していくが、Andersen-Tawil 症候群では運動負荷中に二方向性心室頻拍が誘発されるものの、さらに運動を続けると心室頻拍は誘発されなくなる。

よくある患者背景

- 7～10 歳の小児で運動中の失神を認めた場合は、カテコラミン誘発多形性心室頻拍を考慮する。

WORD

植込み型除細動器

植込み型除細動器（ICD）は、鎖骨下の前胸部に植込んで心臓内にリードを留置し、心臓の動き（脈拍）を監視する医療機器で、主に心室頻拍や心室細動などの致死的不整脈の治療に使用される。機器内に 3 種類の治療プログラムが設定されており、①心室頻拍の場合は小さな電気刺激を与える抗頻拍ペーシング、②心室頻拍で抗頻拍ペーシングにより停止しなかった場合は、軽度の電気ショック（直流除細動）を与えるカルディオバージョン、③心室細動の場合は強い電気ショックを与える除細動など、段階に応じた治療が行われる。除細動後に心停止などの徐脈が起こる場合に備えて、通常のペーシング機能も有する。適応として、心室細動・心室頻拍で血行動態の破綻を伴う場合、薬物治療抵抗性のものが確認されている場合などがあげられる。QT 延長症候群など、遺伝性心臓疾患による心臓突然死のリスクが高い場合にも適応となる場合がある。

13. torsade de pointes

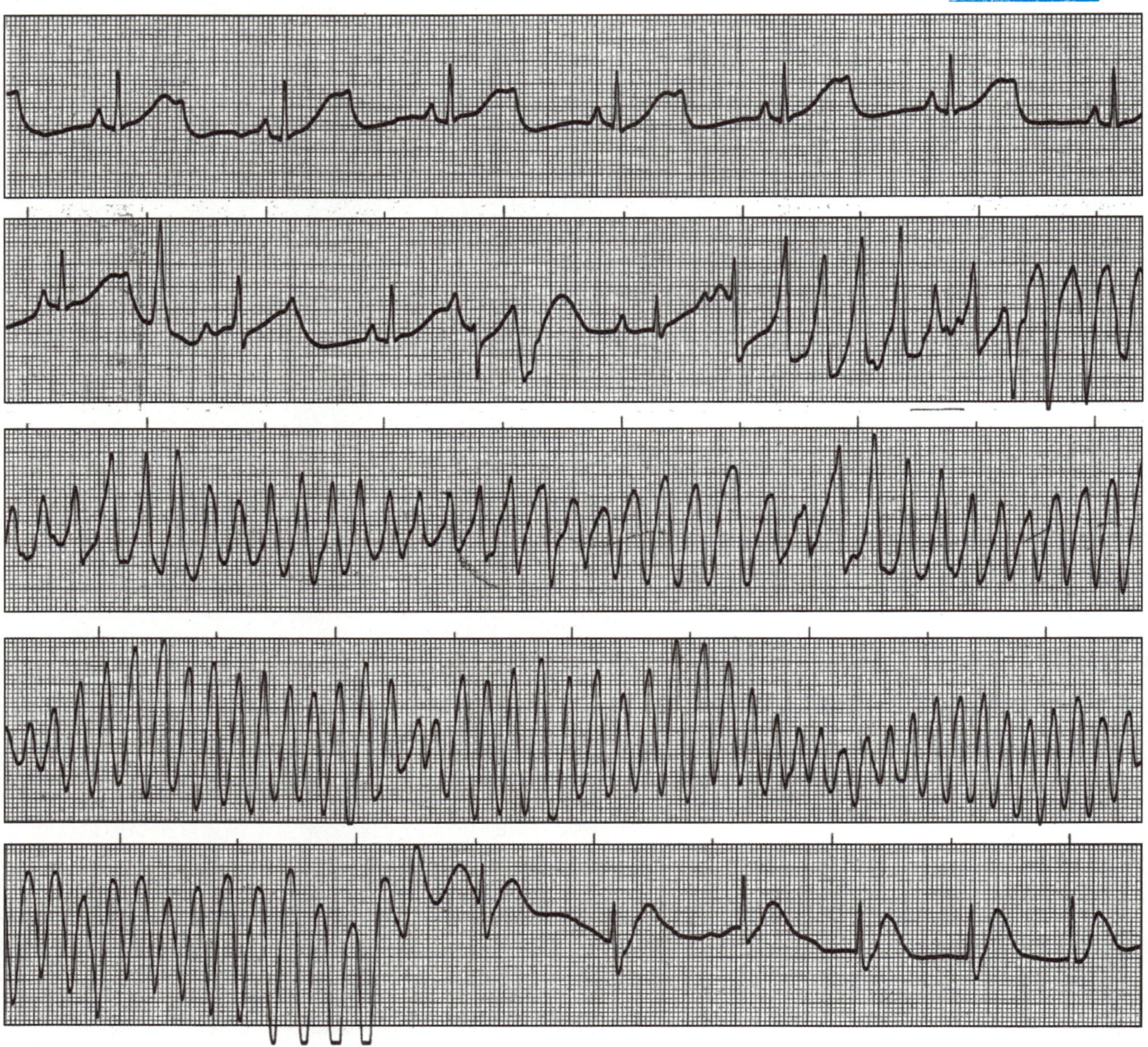

ここをCheck ！

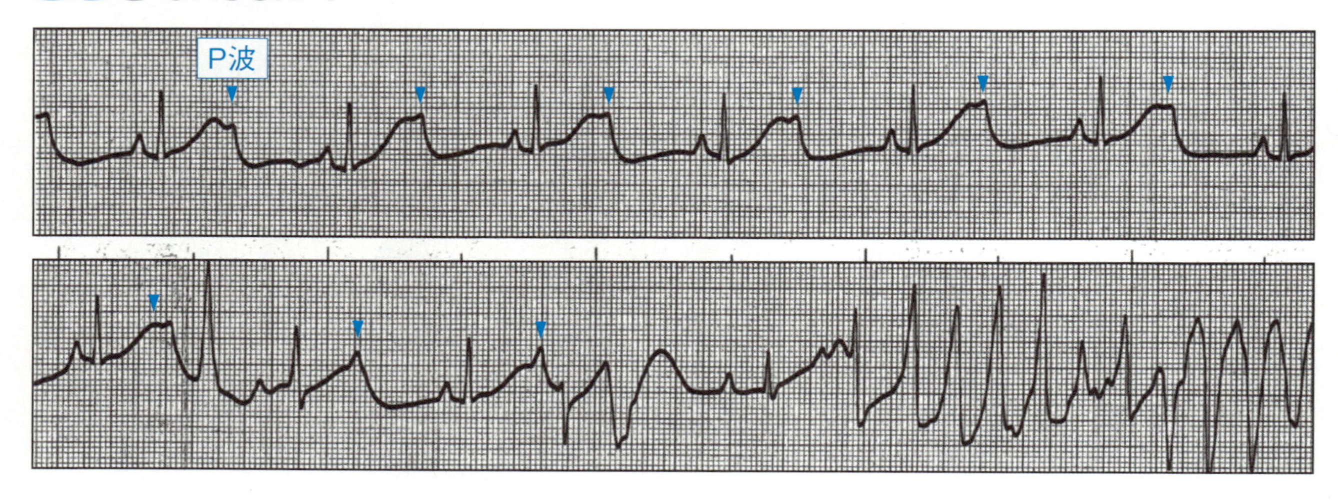

着目すべき心電図所見

リズム：不整　**QRS 波**：不整で多形性　**P 波**：T 波の上に P 波が認められる(▲)。

判読のポイント

- T 波の上に P 波が認められ、2：1 の房室ブロックに伴い心室期外収縮が生じ、軸がねじれるような torsade de pointes が発生している。

発生のメカニズム─病態から診る

- QT 延長に伴い受攻期が延長し、心室期外収縮が R on T のタイミングで出現することにより、軸がねじれるような波形を呈する torsade de pointes が誘発される。自然停止することが多く、持続する場合には除細動が必要である。
- 早期後脱分極による撃発活動(triggered activity)が関与している。
- 心室筋の活動電位持続時間のばらつきからリエントリーを生じて発生する場合、先天性および後天性(薬物・電解質異常・虚血などによる)の QT 延長症候群に伴って生じる場合もある。

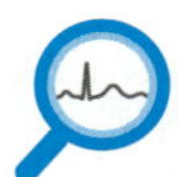

鑑別を要する心電図

- 雑音

⇒QRS 波のスパイクの有無により鑑別。スパイクがある場合には、雑音が重なっている可能性がある。いずれにしても、心電図のみの判断は危険であるため、患者の状態を直接診ることが必要。

よくある患者背景

- QT 延長症候群(先天性および後天性)

14．心室細動

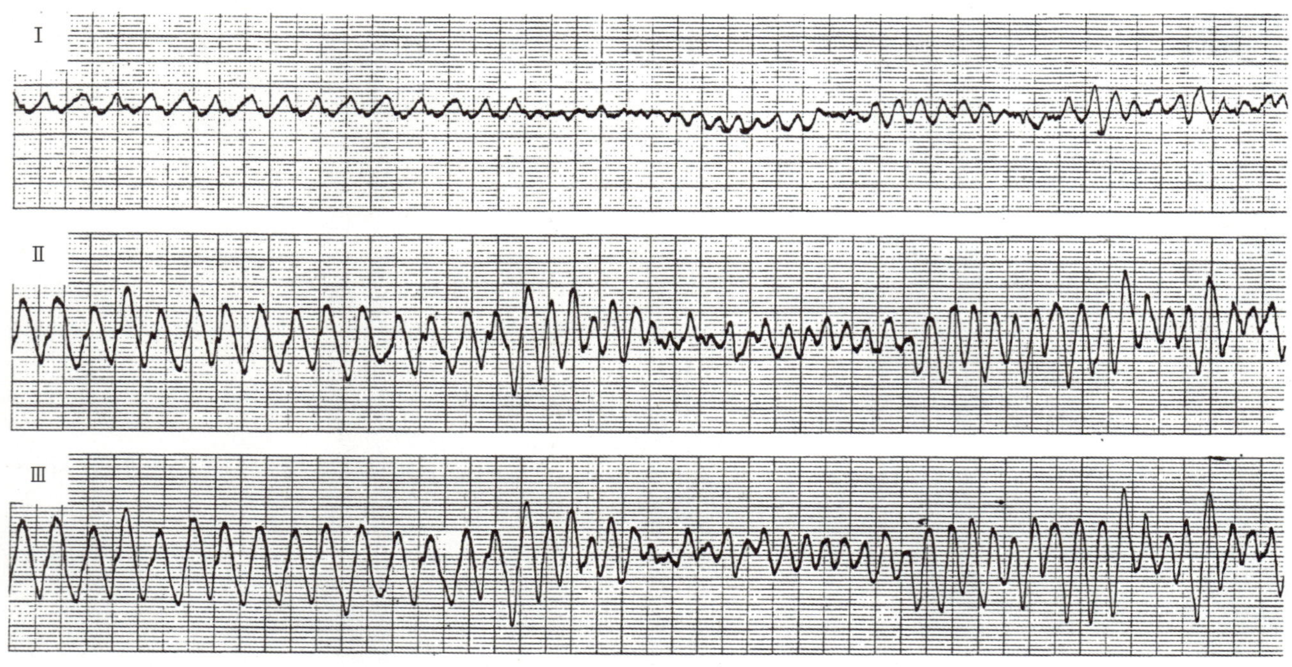

ここをCheck ！

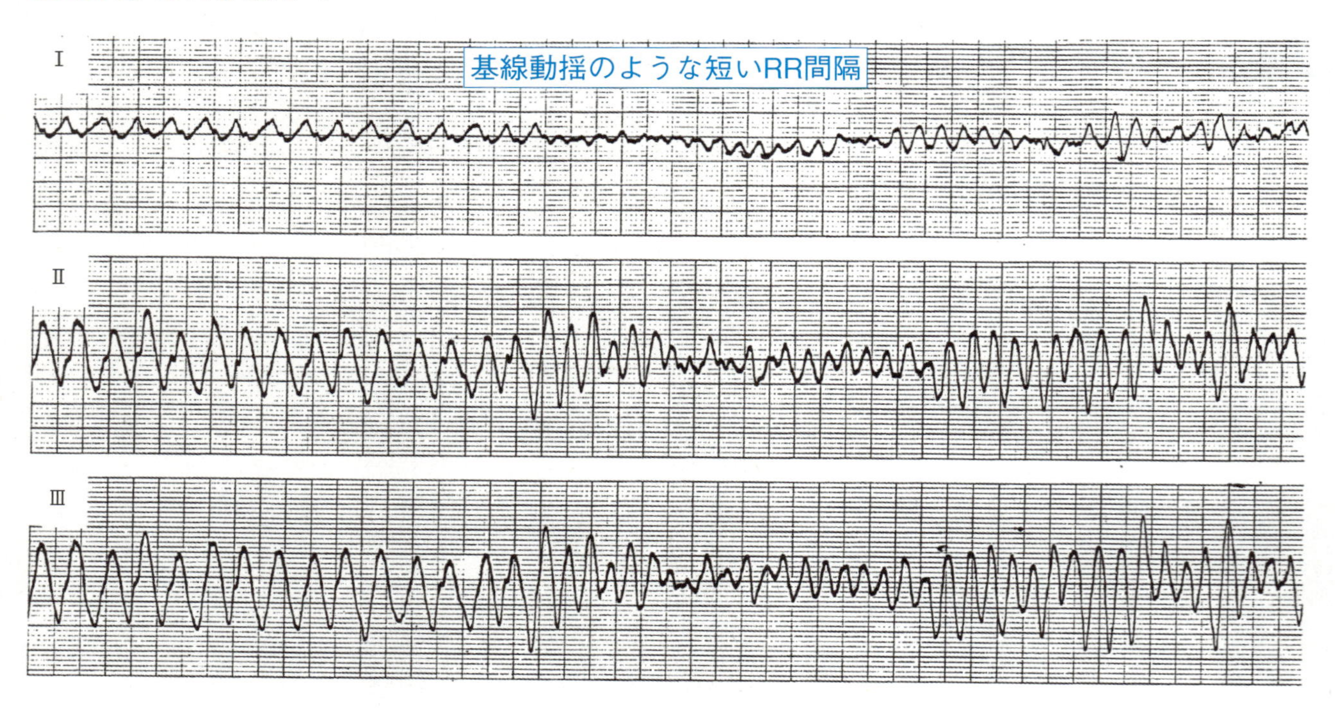

着目すべき心電図所見

リズム：不整　**その他**：雑音（基線動揺）のような非常に短い RR 間隔を呈する。

判読のポイント

- 明らかな QRS 波を認めず、波打つ波形を呈する。
- 心室に有効な興奮や収縮を認めず、QRS 波は小さく、不整となる。
- 心室細動の持続時間が長いほど、波高は小さくなる。

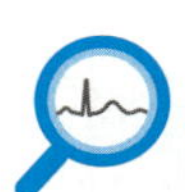

鑑別を要する心電図

- 雑音
  ⇒QRS 波形のスパイクの有無により鑑別。スパイクがある場合は、雑音が重なっている可能性がある。いずれにしても、心電図のみでの判断は危険であるため、患者の状態を直接診ることが必要。

よくある患者背景

- 急性虚血
- 心不全
- 心筋症

さらにレベルアップ！　「心室細動」

★心室細動の持続時間と蘇生率の関係

心室細動は突然死の原因であり、その持続時間と蘇生率は相関している（**図 47**）。

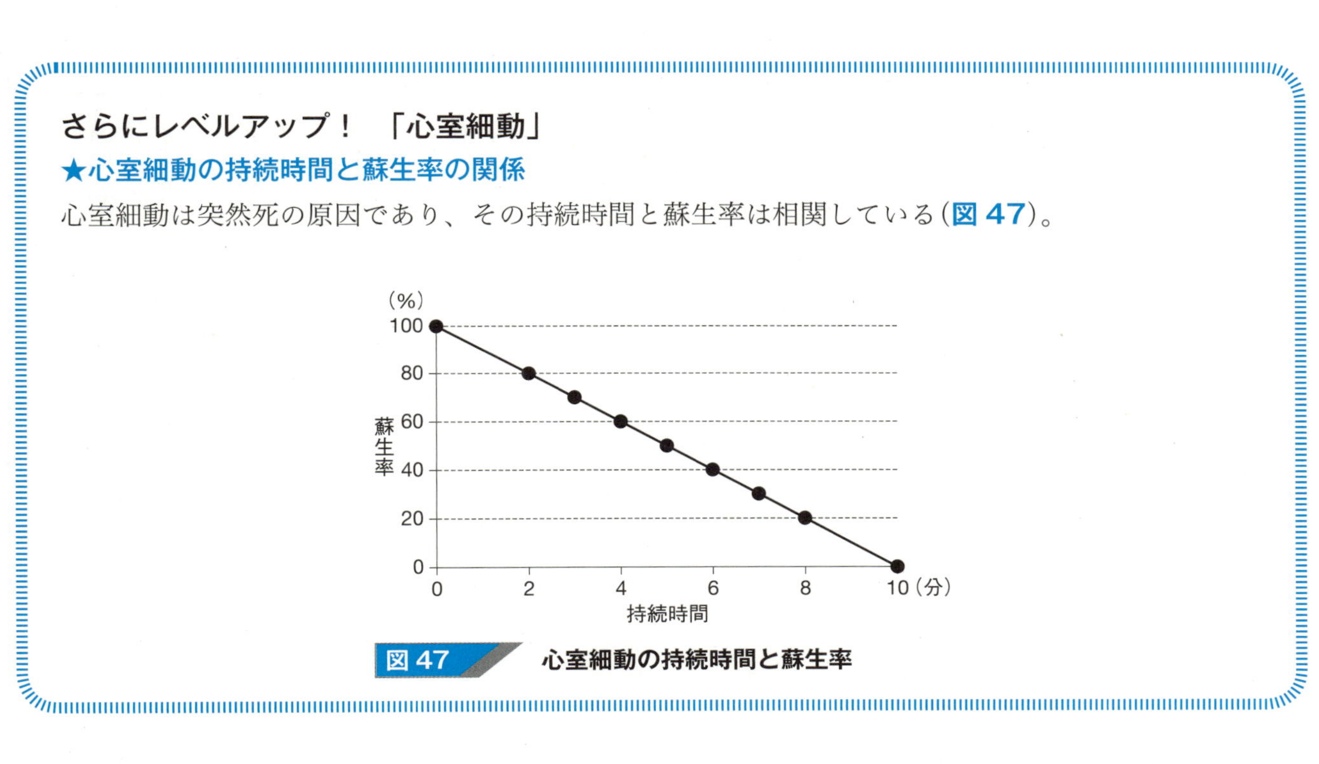

図 47　心室細動の持続時間と蘇生率

15. 心室補充調律

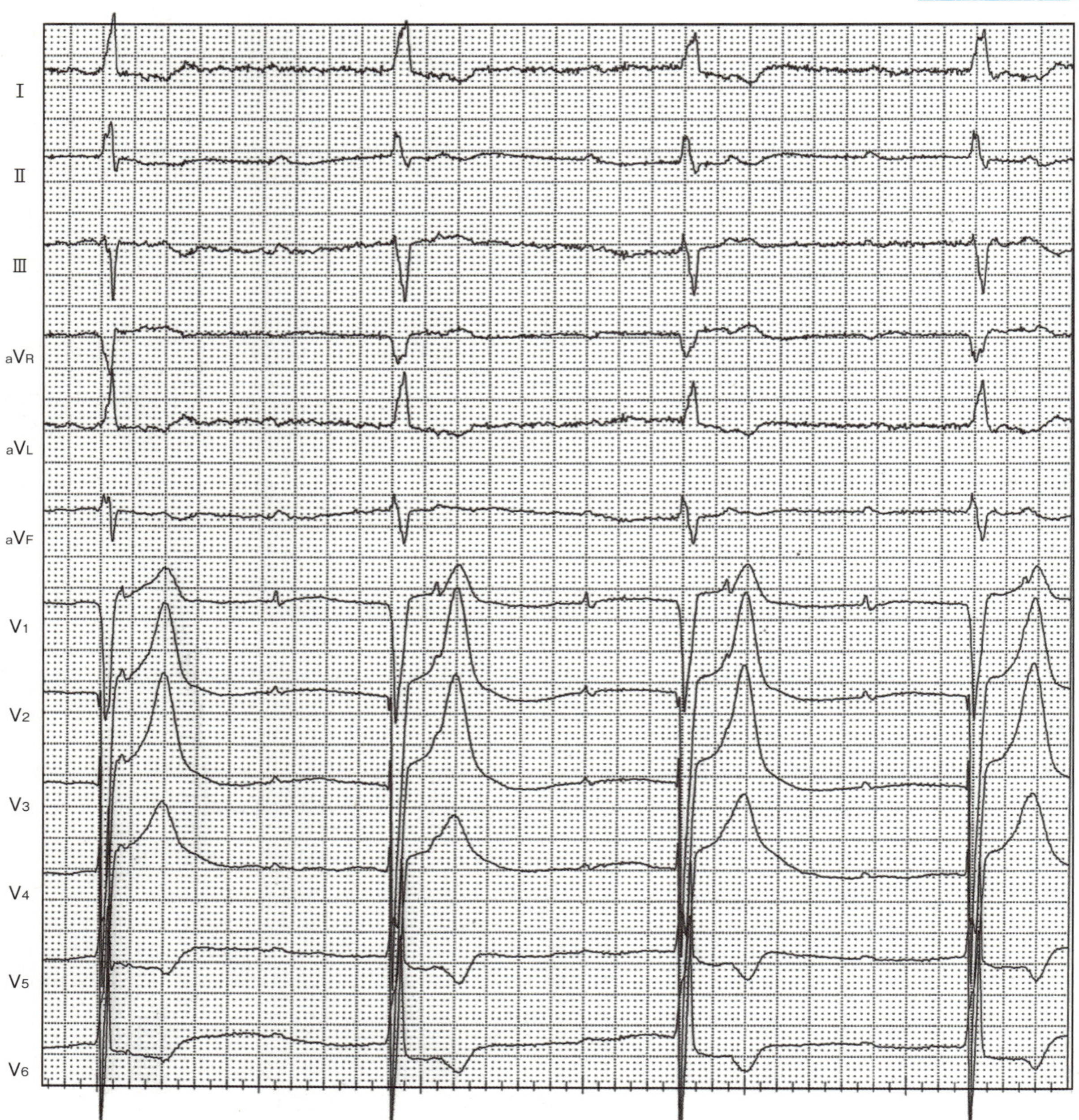

ここを Check ！

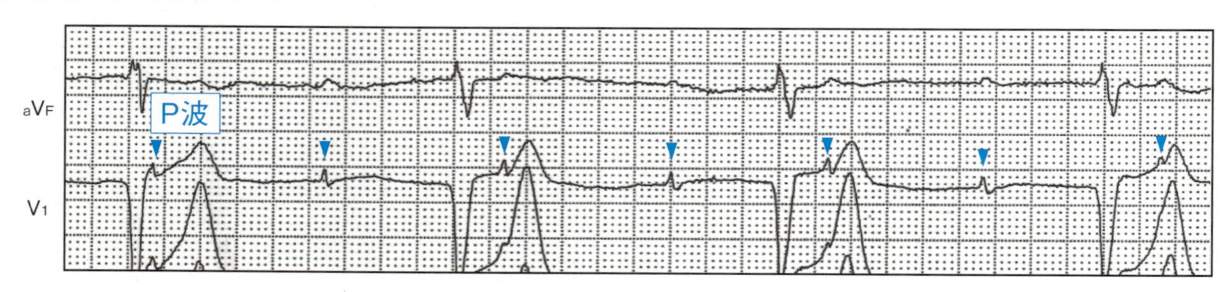

着目すべき心電図所見

リズム：整　**心拍数**：33/分　**P 波**：QRS 波と無関係に出現（▲）　**QRS 波**：wide QRS 波

判読のポイント

- 著明な徐脈を呈している。
- P 波が QRS 波と無関係に出現している。
- Wide QRS 波を呈している。

発生のメカニズム―病態から診る

- 心臓の刺激伝導系においては、洞結節は 60～100/分、房室結節は 40～60/分、房室結節より下位の心室筋は 40/分程度の、固有の自動能を有している。本症例は wide QRS 波であり、心拍数が 33/分と低いことから、房室結節より下位の心室筋から生じた補充調律と考えられる。このような場合は、至急一時ペーシングを要する。

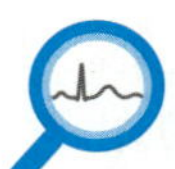

鑑別を要する心電図

- 促進心室固有調律
  ⇒基線にある心拍が遅いために補充として生じているのが、心室補充調律である。一方、促進心室固有調律では、洞調律に異常がなくとも、より速い心室からの調律により興奮が生じる場合がある。心室補充調律、促進心室固有調律のいずれも 100/分以下の wide QRS 波を呈する。心室補充調律では RR 間隔よりも PP 間隔のほうが短く、促進心室固有調律では PP 間隔よりも RR 間隔が短い。また、心室補充調律が比較的高齢者に見られるのに対して、促進心室固有調律では若年者に多い傾向がある。
- 心室期外収縮
  ⇒心室期外収縮と誤診して、心室補充調律患者に抗不整脈薬を投与すると、補充調律が抑えられて心停止になることがあるため、注意を要する。

よくある患者背景

- 房室ブロックを呈した高齢者

16. 心室補充収縮

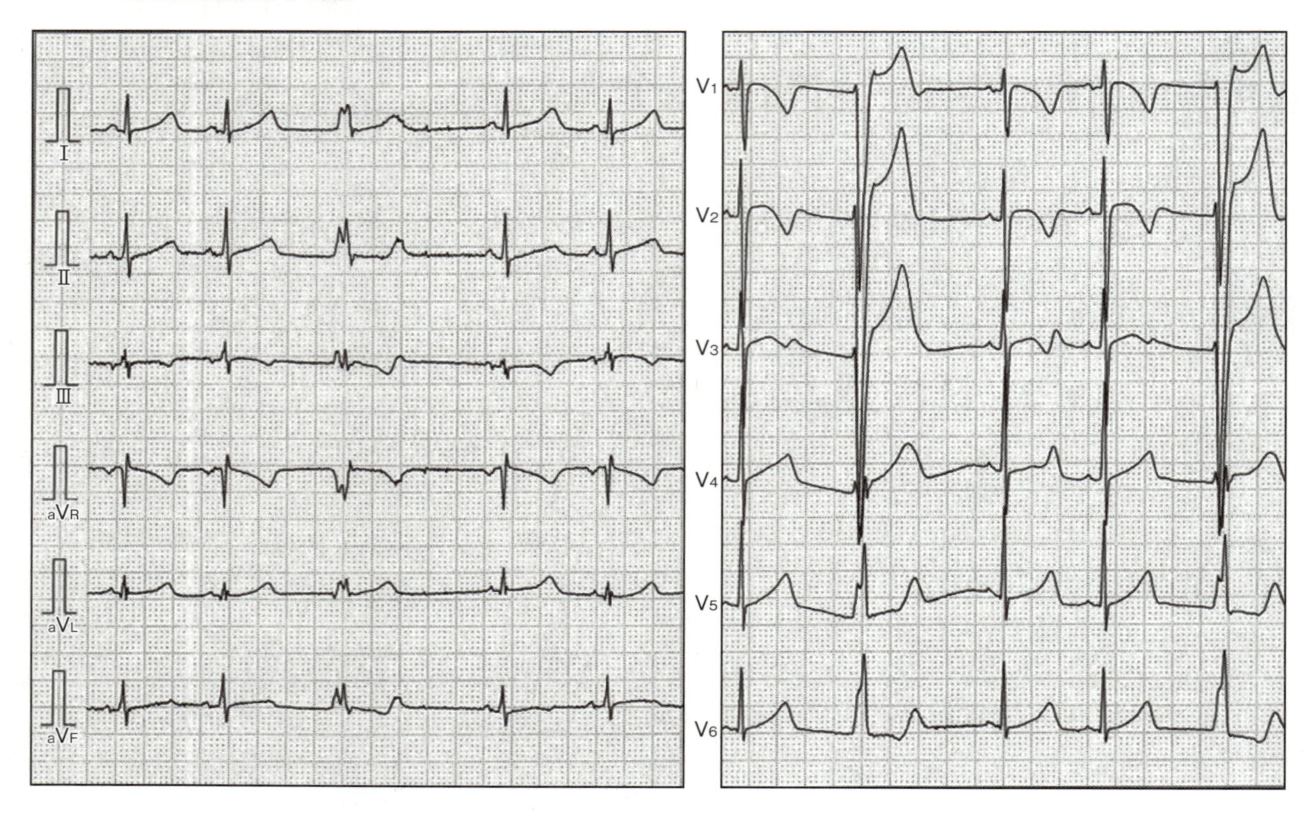

ここをCheck ！

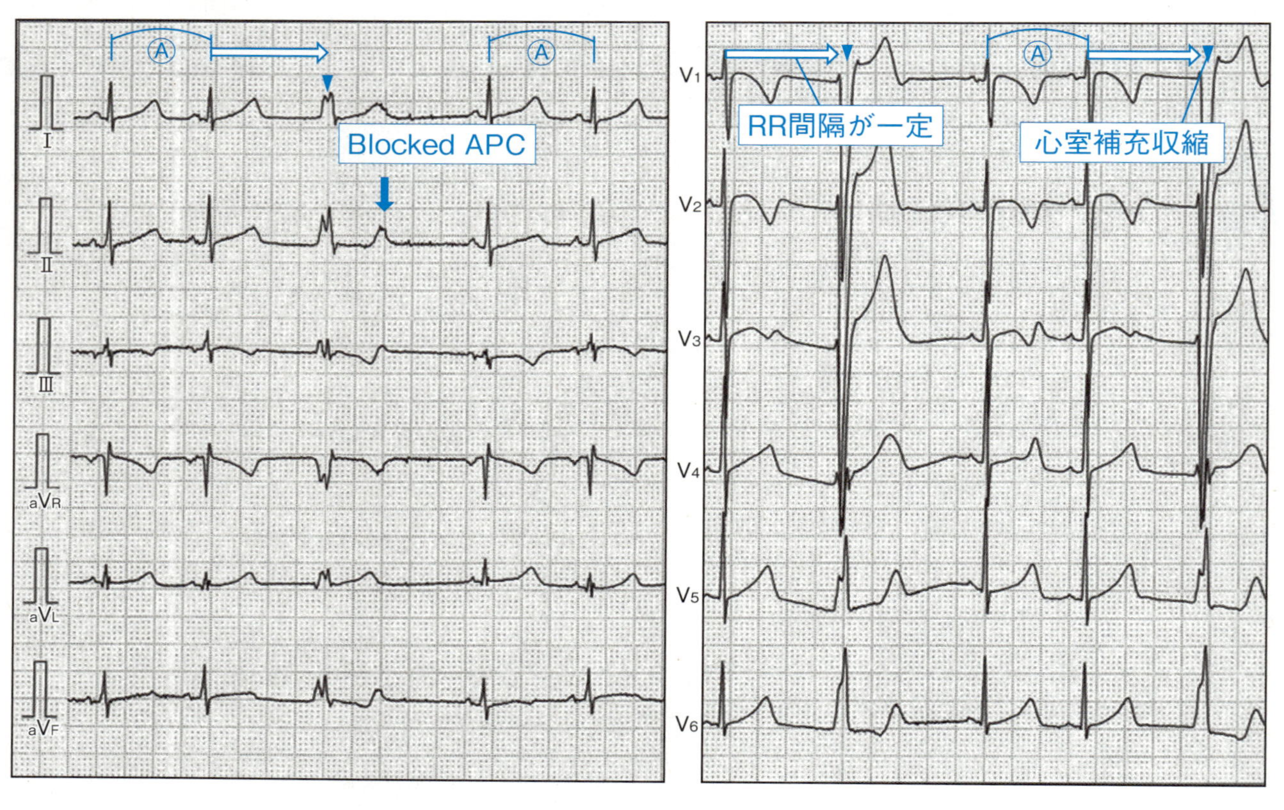

着目すべき心電図所見

QRS波：3、7、10拍目のQRS波は幅が広く、左脚ブロック型を呈している。先行R波との間隔は一定(⇧)かつ洞周期(Ⓐ)より長いことから、右室起源の心室補充収縮と考えられる(▲)。3拍目のQRS波の後に、非伝導性心房期外収縮(Blocked APC)と思われるP波があり(⬆)、RR間隔が長くなっている

判読のポイント

- 先行するQRS波から幅広いQRSまでのRR間隔が一定。

発生のメカニズム―病態から診る

- 顕著な洞性徐脈・洞停止・房室ブロックなどが原因で、正常の伝導により心室が収縮しなくなると、下位刺激伝導系の自動能が亢進して心室を収縮させる。これを心室補充収縮と呼ぶ。本症例では、洞房ブロックに伴って心室補充収縮が出現したと考えられる。通常は、房室結節では心拍数が40～60/分になったとき、心室では心拍数が20～40/分になったときに、補充収縮が出現する。補充収縮が改善しない場合、進行して20～30/分の心室調律になる恐れがあるため、医師への連絡を要する。

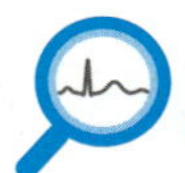

鑑別を要する心電図

- 心室期外収縮
  ⇒期外収縮では、先行するRR間隔より短いRR間隔で幅広いQRS波が出現する。補充収縮では、先行するRR間隔より長いRR間隔で幅広いQRS波が出現する。
- 接合部補充収縮
  ⇒接合部補充収縮ではQRS波の波形が洞調律と同じである。

よくある患者背景

- 高カリウム血症
- β遮断薬やカルシウム拮抗薬の服用
- ジギタリス中毒による徐脈

17. 先天性 QT 延長症候群　1 型

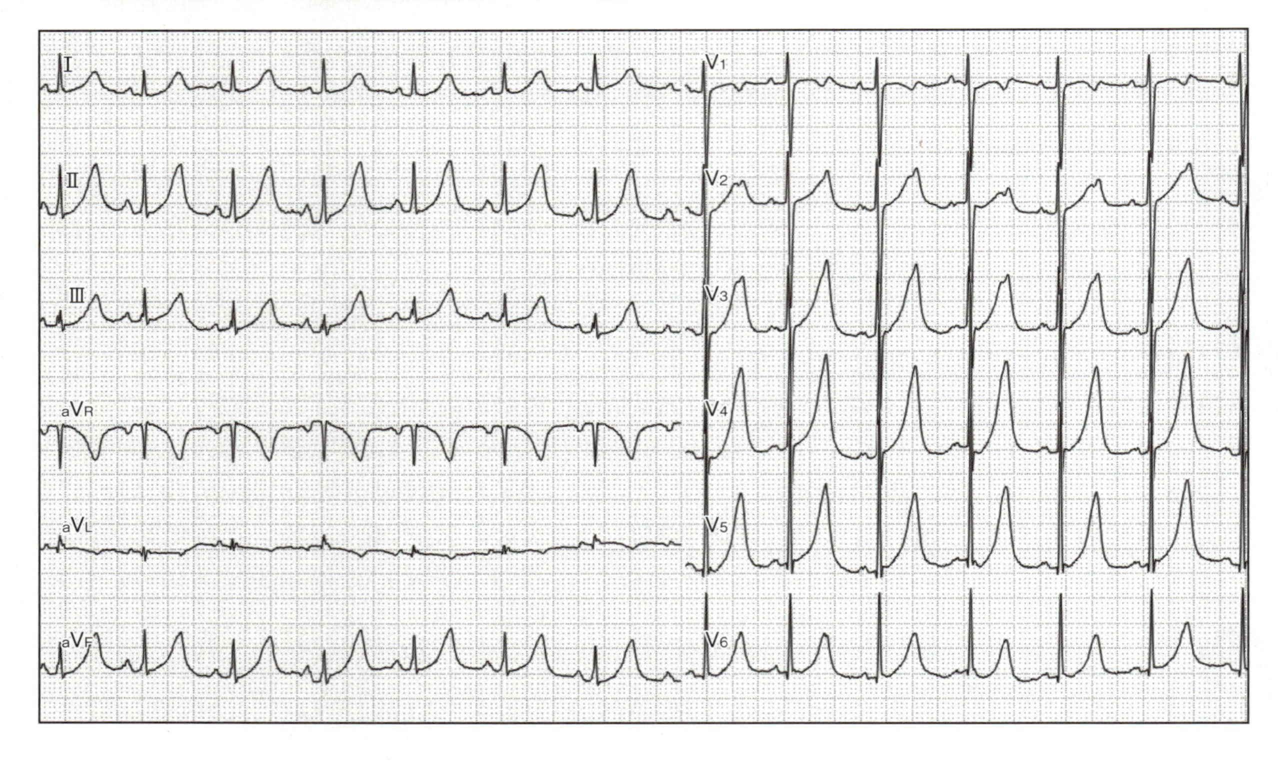

ここを Check ！

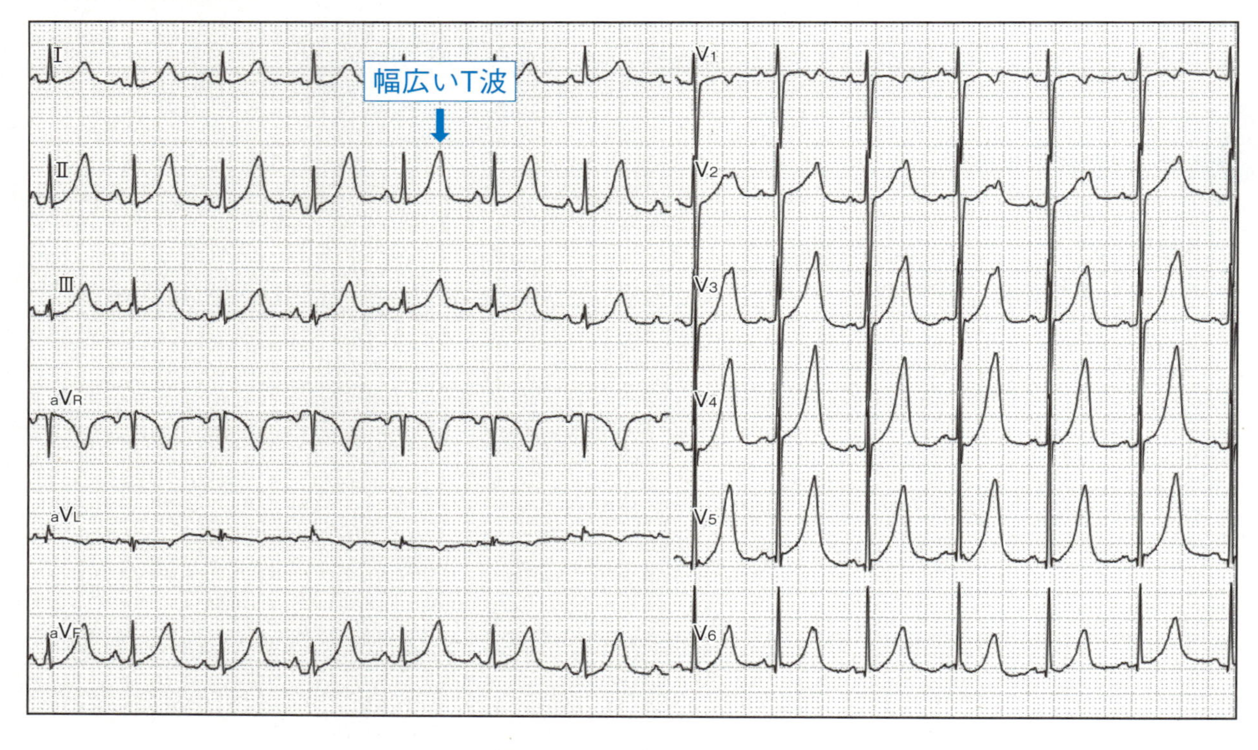

着目すべき心電図所見

リズム：整　**心拍数**：91/分　**P波**：洞調律　**T波**：幅が広い（⬆）　**PR(PQ)間隔**：0.15秒　**QRS幅**：0.08秒　**QT間隔**：0.43秒で、補正QT間隔(QTc)はBazett式で、0.48秒（>0.44秒）である。

判読のポイント

- QT間隔はRR間隔の半分よりも長く、T波の幅が広い。
- QT延長症候群における補正QT間隔(QTc)は、Bazett式で>0.44（女性は0.46）秒である。

発生のメカニズム—病態から診る⇒「さらにレベルアップ！先天性QT延長症候群」参照

- 先天性QT延長症候群（LQT）では、心室筋活動電位プラトー相の外向き電流が減少する、もしくは内向き電流が増加することにより活動電位持続時間が延長し、QT間隔の延長を呈する。
- LQTは1〜3型が多数を占める。LQT1およびLQT2ではK^+チャネルの機能が低下することから再分極の遅延が生じてQT間隔が延長し、LQT3ではNa^+チャネルの不活性化が抑制されることによりQT間隔が延長する。

鑑別を要する心電図

- 後天性QT延長症候群

さらにレベルアップ！　「先天性QT延長症候群」

★先天性QT延長症候群の分類

先天性QT延長症候群（LQT）は、下記のように分類される（**表22**）。

表22　QT延長症候群の分類

	チャネル	頻度	トリガー	典型的な波形
LQT1	I_{Ks}↓	30〜35%	運動（特に水泳）、ストレス	大きく幅広いT波
LQT2	I_{Kr}↓	25〜30%	情動ストレス（恐怖、驚愕） 聴覚刺激（電話、目覚まし時計など）	平低化したT波やnotchを伴うT波
LQT3	Na↑	5〜10%	睡眠時、安静時	T波の始まりが遅い

★後天性QT延長症候群とは？

後天性QT延長症候群は、電解質異常（低カリウム・低マグネシウム）、薬剤の使用（抗不整脈薬・抗精神病薬・三環系抗うつ薬・抗アレルギー剤など）、脳出血などによって発症する。

18. QT 短縮症候群

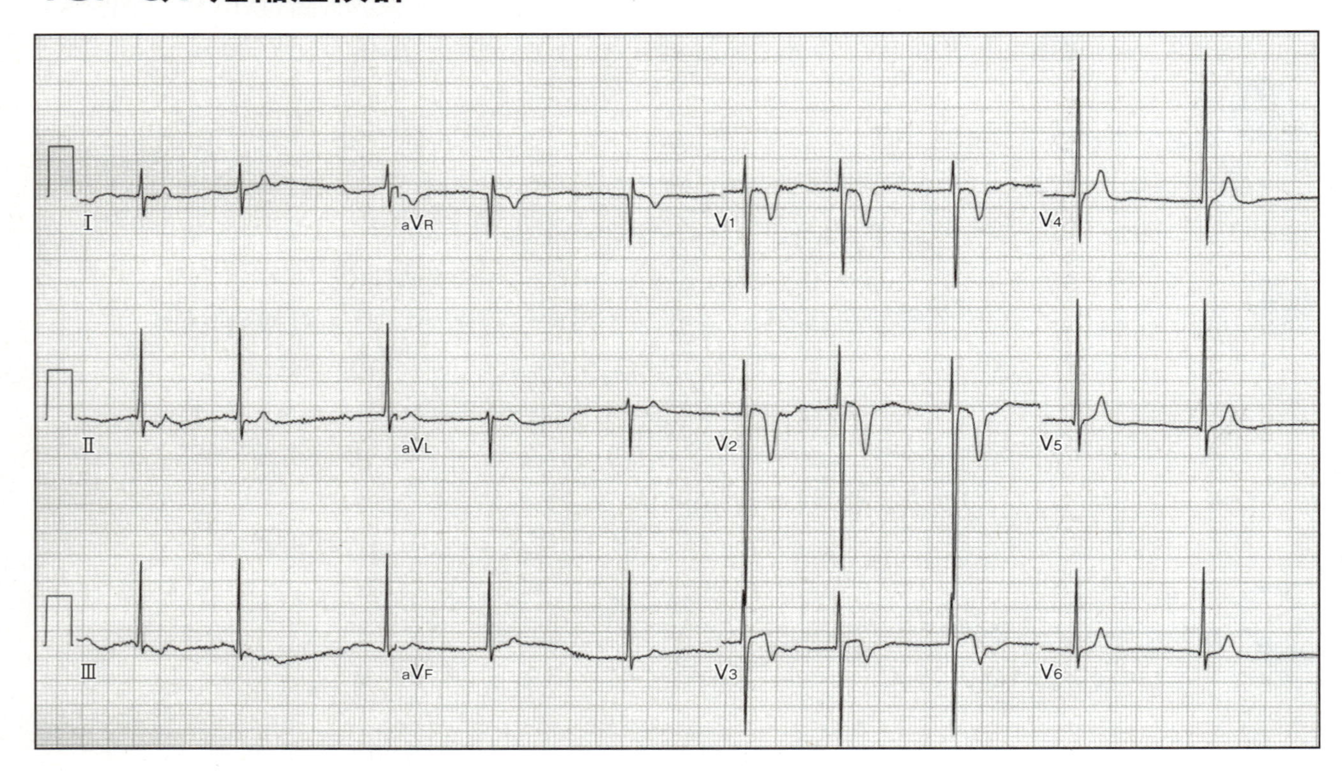

ここをCheck ！

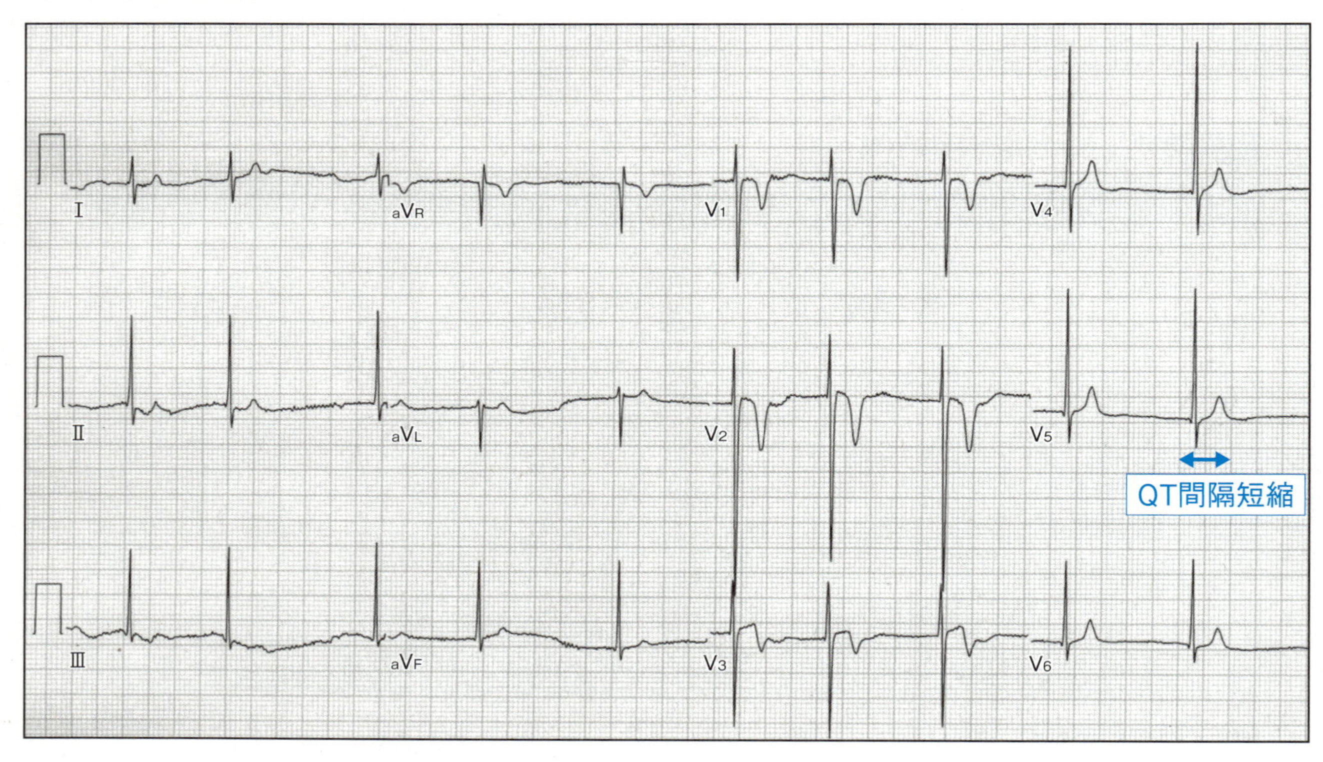

着目すべき心電図所見

リズム：不整　**心拍数**：88/分　**P 波**：はっきりせず、おそらく洞停止　**PR(PQ)間隔**：測定できず **QRS 波**：電気軸＋80°、その他は異常なし　**ST 部分**：水平　**T 波**：V_1～V_3誘導で陰性　**QT 間隔**：0.30 秒と短縮している(⟷)。補正 QT 間隔(QTc)は Bazett 式で 0.35 秒、Fridericia 式で 0.33 秒
その他：V_2誘導で深い T 波が見られる

判読のポイント

- QT 間隔の測定が診断の決め手となる。本症例は洞停止に伴う徐脈があり、接合部調律である。しかし、QT 間隔が短いことから、家族性の QT 短縮症候群と診断された。
- 胸部誘導の T 波高が高く、QT 間隔が短縮している場合には、QT 短縮症候群を疑う。
- 現在提唱されている診断基準は、①QTc≦0.33 秒、②QTc＜0.36 秒で、かつ下記 a～d のうち 1 つ以上を認める場合である。a) QT 短縮症候群に関連する遺伝子異常、b) QT 短縮症候群の家族歴、c) ≦40 歳での突然死の家族歴、d) 器質的心疾患を認めない心室頻拍、心室細動からの蘇生例。①は確定、②は疑いとする。
- SQT1 では、T 波の波高が高いのも特徴とされる。

発生のメカニズム―病態から診る

- QT 延長症候群では K^+電流の低下、Ca^{2+}電流の増加が原因となるが、QT 短縮症候群では K^+電流の増加、Ca^{2+}電流の減少が原因となる。現在、報告されている原因遺伝子は**表 23** の通りである。

表 23　現在報告されている原因遺伝子

	遺伝子座	遺伝子	蛋白	イオン電流	遺伝形式
SQT1	7q35	*KCNH2*	$K_V11.1\alpha$	I_{Kr}↑	AD
SQT2	11p15.5	*KCNQ1*	$K_V7.1\alpha$	I_{Ks}↑	?
SQT3	17p23	*KCNJ2*	$K_{ir}2.1\alpha$	I_{K1}↑	AD
SQT4	12p13.3	*CACNA1C*	Ca_V 1.2	$I_{Ca\text{-}L}$↓	
SQT5	10p12	*CACNB2b*	$Ca_V\beta 2b$	$I_{Ca\text{-}L}$↓	
SQT6	7q21-q22	*CACNA2D1*	$Ca_V\alpha_2\delta\text{-}1$	$I_{Ca\text{-}L}$↓	

AD：常染色体優性遺伝

鑑別を要する心電図

- 高カルシウム血症

19. Brugada 症候群　coved 型　type 1

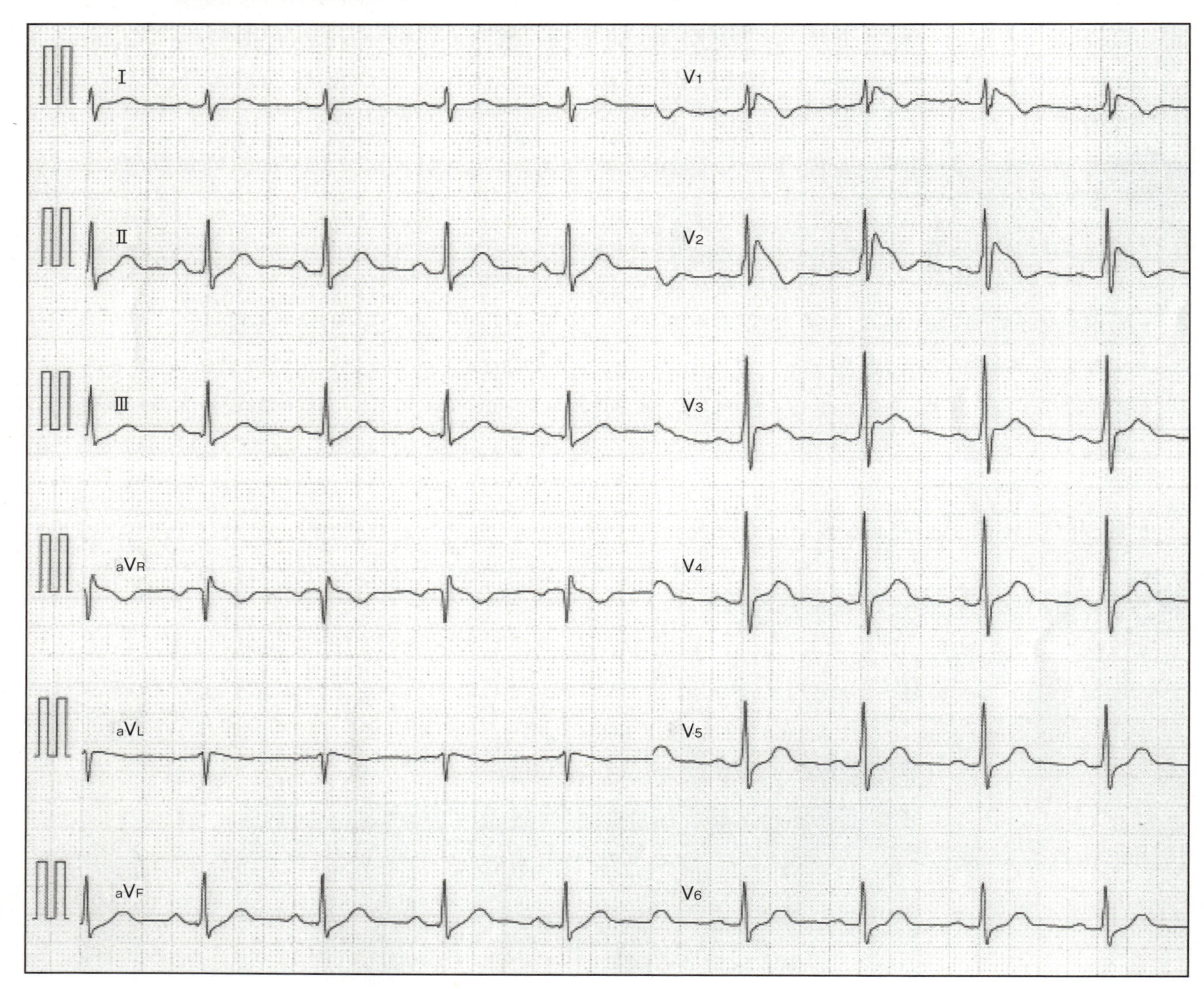

ここを Check ！

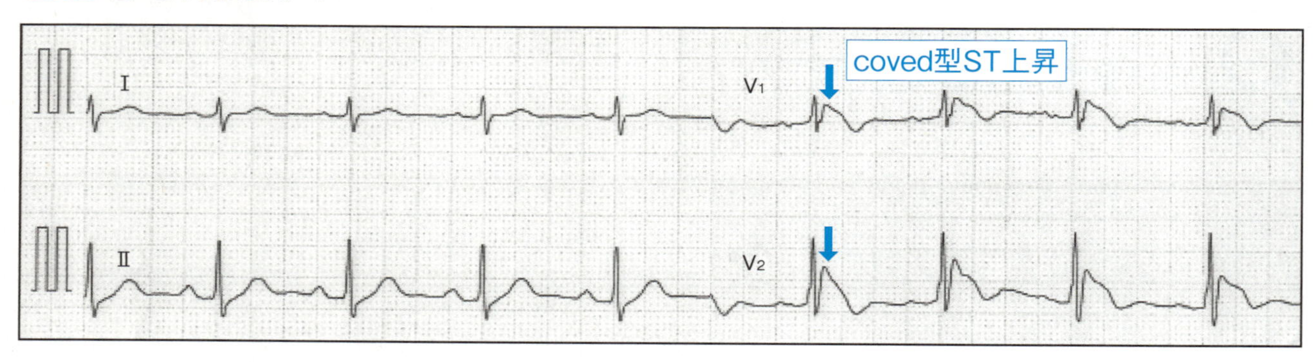

着目すべき心電図所見

リズム：整　**心拍数**：75/分　**P 波**：洞調律　**PR(PQ)間隔**：0.2 秒　**ST 部分**：coved 型の ST 上昇（⬆）

判読のポイント

- V_1〜V_3誘導において、右脚ブロック様波形(rsr' 型の幅広い QRS 波)と ST 上昇を認める。

発生のメカニズム—病態から診る

- 通常、心外膜側細胞の活動電位持続時間は、心内膜細胞に比較して短い。活動電位第 1 相の notch は心外膜細胞でのみ認められ、一過性外向き K^+電流(I_{to})が関連する。I_{to}と拮抗する Na^+電流が抑制される場合は、I_{to}が優位になり notch が深くなるため、J 点の上昇が生じる。さらに、内向き電流が減少すると notch が大きくなり、心外膜側細胞の活動電位の再分極が遅れて ST 上昇、T 波の終末部の陰転化をきたし、coved 型の変化をきたす。また、Na^+チャネル遺伝子である *SCN5A* の α サブユニットの遺伝子異常、Ca^{2+}チャネルの遺伝子異常などが関係するとの報告がある。日内・日差変動を呈することが多い。

鑑別を要する心電図

- 虚血
- 心筋炎

よくある患者背景

- 器質的心疾患を伴わない 40〜50 代の男性。
- 夜間睡眠中または安静時に心室細動を発症し、突然死する恐れがある。
- 失神や夜間の意識障害などにより、発見されることが多い。

20. Brugada 症候群　saddleback 型　type 2

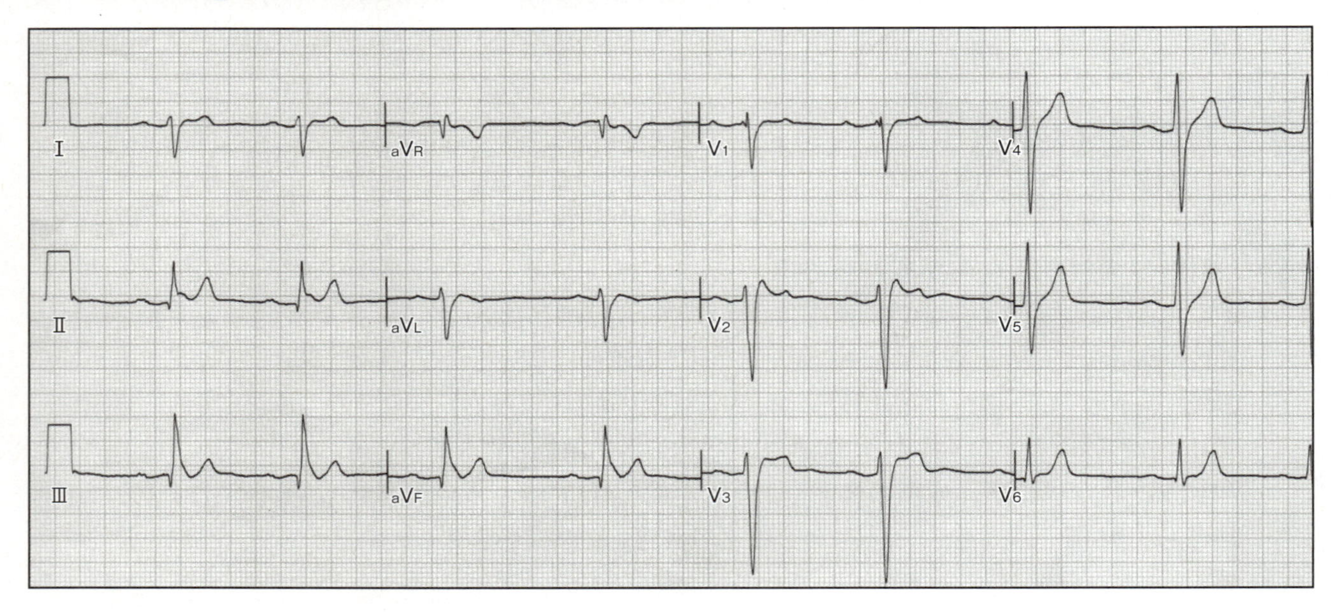

ここを Check ！

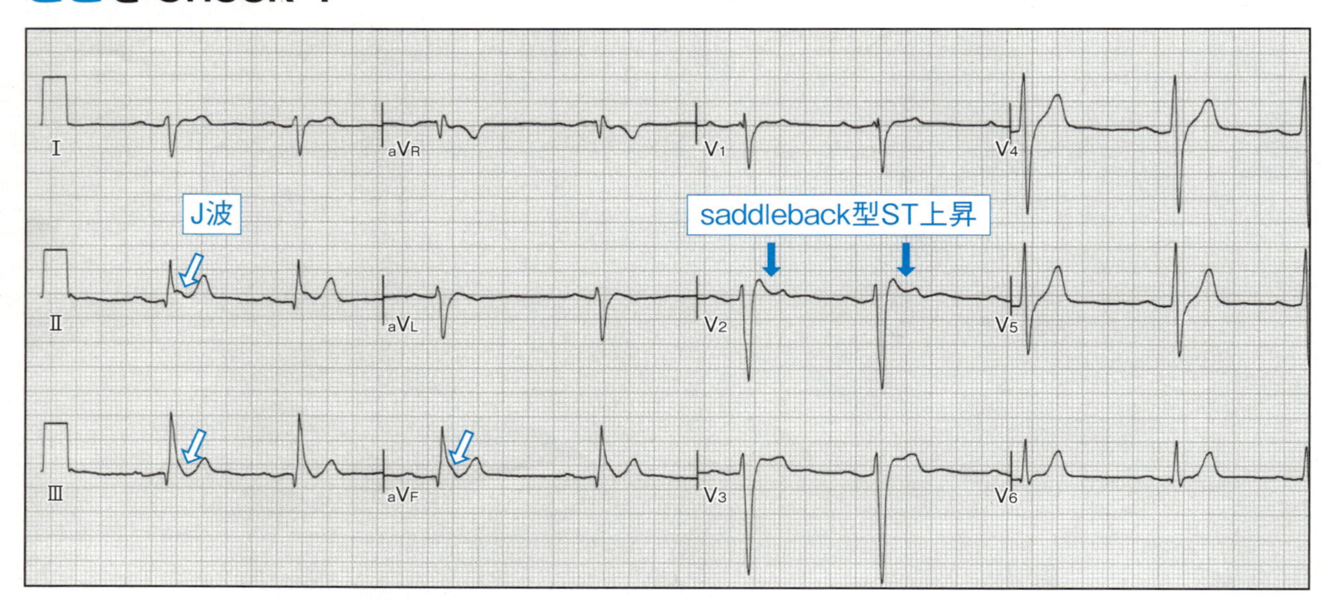

着目すべき心電図所見

リズム：整　心拍数：58/分　**P 波**：電気軸＋45°、幅 0.08 秒、高さは正常範囲　J 波：II・III・aV_F 誘導で認められる（⇧）　**PR(PQ)間隔**：0.24 秒　**QRS 波**：電気軸＋120°、幅 0.16 秒、移行帯 V_4～V_5誘導間　**ST 部分**：V_2・V_3誘導で 0.3 mV の J 点もしくは R 波終末部の上昇と、saddleback 型の ST 上昇（中央が窪んでいる）を認める（⬆）。**T 波**：aV_R・aV_L誘導以外は陽性　**QT 間隔**：0.38 秒で、補正 QT 間隔（QTc）は Bazett 式で 0.36 秒、Fridericia 式で 0.35 秒

判読のポイント

- V_1～V_3誘導（右側胸部誘導）で R 波終末部の上昇と、saddleback 型の ST 上昇を認める。このような心電図波形を認めた場合には、1 肋間もしくは 2 肋間上の心電図を記録すると、coved 型の心電図波形が記録され、Brugada 症候群と診断できる場合がある。
- 本例は下壁誘導（II、III、aV_F 誘導）で J 波を認める、早期再分極症候群（p.280）の合併例である。

発生のメカニズム―病態から診る

- 心筋の Na^+チャネル機能低下が主な原因である。

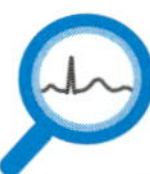

鑑別を要する心電図

- 右脚ブロック
- 心室内伝導障害
- 不整脈原性右室心筋症
- 1 度房室ブロック

〈参考〉 1 肋間上げて記録した心電図

本症例において、1 肋間上げると、V_2 誘導で coved 型の心電図波形が記録された。

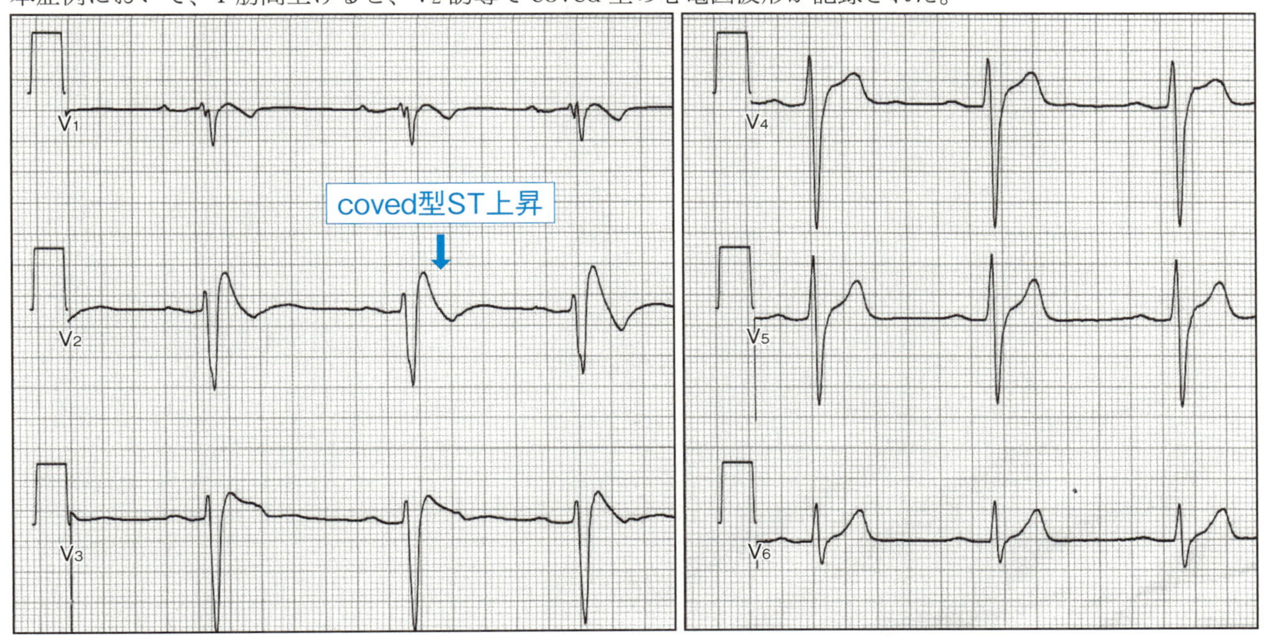

さらにレベルアップ！　「Brugada 症候群」

★Brugada 症候群の分類

Brugada 症候群は、ST 部分の波形により coved 型(type 1)、saddleback 型に分類され、さらに saddleback 型は J 点の上昇の程度により type 2、3 に分類される(**表 24**)。

表 24　Brugada 症候群の分類

分類	心電図の特徴
type 1	1. coved 型 ST 上昇 2. J 点≧2 mm(0.2 mV) 3. ST 上昇≧2 mm(0.2 mV)
type 2	1. saddleback 型 ST 上昇 2. J 点≧2 mm(0.2 mV) 3. ST 上昇≧1 mm(0.1 mV)
type 3	1. saddleback・coved 型 ST 上昇 2. J 点≧2 mm(0.2 mV) 3. ST 上昇<1 mm(0.1 mV)

〈参考〉Brugada 症候群 type 3 の心電図

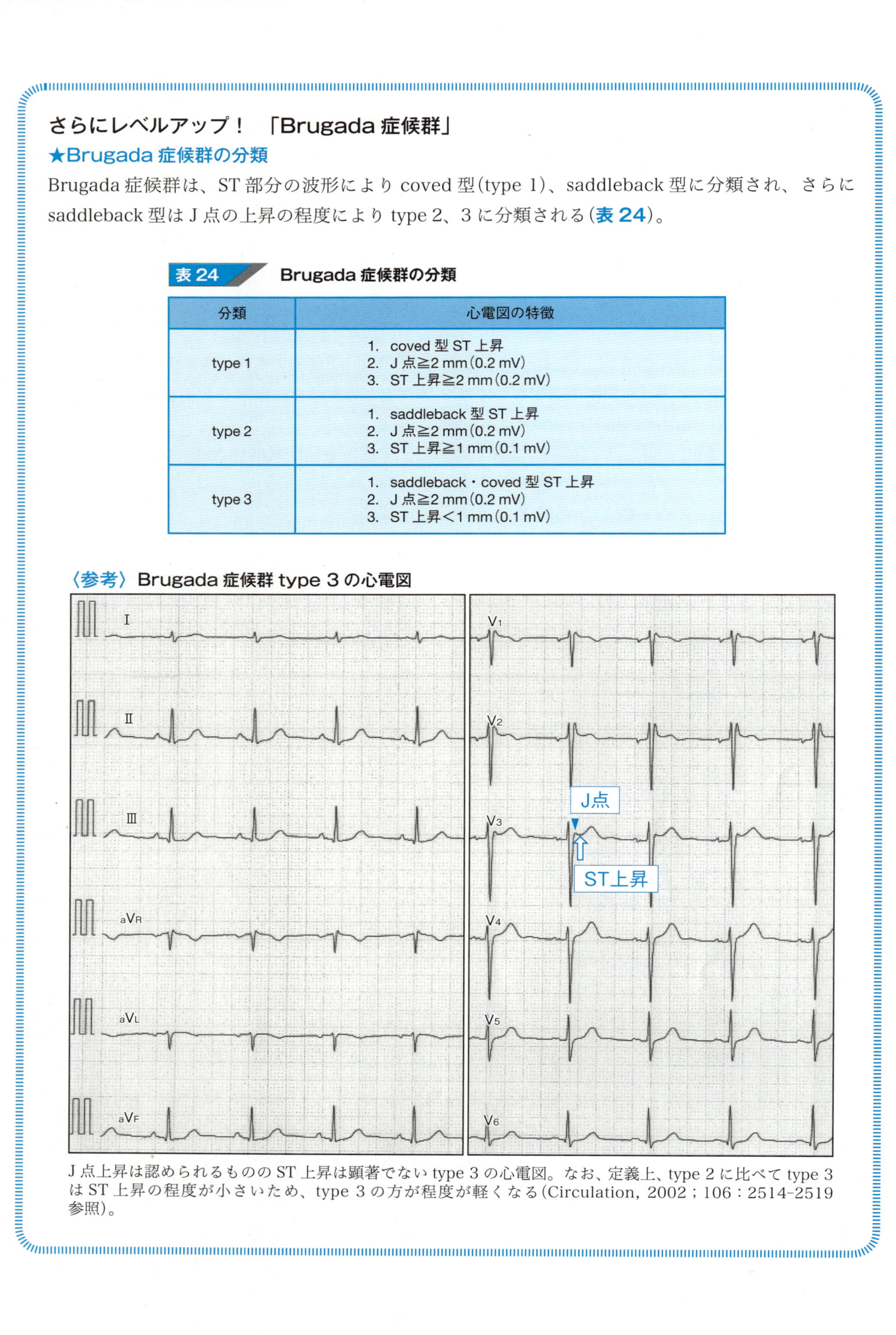

J 点上昇は認められるものの ST 上昇は顕著でない type 3 の心電図。なお、定義上、type 2 に比べて type 3 は ST 上昇の程度が小さいため、type 3 の方が程度が軽くなる(Circulation, 2002；106：2514-2519 参照)。

着目すべき心電図所見

心拍数・血圧：負荷前57/分、142/68 mmHgから負荷終了後94/分、180/84 mmHgに増加し、前胸部圧迫感が見られた　**ST部分**：Ⅰ〜Ⅲ・aV_F・V_2〜V_6誘導でST下降（⬆）、aV_R誘導でST上昇を認める（⇧）　**QRS波**：QRS幅の延長を認める

判読のポイント

- 運動負荷により心拍数および血圧が増加し、胸部圧迫感を伴うST下降を認める。
- aV_R誘導のST上昇は、左冠動脈主幹部や多枝病変の重症冠動脈病変例の診断に有用である。
- aV_R誘導は右肩の方向から左室内腔をのぞき込む誘導であり、左室心内膜側の虚血を反映する。
- 左冠動脈主幹部や多枝病変例では、左室心内膜側に広範に虚血を生じ、広範な誘導においてST下降を呈し、aV_R誘導にはST上昇として反映される。
- QRS幅の延長も心筋虚血による変化である。本症例は左冠動脈主幹部病変に加えて、三枝病変を有する症例である。

発生のメカニズム―病態から診る

- 狭心症は、心電図所見により、虚血発作時にST下降を示す通常の狭心症と、ST上昇を示す異型狭心症に分類される。虚血発作時にST下降を示す通常の狭心症、すなわち器質的冠動脈狭窄による狭心症では、冠動脈狭窄により冠血流予備能が低下し、心筋への酸素供給が制限されるため、血圧や心拍数の上昇に伴う心筋酸素消費量の増大に供給量が対応できない心筋虚血（demand ischemia/secondary angina）が発生する。労作性狭心症では、労作時の血圧や心拍数の上昇により、虚血発作が出現する。

よくある患者背景

- 高血圧・脂質異常症・糖尿病・喫煙・虚血性心疾患の家族歴など、動脈硬化危険因子をもつ患者

2. 労作性狭心症 Holter 心電図

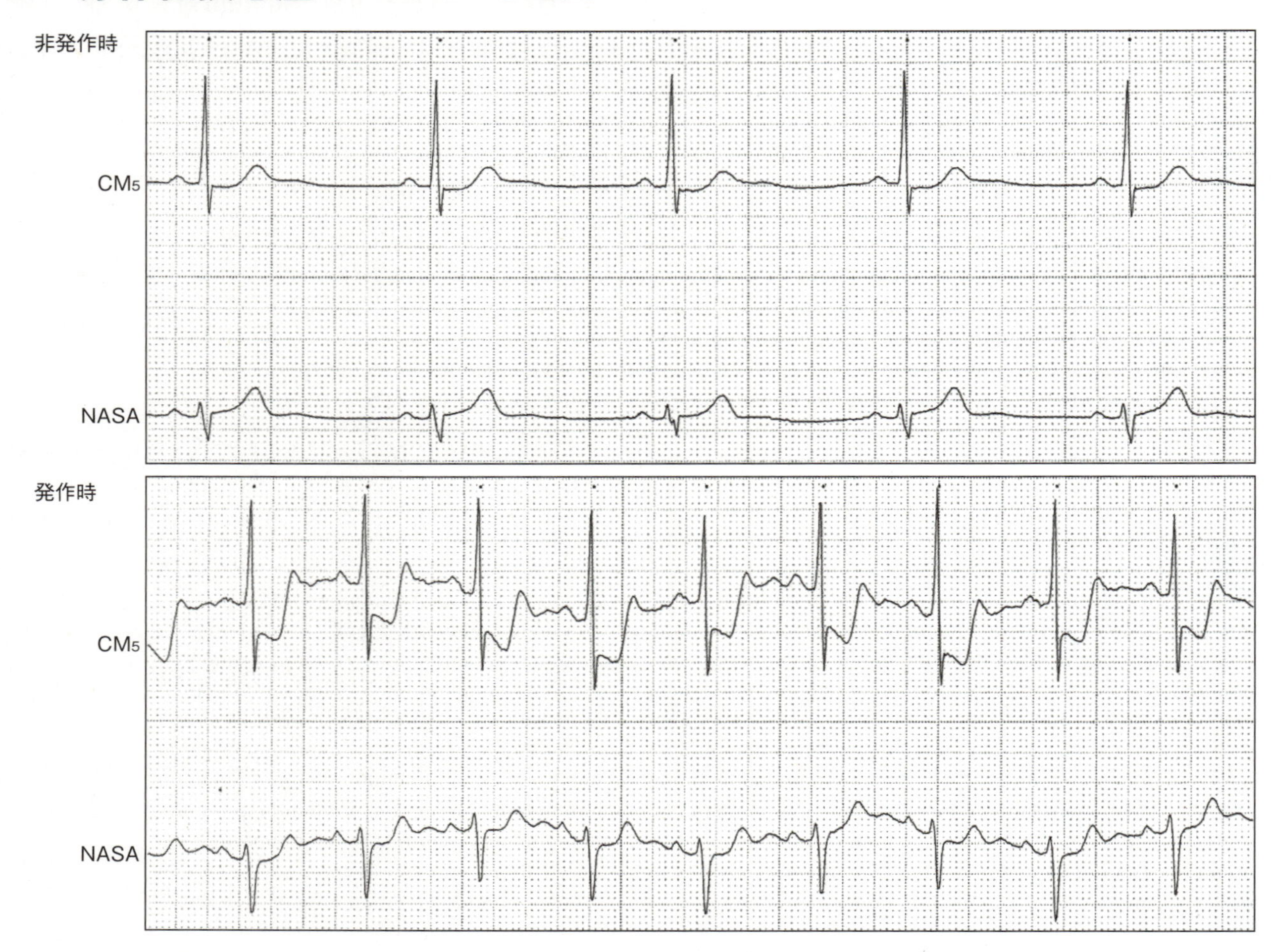

ここをCheck !

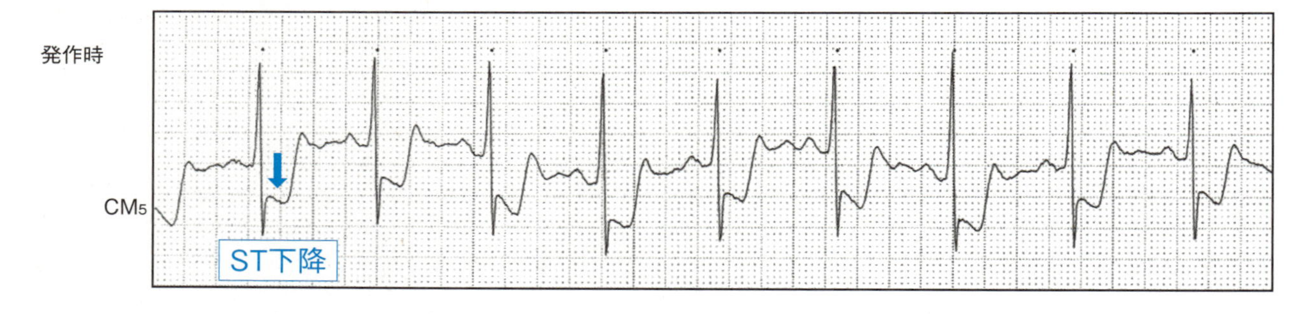

着目すべき心電図所見

心拍数：非発作時の 43/分から、胸部圧迫感を伴う発作時には 81/分に増加　**ST 部分**：CM_5誘導で ST 下降が見られる（⬆）

判読のポイント

- 労作時の心拍数増加に伴い、胸部圧迫感を伴う ST 下降を認める。

MEMO

3. 異型狭心症(冠攣縮性狭心症)　12誘導心電図

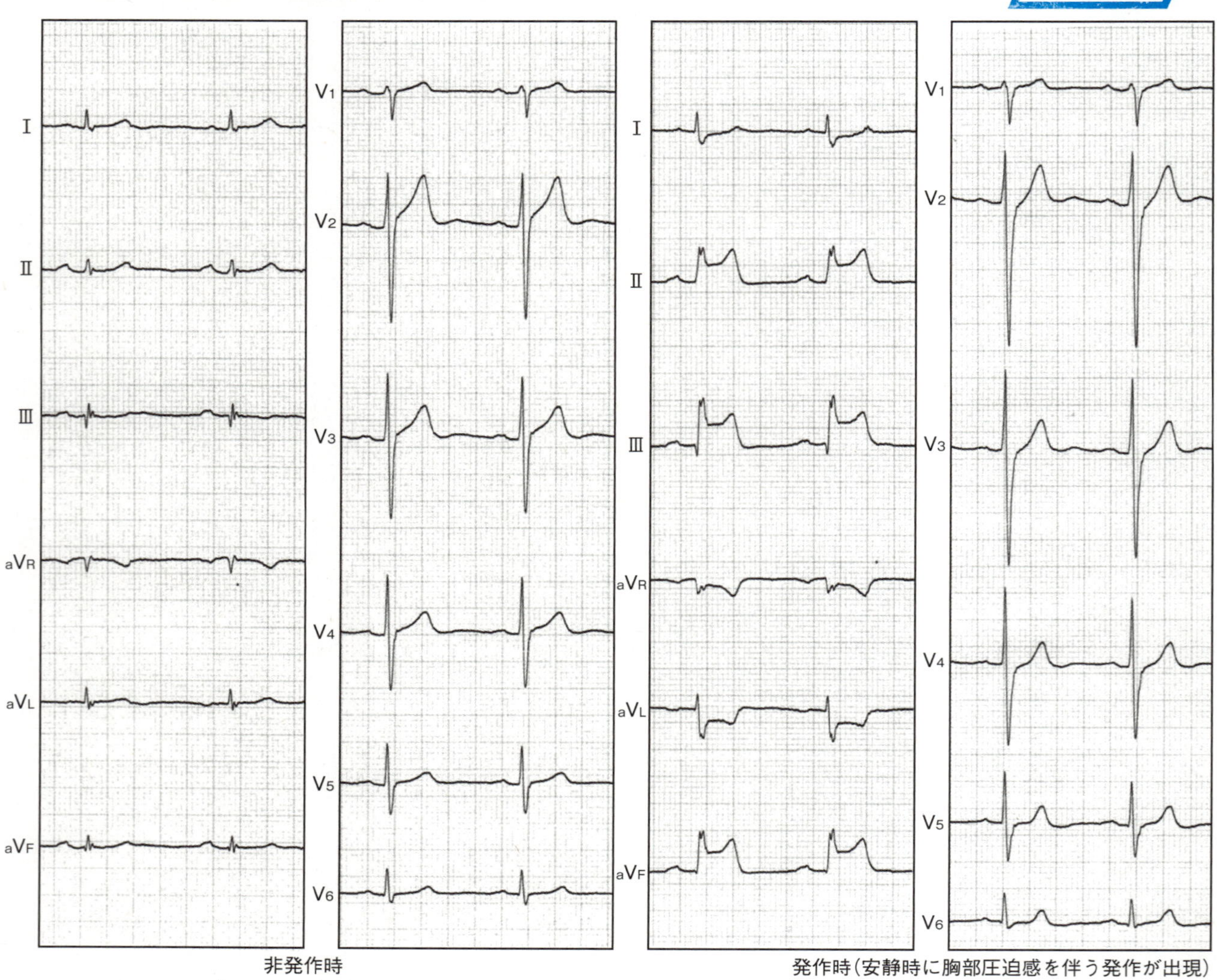

非発作時　　発作時(安静時に胸部圧迫感を伴う発作が出現)

ここをCheck！

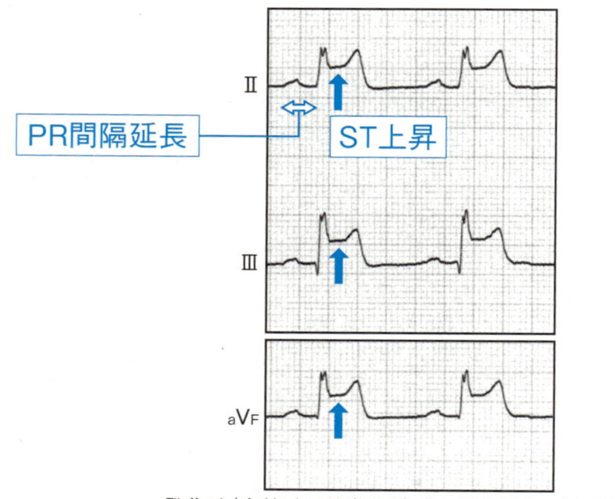

発作時(安静時に胸部圧迫感を伴う発作が出現)

着目すべき心電図所見

心拍数：非発作時 60/分、発作時 62/分で、変化はわずかである　**PR 間隔(PR 時間)**：延長が認められる(⇔)　**ST 部分**：Ⅱ・Ⅲ・aVF 誘導で ST 上昇を認め(⬆)、Ⅰ・aVL 誘導などで対側性 ST 下降が見られる

判読のポイント

- 胸部圧迫感を伴う虚血発作時に、Ⅱ・Ⅲ・aVF 誘導にて ST 上昇を認める。
- ST 上昇は貫壁性心筋虚血を示すことから、左室下壁の貫壁性心筋虚血を伴う異型狭心症である。
- 安静時に発作が出現し、発作時の心拍数増加はわずかである。

発生のメカニズム―病態から診る

- 狭心症は、心電図所見により、虚血発作時に ST 下降を示す通常の狭心症と、ST 上昇を示す異型狭心症に分類される。虚血発作時に ST 上昇を示す異型狭心症は、ほとんどが冠攣縮により発生する。冠攣縮性狭心症では、冠動脈の過収縮により一過性に冠血流が低下し、先行する心筋酸素消費量の増大を必ずしも伴わず、心筋虚血(supply ischemia/secondary angina)を引き起こす。冠攣縮による安静狭心症では、主に心表面を走る太い冠動脈に生じる冠攣縮により、安静時に虚血発作が出現する。虚血発作中に、心室頻拍・心室細動・高度房室ブロックなどの危険な不整脈を認めることがあるため、注意を要する。

鑑別を要する心電図

- 急性心筋梗塞・心膜炎・心筋炎
  ⇒胸痛を伴い ST 上昇を示す。

よくある患者背景

- 日中の労作時には発作が見られず、安静時(特に夜間から早朝)、早朝の労作時に胸痛発作が出現する。

4. 異型狭心症（冠攣縮性狭心症） Holter 心電図

非発作時

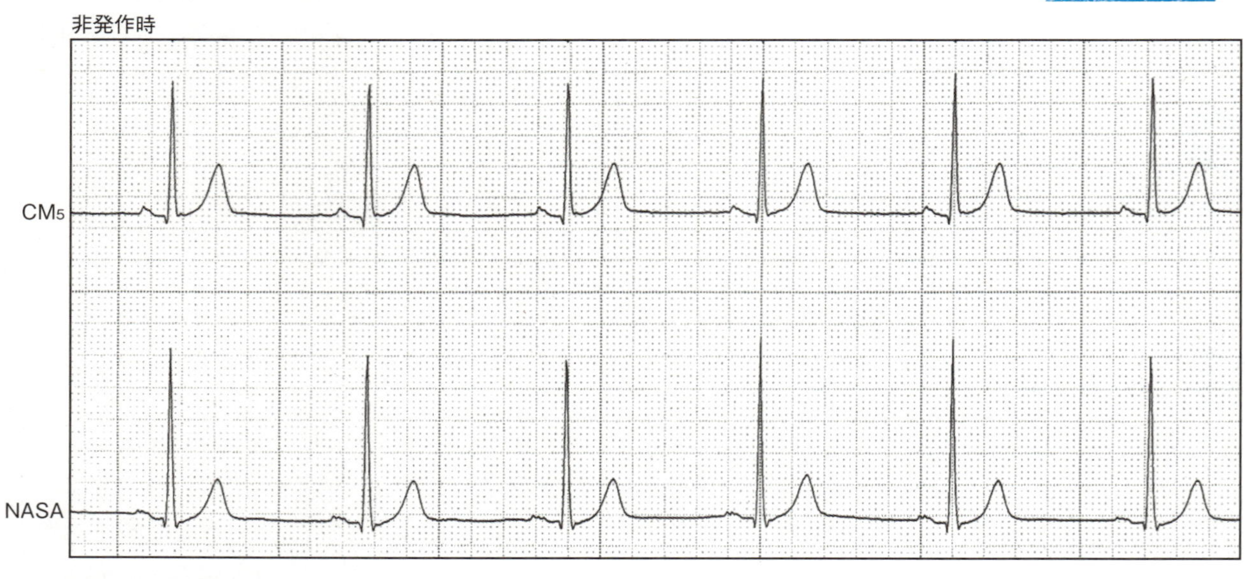

発作時（胸部圧迫感を伴う）

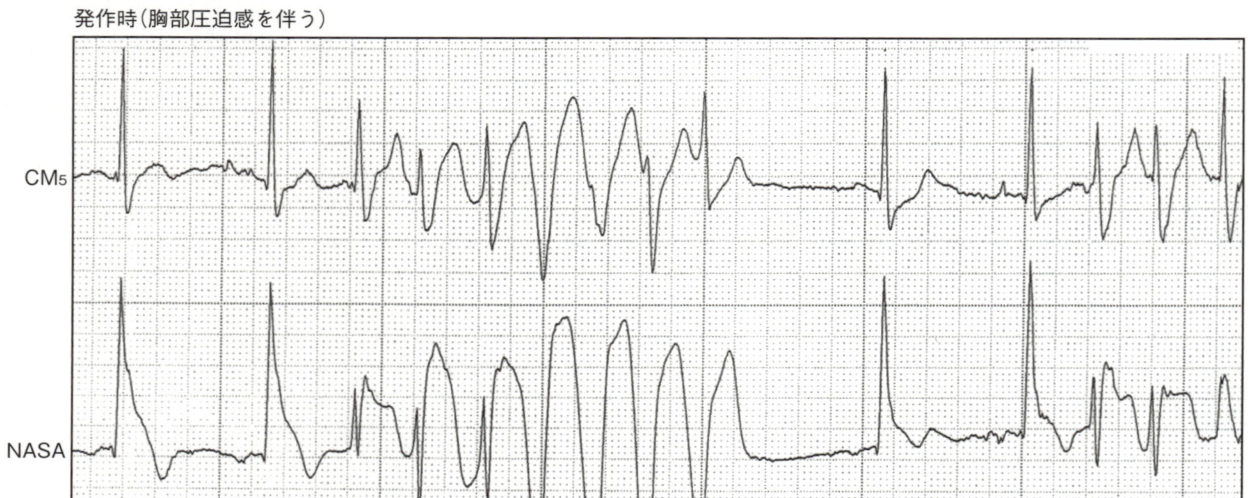

ここを Check ！

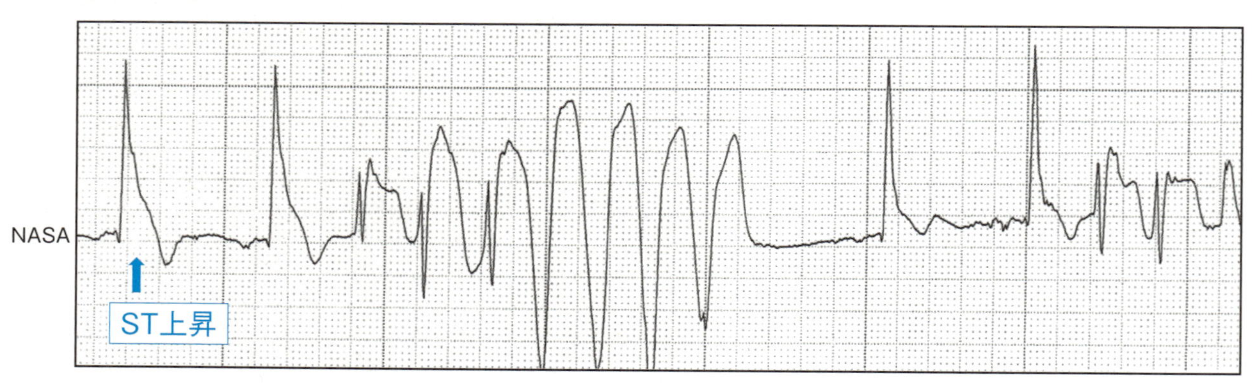

着目すべき心電図所見

ST部分：NASA誘導でST上昇が認められる（⬆）　**その他**：心室期外収縮・非持続性心室頻拍を認める

判読のポイント

- 胸部圧迫感を伴うST上昇が見られ、貫壁性心筋虚血に伴う心室期外収縮、非持続性心室頻拍を認める。
- 冠攣縮性狭心症は、夜間から早朝の睡眠中や早朝の労作時に胸痛発作が出現し、日中の労作時には発作が見られない特徴があるため、診断および治療効果の判定にはHolter心電図記録が有用である。

5. 急性前壁中隔梗塞

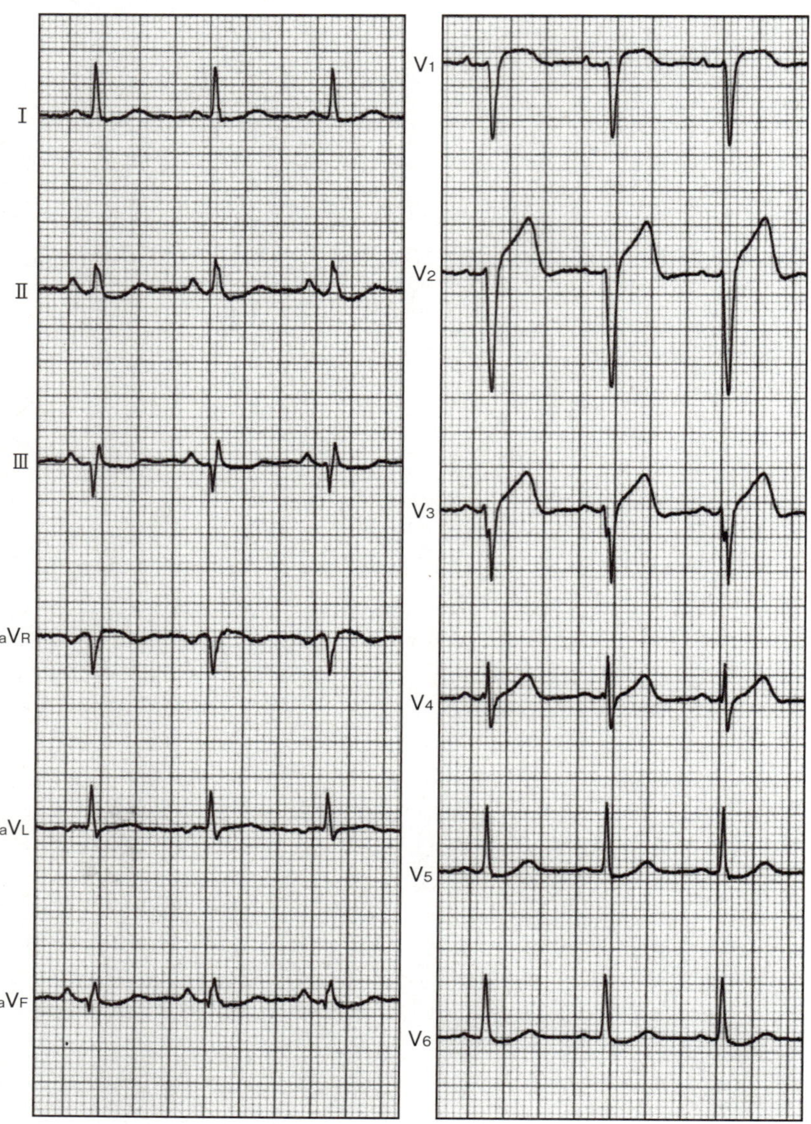

ここを Check ！

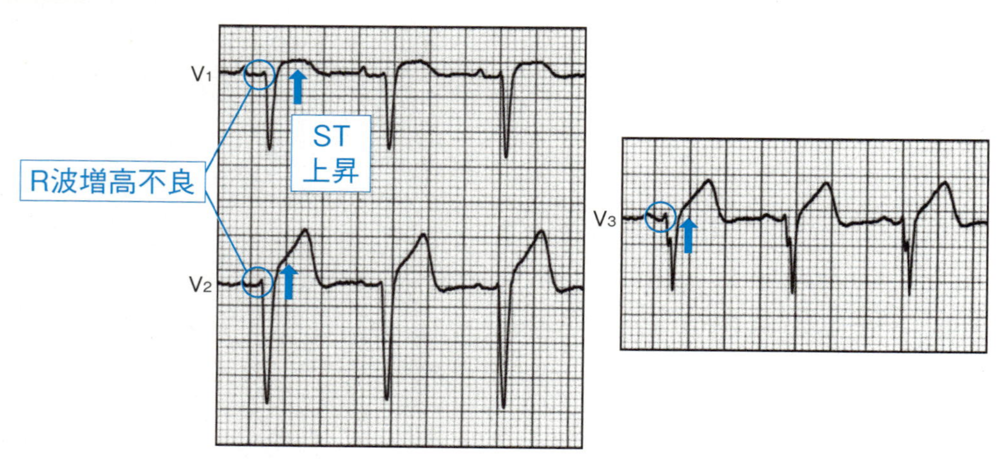

着目すべき心電図所見

R 波：V_1〜V_3誘導で R 波増高不良が認められる(◯)　ST 部分：V_1〜V_3誘導で ST 上昇が認められる(⬆)

判読のポイント

- V_1〜V_3誘導で ST 上昇と R 波の増高不良を認める。
- V_1〜V_3誘導の ST 上昇は左室前壁中隔の貫壁性心筋虚血を示す。
- R 波増高不良は心筋壊死による R 波減高が原因である。
- 貫壁性心筋壊死には至っていないため、異常 Q 波(QS パターン)は見られない。

発生のメカニズム―病態から診る⇒「さらにレベルアップ！虚血性心疾患」参照(p.314)

- V_1〜V_3誘導で ST 上昇が見られることから、本症例の梗塞領域は前壁中隔で、梗塞責任冠動脈は左前下行枝である。左前下行枝は、左室の前壁と側壁、心室中隔、心尖部を灌流する。

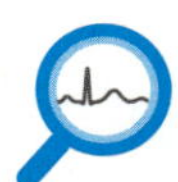

鑑別を要する心電図

- たこつぼ心筋症

⇒たこつぼ心筋症では、左心室心尖部に無収縮領域が認められ、左心室が「たこつぼ」のような形態を呈する。突然発症する胸痛など、急性前壁中隔梗塞と類似した症状および心電図所見を示すが、冠動脈造影では閉塞病変を認めない。高齢女性に多く見られ、発症前に心因的・身体的ストレスを認めることが多い。

よくある患者背景

- 高血圧・脂質異常症・糖尿病・喫煙・虚血性心疾患の家族歴などの動脈硬化危険因子をもつ患者。

6. 陳旧性前壁中隔梗塞

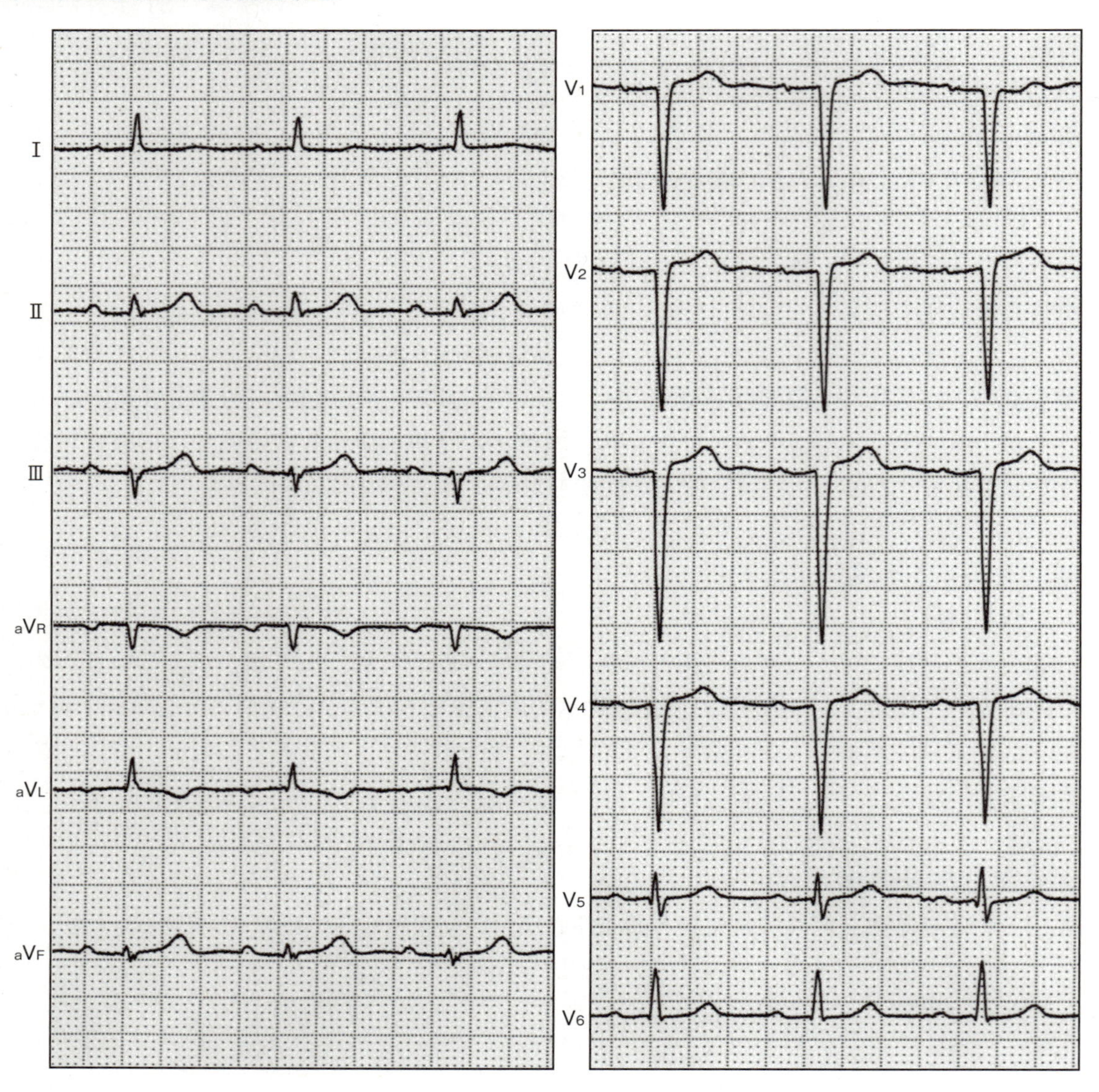

ここをCheck！

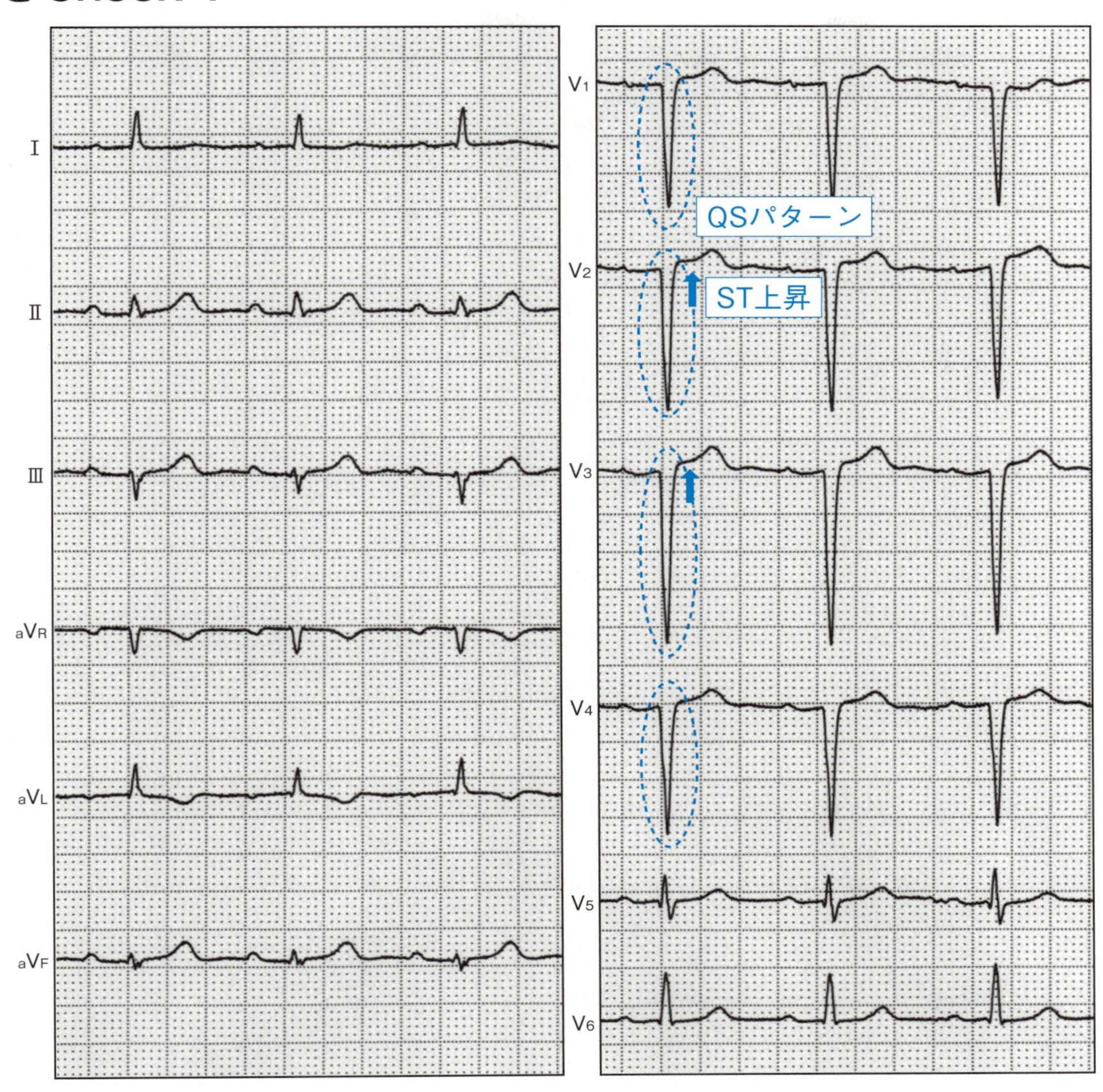

着目すべき心電図所見

QRS波：V1〜V4誘導でQSパターンが認められる（◌）　ST部分：V2・V3誘導でST上昇が認められる（⬆）

判読のポイント

- QSパターンがV1〜V4誘導で見られる。左室前壁中隔の貫壁性心筋壊死を示す所見である。

発生のメカニズム―病態から診る⇒「さらにレベルアップ！虚血性心疾患」参照（p.314）

- V1〜V4誘導でQSパターンが見られることから、本症例の梗塞領域は左室前壁中隔で、梗塞責任冠動脈は左前下行枝である。左前下行枝は左室の前壁と側壁、心室中隔、心尖部を灌流する。

鑑別を要する心電図

- 特発性拡張型心筋症、二次性心筋症（アミロイドーシスなど）、心筋炎
  ⇒いずれも前胸部誘導で異常Q波（QSパターン）を認める場合がある。

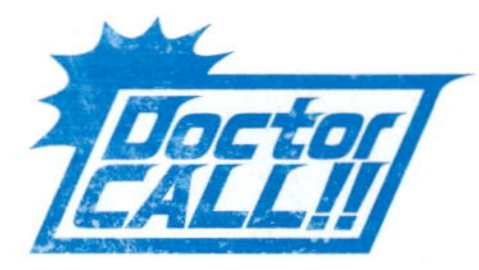

7. 急性前側壁梗塞

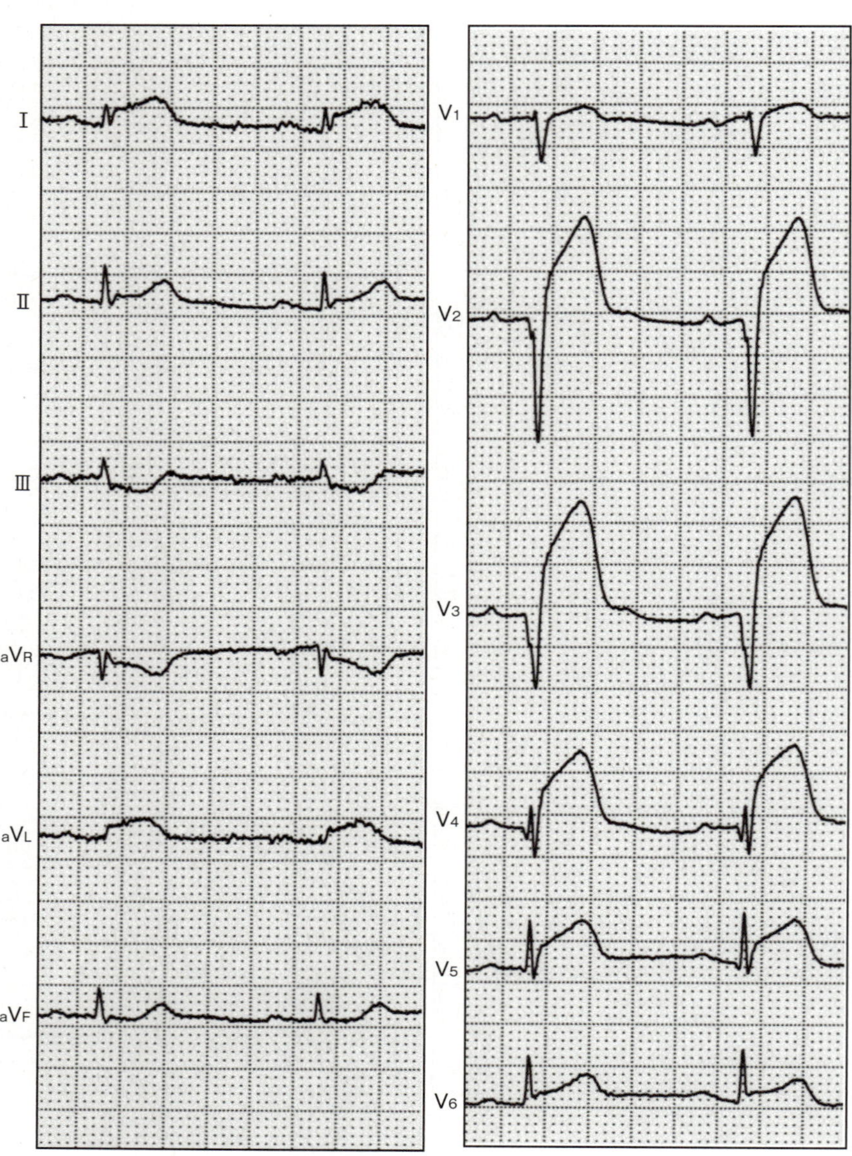

ここをCheck！

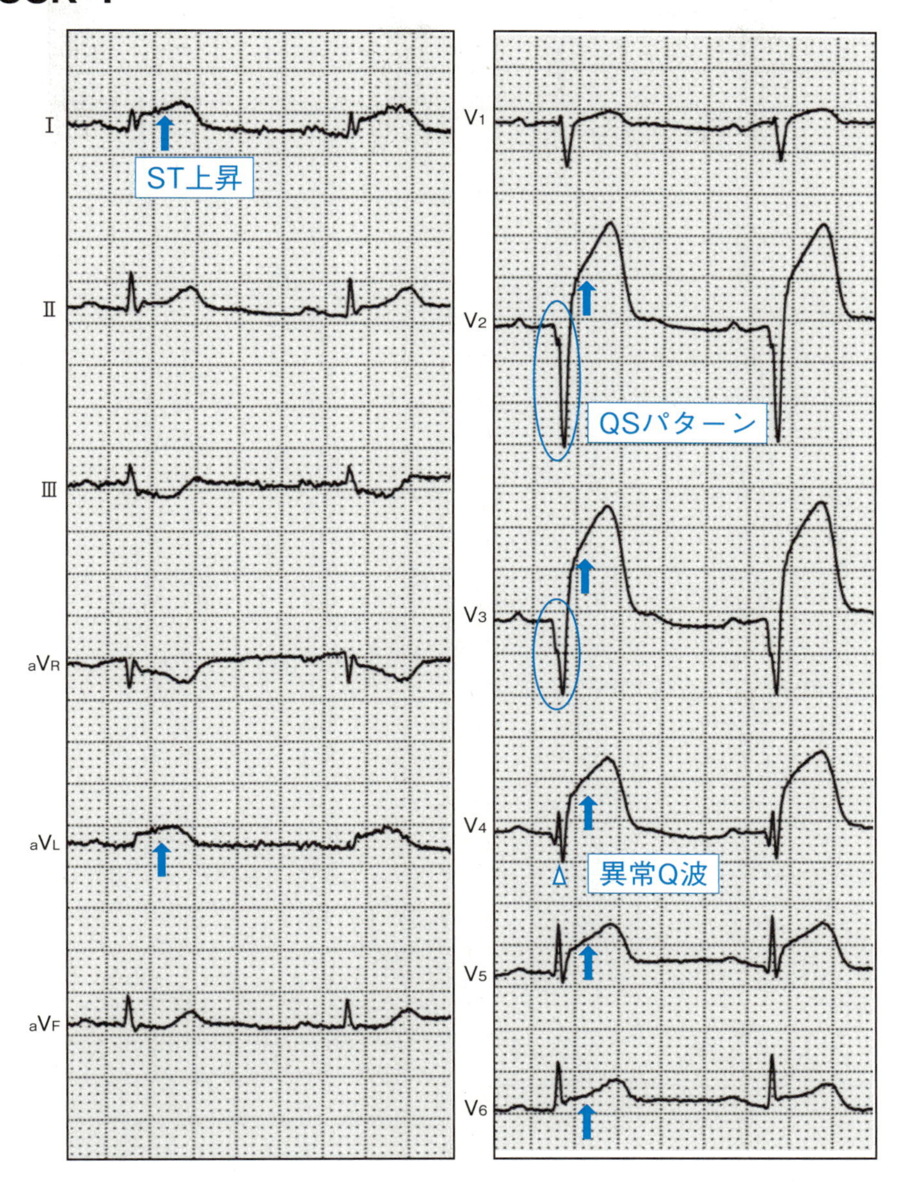

着目すべき心電図所見

QRS波：V_2・V_3誘導でQSパターン（○）、V_4誘導で異常Q波（△）が見られる　**ST部分**：Ⅰ・aV_L・V_2〜V_6誘導でST上昇（⬆）、Ⅲ誘導でST下降が見られる（鏡面像）

判読のポイント

- Ⅰ・aV_L・V_2〜V_6誘導でST上昇、V_2・V_3誘導でQSパターン、V_4誘導で異常Q波が見られる。左室前側壁の貫壁性心筋虚血と、異常Q波（QSパターン）を呈する領域の心筋壊死を示す。

発生のメカニズム―病態から診る⇒ 「さらにレベルアップ！虚血性心疾患」参照（p.314）

- Ⅰ・aV_L・V_2〜V_6誘導でST上昇が、V_2・V_3誘導でQSパターン、V_4誘導で異常Q波が見られることから、本症例の梗塞領域は左室前側壁および前壁中隔で、梗塞責任冠動脈は左前下行枝である。左前下行枝は、左室の前壁と側壁、心室中隔、心尖部を灌流する。

8. 急性下壁梗塞

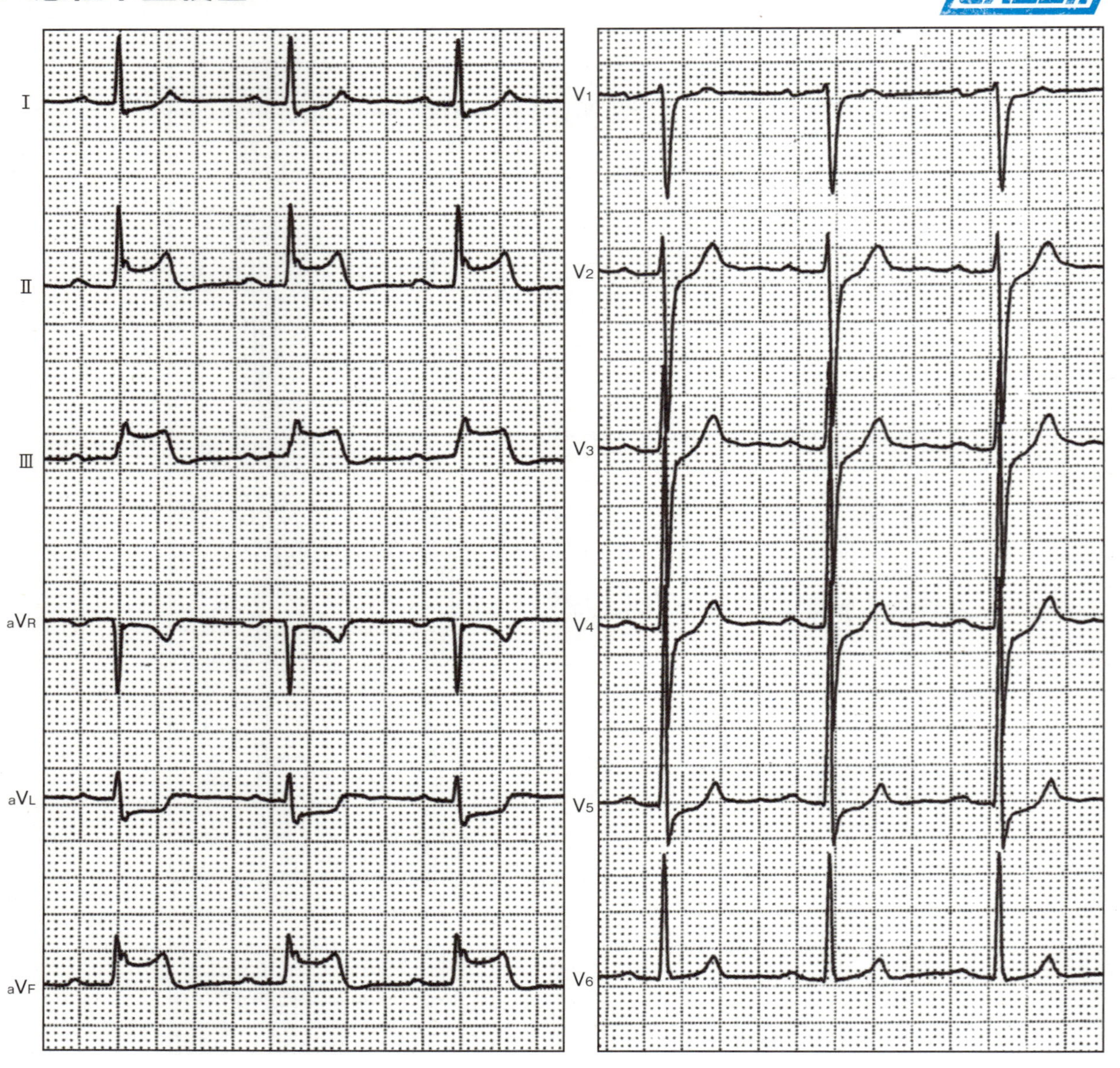

ここをCheck！

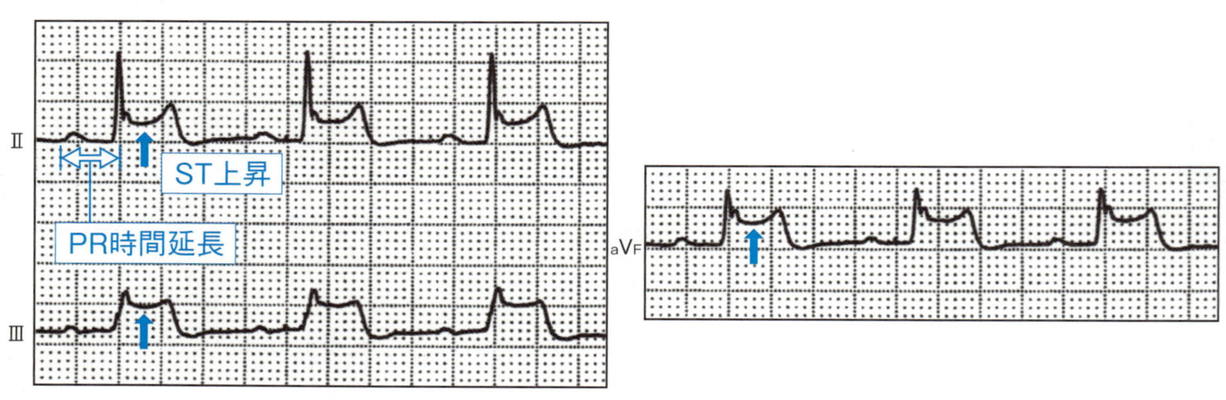

着目すべき心電図所見

PR(PQ)間隔：0.18 秒と延長(⟺)　**ST 部分**：Ⅱ・Ⅲ・aV_F 誘導で ST 上昇(⬆)、Ⅰ・aV_L・V_1～V_5誘導で ST 下降が見られる(鏡面像)

判読のポイント

- Ⅱ・Ⅲ・aV_F 誘導で ST 上昇、Ⅰ・aV_L 誘導などで対側性 ST 下降を認める。
- Ⅱ・Ⅲ・aV_F 誘導の ST 上昇は、左室下壁の貫壁性心筋虚血を示す。
- 貫壁性心筋壊死には至っていないため、異常 Q 波は見られない。
- 1 度房室ブロックは、房室結節の虚血による変化と考えられる。

発生のメカニズム―病態から診る⇒「さらにレベルアップ！虚血性心疾患」参照(p.314)

- Ⅱ・Ⅲ・aV_F 誘導で ST 上昇が見られることから、本症例の梗塞領域は左室下壁で、梗塞責任冠動脈は右冠動脈である。右冠動脈は、右室、左室下壁、心室中隔の一部、洞結節、房室結節を灌流する。
- 洞結節や房室結節の虚血により、洞機能不全や房室伝導障害を呈する場合がある。

9. 右室梗塞を伴う急性下壁梗塞

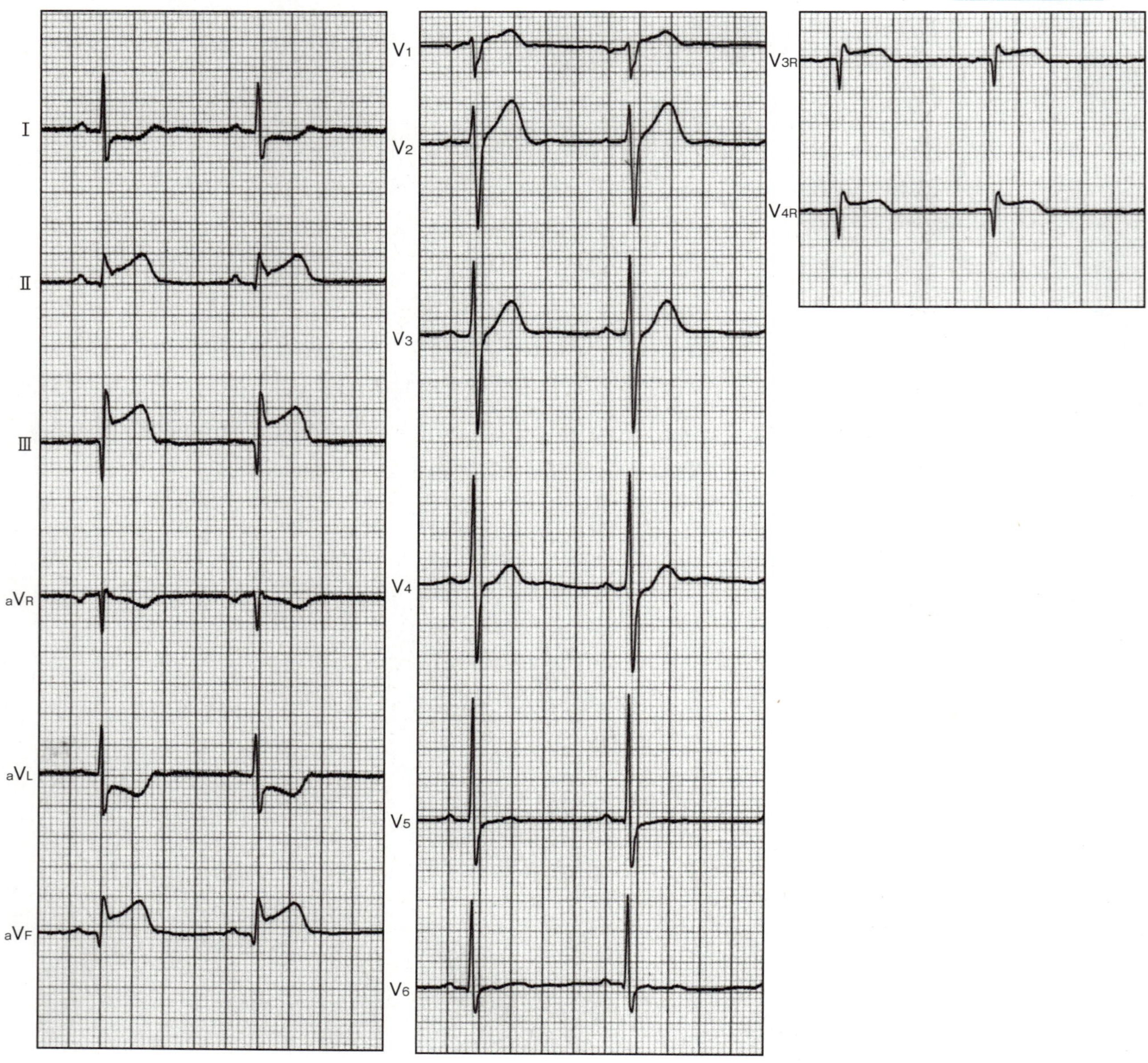

ここをCheck ！

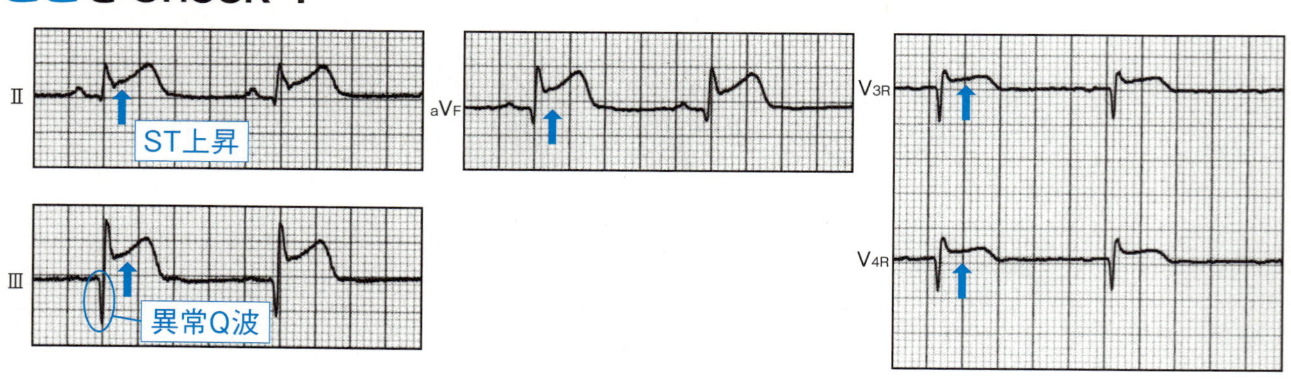

着目すべき心電図所見

QRS 波：Ⅲ誘導で異常 Q 波が見られる（○）　ST 部分：Ⅱ・Ⅲ・aVF・V3R・V4R 誘導で ST 上昇（↑）、Ⅰ・aVL 誘導で ST 下降が見られる（鏡面像）

判読のポイント

- Ⅱ・Ⅲ・aVF 誘導の ST 上昇は、左室下壁の貫壁性心筋虚血を示す。
- V3R・V4R誘導での ST 上昇は右室梗塞に伴う変化である。

発生のメカニズム―病態から診る⇒「さらにレベルアップ！虚血性心疾患」参照（p.314）

- Ⅱ・Ⅲ・aVF 誘導で ST 上昇が見られることから、本症例の梗塞領域は左室下壁で、梗塞責任冠動脈は右冠動脈である。右冠動脈は右室、左室下壁、心室中隔の一部、洞結節、房室結節を灌流し、右冠動脈近位部が閉塞した場合には、右室壁および左室下壁が虚血、梗塞に陥る。

10. 陳旧性下壁梗塞

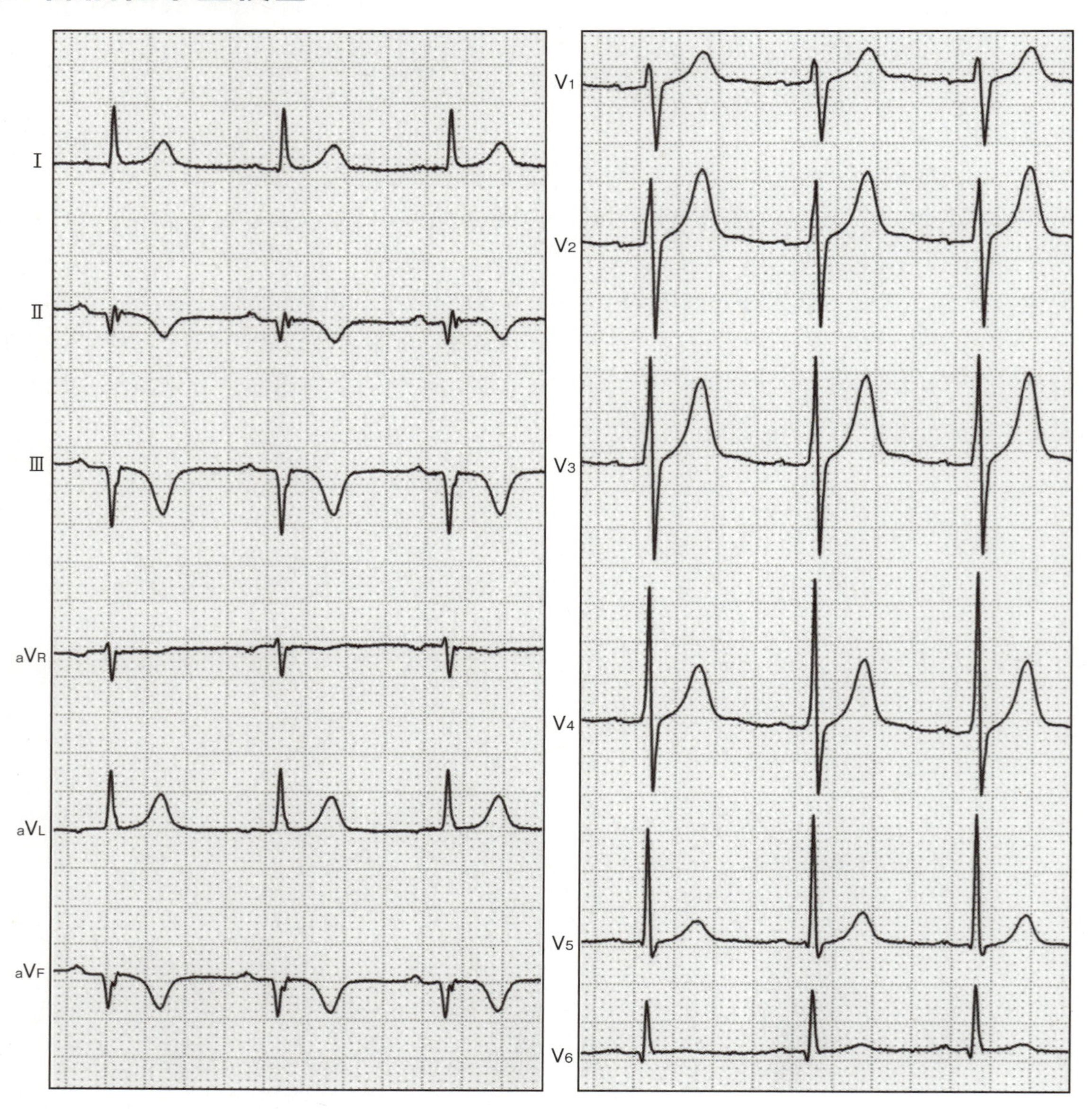

ここをCheck！

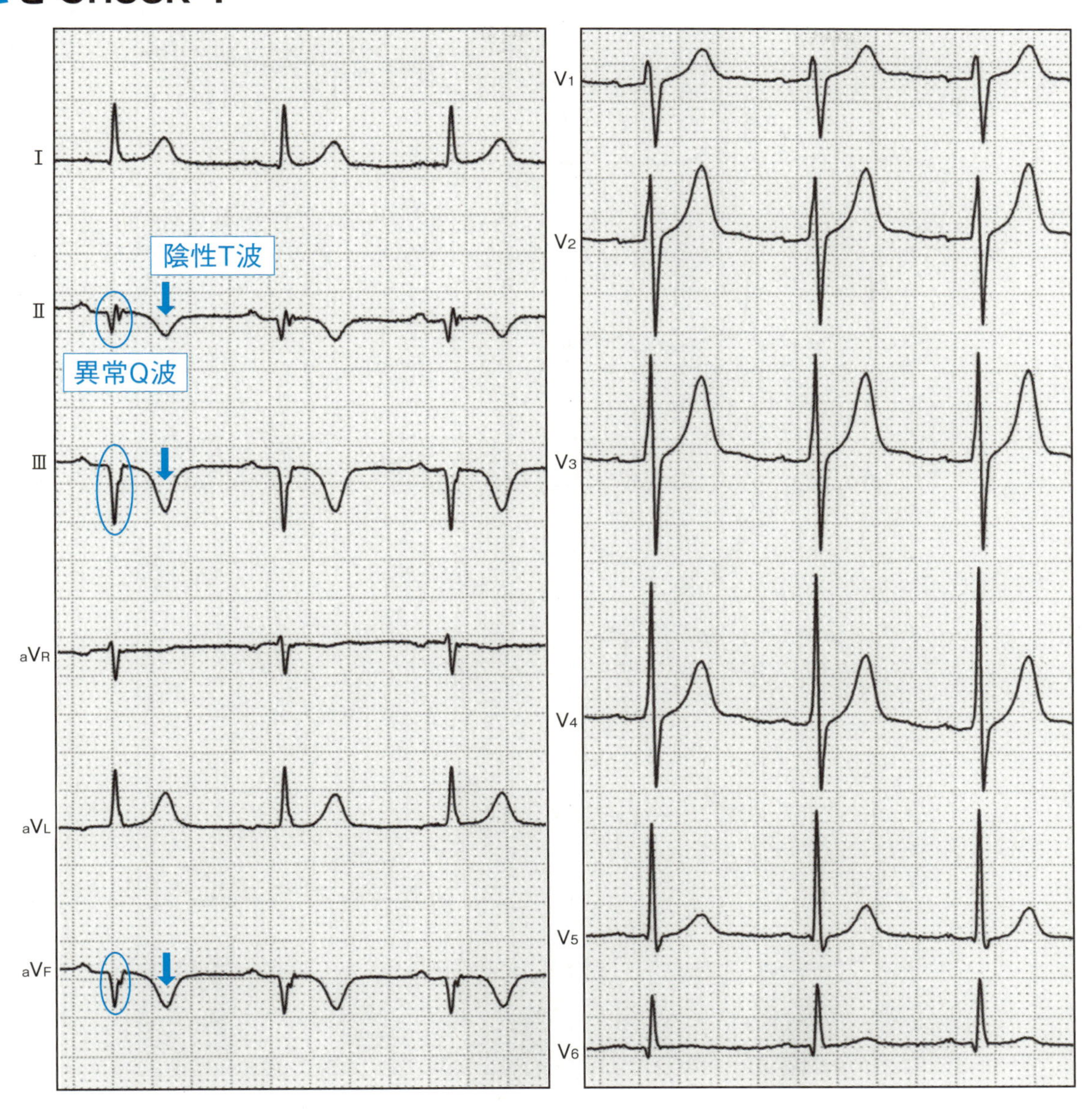

着目すべき心電図所見

QRS 波：Ⅱ・Ⅲ・aVF 誘導で異常 Q 波が見られる（○）　T 波：Ⅱ・Ⅲ・aVF 誘導で陰性 T 波が見られる（⬆）

判読のポイント

- Ⅱ・Ⅲ・aVF 誘導で異常 Q 波および陰性 T 波（冠性 T 波）を認める。Ⅱ・Ⅲ・aVF 誘導での異常 Q 波は、左室下壁の心筋壊死を示す。

発生のメカニズム—病態から診る⇒「さらにレベルアップ！虚血性心疾患」参照（p.314）

- Ⅱ・Ⅲ・aVF 誘導で異常 Q 波が見られることから、本症例の梗塞領域は左室下壁で、梗塞責任冠動脈は右冠動脈である。右冠動脈は、右室、左室下壁、心室中隔の一部、洞結節、房室結節を灌流する。

11．急性下後側壁梗塞

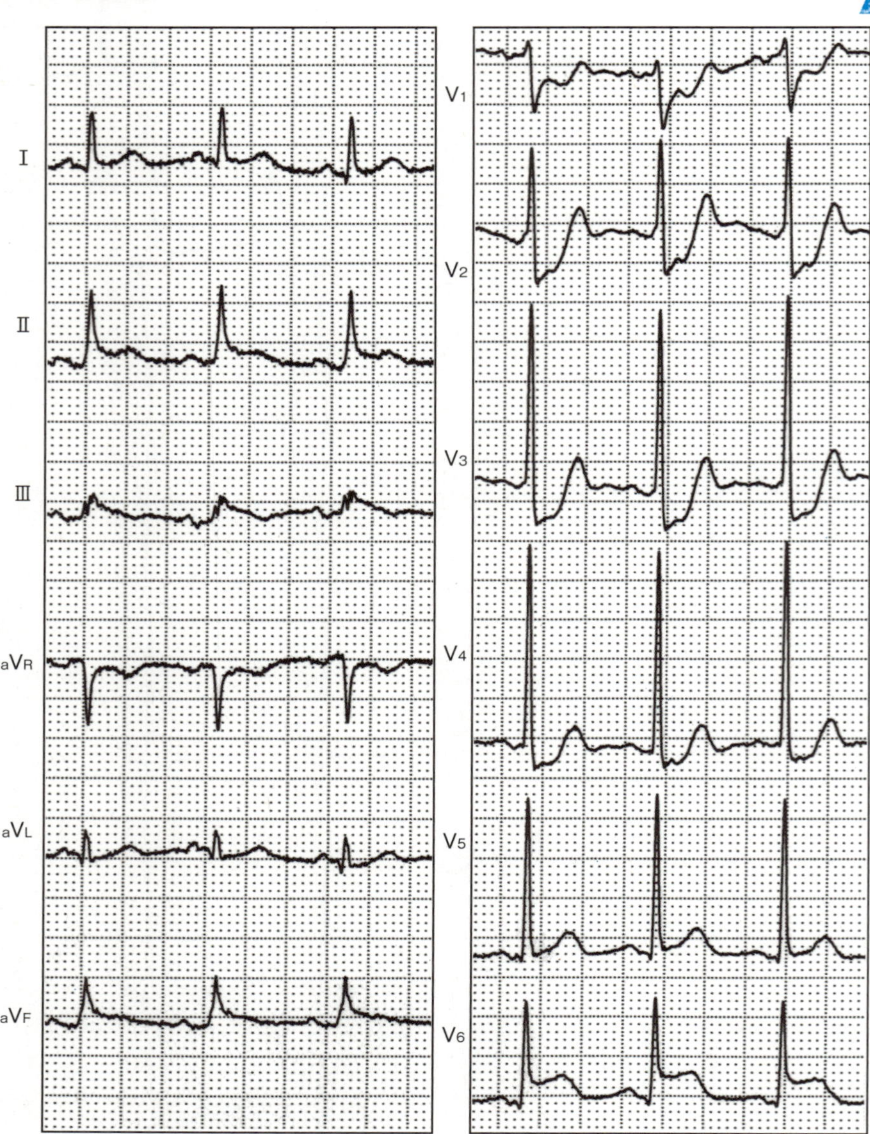

ここをCheck！

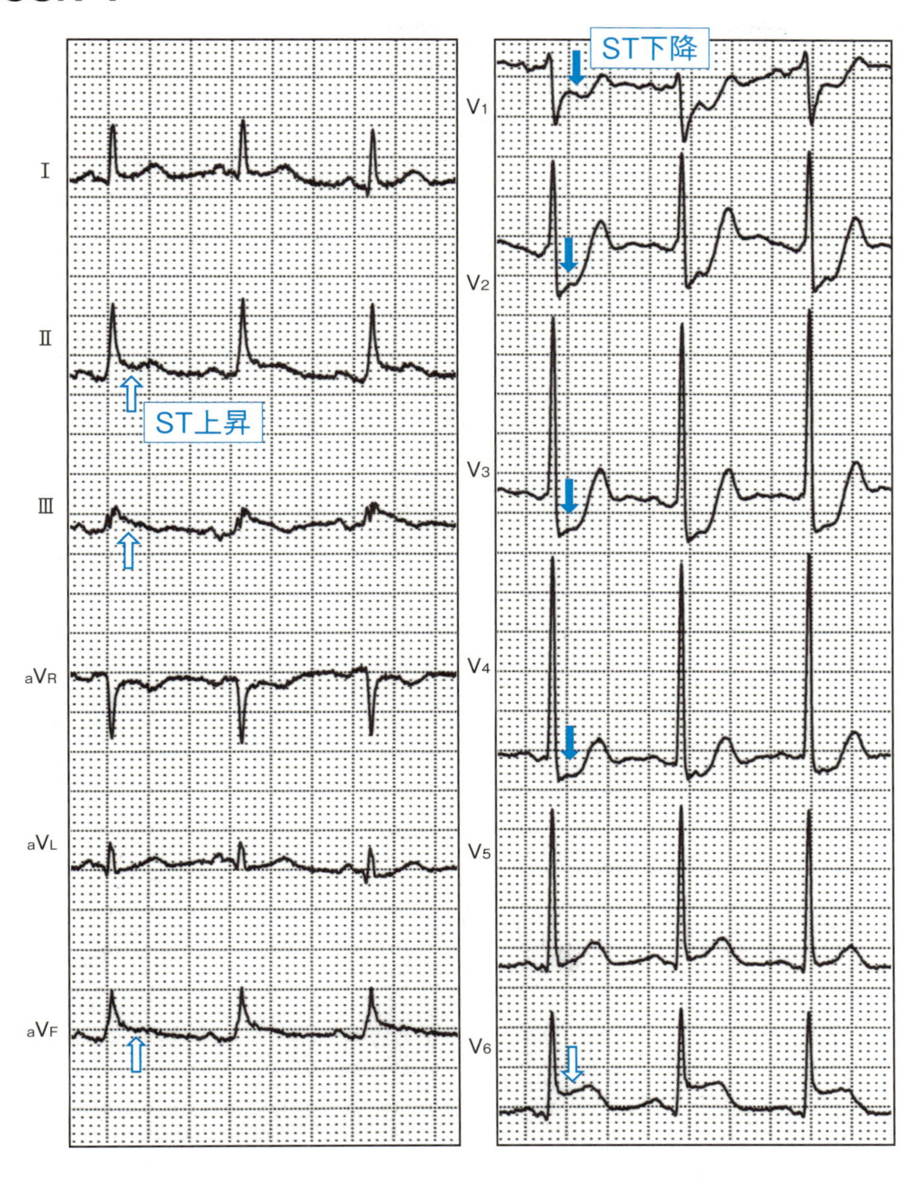

着目すべき心電図所見

ST部分：Ⅱ・Ⅲ・aV_F・V_6誘導でST上昇（⇧）、V_1〜V_4誘導でST下降（⬆）が見られる（鏡面像）

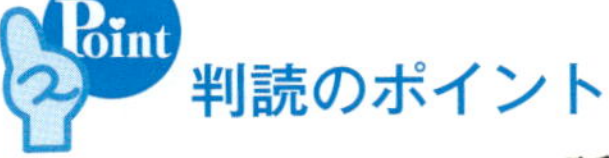

判読のポイント

- Ⅱ・Ⅲ・aV_F・V_6誘導のST上昇は、左室下壁および側壁の貫壁性心筋虚血を示す。
- V_1誘導からのST下降は、後壁梗塞によるST上昇の鏡面像である。

発生のメカニズム—病態から診る⇒「さらにレベルアップ！虚血性心疾患」参照（p.314）

- Ⅱ・Ⅲ・aV_F・V_6誘導でST上昇が、またV_1〜V_4誘導でST下降が見られることから、本症例の梗塞領域は左室後側壁および左室下壁で、梗塞責任冠動脈は発達した左回旋枝である。発達した左回旋枝は左室後側壁および左室下壁を灌流する。

12. 陳旧性下後壁梗塞

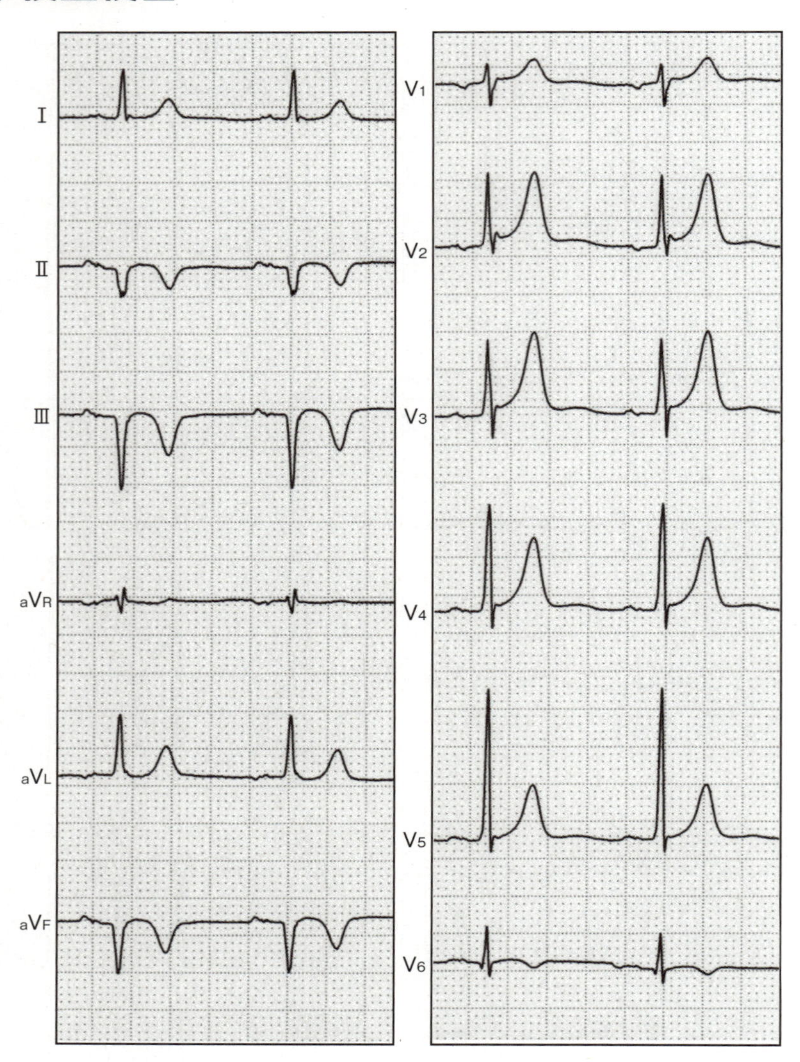

ここをCheck！

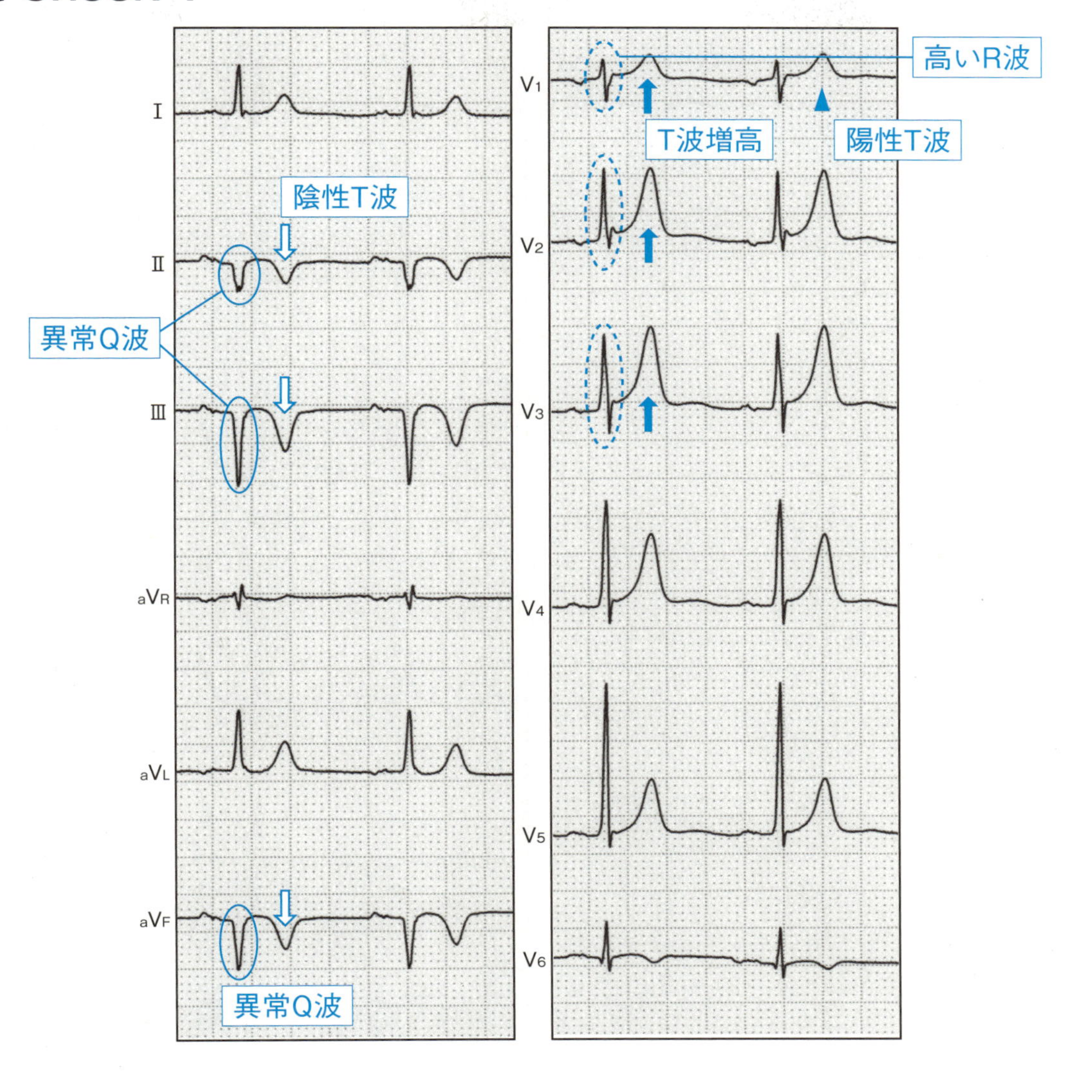

着目すべき心電図所見

QRS波：Ⅱ・Ⅲ・aVF誘導で異常Q波(QSパターン)が見られる(◯)　**R波**：V1〜V3誘導で高いR波が見られる(◌)　**T波**：Ⅱ・Ⅲ・aVF誘導で陰性T波が見られ(⇧)、V1誘導で陽性T波(▲)、V1〜V3誘導でT波増高(⬆)が見られる

判読のポイント

- Ⅱ・Ⅲ・aVF誘導で、異常Q波および陰性T波(冠性T波)を認める。
- Ⅱ・Ⅲ・aVF誘導における異常Q波(QSパターン)は、左室下壁の貫壁性心筋壊死を示す。
- V1誘導からの高いR波は、後壁梗塞による異常Q波の鏡面像である。
- V1誘導で陽性T波を示す。

発生のメカニズム―病態から診る⇒「さらにレベルアップ！虚血性心疾患」参照(p.314)

- Ⅱ・Ⅲ・aVF誘導で異常Q波、V1〜V3誘導で高いR波が見られることから、本症例の梗塞領域は左室下壁および左室後壁で、梗塞責任冠動脈は発達した右冠動脈である。発達した右冠動脈は左室下壁および左室後壁を灌流する。

13. 陳旧性後側壁梗塞

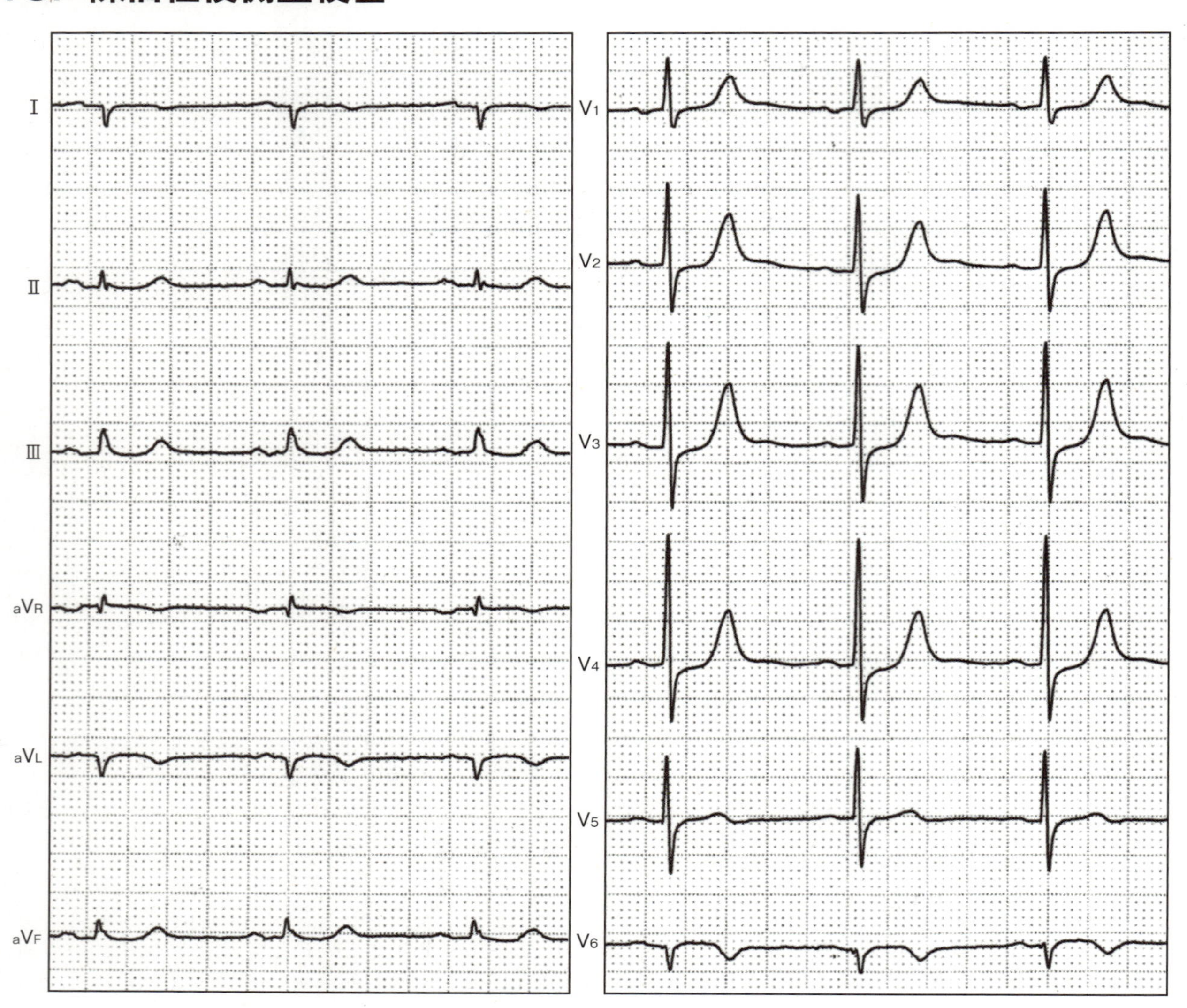

ここをCheck！

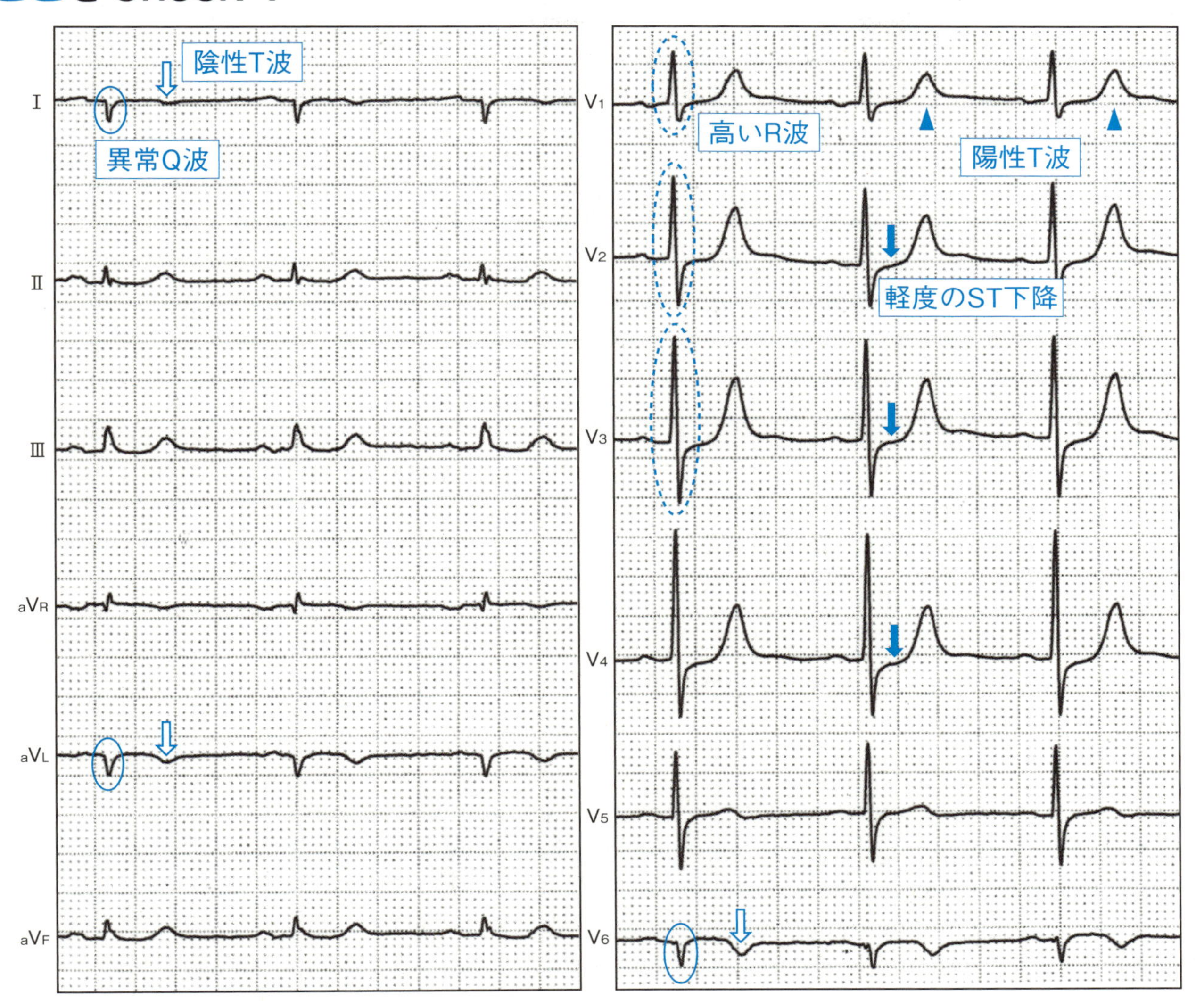

着目すべき心電図所見

QRS波：Ⅰ・aVL・V6誘導で異常Q波（QSパターン）が見られる（◯）　**R波**：V1〜V3誘導で高いR波が見られる（◌）　**ST部分**：V2〜V4誘導で軽度のST下降が見られる（⬆）　**T波**：Ⅰ・aVL・V6誘導で陰性T波（⇧）、V_1誘導で陽性T波（▲）が見られる

判読のポイント

- Ⅰ・aVL・V6誘導で、異常Q波（QSパターン）および陰性T波（冠性T波）を認める。
- Ⅰ・aVL・V6誘導における異常Q波（QSパターン）は、左室側壁の貫壁性心筋壊死を示す。
- V1誘導からの高いR波は、後壁梗塞による異常Q波の鏡面像である。
- V_1誘導で陽性T波を示す。

発生のメカニズム―病態から診る⇒「さらにレベルアップ！虚血性心疾患」参照（p.314）

- Ⅰ・aVL・V6誘導で異常Q波、V1〜V3誘導で高いR波を認めることから、本症例の梗塞領域は左室側壁と左室後壁で、梗塞責任冠動脈は左回旋枝である。左回旋枝は左室側壁と左室後壁を灌流する。

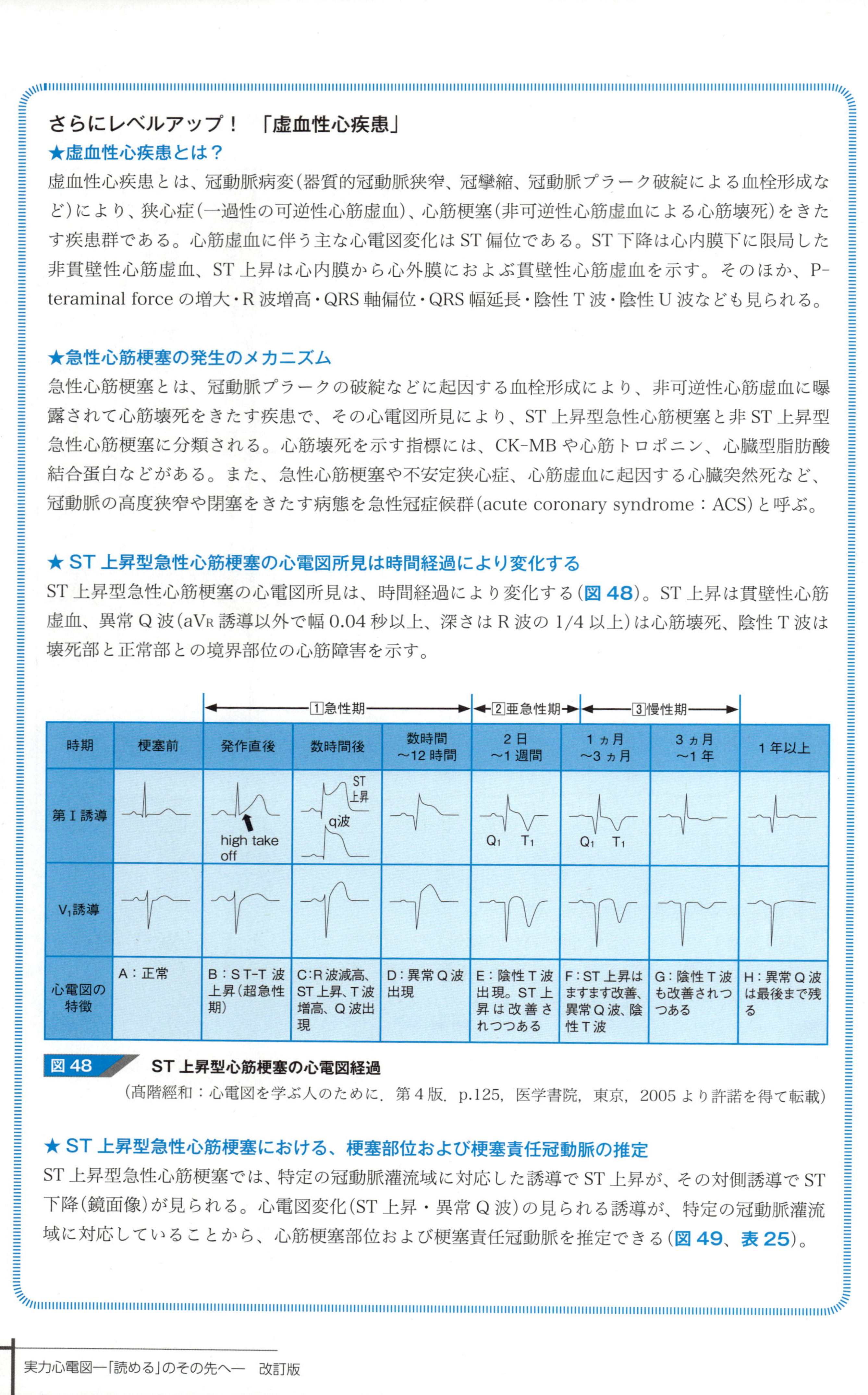

さらにレベルアップ！ 「虚血性心疾患」

★虚血性心疾患とは？

虚血性心疾患とは、冠動脈病変（器質的冠動脈狭窄、冠攣縮、冠動脈プラーク破綻による血栓形成など）により、狭心症（一過性の可逆性心筋虚血）、心筋梗塞（非可逆性心筋虚血による心筋壊死）をきたす疾患群である。心筋虚血に伴う主な心電図変化はST偏位である。ST下降は心内膜下に限局した非貫壁性心筋虚血、ST上昇は心内膜から心外膜におよぶ貫壁性心筋虚血を示す。そのほか、P-teraminal forceの増大・R波増高・QRS軸偏位・QRS幅延長・陰性T波・陰性U波なども見られる。

★急性心筋梗塞の発生のメカニズム

急性心筋梗塞とは、冠動脈プラークの破綻などに起因する血栓形成により、非可逆性心筋虚血に曝露されて心筋壊死をきたす疾患で、その心電図所見により、ST上昇型急性心筋梗塞と非ST上昇型急性心筋梗塞に分類される。心筋壊死を示す指標には、CK-MBや心筋トロポニン、心臓型脂肪酸結合蛋白などがある。また、急性心筋梗塞や不安定狭心症、心筋虚血に起因する心臓突然死など、冠動脈の高度狭窄や閉塞をきたす病態を急性冠症候群（acute coronary syndrome：ACS）と呼ぶ。

★ST上昇型急性心筋梗塞の心電図所見は時間経過により変化する

ST上昇型急性心筋梗塞の心電図所見は、時間経過により変化する（**図48**）。ST上昇は貫壁性心筋虚血、異常Q波（aVR誘導以外で幅0.04秒以上、深さはR波の1/4以上）は心筋壊死、陰性T波は壊死部と正常部との境界部位の心筋障害を示す。

		①急性期			②亜急性期	③慢性期		
時期	梗塞前	発作直後	数時間後	数時間〜12時間	2日〜1週間	1ヵ月〜3ヵ月	3ヵ月〜1年	1年以上
第I誘導		high take off	ST上昇 q波		Q_1 T_1	Q_1 T_1		
V_1誘導								
心電図の特徴	A：正常	B：ST-T波上昇（超急性期）	C：R波減高、ST上昇、T波増高、Q波出現	D：異常Q波出現	E：陰性T波出現。ST上昇は改善されつつある	F：ST上昇はますます改善、異常Q波、陰性T波	G：陰性T波も改善されつつある	H：異常Q波は最後まで残る

図48 ST上昇型心筋梗塞の心電図経過

（髙階經和：心電図を学ぶ人のために．第4版．p.125，医学書院，東京，2005より許諾を得て転載）

★ST上昇型急性心筋梗塞における、梗塞部位および梗塞責任冠動脈の推定

ST上昇型急性心筋梗塞では、特定の冠動脈灌流域に対応した誘導でST上昇が、その対側誘導でST下降（鏡面像）が見られる。心電図変化（ST上昇・異常Q波）の見られる誘導が、特定の冠動脈灌流域に対応していることから、心筋梗塞部位および梗塞責任冠動脈を推定できる（**図49**、**表25**）。

なお、後壁梗塞では後壁の ST 上昇の対側性変化として、V_1〜V_4 誘導で ST 下降を認める場合がある。この場合、背側部誘導(V_7〜V_9 誘導)の記録が診断に有用である。また、急性下壁梗塞では右側胸部誘導(V_{3R}・V_{4R} 誘導)も記録するとよい。V_{3R}・V_{4R} 誘導の ST 上昇は右室梗塞の診断に有用である。

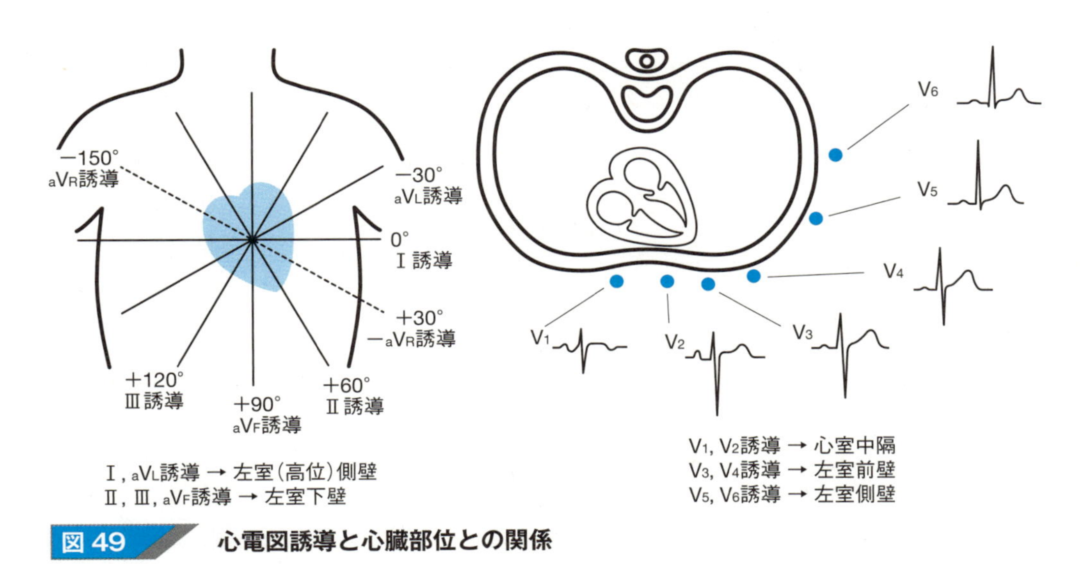

図 49　心電図誘導と心臓部位との関係

表 25　心電図変化による心筋梗塞部位と梗塞責任冠動脈診断

梗塞部位	誘導												主な梗塞責任冠動脈	灌流域
	Ⅰ	Ⅱ	Ⅲ	aV_R	aV_L	aV_F	V_1	V_2	V_3	V_4	V_5	V_6		
前壁中隔梗塞							+	+	+	+			左前下行枝	前室間溝を心尖部に向かって下行し、主に左室の前壁と側壁、心室中隔、心尖部を灌流する。左前下行枝の分枝である対角枝が発達した場合には、側壁へ灌流領域が広がる。また、発達した左前下行枝は、心尖部を回って左室下壁の一部も灌流する。
前壁側壁梗塞	+				+			+	+	+	+	+	左前下行枝	
高位側壁梗塞	+				+								左回旋枝	房室間溝を通り、左室の側壁と後壁を灌流する。発達した左回旋枝では後下行枝を分枝し、左室下壁も灌流する。
側壁梗塞	+				+						+	+	左回旋枝(左前下行枝)	
下壁梗塞		+	+			+							右冠動脈	房室間溝を通り、後室間溝で後下行枝と房室枝に分かれる。右室、左室下壁、心室中隔の一部、洞結節、房室結節を灌流する。発達した右冠動脈では、左室後側壁も灌流する。
後壁梗塞							(+)	(+)					左回旋枝	房室間溝を通り、左室の側壁と後壁を灌流する。発達した左回旋枝では後下行枝を分枝し、左室下壁も灌流する。

※+の誘導で、心電図変化(ST 上昇・異常 Q 波)が見られる。(+)の誘導で、鏡面像(ST 下降・R 波増高)が見られる。

★非 ST 上昇型急性心筋梗塞における、梗塞部位および梗塞責任冠動脈の推定

非 ST 上昇型急性心筋梗塞では、冠動脈病変の部位にかかわらず、V_4〜V_6誘導を中心に心内膜下心筋虚血による ST 下降が認められるため、梗塞部位および梗塞責任冠動脈を推定するのは難しい。

1．肥大型心筋症

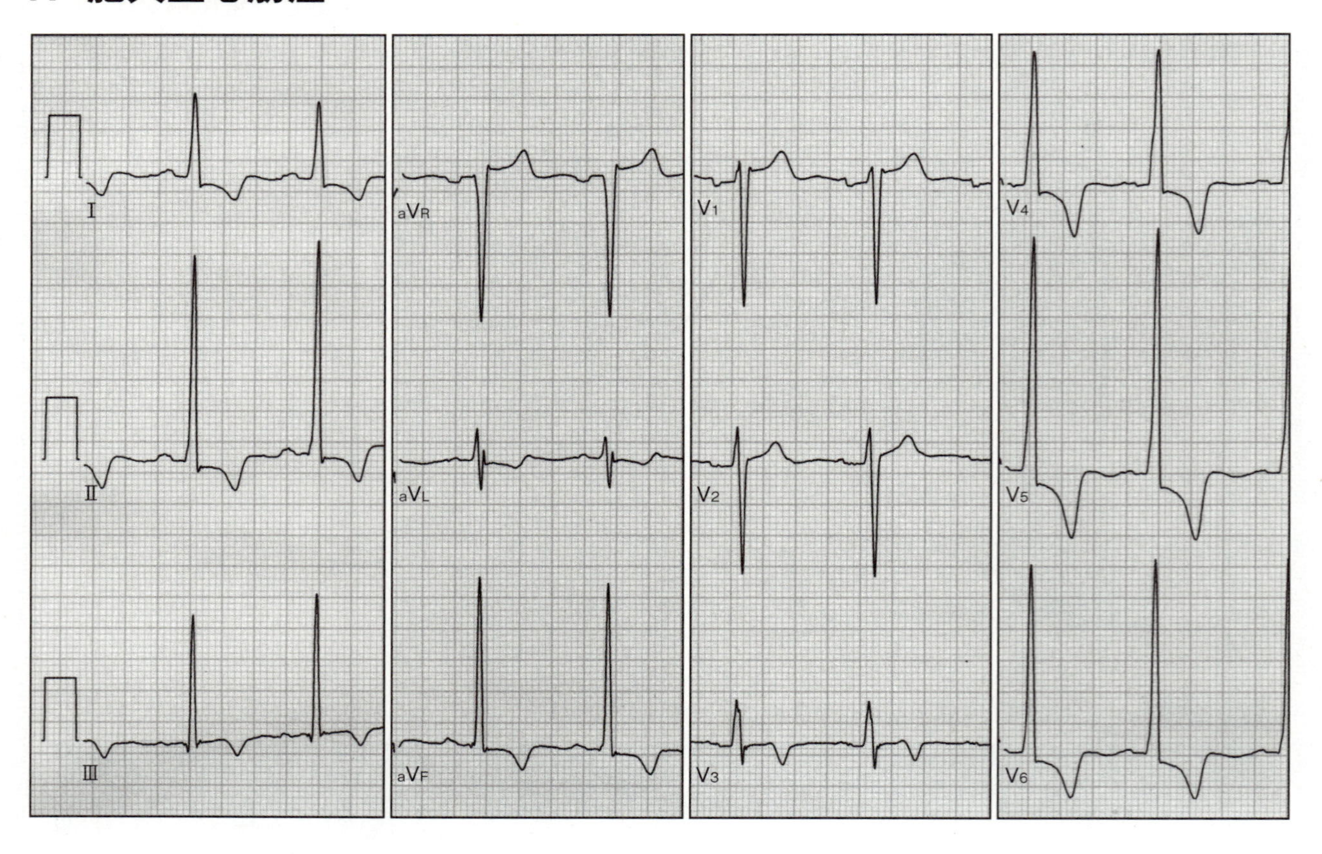

ここをCheck！

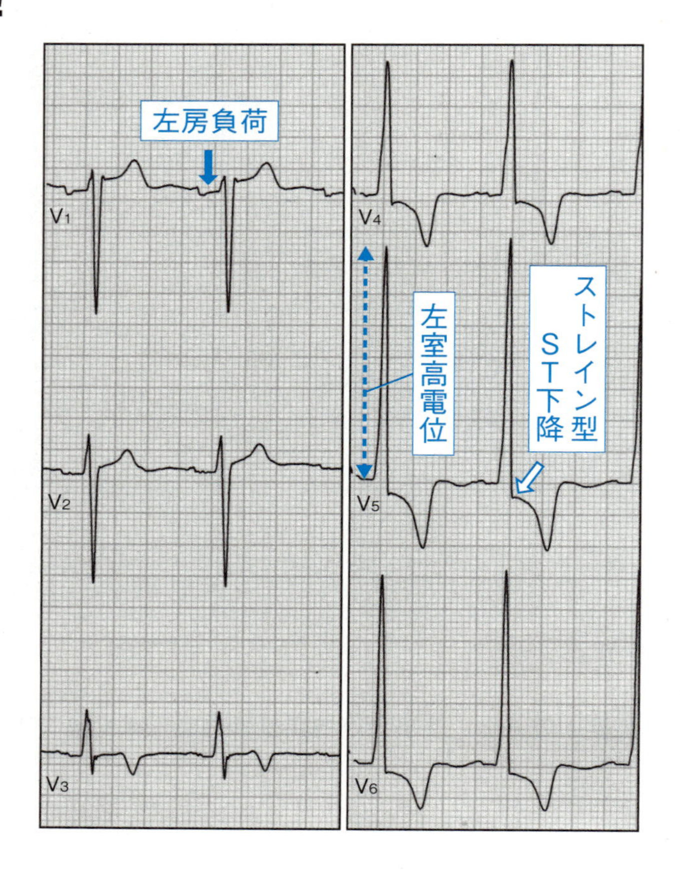

着目すべき心電図所見

リズム：正常洞調律　**心拍数**：72/分、整　**P 波**：左房負荷を示す（⬆）　**PR(PQ)間隔**：0.16 秒と正常　**QRS 波**：左室高電位（SV_1＝1.9 mV、RV_5＝3.9 mV）を認める（⟷）　**ST 部分**：Ⅰ・Ⅱ・aV_F誘導とV_4～V_6誘導でストレイン型の ST 下降を認める（⇧）　**T 波**：Ⅰ～Ⅲ、aV_F誘導とV_3～V_6誘導で T 波が陰性化　**QT 間隔**：0.40 秒〔補正 QT 間隔（QTc）は 0.45 秒〕とほぼ境界域　**その他**：V_4～V_6誘導で軽度の陰性 U 波を認める

判読のポイント

- 肥大型心筋症に特異的な心電図所見はなく、肥大部位により異なる。
- ST-T 異常を示すことが多い（認められる誘導は、肥大部位によって異なる）。
- 心基部優位型の肥大型心筋症（閉塞性肥大型心筋症）では、V_3～V_5誘導に異常 Q 波を認めることが多い。
- 左室自由壁に肥大を認める場合は、側壁誘導（Ⅰ・aV_L・V_5・V_6誘導）でストレイン型の ST 下降と高電位を示す。
- 心房細動を併発しやすく、心室細動をきたすこともある。

発生のメカニズム―病態から診る

- 肥大部位における局所起電力の増大が左室高電位を生じ、相対的な心外膜側での活動電位持続時間の延長は、ストレイン型の ST 下降や T 波の陰性化をもたらす。このような心電図を認めた場合は、心臓超音波検査で左室の形態や機能を評価する。

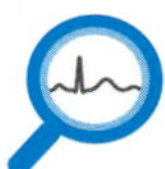

鑑別を要する心電図

- 高血圧性心疾患
- 虚血性心疾患
- 拡張型心筋症
- 電解質異常

2. 心尖部肥大型心筋症

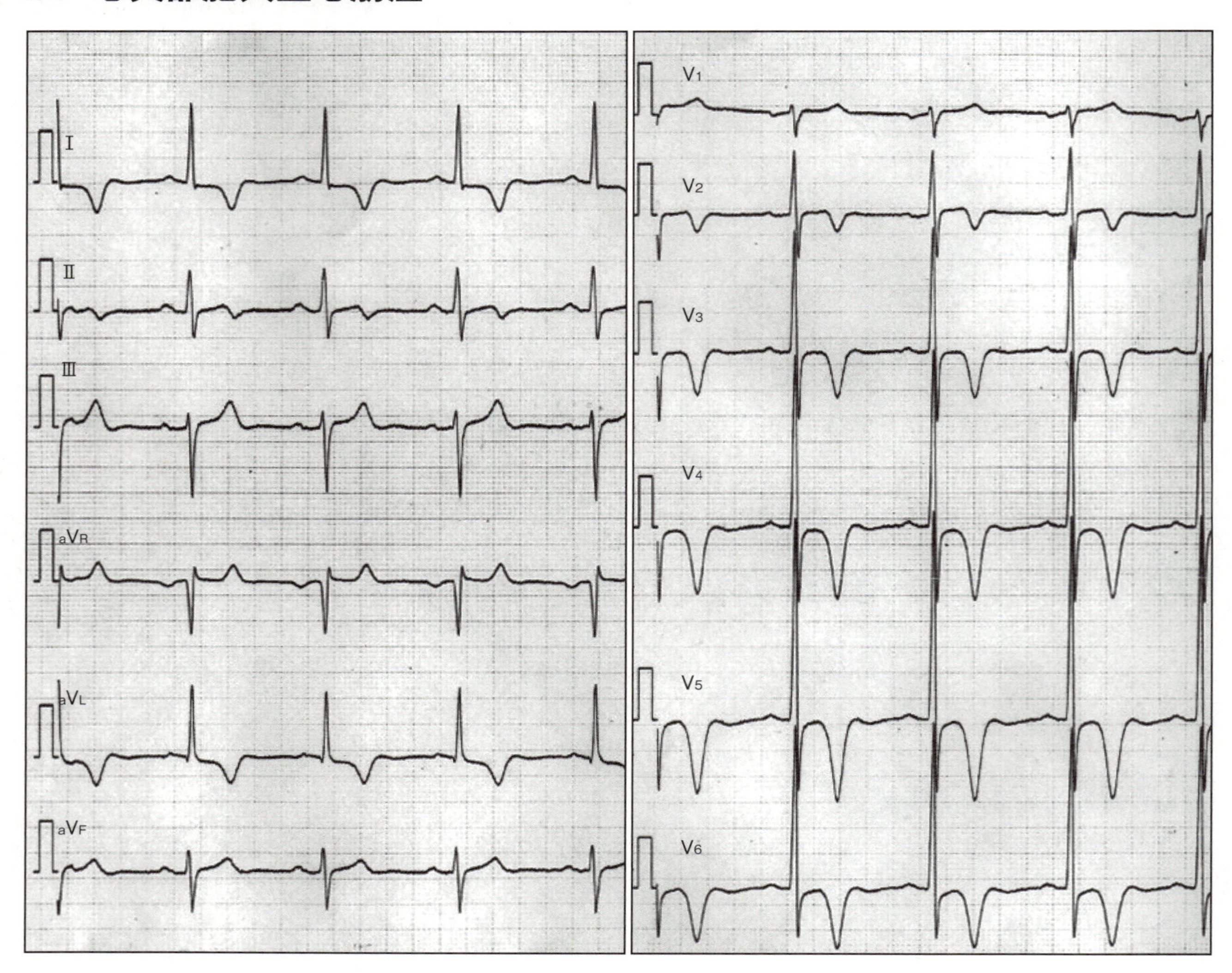

ここをCheck ！

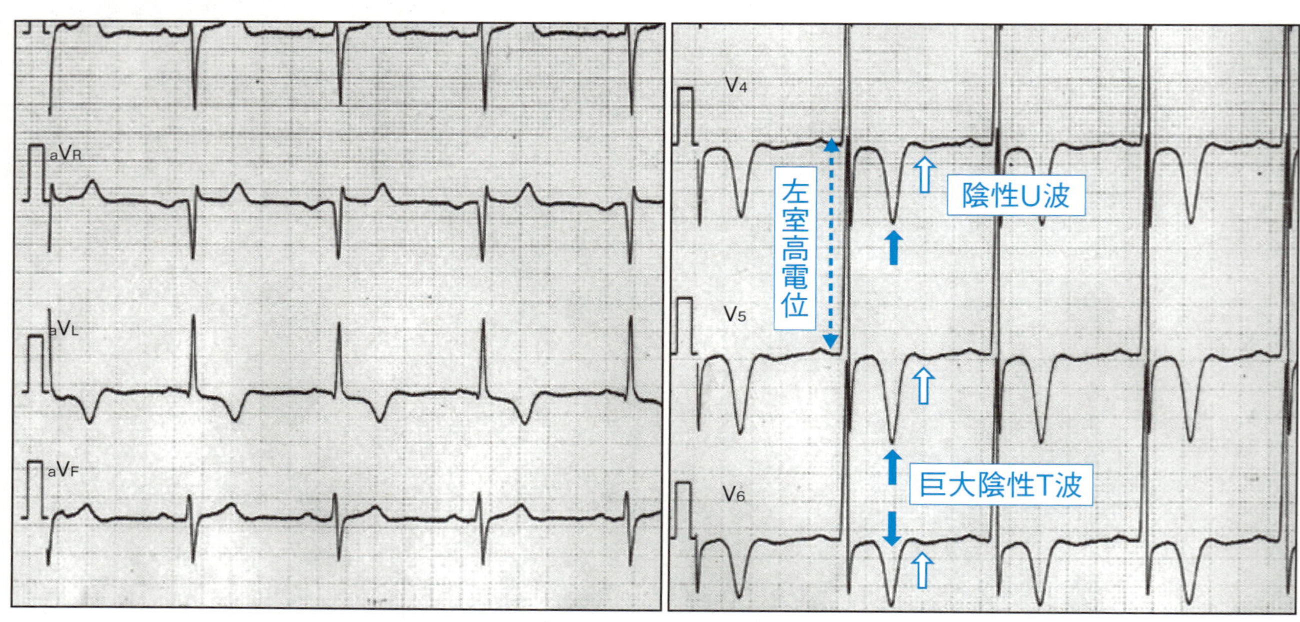

着目すべき心電図所見

リズム：正常洞調律　**心拍数**：60/分、整　**P 波**：正常　**PR(PQ)間隔**：0.24 秒と軽度延長　**QRS 波**：やや左軸で左室高電位(RV_5＝3.8 mV)を認める(←--→)　**ST 部分**：Ⅰ、aV_L 誘導および V_4〜V_6 誘導で ST 部分が下降　**T 波**：Ⅰ・aV_L 誘導で陰性 T 波、V_3〜V_6誘導で巨大陰性 T 波を認める(⬆)　**QT 間隔**：0.48 秒〔補正 QT 間隔(QTc)は 0.47 秒〕と延長　**その他**：V_4〜V_6誘導で陰性 U 波を認める(⇧)

判読のポイント

- 心尖部肥大型心筋症では胸部誘導、特に V_3〜V_5誘導で巨大陰性 T 波を示すことが多い。
- 下壁誘導および側壁誘導では、非特異的な ST-T 異常を示すことが多い。

発生のメカニズム—病態から診る

- 心尖部の肥大心筋では活動電位持続時間が延長する。このため、大きな再分極ベクトルが心外膜側から心内膜側へ向かうようになり、前壁誘導で T 波が巨大陰性化する。

鑑別を要する心電図

- 急性心内膜下梗塞
- 異型狭心症
- たこつぼ心筋症
- 低カリウム血症

3. 拡張型心筋症

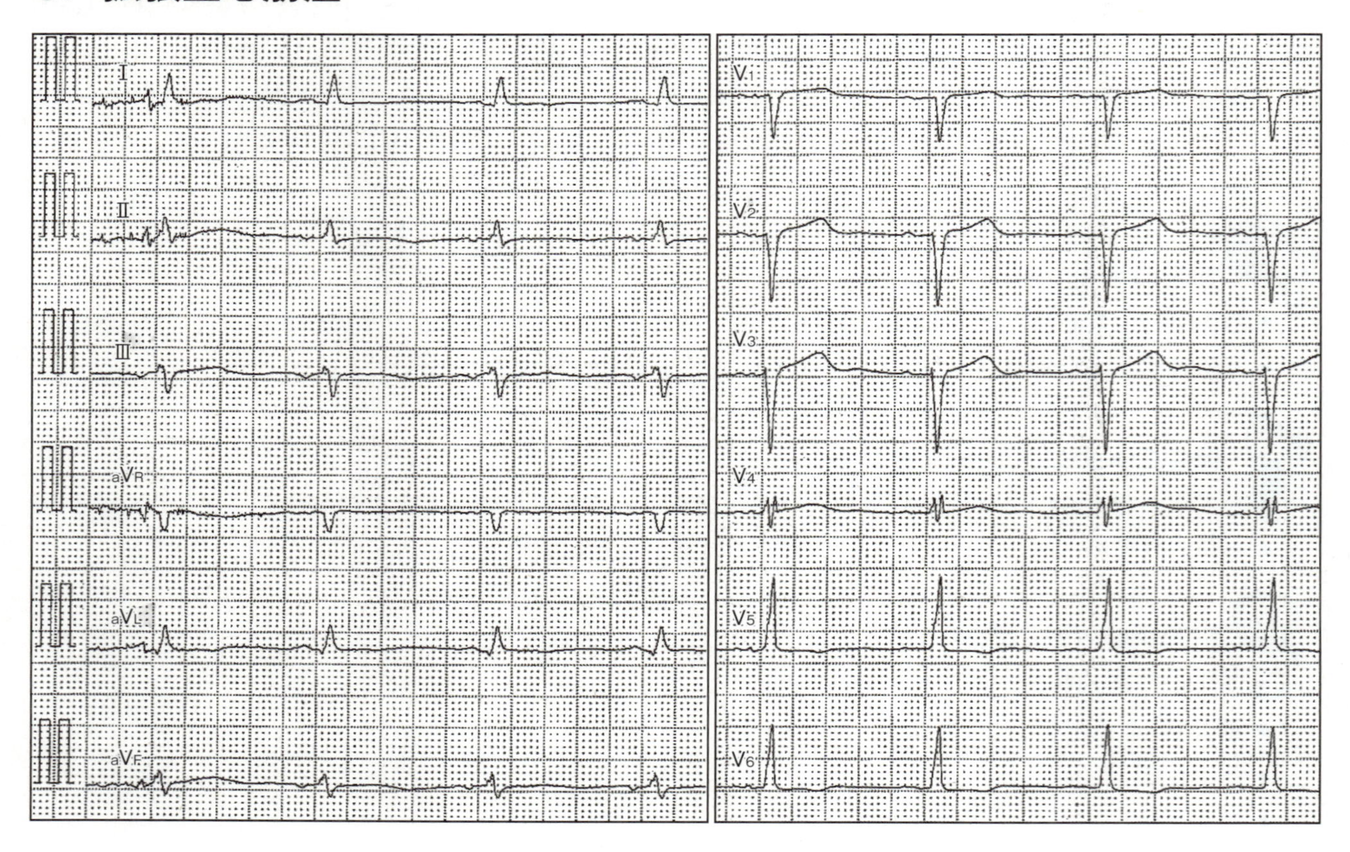

ここをCheck！

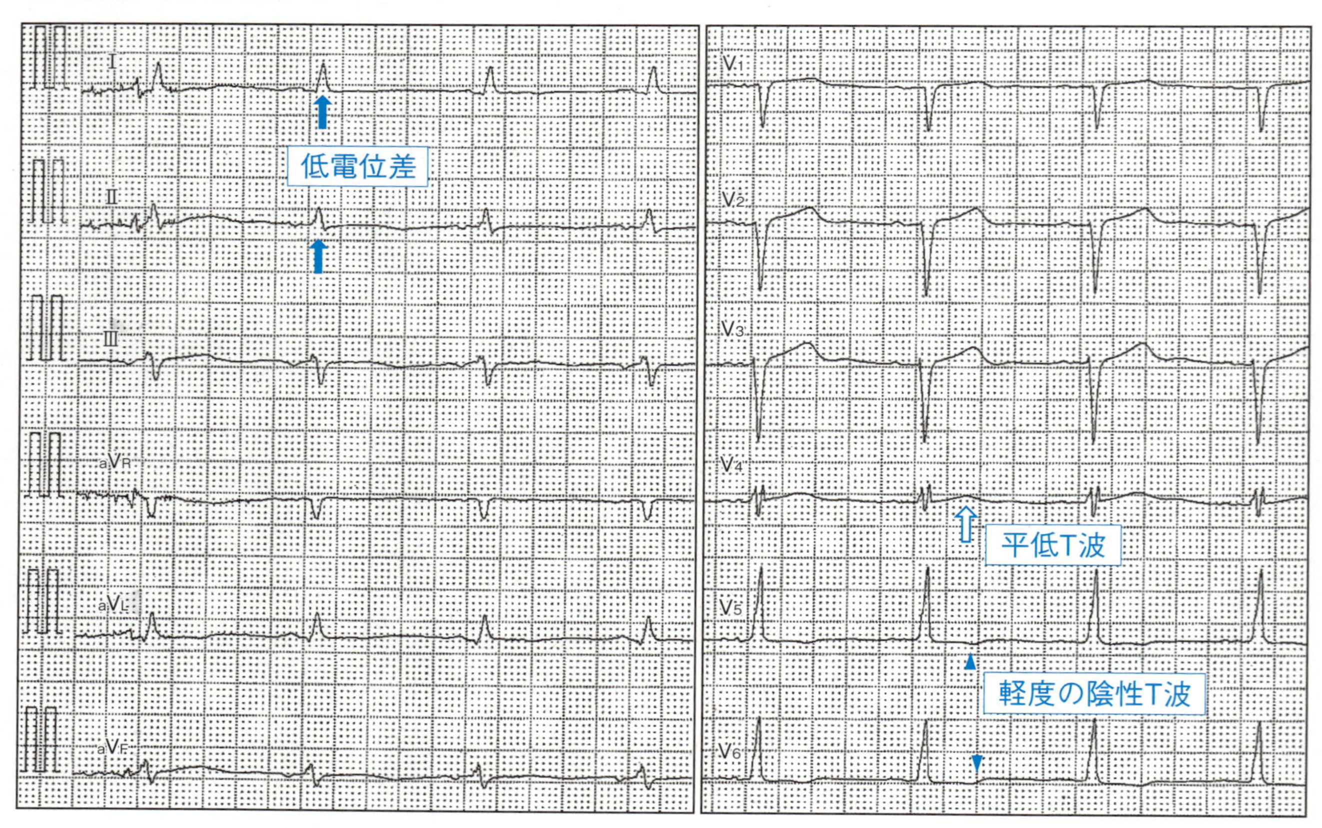

着目すべき心電図所見

リズム：正常洞調律　**心拍数**：58/分、整　**P 波**：減高　**PR(PQ)間隔**：0.18 秒(正常)　**QRS 波**：やや左軸で肢誘導に低電位差を認める(⬆)　**ST 部分**：異常なし　**T 波**：四肢誘導および V_4誘導で平低 T 波(⇧)、V_5および V_6誘導で軽度の陰性 T 波(▲)を認める　**QT 間隔**：0.45 秒〔補正 QT 間隔(QTc)は 0.45 秒〕と延長

判読のポイント

- 拡張型心筋症に特異的な心電図変化というものはない。
- 心室内伝導障害、脚ブロックを示すことが多い。
- 異常 Q 波、左室側壁高電位、低電位、ST-T 異常など、さまざまな変化を示す。
- 心房細動、心室頻拍などの頻脈性不整脈を併発しやすい。

発生のメカニズム―病態から診る

- 心室の壁は薄くなり、収縮力が低下して内腔は拡張するため、左室高電位にも低電位にもなりうる。心室筋の変性と脱落が多い部位には異常 Q 波が見られ、不整脈の発生原因となる。

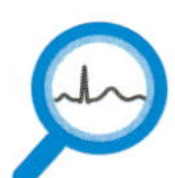

鑑別を要する心電図

- 高血圧性心疾患
- 虚血性心疾患
- 肥大型心筋症
- 二次性心筋疾患

よくある患者背景

拡張型心筋症は特発性心筋症のなかで、心筋収縮不全と左室の拡張を特徴とする。以下は、特定心筋疾患に多い患者群である。

- 重症の冠動脈疾患、糖尿病、病的肥満、長期持続する頻脈性不整脈(頻脈誘発性心筋症)の患者
- アルコール多飲者
- 心毒性のある抗がん剤を長期使用している患者
- 急性心筋炎が遷延した患者

4. 不整脈原性右室心筋症

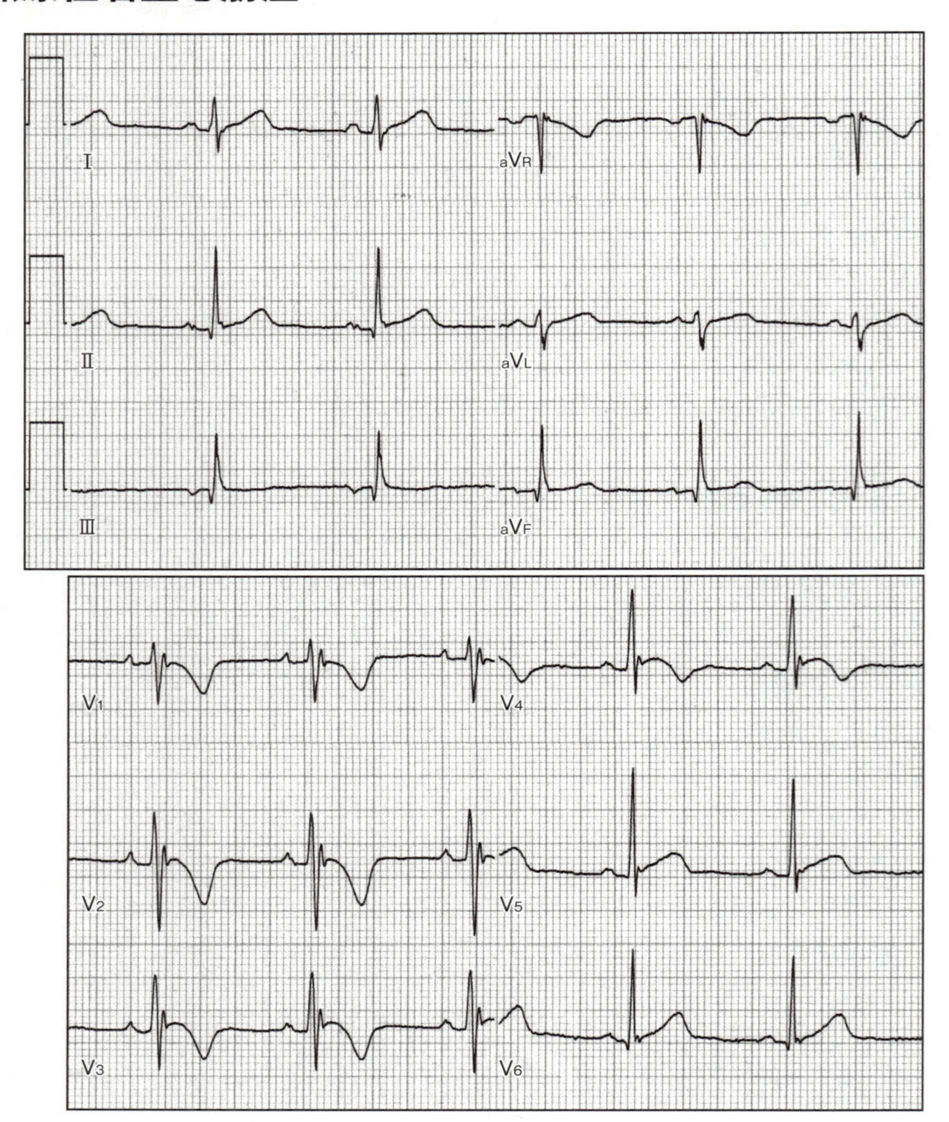

ここを Check ！

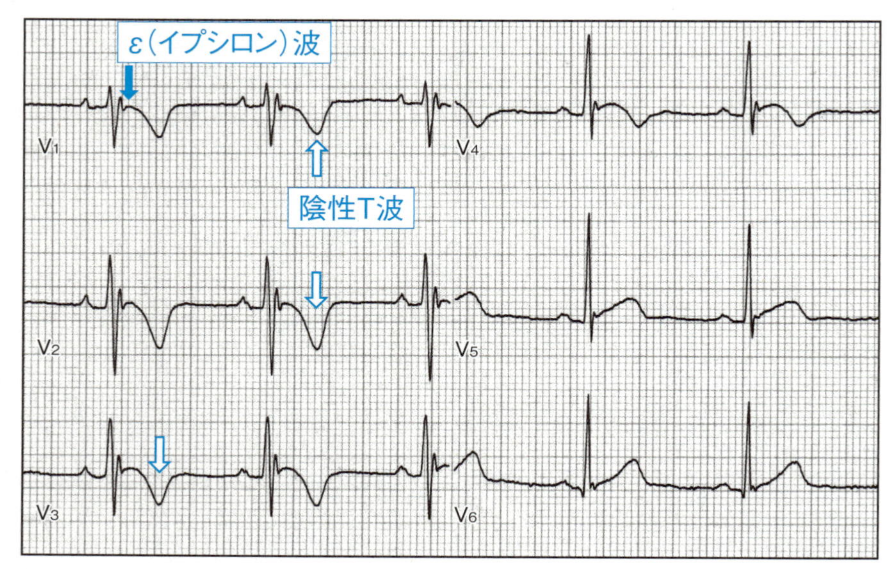

着目すべき心電図所見

リズム：正常洞調律　**心拍数**：68/分、整　**P 波**：正常　**PR(PQ)間隔**：0.16 秒と正常　**QRS 波**：右胸部誘導を中心に、QRS 波終末部に低振幅で高周波の notch を認める〔ε(イプシロン)波〕(⬆)　**ST 部分**：異常なし　**T 波**：V_1〜V_3誘導に陰性 T 波を認める(⇧)　**QT 間隔**：0.44 秒〔補正 QT 間隔(QTc)は 0.46 秒〕と延長傾向　**その他**：進行例では、低電位差となったり、心房細動などの上室性不整脈を呈したりする場合もある

判読のポイント

- 右胸部誘導(V_1および V_2誘導)で、QRS 波の終末部にε(イプシロン)波を示すのが最大の特徴である。
- 右胸部誘導で陰性 T 波を示す。
- 心室期外収縮や心室頻拍を示す場合もある。

発生のメカニズム—病態から診る

- 右室を中心とする心筋に脂肪浸潤をきたす慢性・進行性の心筋疾患で、右室瘤を形成することもある。不整脈原性右室心筋症は心室頻拍を発症しやすく、その場合は左脚ブロック型となる。

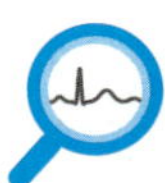

鑑別を要する心電図

- Brugada 症候群
- 虚血性心疾患
- 右脚ブロック
- 心サルコイドーシス

さらにレベルアップ！　「不整脈原性右室心筋症」

★不整脈原性右室心筋症の診断に有効な検査は？

加算平均心電図検査では心室遅延電位が高率に記録されるが、心室遅延電位は通常の心電図のε波に対応する。不整脈原性右室心筋症の診断には、通常の心電図検査のみならず加算平均心電図検査や CT、MRI 検査などの画像診断が重要である。

5. たこつぼ心筋症

発症期

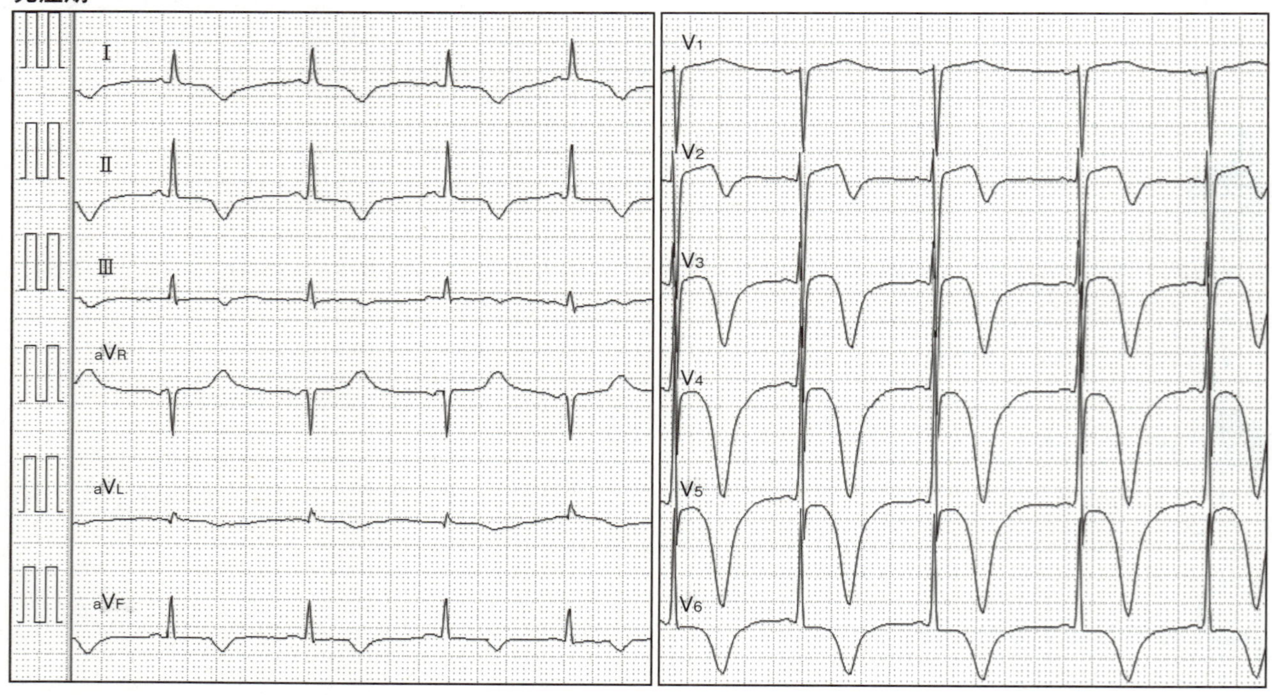

ここをCheck！

発症期

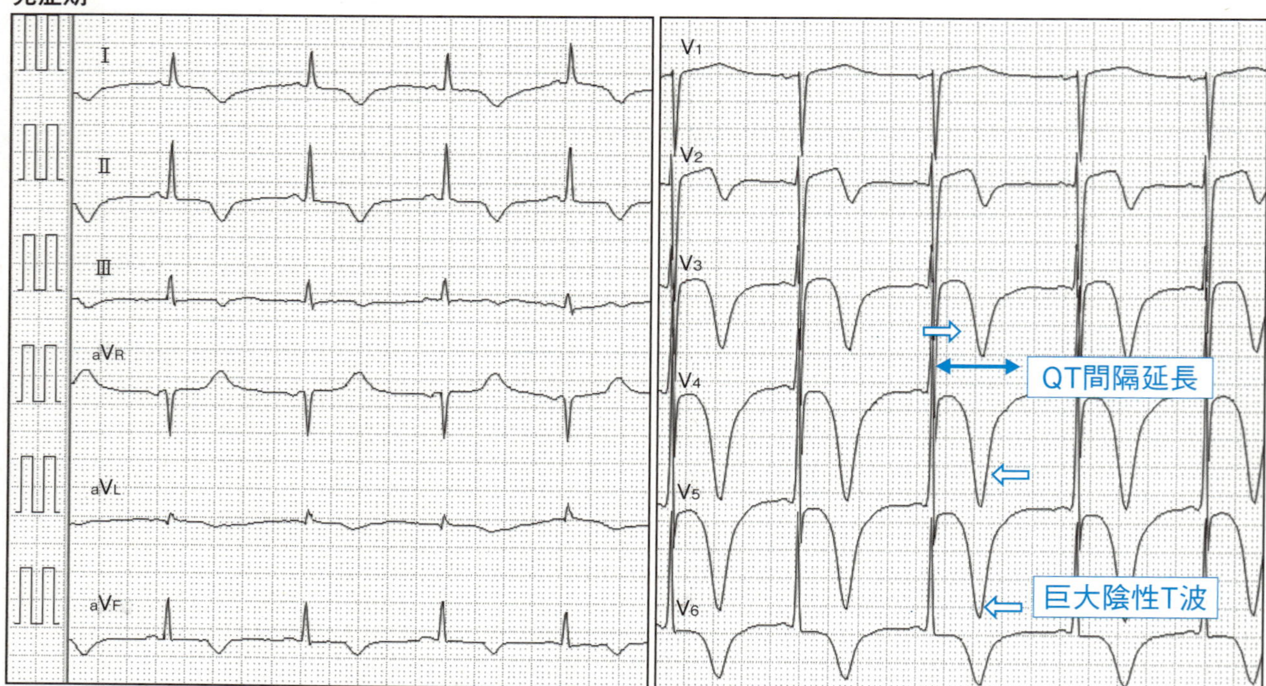

着目すべき心電図所見

リズム：正常洞調律　**心拍数**：68/分、整　**P 波**：正常　**PR(PQ)間隔**：0.12 秒　**QRS 波**：左室高電位(SV_1＝1.5 mV、RV_5＝3.0 mV)　**ST 部分**：V_2・V_3誘導で上昇、V_5・V_6誘導で下降　**T 波**：Ⅰ～Ⅲ誘導、aV_L・aV_F 誘導および V_2～V_6誘導で T 波が陰性化しており、特に V_3～V_6誘導では巨大陰性 T 波が見られる(⇧)　**QT 間隔**：0.48 秒(QTc 間隔は 0.52 秒)と延長(⟷)

判読のポイント

- 発症期は、広範囲の急性前壁中隔梗塞に類似した心電図変化を示す。
- 異型狭心症と同様の変化(ST 上昇および巨大陰性 T 波)を示すことも多い。
- ST 上昇を示す場合も、異常 Q 波を形成することは少ない。
- 診断には心電図のみならず、心エコーや心臓カテーテル検査も重要である。

発生のメカニズム―病態から診る

- 精神的・身体的ストレスが誘因となって発症するが、多くは可逆的である。その発生には、カテコラミンの過剰産生や、微小血管レベルでの冠攣縮や循環不全が示唆されている。左室心尖部がたこつぼ様に無収縮状態となる場合が多い。

鑑別を要する心電図

- 急性心筋梗塞(心内膜下梗塞)
- 異型狭心症
- 急性心膜炎
- クモ膜下出血

よくある患者背景

- 中年以降の女性に多い。
- 精神的・身体的に強いストレスを受けて発症。
  ⇒突然の胸痛や呼吸困難が見られる。自然災害により発症率が増加。

〈参考〉**回復期**　回復期には巨大陰性 T 波が消失し、QT 間隔も正常化している。

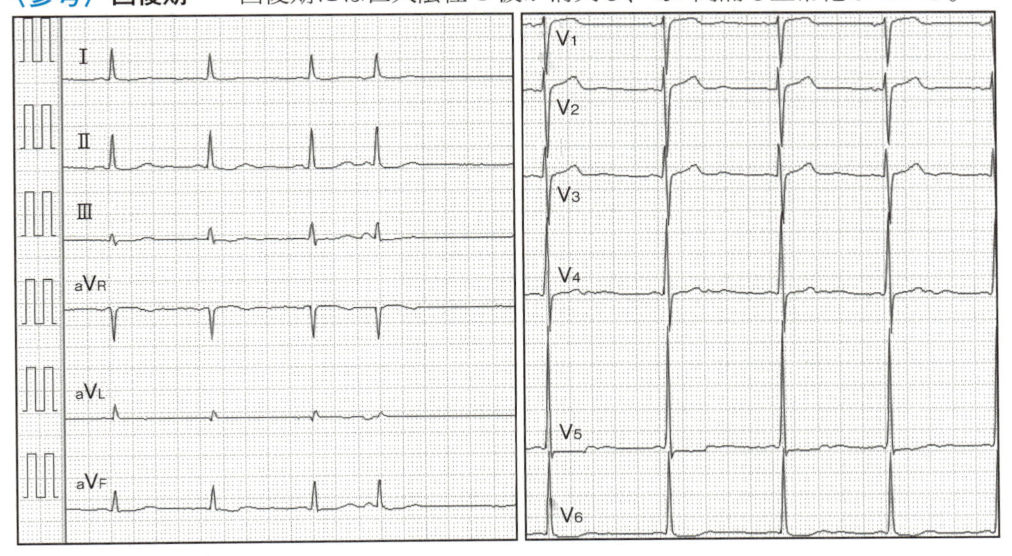

6. 急性心筋炎

急性期

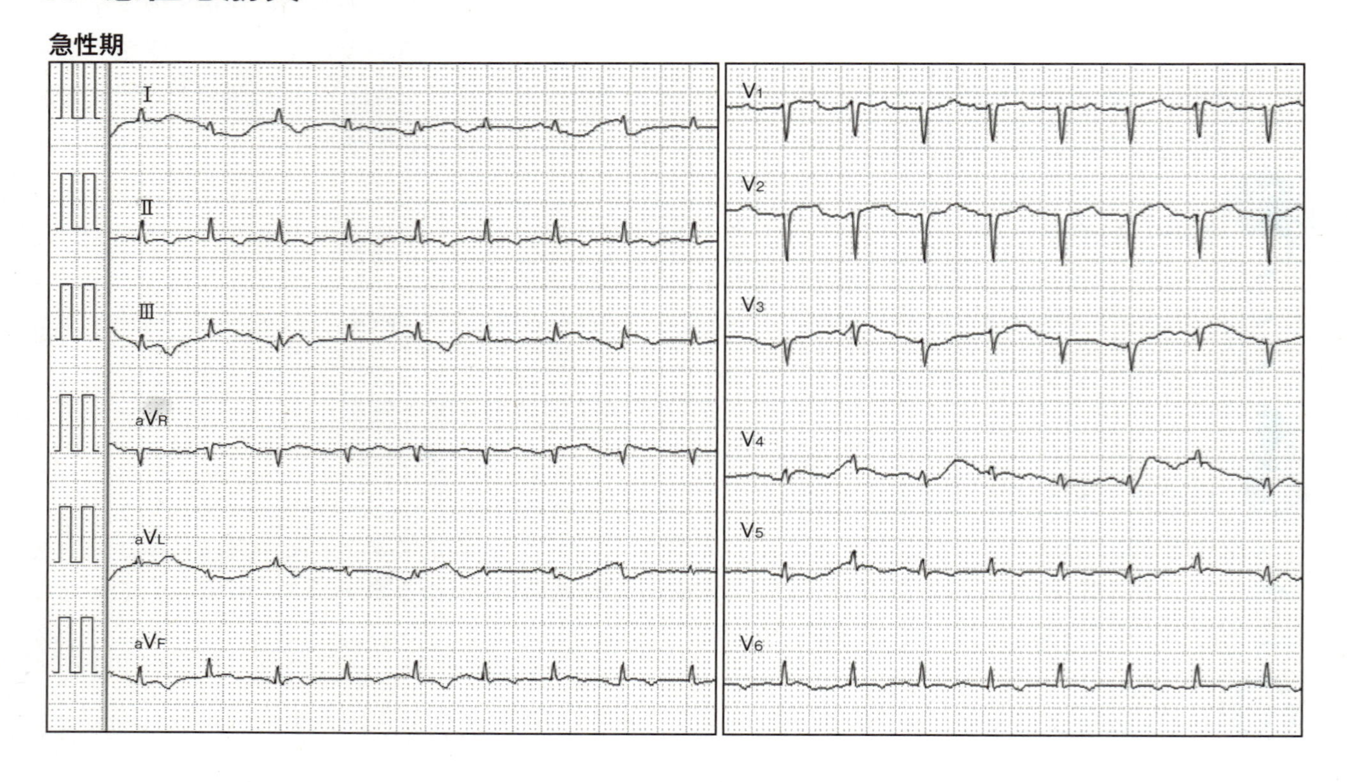

ここをCheck ！

急性期

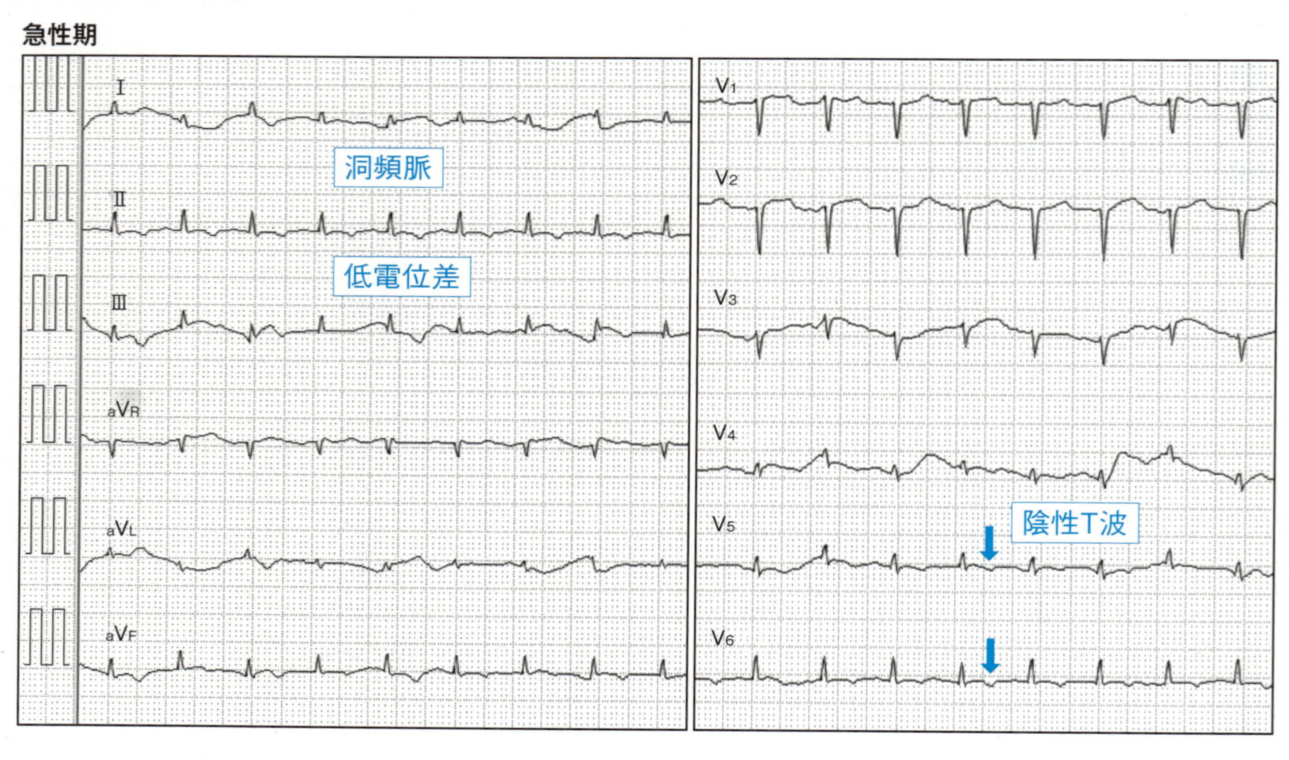

着目すべき心電図所見

リズム：洞頻脈　**心拍数**：124/分、整　**P 波**：正常　**PR(PQ)間隔**：0.11 秒　**QRS 波**：全般的に低電位差を示し、V_1〜V_3誘導で R 波の増高が不良　**ST 部分**：正常　**T 波**：Ⅱ・aV_F・V_5・V_6誘導で T 波の陰性化を認める(⬆)　**QT 間隔**：0.29 秒〔補正 QT 間隔(QTc)は 0.42 秒〕と正常　**その他**：ときに完全房室ブロックや心室性不整脈を認めることもある

判読のポイント

- 急性心筋炎には、特異的な心電図変化はない。
- ST 上昇・ST 下降・陰性 T 波・異常 Q 波など、さまざまな心電図変化を示す。
- 心筋の急性炎症により起電力が低下するため、低電位傾向を示す。

発生のメカニズム―病態から診る

- QRS 波の低電位差は、心室への炎症細胞の浸潤や心室筋の浮腫によって、心室起電力が減少することに起因する。急性心筋梗塞のように、心電図変化を冠動脈との関係で説明することはできない。

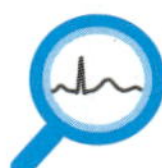

鑑別を要する心電図

- 急性心筋梗塞
- 異型狭心症
- 拡張型心筋症
- 二次性心筋症

よくある患者背景

- ウイルス性の急性心筋炎では、感冒様の上気道感染症状が先行することも多い。急性心筋炎には、まれに不整脈・心不全・ショックをきたす劇症型心筋炎が含まれるため、注意を要する。

〈参考〉**回復期**　回復期では、急性期の洞頻脈や低電位差が正常化している。

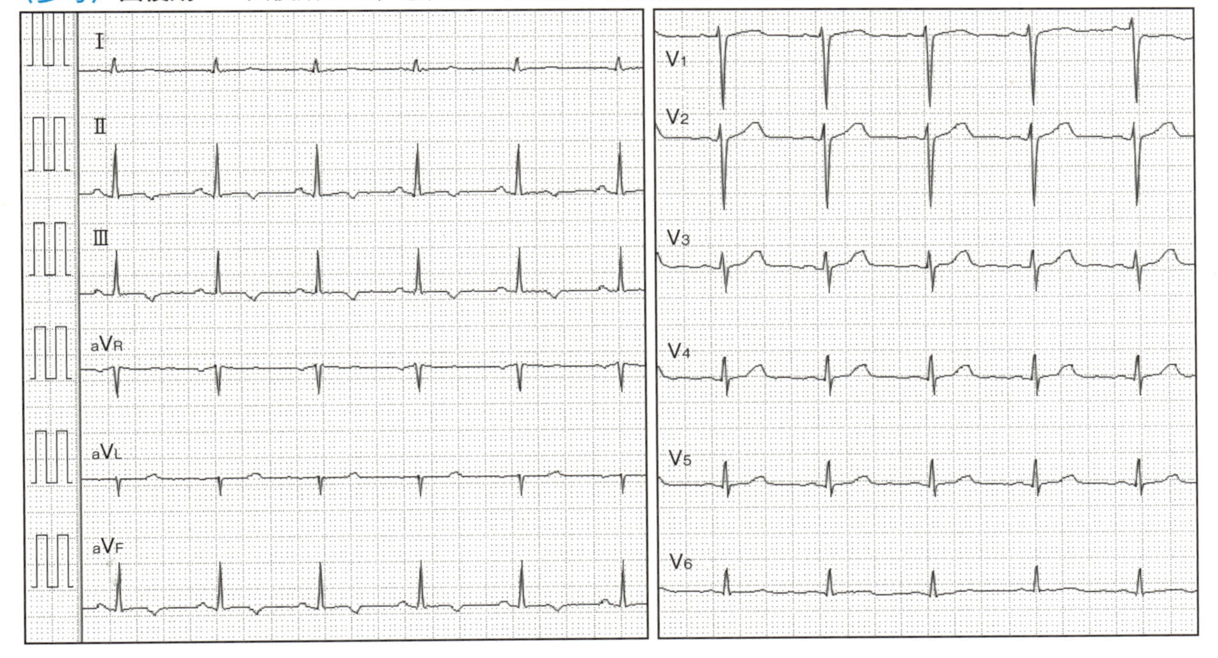

7. 急性心膜炎

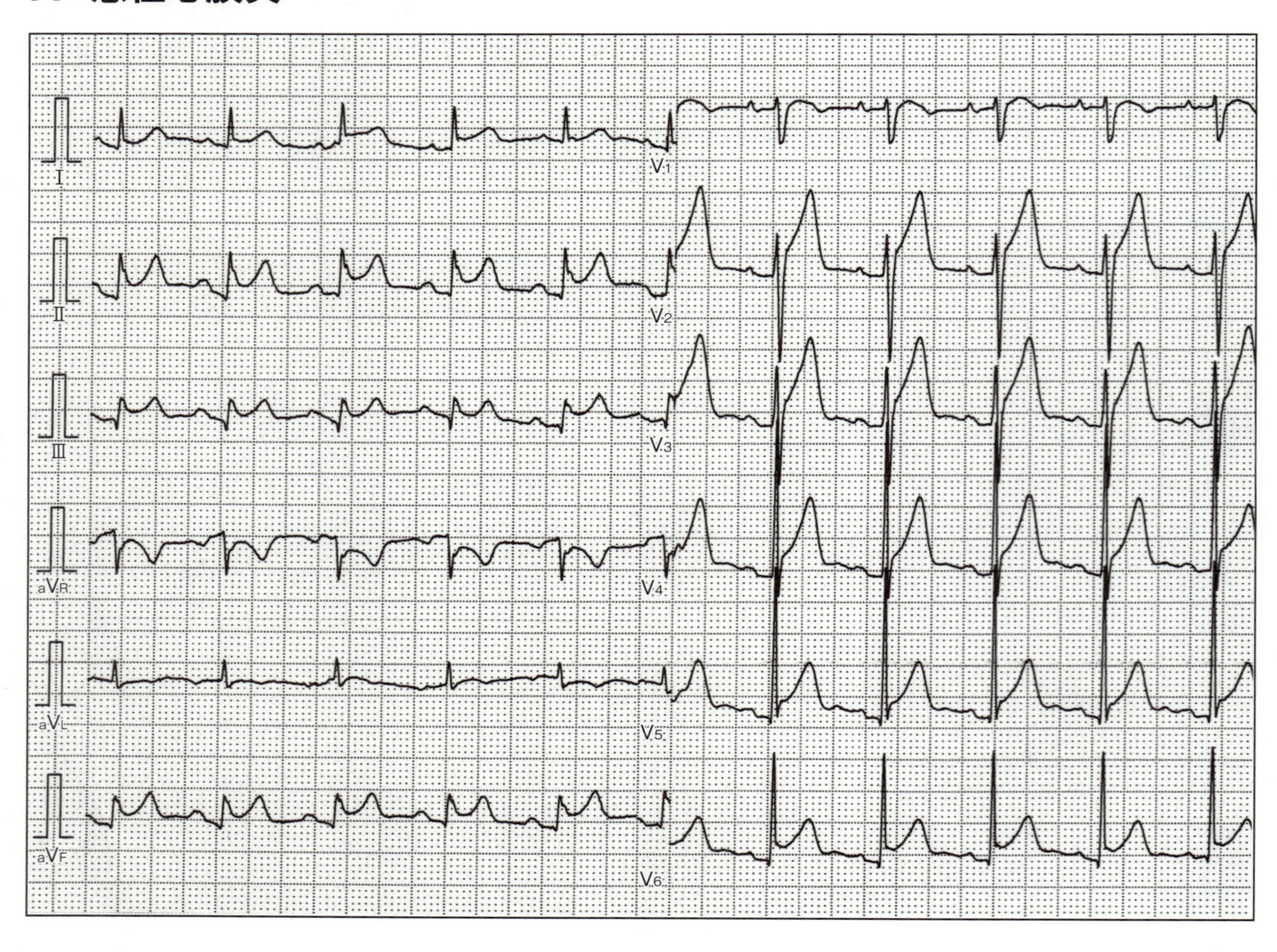

ここをCheck ！

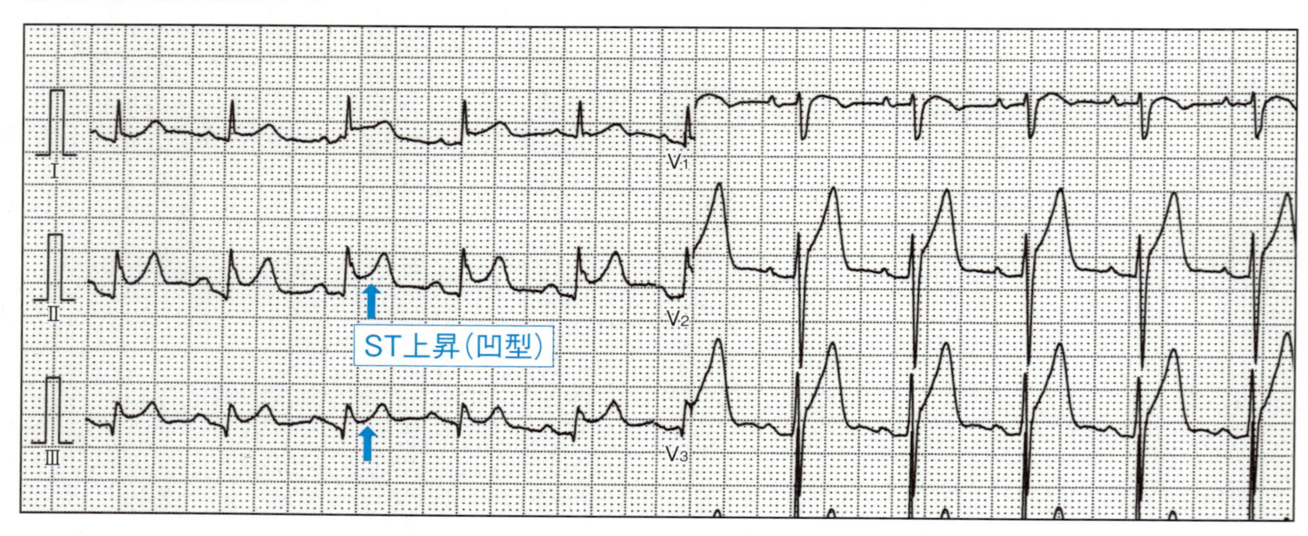

着目すべき心電図所見

リズム：正常洞調律　**心拍数**：86/分、整　**P 波**：正常　**PR(PQ)間隔**：0.18 秒　**QRS 波**：正常
ST 部分：Ⅰ～Ⅲ・aV_F 誘導および全胸部誘導で ST 部分の上昇を認める〔下方誘導では凹型の ST 上昇(⬆)〕　**T 波**：Ⅱ・Ⅲ・aV_F 誘導と V_2～V_5誘導でやや増高　**QT 間隔**：0.34 秒〔補正 QT 間隔(QTc)は 0.41 秒〕と正常

判読のポイント

- 通常、急性心膜炎では、ほぼ全誘導で ST 上昇を認める。本症例では、aV_R 誘導を除くほぼ全誘導で ST 上昇を認め、この変化が持続する。
- 鏡面変化としての ST 下降は認めない。

発生のメカニズム―病態から診る

- 急性心膜炎では、心外膜側の炎症のために、収縮期には心内膜側から心外膜側に向かって傷害電流が流れることにより、ST 部分が上昇する。

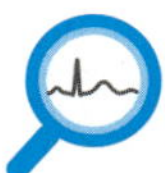

鑑別を要する心電図

- 急性心筋梗塞
  ⇒梗塞領域に一致した誘導で ST 上昇を認める。
- 異型狭心症
  ⇒虚血領域に一致した誘導で ST 上昇を認める。
- たこつぼ心筋症
  ⇒前壁・側壁誘導で ST 上昇を認める。

よくある患者背景

- 急性心膜炎には感染性(ウイルス性・結核性・細菌性)の症例、悪性腫瘍(肺がん・乳がん)による症例、全身疾患(膠原病・尿毒症など)による症例もあるが、特発性の症例も多い。

索引

さ

し

す

せ

そ

た

ち

つ

て

と

な

に

は

ひ

ふ

へ

ほ

ま

参考文献一覧（順不同）

第１章　心電図判読のための基礎知識

1. 土居忠文：イラストレイテッド心電図を読む：鑑別に迷わないために．改訂第２版．南江堂，東京，2016
2. 古川哲史：目からウロコの心電図 改訂版．ライフメディコム，東京，2015
3. 古川哲史：心筋イオンの動態と心電図波形の成立．内科学 第11版（矢﨑義雄総編集）．朝倉書店，東京，2017
4. 池田隆徳：そうだったのか！ 絶対読める心電図：目でみてわかる緊急度と判読のポイント．羊土社，東京，2011
5. 池田隆徳：心電図スマートブック．中外医学社，東京，2013
6. 上嶋健治：運動負荷試験 Q & A119．改訂版２版．南江堂，東京，2013
7. 東條尚子，川良徳弘：最新臨床検査学講座 生理機能検査学．医歯薬出版，東京，2017
8. 日本循環器学会：急性冠症候群ガイドライン（2018 年改訂版）．https://plaza.umin.ac.jp/~jscvs/wordpress/wp-content/uploads/2020/06/JCS2018_kimura.pdf（2022 年３月閲覧）
9. 日本循環器学会：慢性冠動脈疾患診断ガイドライン（2018年改訂版）．https://www.j-circ.or.jp/cms/wp-content/uploads/2020/02/JCS2018_yamagishi_tamaki.pdf（2022 年３月閲覧）
10. 日本心電学会心電機器技術・規格委員会：心電情報の集録・記録・保存・再生の標準化へ向けて．日本心電学会，東京，2013

第２章　心電計とは―構成・分類・性能―

1. 電子情報技術産業協会編：新 ME 機器ハンドブック．コロナ社，東京，2008
2. 日本産業標準調査会（審議）：医用電気機器―第 2-25 部：心電計の基礎安全及び基本性能に関する個別要求事項（JIS T 0601-2-25），日本規格協会，東京，2014
3. 日本心電学会心電機器技術・規格委員会：心電情報の集録・記録・保存・再生の標準化へ向けて．日本心電学会，東京，2013
4. 社団法人日本生体医工学会 ME 技術教育委員会監修：ME の基礎知識と安全管理．第７版，南江堂，東京，2020

第３章　雑音の対処

1. 新　博次監修：モニター心電図の基礎．フクダ電子，東京，2012

第４章　実臨床から見た心電図検査

1. 葉山恵津子：ホルター心電図できれいな波形をとる工夫．検査と技術，2013；41：1259-1263
2. 石崎一穂（三宅良彦監修）：ホルター心電図の基礎．フクダ電子，東京，2008
3. 山本誠一：心臓病検査診断学：心電図・心音心機図・心エコー図．第２版．柳本印刷，岡山，2015
4. 電子情報技術産業協会編：新 ME 機器ハンドブック．コロナ社，東京，2008

第５章　安全対策―事故防止と急変時の対応―

1. 一般社団法人日本蘇生協議会編：JRC 蘇生ガイドライン 2020．医学書院，東京，2020
2. 日本産業標準調査会（審議）：医用電気機器―第１部：基礎安全及び基本性能に関する一般要求事項（JIS T 0601-1），日本規格協会，東京，2017

第６章　心電図判読―「読める」のその先へ―

1. Agarwal JB, Khaw K, Aurignac F, et al：Importance of posterior chest leads in patients with suspected myocardial infarction, but nondiagnostic, routine 12-lead electrocardiogram. Am J Cardiol, 1999；83：323-326
2. Fuster V, Badimon L, Badimon JJ, et al：The pathogenesis of coronary artery disease and the acute coronary syndromes. N Engl J Med, 1992；326：242-250
3. Hayano J, Yasuma F, Okada A, Mukai S, Fujinami T：Respiratory sinus arrhythmia. A phenomenon improving pulmonary gas exchange and circulatory efficiency.Circulation, 1996；94：842-847
4. Josephson ME, Callans DJ：Using the twelve-lead electrocardiogram to localize the site of origin of ventricular tachycardia. Heart Rhythm. 2005；2(4)：443-446
5. Kurisu S, Sato H, Kawagoe T, Ishihara M, Shimatani Y, Nishioka K, Kono Y, Umemura T, Nakamura S：Tako-tsubo-like left ventricular dysfunction with ST-segment elevation：a novel cardiac syndrome mimicking acute myocardial infarction. Am Heart J, 2002；143：448-455
6. Medeiros-Domingo A, Iturralde-Torres P, Ackerman MJ：Clinical and genetic characteristics of long QT syndrome. Rev Esp Cardiol, 2007；60：739-752
7. Menown IB, Adgey AA：Improving the ECG classification of inferior and lateral myocardial infarction by inversion of lead aVR. Heart, 2000；83：657-660
8. Priori SG, Wilde AA, Horie M, Cho Y, Behr ER, Berul C, Blom N, Brugada J, Chiang CE, Huikuri H, Kannankeril P, Krahn A, Leenhardt A, Moss A, Schwartz PJ, Shimizu W, Tomaselli G, Tracy C：HRS/EHRA/APHRS expert consensus statement on the diagnosis and management of patients with inherited primary arrhythmia syndromes：document endorsed by HRS, EHRA, and APHRS in May 2013 and by ACCF, AHA, PACES, and AEPC in June 2013. Heart Rhythm, 2013；10：1932-1963
9. 副島京子：陳旧性心筋梗塞の単形性心室頻拍．不整脈学(井上　博，村川裕二編集)．南江堂，東京，2012
10. 髙階經和：心電図を学ぶ人のために．第４版．医学書院，東京，2005
11. 日本循環器学会：遺伝性不整脈の診療に関するガイドライン(2017 年改訂版)．https://www.j-circ.or.jp/cms/wp-content/uploads/2020/02/JCS2017_aonuma_h.pdf(2022 年３月閲覧)
12. 日本循環器学会：急性冠症候群ガイドライン(2018 年改訂版)．https://plaza.umin.ac.jp/~jscvs/wordpress/wp-content/uploads/2020/06/JCS2018_kimura.pdf(2022 年３月閲覧)
13. 日本循環器学会：循環器病の診断と治療に関するガイドライン(2012 年度合同研究班報告)．冠攣縮性狭心症の診断と治療に関するガイドライン(2013 年改訂版)．http://www.j-circ.or.jp/guideline/pdf/JCS2013_ogawah_h.pdf(2022 年３月閲覧)

編集関係者一覧（50 音順）

＜初版＞

執筆

池田　隆徳　東邦大学大学院医学研究科循環器内科学

草間　芳樹　本庄総合病院

小室　久明　フクダ電子株式会社

司茂　幸英　つくば国際大学医療保健学部臨床検査技術学科

須藤　二朗　日本光電工業株式会社（前職）

住友　直方　埼玉医科大学国際医療センター小児心臓科

副島　京子　杏林大学医学部循環器内科

樗木　晶子　福岡学園福岡歯科大学医科歯科総合病院健診センター/福岡看護大学

庭野　慎一　北里大学医学部循環器内科学

深水　誠二　東京都立広尾病院循環器科

古川　哲史　東京医科歯科大学難治疾患研究所・生体情報薬理学

丸山　　徹　九州大学キャンパスライフ・健康支援センター

宮内　靖史　日本医科大学千葉北総病院循環器内科

山本　誠一　岡村一心堂病院臨床検査科

監修

加藤　貴雄　日本医科大学名誉教授/東武鉄道株式会社診療所所長

住友　直方　埼玉医科大学国際医療センター小児心臓科

編集協力

柄本　敦典　フクダ電子株式会社（前職）

杉内真由美　フクダ電子株式会社

＜改訂版＞

加筆・校閲

柄本　敦典　フクダ電子株式会社（前職）

小松　　隆　岩手医科大学内科学講座循環器内科分野

小室　久明　フクダ電子株式会社

坂本　和生　九州大学病院循環器内科

笹野　哲郎　東京医科歯科大学大学院医歯学総合研究科循環制御内科学

須藤　二朗　日本光電工業株式会社（前職）

髙月　誠司　慶應義塾大学医学部循環器内科

高柳　恒夫　日本光電工業株式会社

庭野　慎一　北里大学医学部循環器内科学

深田　光敬　九州大学病院血液・腫瘍・心血管内科

深水　誠二　都立広尾病院循環器科

宮内　靖史　日本医科大学千葉北総病院循環器内科

森島　逸郎　大垣市民病院循環器内科

監修

庭野　慎一　北里大学医学部循環器内科学

編集協力

杉内真由美　フクダ電子株式会社

実力心電図―「読める」のその先へ―〈改訂版〉

2022 年 4 月 28 日　第 1 版第 1 刷発行
2022 年 12 月 5 日　第 1 版第 2 刷発行
2023 年 10 月 18 日　第 1 版第 3 刷発行

編集・発行　一般社団法人日本不整脈心電学会
〒102-0073
東京都千代田区九段北 4-2-28 NF 九段 2 階
TEL：03-6261-7351　FAX：03-6261-7350
http://new.jhrs.or.jp

装　　丁　株式会社宏和デザイン

印刷・製本　三報社印刷株式会社

日本不整脈心電学会ホームページに正誤表を掲載いたしております。
http://new.jhrs.or.jp/book/book-seigohyo/

本書作成時点における最新情報を記載すべく、十分に注意を払っておりますが、医学の進歩に伴い、治療方法および診断方法、検査方法などが変更される場合もございます。随時、最新のガイドライン等をご確認いただきますようお願い申し上げます。

Printed in Japan
ISBN978-4-9909178-1-4　　定価 7,040 円(本体 6,400 円+税 10%)